LES SOIXANTE-

DE MARIE-AN

A LA CONC

DU MÊME AUTEUR

LES SOIXANTE-SEIZE JOURS DE MARIE-ANTOINETTE A LA CONCIERGIE, tome I : *"La Conjuration de l'Œillet"*, Actes Sud, 2006 (prix 2006 Jacques de Fouchier de l'Académie française).

ISBN 2-7427-6381-3

Illustration de couverture :
Georges Cain, *Marie-Antoinette sortant de la Conciergerie* (détail)

PAUL BELAICHE-DANINOS

Les soixante-seize jours de Marie-Antoinette à la Conciergerie

TOME II

Un procès en infamie

roman

ACTES SUD

A Michèle, ma femme, qui sut si bien me soutenir quand l'eau fut trop profonde…

A la mémoire de mon père, Roger Belaiche, et à celle de ma mère, Elsa Daninos, j'ai choisi d'associer leurs deux noms dans la signature de ce livre…

A tous les abolitionnistes qui combattent la peine de mort, cette insupportable prétention humaine. "J'appartiens à un parti d'opposition qui s'appelle la vie"…

Il y a deux histoires, l'histoire officielle, menteuse, qu'on enseigne ; puis l'histoire secrète, où sont les véritables causes des événements, une histoire honteuse…

HONORÉ DE BALZAC

PROLOGUE

Tous les rêves que nourrissaient les Français à l'aube de la Révolution se sont évanouis.

Ils voulaient la Liberté dans un régime démocratique, ils ont hérité d'une dictature et de *la loi des suspects.* Robespierre n'aménage plus un changement de régime, mais mène une vaste entreprise de dépossession de la propriété et de massacre des citoyens. Jamais ce mot Liberté n'a été autant galvaudé, il ne sert qu'à remplir les prisons. Carrier, le bourreau de Nantes, disait : "Nous ferons un cimetière de la France plutôt que de ne pas la régénérer à notre manière !" Après quoi il procédait à quatre mille huit cents noyades.

Les Français voulaient l'Egalité, elle n'existe qu'au fronton des bâtiments publics. Ils voulaient la Fraternité, ils connaissent la délation. Les vingt et un mille cinq cents comités révolutionnaires, répartis sur tout le territoire national, ne vivent que de dénonciations. Ils réunissent "toute la vermine antisociale mâle et femelle[1]".

Ils voulaient la paix, ils ont la guerre. Ils voulaient le bien-être civil, ils subissent la Terreur. Ils voulaient une justice démocratique, ils ont hérité d'un tribunal civil d'exception pourvoyeur de la peine de mort. Ils espéraient manger à leur faim, ils connaissent la famine. Les paysans voulaient être libérés des contraintes de l'Ancien Régime, ils subissent la loi du Maximum qui les pille en entraînant la ruine du commerce des grains et la disparition des boulangeries. La bourgeoisie, cette aile marchante de la Révolution, a non seulement perdu le pouvoir, mais se

1. Taine.

retrouve poursuivie et spoliée. Les ouvriers voient leurs salaires bloqués. Les nobles libéraux et les francs-maçons qui ont été, au début, les artisans du changement sont persécutés ou sont en fuite. Le peuple traditionnellement attaché à la religion catholique n'a pas confiance dans les prêtres jureurs. Il a applaudi à la confiscation des immenses biens de l'Eglise, mais ne supporte pas qu'on persécute les prêtres réfractaires. La plupart des anciens députés de l'Assemblée constituante qui inaugurèrent la démocratie ont quitté le pays, ceux qui restent sont poursuivis. La monarchie constitutionnelle a disparu avec la suppression de la Constitution de 1791, remplacée par celle de 1793 plus ou moins appliquée. En décapitant Louis XVI, on a détruit le pouvoir exécutif, mais on a aussi démantelé le pouvoir législatif en arrêtant les girondins, ces légitimes représentants du peuple.

On espérait être dirigé par des hommes intègres, la municipalité de Paris, avec Pache, Hébert, Chabot, Chaumette et Basire, est achetée par le baron de Batz et la coalition. De sordides tractations financières sont menées par ces hommes pour soudoyer le vote de députés vénaux et provoquer des mouvements populaires prétendument spontanés.

Désormais, la folie meurtrière du triumvir au pouvoir – Robespierre, Saint-Just, Couthon – ne connaît plus de limites. La répression redouble. Une cascade de lois d'exception pleut sur le peuple. C'est d'abord la "loi des suspects" qui permet d'être arrêté sur une simple dénonciation, les "décrets de Ventôse" qui autorisent la confiscation des biens, les "lois de Prairial", ces fameuses "lois de sang" qui suppriment toutes les garanties d'une justice avec comme seule condamnation autorisée : la mort.

On guillotine les généraux vaincus, ceux qui sont victorieux deviennent suspects. Les prisons de la République regorgent de malheureux qui attendent d'être guillotinés. A Paris, Fouquier-Tinville en décapitera soixante par jour.

On guillotine au nom de la justice des vieillards, des adolescents de dix-sept ans, des femmes enceintes... Ce qui est étrange, c'est que ces prétendus justiciers ne sont qu'une infime minorité, mais "ces bourreaux barbouilleurs de lois" savent s'appuyer à la Convention sur une majorité molle et flageolante faite de modérés terrifiés prêts à satisfaire à tous leurs désirs. Et cela va durer presque un an.

Face à toutes ces horreurs, la résistance s'organise autour du baron de Batz. Il décide de corrompre les chefs révolutionnaires en les couvrant d'or. Il aurait fait assassiner le conventionnel Le Peletier de Saint-Fargeau, un ancien noble qui a voté la mort du Roi et voulait promouvoir le duc d'Orléans[1].

Le terrible baron achète Chabot, le député le plus en vue de la Montagne, ainsi que le maire de Paris et ses substituts, dont le sinistre Hébert à qui il octroie un million pour ramener la Reine au Temple. De Batz monte un complot visant à la libérer, c'est la conjuration de l'Œillet[2]. Par le canal du chevalier de Rougeville, il pervertit la plupart des responsables de la Conciergerie que sont les concierges Richard, l'administrateur des prisons Michonis, jusqu'aux gendarmes Gilbert et Dufresne qui gardent la Reine. Rougeville pénètre à l'intérieur du cachot et jette deux œillets porteurs d'un plan d'évasion. Malheureusement, un mouton de Fouquier-Tinville, une servante du nom de Harel, avec la complicité du gendarme Gilbert pourtant acheté à prix d'or, le fait échouer.

Rougeville se venge en ridiculisant les chefs révolutionnaires. Mû par une folle bravoure, il remet en mains propres à Robespierre, à Fouquier-Tinville et à Amar tous les détails de cette conjuration avant de s'enfuir à l'étranger.

Quant à de Batz, il ne se tient pas pour battu. Il a déjà prévu un plan de rechange. Avec l'aide d'une Auvergnate aveugle, Catherine Fournier, et la complicité des perruquiers Jean-Baptiste Basset, Guillaume Lemille et sa jeune épouse Elisabeth, il prépare une vaste opération paramilitaire pour s'emparer de la Reine par la force : ce sera le complot des Perruquiers relaté dans ce roman.

Mais Marie-Antoinette est gravement malade et ses jours sont comptés. Robespierre, alerté par son médecin le docteur Souberbielle, qui est aussi celui de la Reine, veut la maintenir en vie pour la traduire devant le Tribunal révolutionnaire. Comme il est impossible de la traiter correctement à la Conciergerie, il envisage de la transférer à l'Hospice national de l'Archevêché, un monstrueux hospice-prison,

1. A. de Lestapis, *La Conjuration de Batz*, Société des études robespierristes, 1969.
2. Voir tome 1, "La légende de l'œillet ou la stratégie du mensonge", p. 641.

véritable antichambre de la guillotine où l'on fait durer jusqu'à l'échafaud les malades condamnés à mort. L'infirmière-chef de cet établissement, la citoyenne Guyot, avec la complicité d'un médecin de l'Hôtel-Dieu, le docteur Giraud, et de Ray, l'économe de l'Hospice, projette de faire évader la Reine lors de son hospitalisation. Avec le renfort du baron de Batz, ils chargent Elisabeth Lemille, déguisée en infirmière, de coordonner son évasion.

C'est au moment où la Reine est sur le point d'être reçue à cet étrange hôpital que se poursuit notre récit.

Si ce n'est pas un sujet de remords, ce doit être un bien grand sujet de regrets pour tous les cœurs français que le crime commis dans la personne de cette malheureuse Reine. Mais une femme qui n'avait que des honneurs sans pouvoir, une princesse étrangère, le plus sacré des otages, la traîner du trône à l'échafaud à travers tous les genres d'outrages ! Il y a quelque chose de pire encore qu'un régicide !

NAPOLÉON Ier
Empereur des Français

Première partie

L'HOSPICE-PRISON

Robespierre m'a toujours paru un ambitieux sans génie, sans âme : je l'ai toujours vu prêt à sacrifier la nation entière pour parvenir à la dictature. Je n'ai pu supporter cette ambition folle et sanguinaire, et je l'ai poursuivi, comme j'ai poursuivi les tyrans.

Tu te dis, Robespierre, l'unique auteur de la Révolution ?... Tu n'en fus, tu n'en es, tu n'en seras éternellement que l'opprobre et l'exécration. Le sang, même des coupables, versé à profusion et cruauté, souille éternellement les révolutions !

Je vous offre une victime de plus. Vous cherchez le premier coupable ? C'est moi, frappez, j'ai tout prévu, je sais que ma mort est inévitable.

MARIE OLYMPE DE GOUGES

VENDREDI 6 SEPTEMBRE, TRENTE-SIXIÈME JOUR DE DÉTENTION, RETOUR A LA BUVETTE DU TRIBUNAL RÉVOLUTIONNAIRE, QUATRE HEURES DE L'APRÈS-MIDI

1

Deux disciples de la peine de mort

Nous sommes de retour à la buvette tenue par Pierre-François Morisan au deuxième étage de la Conciergerie, précisément à l'instant où le père Alexandre lance ses attaques contre Jean-Pierre Amar[1], tandis qu'au fond de la salle, l'accusateur public Fouquier-Tinville et le président du Tribunal révolutionnaire, Martial Herman, échangent des documents.

Fouquier a remarqué la présence d'un prêtre constitutionnel qui dîne seul et qui parle à bâtons rompus avec ses voisins Jean-Pierre Amar et son collègue Joseph Sevestre.

Herman absorbé par ses dossiers les ignore, tandis que Fouquier qui a déjà bu deux bouteilles de bourgogne s'étonne de la présence de ce prêtre à la buvette.

— Je me demande ce que ce calotin fait ici ? dit Fouquier d'une voix pâteuse en désignant le père Alexandre.

— C'est probablement une relation d'Amar, répond l'autre dont l'attention est retenue par sa lecture.

— Parce que tu connais ce curé ?

— Pas du tout ! répond Herman sans lever les yeux.

— Ne trouves-tu pas qu'Amar fait une drôle de tête ?

A cet instant, à l'opposé de la salle des rires fusent.

1. Voir tome 1, “Le complot du père Amar”, p. 577.

— Dis donc, notre curé semble les amuser… Regarde nos jurés qui éclatent de rire ! Et Coffinhal et Dumas qui rient ! Cela n'arrive pas souvent.

Herman jette un regard furtif.

— En effet ! Bon, maintenant au travail…

— Regarde, Martial, comme c'est drôle, Amar est le seul à ne pas rire… Tiens, voilà le lieutenant de Bûne ! Pourquoi s'adresse-t-il au calotin ?… Amar fait vraiment une drôle de tête… Apparemment, ce bougre de de Bûne ne lui apporte pas de bonnes nouvelles. Martial, je te dis qu'il se passe là-bas quelque chose de bizarre… Mais regarde la gueule que fait Amar !

— Je voudrais que nous abordions l'analyse des accusations d'Antoinette, dit Herman qui montre des signes d'impatience.

— Attends ! Regarde ! Le calotin et Amar s'en vont ensemble. On dirait que c'est de Bûne qui les a fait fuir.

— Reprenons la liste des accusations, veux-tu ?

— J'en saurai plus demain sur ce curé, dit Fouquier en remplissant son verre, j'ai justement rendez-vous avec Amar…

Morisan dépose les daubes de mouton aux carottes.

— Alors, citoyens, comment avez-vous trouvé mon pâté de lièvre ?

— Bon, très bon même, dit Fouquier, mais un peu trop salé. Ton pâté m'a donné soif, donne-moi encore une bouteille de bourgogne… Dis-moi, Pierre-François, qui est le curé qui vient de sortir avec Amar ?

— Aucune idée, j'ai entendu dire qu'il s'appelait Alexandre. Il travaillerait avec Gobel.

— Avec Gobel, l'évêque ? Comment le sais-tu ?

— Parce qu'il me l'a dit, pardi, dit l'autre en riant. Gobel devait dîner ici ce soir avec lui, je lui avais préparé un bon bouillon de poule, de Bûne nous a prévenus au dernier moment qu'il ne viendrait pas.

— Mais pourquoi sont-ils partis ensemble ?

— Amar aurait un membre de sa famille qui comploterait !

Il dépose une bouteille de vin sur la table.

— Un membre de la famille d'Amar dans un complot ? s'exclame Fouquier. Tu veux rire !

— Pas du tout, ils se sont rendus chez Gobel.

— Pourquoi chez Gobel ?

— Amar aurait un cousin prêtre qui porterait le même nom que lui et qui serait le chef d'une conspiration de calotins.

Herman présente des signes d'agacement, mais Fouquier veut en savoir davantage, il insiste en remplissant son verre :

— Raconte, raconte ! Foutre alors ! Ça c'est drôle !

— C'est ce que j'ai entendu dire, mais Sevestre vous racontera cette histoire mieux que moi, il est encore à table.

— Eh bien, merci beaucoup, Morisan ! dit sèchement Herman de sa voix nasillarde, maintenant laissez-nous travailler !

L'autre s'éloigne. Herman tend aussitôt une feuille de papier à Fouquier.

— J'ai classé les chefs d'accusations d'Antoinette en deux parties, l'une concerne la politique intérieure, l'autre la politique extérieure. Je constate que ce sont ceux de Louis Capet que tu as repris purement et simplement, est-ce que je me trompe ?

— Tu sais très bien que nous n'avons rien trouvé aux archives.

Fouquier a le regard vitreux. Herman réfléchit quelques secondes, puis ajoute sur un ton cassant :

— C'est frustrant et même malhonnête de travailler dans de telles conditions. Ces chefs d'accusation donnent une terrible impression de déjà-vu ! Tu sais que Maximilien tient beaucoup à ce procès. Il veut l'utiliser pour inaugurer la Terreur et impressionner les Autrichiens. Il doit lui servir en outre à démontrer au peuple que nous traitons Antoinette comme n'importe quelle criminelle.

— J'ai fait ce que je pouvais avec ce qu'on m'a donné – il rit. Comme on ne m'a rien donné, alors j'ai fait ce que j'ai pu !

Fouquier, le regard dans le vague, remplit de nouveau son verre. Herman, qui n'apprécie pas son humour, tranche :

— Examinons, s'il te plaît, les accusations de politique intérieure.

— C'est ça, c'est ça... Examinons d'abord les accusations de politique intérieure.

— D'abord l'aspect financier, il est important. N'oublions pas que sans la banqueroute du tyran, il n'y aurait jamais eu de Révolution.

— Ah ! pour sûr que sans la banqueroute du tyran, il n'y aurait jamais eu de Révolution.

— J'énumère tes accusations : tu prétends qu'Antoinette a dilapidé les finances de la France avec Calonne, mais tout le monde sait qu'elle détestait Calonne. C'est même elle qui l'a chassé... Alors qu'est-ce que Calonne vient faire ici ? Voudrais-tu par hasard donner des verges à la défense pour nous fouetter ?

— Calonne est une ordure ! On la charge avec Calonne !

— Aurais-tu l'intention de citer dans ce procès toutes les ordures de l'Ancien Régime ?

— En tout cas, certainement ceux avec lesquels elle a trahi.

— Je pressens déjà que nous allons nous noyer... Revenons sur l'aspect financier : à part le Grand Livre[1], avons-nous des pièces comptables pour évaluer les sommes gaspillées sous Turgot, Calonne, Necker et Brienne ? C'est là l'important.

— T'occupe ! dit Fouquier en balayant la question d'un revers de main.

— As-tu des pièces comptables, oui ou non ?

— Je n'en ai pas.

— Je m'en doutais – il feuillette quelques pages. Ailleurs, tu affirmes sans aucun justificatif qu'elle

1. Le Grand Livre de la dette publique, institué en août 1793 pour rétablir les finances de l'Etat, remplace toutes les anciennes créances par des rentes.

a fait passer des millions à son frère l'Empereur d'Autriche.

— Exact, son frère est une ordure !

— Les preuves de ces transferts ?

— On ne les retrouve plus.

— ... Un peu plus loin, tu affirmes qu'elle aurait dépensé des millions pour faire Trianon.

— La garce !

Fouquier, de plus en plus éméché, remplit son verre.

— Nous n'avons aucune pièce comptable, aucune facture, pas un papier. Rien ! Je te rappelle, au cas où tu l'aurais oublié, que Trianon a été construit par la Pompadour. Cela, tout le monde le sait.

— T'occupe, te dis-je ! On garde Trianon dans les chefs d'accusation. Le peuple croit que c'est elle.

— Si tout est à l'avenant, cela promet. Je continue : tu dis que lors du banquet des gardes du corps, celui du 1er octobre 1789, la Nation a été insultée en présence d'Antoinette et de Capet et même...

— ... et même, ils ont pissé sur la cocarde tricolore ! lance l'autre avec un gros rire rauque.

— Ah ! je t'en prie, Quentin, je ne suis pas venu ici pour entendre des insanités !

— Calme-toi, Joseph, calme-toi, je plaisantais... Non, ils l'ont seulement foulée aux pieds – il rit –, tu préfères ça ?

— Réponds-moi sérieusement, la cocarde tricolore a-t-elle vraiment été foulée aux pieds, oui ou non ?

— Mais on s'en fout !

Il vide son verre.

— Capet et la louve étaient présents au banquet, un point c'est tout.

— Et la fuite à Varennes ? Je n'ai aucun témoignage qui prouve que ce soit elle qui l'ait préparée.

— Alors là, mon ami, je t'arrête ! Elle a toujours affirmé que son amant suédois avait tout organisé, là je suis sûr qu'elle a ouvert la porte et qu'ils sont tous sortis. Je te le dis dans les yeux : je suis à l'aise pour le prouver.

— Elle aurait seulement ouvert une porte ? Mais qu'est-ce que cela veut dire ? Te rends-tu compte du grotesque de la chose ? Pourquoi, lors du procès de Louis Capet, Antoinette n'a-t-elle même pas été citée ? Et aujourd'hui elle serait responsable en ouvrant simplement une porte ? Mais de qui te moques-tu avec ton histoire de porte ?

— T'occupe ! On garde l'histoire de la porte. C'est un symbole.

Herman hausse fortement le ton :

— T'occupe, t'occupe ! C'est tout ce que tu sais dire ! Que va-t-il rester de toutes ces fausses accusations ?

Le regard de Fouquier est de plus en plus vitreux.

— Ne t'énerve pas, Joseph, on les trouvera, les preuves.

— Des preuves ? Quand et comment les produiras-tu ? Et le 10 août ? Tu prétends qu'elle serait allée chez les Suisses et aurait mordu des cartouches en signe de vengeance – Fouquier ricane –, tu vas affirmer cette singerie en plein tribunal ? Comptes-tu faire rire la France entière ?

— Alors là, Joseph, je t'arrête. Cela, tout le monde le sait.

— Qui le sait ? Ou sont les preuves ? C'est lamentable, tout est de cette eau ! Autre chose : c'est elle qui aurait fait tirer sur la garde nationale le 10 août ?

— Foutre ! Pour sûr !

— Mais cela ne tient pas debout. Tu oublies que Capet et sa femme se sont réfugiés à l'Assemblée à huit heures du matin et qu'on a commencé à tirer après leur départ. As-tu un écrit signé de Capet ou d'Antoinette ordonnant aux gardes suisses d'ouvrir le feu ?

— Non.

— En revanche, la défense va produire l'ordre écrit de la main de Capet intimant aux gardes suisses d'arrêter le tir. Tu peux être sûr que la défense en fera état.

— Elle n'en aura pas le temps.

— Tiens ! Et pourquoi ?

— Parce que les avocats auront moins de vingt-quatre heures pour préparer leur défense.

Il remplit son verre.

— Qui a décidé de cela ?

— J'en sais rien, j'ai reçu l'ordre des Comités de donner aux défenseurs la seule journée du 13 octobre.

Herman reste songeur quelques secondes, puis il ajoute :

— Je me demande comment présider un tel procès…

— Ma parole, tu ne prendrais pas la défense de la louve, par hasard ?

Herman se lève d'un bond.

— Au lieu de dire des inepties sous l'influence de l'alcool, tu ferais mieux de construire un réquisitoire qui tienne debout ! N'as-tu pas compris que je me fais l'avocat du diable ? Maximilien ne nous pardonnera jamais d'avoir raté le procès d'Antoinette ! Il en a besoin pour consolider sa politique intérieure et justifier les crimes des tyrans…

— Calme-toi, Joseph ! Allez, rassieds-toi, je t'en prie.

L'autre se rassoit à contrecœur.

— Ce sont les Comités qui exigent tout ça. En quoi suis-je responsable ? On ne m'a fourni aucun élément de preuve, je dois me débrouiller avec ce qui existe, et en plus il faudrait ne rien rater ? Mais foutre, donnez-moi du matériel, nom de Dieu, et vous verrez que je la déculotterai, votre veuve !

Son visage a pris l'expression du poisson carnivore. Il remplit de nouveau son verre.

Herman revient à la charge :

— Alors, pour le chef d'accusation du 10 août, où sont les preuves ?

— T'occupe, te dis-je ! On aura toutes les preuves qu'il nous faut.

Il vide son verre qu'il remplit aussitôt :

— Quand je vais présenter ce torchon que tu appelles un acte d'accusation à Maximilien, je vois d'ici sa fureur. S'il me demande où sont les preuves, je lui répondrai : Fouquier te fait dire : "T'occupe !"

Fouquier pâlit et pose brutalement son verre.

— Mais enfin, Joseph, tu dois lui expliquer que j'ai fait ce que j'ai pu. Je ne peux tout de même pas faire des miracles !

— Nous l'avions compris ! Personne ne te demande de faire des miracles, mais de produire un acte d'accusation cohérent… Continuons. Tu prétends qu'elle a organisé une disette en octobre 1789, qui aurait provoqué la marche des femmes sur Versailles. Explique-moi comment elle a provoqué cette disette.

— Est-ce que je sais, moi ! Tout le monde a entendu dire qu'elle était responsable du manque de pain dans Paris. Même cette ordure d'Egalité[1] le disait.

Herman ricane :

— Parce que tu comptes citer Egalité au procès ? Il est en prison !

— Mais je le sais ! Enfin, Joseph, me prends-tu pour un idiot ?

— Pour cette histoire de disette et de pain, c'est encore de l'affabulation comme le reste, n'est-ce pas ?

— Pardon ! J'ai des témoins.

— D'où sortent-ils ?

L'autre ricane.

— T'occupe, je les travaille en ce moment.

— Qu'est-ce que tu dis ? Tu travailles qui ?

— Je te dis que je forme des témoins.

— Quoi ? Tu fabriques des faux témoignages ? Maximilien est au courant ?

— Ne fais pas l'étonné, Joseph, nous en avons longuement parlé à la réunion du Comité… Non, c'est vrai, Maximilien n'est pas vraiment au courant, mais Collot et Billaud, eux, le sont.

1. C'est le nom révolutionnaire du duc d'Orléans.

— Je ne sais pas comment Robespierre prendra tout cela, sûrement très mal. Toute l'Europe attend ce procès. S'il n'est pas équitable, je te le répète, il perdra toute légitimité et tu sais à quel point Maximilien tient à cette légitimité.

— Et moi je te répète : je ne peux pas faire des miracles, donnez-moi du matériel.

— Continuons... Tu prétends qu'elle a fait tirer sur le peuple à la fête de la Fédération, celle de 1791, mais nous savons que c'est Lafayette et Bailly qui en ont donné l'ordre, et tu sais comme moi qu'Antoinette détestait la clique des constitutionnels et principalement ces deux criminels, alors je ne la vois pas comploter avec eux pour faire tirer sur le peuple.

— Bailly et Lafayette sont des ordures.

— Mais on s'en fiche ! Nous ne faisons pas ici le procès de Lafayette ni de Bailly ! Si nous chargeons systématiquement Antoinette de tous les péchés, ce procès perd toute crédibilité.

— Collot veut qu'on charge Lafayette et Bailly.

— Collot, Collot... Si j'ai bien compris, tous tes chefs d'accusation sont établis sur commande. Et bien entendu, concernant le veto de Capet bloquant le décret des prêtres réfractaires, c'est encore elle la responsable ?

Fouquier vide un nouveau verre.

— Dis ! Tu ne vas pas défendre "madame Veto", par hasard ?

— Je suis sûr qu'il n'a écouté personne pour s'opposer à ce décret, Capet était un bigot, le veto contre le décret, il est de lui et que de lui ! D'ailleurs, il l'a prouvé le 20 juin.

— Qu'est-ce que le gros cochon a prouvé le 20 juin ? s'étonne Fouquier.

— Il nous a tenu tête pendant sept heures et il n'a pas signé les décrets. Antoinette n'était pas avec lui, elle n'a pu l'influencer. Encore du grain à moudre pour ses avocats.

— Heureusement que le gros Louis a opposé son veto, sans cela nous n'aurions pas eu de "10 Août" et les tyrans seraient encore là – il rit. Ah ! merci bien, madame Veto, si vous êtes responsable de cela, nous vous serons reconnaissants... Remercions-la, Joseph !

Herman répond sèchement :

— Passons aux accusations de politique extérieure.

— C'est cela, passons aux accusations de politique extérieure !

Fouquier, le regard dans le vague, tente de remplir son verre, mais la bouteille est vide, il crie :

— Morisan ! Apporte donc une bouteille !

— Ne trouves-tu pas que tu as assez bu ?

— T'occupe ! J'en ai besoin, ma vie est un enfer ! Il crie d'une voix forte : Morisan, nom de Dieu ! Amène donc une bouteille de bourgogne !

Herman découragé consulte ses papiers en soupirant, il poursuit sur un ton las :

— Tu l'accuses aussi d'avoir poussé Capet à déclarer la guerre à l'Autriche ?

— Bien sûr... Et alors ?

— Sornettes ! Le plus obscur sans-culotte sait que c'est l'Assemblée législative qui a déclaré la guerre. A qui feras-tu croire que les députés subissaient l'influence d'Antoinette ? Ils la détestaient. Tu nous couvres de ridicule en affirmant cela.

— Moi, ridicule avec cette garce ? Inutile de prendre des gants. Elle fournit à son neveu... tu sais... le tyran autrichien, elle lui a fourni les plans de campagne de Dumouriez. N'est-ce pas de la haute trahison, ça ?

— Bien sûr que si ! Nous savons tous qu'elle a trahi, mais tu oublies qu'elle n'est pas la seule... La campagne a été décidée en plein Conseil des ministres et enregistrée par écrit, plusieurs témoins ont pu la communiquer à l'ennemi. La défense en fera encore des gorges chaudes.

— Ah oui ? Et les conciliabules nocturnes aux Tuileries ? Où la garce avait interdit l'entrée au public pour comploter à son aise – Fouquier vacille sur sa chaise. Hein ? Que dis-tu de ça ?…

— Sans aucune preuve ?

— Et pourquoi pas ?

Herman se lève et commence à ranger ses papiers.

— Mais ne te gêne surtout pas, utilise donc tes faux témoins !

— Parce que tu vois une autre solution ? Je savais que tu allais me le reprocher.

— Et combien en fabriques-tu ?

— Quarante !

— Tous faux ?

— Non, pas tous, quelques-uns sont vrais.

Il rit.

— As-tu pris tout cela sur toi ?

— Tu penses bien que je ne me serais jamais permis de prendre une telle initiative ! J'ai l'aval du Comité de salut public.

— Ah oui ? Et qui a signé le décret ?

— Certains, dont Billaud-Varenne et Collot d'Herbois.

Herman se tait. Il réfléchit quelques instants, le visage fermé. Il se remet à ranger ses papiers dans sa serviette, puis il s'arrête et dit :

— Eh bien, vois-tu, "citoyen accusateur public", écoute bien ce que je vais te dire : Tu peux faire comparaître tous les faux témoins que tu voudras, avec tous les motifs d'accusation imaginaires possibles. Sache, mon ami, que dans mon réquisitoire final pour la faire condamner, je n'en tiendrai pas compte !

— Martial, tu es fou ? Que veux-tu dire par là ?

— Je veux te dire que je ne retiendrai aucun de tes chefs d'accusation pour la faire condamner.

Fouquier ricane :

— Monsieur le président aurait-il soudain des scrupules ? Dis-moi, "citoyen président", et avec quels motifs comptes-tu la faire condamner ? Si tu n'en trouves aucun, pourquoi pas pour adultère ? Ce serait très drôle…

Il rit bruyamment. Herman imperturbable réplique :

— Je ne retiendrai qu'un seul motif d'accusation dans le réquisitoire final : la haute trahison.

— Mais mon cher, tu es comme moi, tu n'as aucune preuve !

— C'est vrai, mais je suis sûr au moins que celles-là, elles sont enfouies quelque part aux archives.

— Et pas celles dont je fais état ?

— Les tiennes sont purement et simplement celles que nous avons utilisées pour Capet. Elles sont éculées.

— Et tous mes témoins, qu'en feras-tu ?

— Tu pourras les faire défiler, je t'assure que nous ferons semblant de les écouter – il boucle sa serviette. Vois-tu, ce n'est pas l'idée que je me fais de la justice en général et du procès de l'Autrichienne en particulier... Merci pour la daube.

— Attends ! Attends, Joseph ! Essaie de comprendre ma situation, cela fait trois mois que je demande aux Comités des preuves contre elle. On ne m'a rien donné ! On m'a répondu : Accusez ! Accusez ! On entérinera toutes vos accusations !... Maintenant mets-toi à ma place !

— Il faut que j'en parle à Maximilien, nous prenons des risques terribles avec tes faux témoignages.

— Dis, quand tu le verras, tu lui diras bien que j'ai fait ce que j'ai pu, n'est-ce pas ?

— Je te dois combien pour le repas ?

— C'est un dîner de travail, c'est la Nation qui paye... Dis, tu ne m'as pas répondu : Tu expliqueras bien à Robespierre que je n'ai toujours rien pour monter l'accusation d'Antoinette ?

— C'est cela... c'est cela... on lui dira ! Salut !

Herman s'empare de sa cape et de son chapeau des mains de Morisan. Il gagne rapidement la sortie, salue Sevestre d'un simple mouvement de tête tandis que Coffinhal et Dumas continuent d'arroser leur repas.

— Notre citoyen président est de mauvais poil aujourd'hui ! remarque Sevestre.

On entend la voix de Fouquier qui hurle du fond de la buvette :

— Morisan, sers-moi un double armagnac !

Vendredi 6 septembre, trente-sixième jour de détention, 37, rue de la Barillerie, minuit

2

Premier contact avec la Reine

Par le lourd vantail à peine entrouvert, Jean-Baptiste Basset et l'abbé Magnin observent l'enfilade des portails de la rue de la Barillerie[1] où se détache la magnifique grille dorée de la Conciergerie.

— La voilà ! s'écrie Basset.

Ils aperçoivent la silhouette d'une vieille femme qui se hâte vers eux. Chaque pas révèle un déhanchement pathétique.

— Pauvre femme, dit l'abbé, quel dévouement et quel courage malgré son infirmité !

La lourde porte s'entrebâille légèrement, le souriant visage rond de Marie Fouché apparaît :

— Bonsoir, mes amis, serais-je en retard, par hasard ?

— Mais non, entrez vite, mademoiselle, insiste Jean-Baptiste, vous risqueriez d'être repérée si vous vous attardiez dehors.

— A quelle heure Richard vous a-t-il donné rendez-vous ? dit-elle tout essoufflée en posant son lourd panier.

— Après minuit trente – Basset regarde sa montre –, dans vingt minutes environ.

— Pourquoi si tard ? s'étonne-t-elle en enlevant ses gants.

— Depuis le départ de Dufresne et Gilbert, ils ont doublé la surveillance de Sa Majesté. Ils sont maintenant

1. Actuel boulevard du Palais.

quatre à assumer la garde à l'intérieur du cachot. Ils se relayent toutes les douze heures, la prochaine relève a lieu à minuit trente. Selon Richard, ceux qui s'en vont sont méchants comme des diables, mais les deux autres qui arrivent sont de bons enfants. On les dit même complaisants...

— Les connaissez-vous ?

— Pas personnellement.

— En tout cas, ajoute l'abbé Magnin, d'après Jeanne Larivière, ce sont de bons chrétiens.

— C'est exact, précise Basset, ils se nomment Prudhomme et Lamarche, et je... Attention ! je vois le fiacre du boucher qui rentre dans la cour du Mai, fermez vite le portail !

— D'où vient-il à cette heure ? s'étonne la vieille demoiselle.

— C'est son heure. Comme tous les soirs, Fouquier-Tinville revient du Comité de salut public avec la liste des guillotinés de demain.

— C'est monstrueux ! Qui donc peut lui procurer une telle liste ?

— Un peu tout le monde, mais Robespierre souligne au crayon ceux qui doivent être guillotinés.

— Pourquoi au crayon ? s'étonne l'abbé Magnin qui ne peut retenir un sourire. Cela a-t-il son importance ?

— Bien sûr, mon père, précise Jean-Baptiste, cela s'efface plus facilement.

Le rire du prêtre se fige aussitôt.

— Qu'avez-vous dans ce panier ? demande ce dernier. Il paraît bien lourd !

— Du linge et des comestibles.

— On peut voir ?

— Bien sûr... Voilà du pain de seigle, je sais que Sa Majesté en est particulièrement friande. J'ai aussi des confitures à base de toutes sortes de fruits, des bas de filoselle noire, des chemises fines, un déshabillé blanc et des chaussures de prunelle noire.

— Je souhaite que vous puissiez les lui laisser, dit l'abbé Magnin sceptique.

— Qui m'en empêcherait, mon père ?

— Chaque jour, les commissaires inspectent sa prison, la vue d'une robe nouvelle aggraverait leurs soupçons, seules ces chaussures neuves n'attireront peut-être pas leur attention… S'ils découvrent du linge non répertorié, ils s'en prendront à la Reine et la martyriseront un peu plus.

— Eh bien, nous nous bornerons aux vêtements du dessous, dit l'infirme en soupirant.

Le portail s'ouvre brusquement, Richard fait irruption :

— Dépêchons-nous, je crains que l'accusateur ne ressorte. Son fiacre semble l'attendre.

— Monsieur Richard, pour la première visite que je rends à la Reine, ne faudrait-il pas que je sois seule ? Je désire d'abord sonder les dispositions de Sa Majesté, n'est-ce pas, mon père ?

— C'est évident !

— Comme vous voudrez… Mais dépêchons ! Allons, vite !

— Nous vous attendrons ici, précise Basset.

Quand ils franchissent la cour du Mai, le fiacre de Fouquier-Tinville est toujours là.

— Dépêchons, chuchote Richard, j'ai très peur qu'il ne redescende.

Ils franchissent les deux premiers guichets, traversent le bureau du concierge où Louis Larivière, pourtant de garde, dort dans le grand fauteuil noir à oreilles. Il ne remarque même pas leur passage.

Ce soir, le couloir des prisonniers que Marie Fouché a si souvent arpenté pour porter secours aux détenus est désert. Combien de fois, impuissante, elle a traversé ce corridor noir au fond duquel elle savait la prisonnière enterrée vivante. Chaque jour, elle l'imaginait en train de vivre un calvaire. La secourir chrétiennement, par tous les moyens, même au péril de sa vie, devint pour elle une obsession. Depuis un an, la Reine n'avait eu aucun secours religieux. Enfin, ce soir elle va la voir, lui parler, lui apporter tout le réconfort dont elle est capable. En s'engageant dans le corridor, Marie Fouché sent son cœur battre très fort, son émotion est immense. Quand Richard tourne les grosses serrures, elle entend aboyer derrière la porte, ce qui achève de l'émouvoir. Les larmes lui montent aux yeux. La porte s'ouvre enfin : elle aperçoit deux gendarmes allongés sur des lits de camp.

— Bonsoir, les enfants, leur dit Richard, surtout ne vous dérangez pas.

— Bonsoir, citoyen concierge, dit l'un d'eux.

Parvenue à leur hauteur, elle remarque qu'ils ont pour elle un sourire empreint d'une certaine complicité. Elle a l'impression qu'ils lui sont reconnaissants de secourir la Reine…

Puis elle passe derrière le paravent délabré, son cœur bat encore plus fort, elle est prise d'un tremblement émotionnel. Et elle la voit… C'est le choc ! Ses yeux se noient sous les larmes. La Reine, qui est debout, fixe avec une froideur glaciale cette femme qui a l'indélicatesse de venir si tard.

Marie remarque avec une intense émotion les cheveux blanchis, les joues creuses, le teint flétri. Mais elle reste confondue devant l'aspect majestueux de "sa souveraine". Elle s'incline aussitôt devant elle en une profonde révérence. La Reine, froide mais intriguée, s'assoit sur le bord du lit et l'observe, son petit chien entre ses bras.

— Madame, dit l'autre, pardonnez-moi, mais l'émotion m'empêche de trouver les mots justes pour exprimer à Votre Majesté le but d'une visite qui n'est guidée que par le cœur.

La Reine, habituée à ce genre de discours, ne répond pas et continue à l'observer d'un regard précautionneux.

— Madame, permettez-moi d'abord de me présenter : mon nom est Marie Fouché, Française de cœur et chrétienne réfractaire de conviction… Je sais que

Votre Majesté est démunie de tout, je me suis permis de lui apporter quelques compensations. Nous voudrions tellement contribuer à adoucir cette cruelle réclusion.

Elle dépose sur la table pain, confitures et friandises.

— Puis-je me permettre de les offrir à Votre Majesté ?

La Reine qui caresse son petit carlin la regarde sans répondre.

— Je désirerais, Madame, y goûter d'abord, afin d'assurer Votre Majesté qu'il n'y a aucune mauvaise intention – elle goûte pain de seigle et confitures. Voici aussi quelques linges à l'intention de Votre Majesté…

— Pas le linge, lance Richard, c'est trop dangereux, reprenez-le. Maintenant il faut partir, dépêchons-nous.

Sous l'œil réservé de la Reine, Marie Fouché reprend à contrecœur ce qu'elle avait apporté.

— Je comprends parfaitement la prudence de Votre Majesté, mais puis-je lui demander si je peux revenir ?

La Reine finit par être touchée par tant de sollicitude :

— Comme vous voudrez, répond-elle d'une voix sans timbre.

Richard rouvre les serrures, Marie Fouché bouleversée s'incline profondément et sort. La Reine qui voit partir cette femme en larmes, handicapée par un tel déhanchement, est prise de compassion pour l'inconnue.

Samedi 7 septembre, trente-septième jour de détention,
le palais des Tuileries, huit heures du matin

3

Dans la cage aux tigres

Le lendemain matin, le perruquier Jean-Baptiste Basset est investi d'une importante mission. Il est chargé de connaître les décisions qui ont été arrêtées lors de la réunion secrète du maire de Paris sur le sort de la Reine. Il se rend aux Tuileries où le Comité de salut public vient de déménager. L'accès est protégé par un abondant corps de gardes et condamné par de nombreux canons. Un brigadier l'arrête :

— Où vas-tu, citoyen ?

— Au Comité de salut public, je suis convoqué par le secrétariat.

— Ta carte de sûreté !

L'autre la présente.

— Avec qui as-tu rendez-vous ?

— Avec le secrétaire lui-même, Constant Labussière.

— C'est bon, tu peux aller !

Jean-Baptiste traverse des jardins à l'abandon dont les pelouses défraîchies et les bosquets jaunis sont occupés par de nombreux soldats qui somnolent à même le sol. Il monte une quinzaine de marches et aboutit dans l'anti-salle du Comité, véritable salle des pas perdus, envahie par une odeur de peinture fraîche.

C'est un vaste hall blanc pourvu de larges ouvertures donnant sur les jardins où déambule une foule bigarrée. Jean-Baptiste croise des familles entières avec père, mère et enfants, venus quémander une aide, des officiers, des conventionnels au chapeau à plumet tricolore, des juges du Tribunal révolutionnaire au chapeau à la Henri IV garni de plumes noires, des jacobins au bonnet rouge, des journalistes qui s'agglomèrent çà et là en discutant haut et fort. Jean-Baptiste Basset croise des visages honnis comme celui d'Hébert, l'horrible rédacteur en chef du *Père Duchesne*, et des terroristes patentés comme Collot d'Herbois et Billaud-Varenne qui confèrent avec le fringant Hérault de Séchelles en attendant l'heure de la réunion du Comité de salut public.

Jean-Baptiste veille à ne pas être remarqué de ces hommes, principalement de Robespierre qui trouverait éminemment suspect de croiser son perruquier dans cette enceinte. Mais celui-ci est heureusement absent.

Il traverse un grand vestibule, qui donnait jadis accès aux appartements de la Reine, et franchit une porte à deux battants surmontée d'une inscription : *Comité de salut public*. Il pénètre dans une seconde entrée qui dessert de nombreuses pièces où des secrétaires affairés s'activent sur des piles de dossiers. Il s'adresse à l'un d'eux qui semble de mauvaise humeur :

— Pardon, citoyen, sais-tu où je puis trouver le citoyen Labussière ?

— Dans la salle de réunion, grogne l'autre, il n'aime pas être dérangé !

— Et elle est où ?

— La porte au fond du couloir !

Jean-Baptiste pénètre dans une salle, appelée "salle à deux colonnes", qui était l'ancienne chambre de la Reine. Elle est devenue la salle des séances du Comité de salut public. Il reste interdit devant la splendeur du mobilier et principalement des somptueux tapis des Gobelins qui ont survécu au vandalisme du 10 août. Une immense table ovale occupe le centre de la pièce. Un petit sous-main a été disposé en face de chaque siège. On en compte une quinzaine.

Il aperçoit Constant Labussière qui donne des ordres à de nombreux commis. Celui-ci, dès qu'il voit Jean-Baptiste, se dirige vers lui.

— Salut, Jean-Baptiste, dit-il en l'embrassant, je suis à toi dans un instant. Puis à voix basse : Dis-moi, cela t'amuserait d'assister à la mise en place des singes de ce soir ?

— Bien sûr.

L'autre se tourne vers son équipe et interpelle un commis :

— Lucien ! S'il te plaît, place un gobelet et une petite cruche d'eau devant chaque place et non au milieu de la table. Voyons, réfléchis, nos conseillers seraient contraints à chaque fois de se lever pour boire !

Se présentent trois auxiliaires porteurs de piles de dossiers qu'ils déposent sur la table.

— Passez-moi les dossiers de Robespierre, placez-les toujours à la gauche de son sous-main. Compris ?

Les hommes s'exécutent.

— Voilà… C'est bien ! Maintenant, mettez les noms en face de chaque sous-main, surtout respectez le plan de table. S'adressant à Jean-Baptiste en lui montrant une feuille de papier : C'est Robespierre lui-même qui l'a établi. Au commis : Attention, Lucien, suis bien le plan, mets surtout Saint-Just à sa gauche et le paralytique à sa droite. Il montre un carton à Basset : Le paralytique, c'est Couthon, le fidèle de l'Incorruptible. Puis tout bas à son oreille : Avec son air doucereux et sa voix douce, c'est le pire des tueurs !…

Les auxiliaires déposent les cartons selon les indications de Robespierre, tandis que Labussière désigne du doigt l'extrémité de la table :

— Tu mettras ici les dossiers de Billaud-Varenne… Lucien, fais attention à ce que tu fais : suis le plan, à sa droite il doit avoir successivement Collot d'Herbois et Hérault de Séchelles. S'adressant à Jean-Baptiste : Ces trois-là ne veulent surtout pas être séparés les uns des autres, et Robespierre ne veut pas d'eux à ses côtés, réalises-tu à quel point cela est difficile à gérer... Lucien, s'il te plaît, pose à gauche successivement les dossiers de Thuriot, de Cambon, de Jean Bon Saint-André, de Lindet, de Carnot et de Prieur. Surtout mets bien Thuriot à la place la plus éloignée de Robespierre. A Jean-Baptiste : Entre celui-là et l'Incorruptible, c'est la guerre à mort, ils se détestent cordialement, j'ai appris qu'il va remettre sa démission aujourd'hui même. Tu penses, Thuriot est le meilleur ami de Danton. Or, Danton n'a pas été réélu au Comité de salut public... Alors, entre Robespierre et lui, la haine est tenace.

— Mais, dis-moi, c'est un vrai panier de crabes, ton Comité de salut public !

— Tu ne crois pas si bien dire ! répond Constant à voix basse. Pas de crabes, de tigres !

Un des commis s'adresse à Labussière :

— ... Citoyen secrétaire... Comment dois-je faire : j'ai deux fois Prieur ?

— Comment deux fois Prieur ? Fais voir.

— Regardez vous-même, citoyen secrétaire, j'ai Prieur de la Côte-d'Or et Prieur de la Marne.

Labussière rit.

— Mais Lucien, ce ne sont pas les mêmes ! Retire les dossiers de Prieur de la Marne, il s'est fait excuser, déplace Lindet et mets-le à sa place, j'espère qu'il sera rentré de province. Ah ! n'oublie pas Barère, mets-le à côté du paralytique, c'est lui qui assure ce matin le secrétariat, et passez-moi la liste des invités de ce jour. Pour eux, c'est plus facile, ils n'ont pas de dossiers... Mets quand même un carton en face de leur chaise, il se pourrait que ces messieurs se vexent. Regroupe-les dans cette partie-ci de la table.

— ... Citoyen secrétaire ? Où dois-je placer le citoyen Hébert ?

Labussière susurre :

— Alors celui-là, quelle ordure !

— Je sais, dit Basset, il est acheté par de Batz.

— Place-le aussi loin que tu peux de Robespierre. A Jean-Baptiste : Il le hait ! Quant à Fouquier-Tinville, au contraire, ne l'éloigne pas trop de lui… L'Incorruptible le méprise, il faut voir sur quel ton cassant il lui parle ! Avant-hier soir, il lui a dit : “On vous a mis là où vous êtes pour faire ce qu'on vous demande. Vous n'avez aucun état d'âme à avoir et nous voulons que les exécutions soient plus actives. Votre administration est bien trop lente et les traîtres en profitent. Si vous ne remplissez pas votre devoir, retirez-vous et laissez à un patriote le soin de servir la patrie.”

— … Citoyen secrétaire, où dois-je placer le citoyen Herman ?

— Le plus près possible de Robespierre. A Basset : Celui-là, il n'était pas prévu à la réunion de ce matin. Robespierre aura une bonne surprise quand il le verra, il adore son Herman, tu penses, ils sont tous les deux d'Arras et c'est lui qui l'a fait nommer à la présidence du Tribunal révolutionnaire. C'est le même gabarit, une autre variété d'Incorruptible ! A ses assistants : Allez, maintenant, finissez la mise en place sans moi.

Un des commis lui tend un billet.

— Il me reste un carton, que dois-je en faire, citoyen secrétaire ?

Labussière le lit et s'exclame :

— Nom de Dieu ! J'avais oublié Pache, le maire de Paris… Surtout, Lucien, mets-le à côté d'Hébert. A voix basse à Basset : Pache et sa municipalité, une vraie clique de voyous !

— Nous savons, répond Basset. Toute la municipalité est entre les mains du baron de Batz.

— Suis-moi, nous serons plus tranquilles pour parler dans mon bureau.

Ils traversent le deuxième vestibule et s'enferment dans une petite pièce.

— Tu es sûr qu'on ne nous entend pas ? demande Basset.

— Absolument sûr, je t'écoute.

— As-tu une copie du compte rendu de la réunion qui a eu lieu chez Pache ?

Labussière ouvre un tiroir, en sort un rouleau de papier.

— Le voilà !

L'autre le dissimule sous sa chemise.

— Les Anglais en ont-ils eu une copie ?

— Bien sûr ! J'en ai expédié une codée dès le lendemain à Dracke à Gênes.

— Qu'en est-il sorti, de cette réunion de rats ?

— Pache a monnayé la colère du peuple.

— C'est-à-dire ?

— Il a vendu à la clique de Barère et d'Hérault deux manifestations populaires, une pour le 4 et une pour le 5 septembre, le tout pour un million deux cent mille francs. L'une aura lieu à l'Hôtel de Ville, l'autre à la Convention.

— Dans quel but ?

— Pache et Hébert veulent faire contrôler la Convention par la rue et les sans-culottes.

— Laissons les rats se dévorer entre eux, notre seul souci est de sauver la Reine ! Qu'ont-ils décidé ?

— Les uns veulent la déporter, les autres veulent la faire monter le plus vite possible sur l'échafaud.

— Et la réunion de ce soir va-t-elle entériner cette décision ?

— On attend l'avis de Robespierre, mais il y a toujours deux camps : un pour la déportation, l'autre pour l'exécution ! Dans quel camp sera Robespierre ? On ne le sait pas, mais je crois qu'il n'y a aucune mansuétude à attendre de cet homme, bien qu'il veuille ménager la maison d'Autriche… C'est un fou, il guillotinerait même sa mère si elle n'épousait pas ses idées. Maintenant vous, où en êtes-vous ?

— Nous montons une opération visant à enlever la Reine par la force. Nous avons formé un groupe prêt à intervenir avec des hommes et des femmes qui habitent autour de la Conciergerie, ils ont l'appui des perruquiers et des jeunes volontaires de Courbevoie, de Vanves et même de Vincennes.

— Combien d'hommes en tout ?

— Mille cinq cents !

— Et l'aveugle ? Elle est d'accord ?

— Bien sûr !

— Qu'est-ce que vous attendez de moi ?

— Nous devons connaître l'ordre du jour de ce soir et surtout les décisions qu'ils prendront cette nuit sur le sort de la Reine.

— Tu sais que la réunion d'aujourd'hui est à huis clos... Il faut que nous soyons très prudents.

— Selon la décision de ces tigres, nous ajusterons notre action. Que crois-tu qu'ils mijotent ?

— Je n'en sais rien ! Je te le répète : dans un camp, on trouve Thuriot, Cambon, Jean Bon et Lindet qui veulent la déporter en Guyane, et dans l'autre Barère, Hérault de Séchelles, Billaud-Varenne, Collot d'Herbois, Hébert et Pache qui veulent la condamner à mort le plus vite possible... Quant aux trois Parques, on ne sait pas...

— Qui sont les trois Parques ? demande Basset en riant.

— Robespierre, Couthon et Saint-Just... On attend leur décision. Je ne sais qu'une seule chose, c'est que Robespierre tient à tout prix à son procès et veut la paix avec l'Autriche.

— Si elle n'est que déportée, cela nous laisse le temps d'agir, mais s'ils décident de l'assassiner, nous devons nous organiser immédiatement. En attendant, le baron de Batz fonde un grand espoir sur son transfert à l'Hospice de l'Archevêché pour la faire évader. Nous avons tous rendez-vous avec lui dans une heure !

— Je suis au courant, l'infirmière Guyot et le docteur Giraud doivent l'aider à s'enfuir.

— Elisabeth Lemille pénétrera dans l'Hospice déguisée en infirmière, mais auparavant elle se rendra à la Conciergerie.

— Vous l'envoyez chez les coupeurs de têtes ? Mais vous êtes fous ! Ils vont la tuer.

— Elle sera munie d'un ordre de mission. Elle sera chargée de garder la Reine à l'Hospice.

— C'est de la folie !

— L'ordre vient du Comité de sûreté générale.

— Vrai ou faux ?

— Vrai ! Tu ne penses tout de même pas que nous l'envoyons chez le boucher sans garantie ! Il sera signé de Chabot lui-même.

— Quand comptez-vous opérer ?

— Ce n'est pas nous qui décidons, il faut être prêt à tout moment, dans une heure comme dans un mois. Dès que Sa Majesté arrivera à l'Hospice, Elisabeth l'évacuera par la Seine, mais nous préparons quand même son enlèvement comme prévu, au cas où le transfert échouerait.

— Comment opérerez-vous ?

— Nous enlèverons la Reine dès qu'elle sortira pour un motif quelconque de la Conciergerie

— Il vous faut organiser cela avec le plus grand soin, car les risques sont énormes ! Où en est la communion de la Reine ?

— Mlle Fouché a eu un premier contact avec Sa Majesté. La Reine est très méfiante, elle l'a reçue de façon glaciale. Mais elle ne se tient pas pour battue, elle y retourne cette nuit avec l'abbé Magnin.

— Pourquoi si tard ?

— Les deux gendarmes qui nous sont favorables sont de garde à partir de minuit, les autres sont des fanatiques.

— L'abbé Magnin, demande Labussière en riant, espère toujours célébrer la messe dans son cachot, à la barbe du boucher ?

— Ne ris pas, mon ami, je suis certain qu'il officiera un jour dans le cachot de la Reine.

L'autre rit de plus belle.

— Pourquoi pas à Notre-Dame et à midi tant que vous y êtes !

— Soyons sérieux : Qu'as-tu fait pour les acteurs de la Comédie-Française qui allaient être arrêtés ?

— Chaque jour de la semaine dernière, j'ai pris les dossiers de trois d'entre eux et j'en ai fait des boulettes que j'ai jetées dans la Seine. Il m'en reste encore huit à faire et plus personne n'entendra parler d'eux – il regarde sa montre. Mon Dieu, déjà neuf heures moins dix, ils arrivent dans dix minutes... Surtout, que Robespierre ne te voie pas ici !

Ils s'embrassent.

— Apporte-moi dès cette nuit la décision concernant le sort de la Reine ! Au fait, t'es-tu occupé des archives ?

— C'est fait ! J'ai envoyé deux supplétifs, sous le prétexte de rechercher des citoyens qui porteraient encore des particules collées à leur nom, ils ont passé trois jours à mélanger tous les dossiers : il faudra deux ans pour tout remettre en ordre. Il est à ce jour impossible de trouver le moindre document écrit sur la Reine ! Allez, sauve-toi maintenant.

Samedi 7 septembre, trente-septième jour de détention, le palais des Tuileries, neuf heures trente du matin

4

L'étrange vertu de l'Incorruptible

Le Comité de salut public est entré en séance depuis quinze minutes. Il est présidé par Robespierre, assisté de Barère au secrétariat.

La parole est à Lazare Carnot, responsable des armées et de la guerre au sein du Comité. Son ton est fort et son humeur exécrable. La situation des armées est dramatique, les troupes françaises sont battues sur tous les fronts. Valenciennes et Mayence viennent de tomber. La France est sur le point d'être envahie par les Autrichiens du prince de Cobourg. Carnot exige des renforts dans les plus brefs délais. Dans un angle de la salle, Constant Labussière transcrit les déclarations des conseillers en surveillant attentivement le travail de ses assistants. Son regard est fixé sur les mines de crayon gras des trois commis-greffiers qui défilent à très grande vitesse sur des piles de papier bistre. Labussière veille avec attention à tout ce qui dit Carnot.

— Je répète que la situation est grave… Nous avons perdu Mayence et maintenant Valenciennes, j'ai un besoin urgent de troupes fraîches. Donnez-moi les jeunes volontaires qui stationnent à Courbevoie et à Vanves !

— Et la Vendée s'enflamme de nouveau, renchérit Prieur de la Côte-d'Or[1], même Marseille est menacée.

1. Prieur de la Côte-d'Or est le responsable de l'armement aux armées.

— Bien qu'Houchard soit sur le point de libérer Dunkerque, ajoute Lindet[1], Lazare a raison, la situation se dégrade sur tous les fronts.

— Ah ! oui, dit Carnot, parlons-en d'Houchard ! Et parlons-en aussi, de la patrie reconnaissante ! En guise de remerciements, j'ai entendu dire que vous auriez l'intention de lui couper la tête... Allez-vous encore me priver d'un grand soldat ? Qui vais-je mettre désormais à la tête des armées du Nord et de la Moselle ? J'ai appris que vous vouliez m'enlever aussi Brunet qui s'est pourtant si bien battu en Italie – il ricane. Allez-vous aussi lui couper la tête ? Il se lève de son siège avec humeur en s'emparant de ses dossiers et s'écrie : Maintenant, cela suffit ! Chacun de nous doit prendre ses responsabilités. Donnez-moi les jeunes volontaires qui campent à Vanves et à Courbevoie ou je démissionne. Et je vous préviens, avec le bon motif.

— Mais enfin, Lazare, remarque Saint-Just, il y a à peine un mois, nous avons décrété une deuxième levée en masse, ne te suffit-elle pas ? Alors opérons-en une troisième s'il le faut, mais dégarnir Paris en laissant la Convention sans protection, c'est exactement ce que les réactionnaires attendent, c'est ce que tu veux ?

Lazare Carnot se penche sur Saint-Just et lui dit doucement :

— Mon très jeune ami, tu n'étais pas né quand j'ai fait mes premières armes, je n'ai aucune leçon de stratégie à recevoir de toi ! Puisque tu passes le plus clair de ton temps à inspecter l'armée, tu ne dois pas oublier que j'ai créé quatorze corps qui ont sauvé la Nation l'année dernière. Il désigne du doigt Robespierre et Couthon : Ce n'est sûrement pas sur vos conseils "éclairés" que Kellermann a enlevé Valmy, n'est-ce pas ? Car si nous vous avions écoutés, nous l'aurions éliminé comme les autres. Heureusement qu'il a pu sauver sa tête... Malheureusement, Custine, lui, n'a pu sauver la sienne...

1. Robert Lindet est chargé des subsistances aux armées.

Robespierre réplique blême :

— Mais enfin, Lazare ! Kellermann et Custine sont des traîtres !

— On a dit cela, on a dit cela… Vous rendez-vous compte : si on coupait la tête de tous les généraux qui perdent une bataille, à quoi se réduirait l'état-major ? Il serait vide. En attendant, si aujourd'hui j'avais Custine, il m'aiderait sûrement à arrêter Cobourg. Il ajoute avec un sourire amer : Pardon pour ce langage qui peut vous sembler peu patriotique, mais la fin justifie les moyens, et je veux la victoire à tout prix !

— Tu auras ce que tu demandes, Lazare ! insiste Prieur de la Côte-d'Or. Sache que personne ne met en cause ton talent, ton intégrité et ton patriotisme. Je te garantis que tu obtiendras tous les hommes dont tu as besoin !

Saint-Just examine un dossier, puis lance un regard circulaire autour de la table avant de dire :

— J'attire quand même l'attention du Comité sur le fait que de juin à juillet, par cette nouvelle levée en masse, les effectifs sont passés de 471 290 à 645 195 hommes exactement[1]. Aucune armée en Europe ne dispose de tels effectifs.

— Oui mais, jeune oisillon, tu oublies un détail, intervient Thuriot, nos soldats sont seuls face à toute l'Europe !

Saint-Just impassible, ignorant ce que vient de dire l'autre, continue de s'adresser à Carnot :

— J'aimerais savoir ce que tu en penses… et même…

Couthon, de son fauteuil roulant, intervient de sa voix douce :

— Lazare, nous ne sommes pas opposés à fournir les hommes que tu réclames, si tu gardes présent à l'esprit que la Convention doit être protégée.

Lazare Carnot toujours debout exulte :

— Mais quelle opinion détestable avez-vous de moi ? Est-ce dans mes habitudes d'abandonner les

1. Le chiffre est historique.

miens à l'ennemi ? N'avez-vous pas compris qu'il faut faire sortir les jeunes volontaires de Paris, pour sauver Paris ? Je suis las de voir mes demandes de renforts sans cesse critiquées par vous… Un jour, ce sont les effectifs qui sont en cause, un autre jour on trouve qu'il y a trop de nobles parmi mes officiers, et dès qu'un général perd une bataille ou qu'il la gagne, vous lui coupez aussitôt la tête. Si je fauchais comme vous le faites l'état-major de façon systématique, qui donc commanderait au feu ? Mais enfin, avez-vous oui ou non pris conscience que nous allons être envahis ? Est-ce ma faute si la cavalerie autrichienne est à quarante lieues d'ici ? Il martèle la table pour affirmer avec force : Et je n'ai même pas une section pour les arrêter ! J'ai un besoin urgent de ces douze mille hommes afin de me porter au-devant d'eux, et pas demain, immédiatement ! C'est le seul moyen de sauver Paris. Je suis dangereusement à découvert, tous mes effectifs sont sur le Rhin ! Il repose les dossiers sur la table, se croise les bras puis fixe Robespierre : Alors, que décides-tu ?

Robespierre toussote, sort son mouchoir et commence à essuyer ses lunettes, signe bien connu de son embarras. Il fixe Carnot de son regard voilé de myope :

— Lazare, tu auras tes jeunes volontaires si le Comité entérine ta requête, je propose donc qu'on vote à main levée… Quels sont ceux parmi vous qui sont d'accord pour dégarnir Paris ?

Tout le monde lève le bras, à l'exception de Robespierre, de Couthon et de Saint-Just.

— Eh bien, Lazare, tu as obtenu la majorité : les jeunes volontaires sont à toi !

Carnot s'empare vivement de ses dossiers et s'apprête à sortir.

— Merci ! Je n'ai pas une seconde à perdre. S'adressant aux trois mêmes : A qui dois-je confier le commandement de ces hommes ? Si vous n'aviez pas mis Houchard sur la touche, je le lui aurais donné…

C'était mon meilleur stratège, il me reste Jourdan ou Pichegru. A Robespierre : Serais-tu d'accord pour Jourdan ?

Robespierre acquiesce d'un mouvement de tête.

— Ce serait encore le moins dangereux des deux, dit-il.

— Alors j'expédie immédiatement mes volontaires au camp de Soissons, c'est à Maubeuge que nous arrêterons les Autrichiens, d'ailleurs je compte lui donner le commandement de l'armée du Nord. S'adressant à Lindet : Oriente immédiatement subsistances et habillements vers Compiègne où je ne possède aucune réserve.

Lindet rédige aussitôt des ordres et les passe à Labussière qui les fait signer à Robespierre, à Saint-Just, à Prieur et à Cambon.

— Prieur, j'ai besoin de toi pour armer mes douze mille hommes.

Prieur de la Côte-d'Or se lève aussitôt, prend ses dossiers et suit Carnot qui sort en saluant :

— Allez, salut et fraternité !

Carnot revient soudain sur ses pas.

— Qui se charge de prévenir Jourdan de rejoindre Soissons ? Je n'en ai pas le temps.

— Moi ! dit Lindet en continuant de rédiger ses ordres qu'il passe à Robespierre puis à Saint-Just tandis que Labussière les plie en quatre et appose le cachet du Comité.

Tous demeurent silencieux autour de la table tandis que Lindet rédige la dernière note. Il remet la petite pile au secrétaire :

— Faites porter immédiatement ces plis au ministre de la Guerre.

Robespierre, qui frottait le verre de ses lunettes depuis un bon moment, a un petit sourire ironique. Il rompt le silence en parcourant l'assemblée de son regard émoussé :

— Eh bien, voilà donc comblés les vœux du Comité, n'est-ce pas ? Vous remarquerez que vos volontés sont respectées à la lettre. J'émettrai toutefois une réserve : Nous regrettons qu'au lieu de destituer et punir nos généraux félons, le Comité préfère envoyer nos enfants à la boucherie – il soupire. Enfin, puisque tel est votre désir, eh bien, qu'il en soit ainsi !

Cambon intervient vivement :

— Mais, à t'entendre, tous les généraux sont des traîtres. Certains d'entre eux ont quand même remporté de grandes et belles victoires !

Robespierre fixe Cambon avec un méchant sourire tout en continuant à frotter ses lunettes.

— En effet, toutefois, mes amis, vous savez bien que la prospérité d'une nation s'apprécie moins par les succès extérieurs que par l'heureuse situation de l'intérieur. Non ? Vous remarquerez aussi que l'esprit de despotisme est très fréquent chez ces militaires victorieux, ils deviennent aussitôt incontrôlables. Permettez-moi de rester vigilant.

Cambon revient à la charge :

— Tu oublies que leurs victoires nous ont sauvés une première fois de l'invasion.

Robespierre, ricanant, répond sur un ton méprisant :

— Je ne l'oublie pas, et même je m'en inquiète.

— Comment, tu t'en inquiètes ?

— Veux-tu que je t'avoue une chose ? Ces généraux victorieux sont des hommes éminemment dangereux et je suis bien fier de ne pas connaître leur honneur. On a voulu profiter de la victoire de Fleurus qui a dissipé toute crainte du dehors pour incliner à l'indulgence au-dedans. Qu'on se garde de s'endormir après la victoire !

— Autrement dit, l'indulgence est un crime et nous ne devons jamais nous réjouir d'une victoire de nos armées ? dit Cambon ironique.

— Nous réjouir ? Jamais ! Nos ennemis, qui le savent bien, ne manquent pas à cette occasion de faire des efforts pour détourner notre attention de leurs crimes.

— Dorénavant, je ne me réjouirai plus à l'annonce d'une victoire de nos troupes, dit Thuriot en riant. Pourrons-nous tout de même pleurer à leur défaite, ou ce serait également antipatriotique ?

Robespierre fait semblant de ne pas avoir entendu, il poursuit :

— La véritable victoire est celle que les amis de la liberté remportent sur les factions, c'est cette victoire qui appelle chez les peuples la paix, la justice et le bonheur !

— Ah ! nous y voilà ! dit Thuriot. Autrement dit, seule ta faction apportera bonheur et probité ! Et ceux qui n'en font pas partie sont obligatoirement des traîtres ! Belle conception de la pluralité démocratique.

— Je pense que nous avons épuisé le sujet… coupe Robespierre en se tournant vers Barère à qui il demande : Pouvez-vous nous indiquer la suite de l'ordre du jour, s'il vous plaît, il ne faudrait tout de même pas…

Thuriot se lève en l'interrompant :

— … Avant de passer à l'ordre du jour, je désirerais que soit noté dans le compte rendu de séance que je ne suis pas solidaire des poursuites effectuées contre Kellermann et Custine qui ont respectivement remporté les victoires de Valmy et de Mayence… Puis se retournant vers Labussière : Constant, cela sera-t-il transcrit ?

— Cela sera transcrit, citoyen conseiller !

— Tu m'en remettras une copie certifiée, s'il te plaît – il se rassoit. Vous pouvez passer maintenant à l'ordre du jour.

Saint-Just l'interpelle avec son regard bleu électrique :

— Puisque tu défends avec une telle conviction ces traîtres, tu devrais rajouter à ta liste Houchard, Brunet, Dumouriez et Lafayette, ainsi ta galerie de généraux félons sera complète !

Thuriot sourit.

— Louis, mon jeune ami, ne sois pas si amer, tu es jeune et beau, et tu as de si beaux jours devant toi !

N'oublie pas que tu disposes de plus de trois cents généraux qui n'ont pas encore été guillotinés. Tu as du pain sur la planche.

Un très léger sourire ironique apparaît sur les lèvres de Saint-Just tandis que le reste de son visage reste immobile :

— Allons, allons ! Tu perds ton sang-froid, vieil homme. N'oublie pas que le pouvoir appartient aux flegmatiques. Mais tu peux être assuré que tous les traîtres et les fripons seront punis, y compris ceux de la Compagnie des Indes…

Aussitôt un silence pesant plombe l'assistance.

— Nous avons découvert en son sein certains membres plus ou moins louches auxquels la justice va s'intéresser sans retard.

Thuriot dont la pâleur soudaine traduit une intense émotion réplique :

— Si cette allusion m'est destinée, tu te trompes, jeune serpent, car précisément je ne fais pas partie de la Compagnie des Indes. Maintenant, si c'est pour Danton que tu craches ton venin, tu devrais aller le lui lancer à la face, tu constaterais à tes dépens qu'il peut être percutant autrement qu'avec des mots !

— Cela suffit ! tranche Robespierre. Barère, s'il vous plaît, ne pourrait-on pas passer enfin à l'ordre du jour ?

Barère se lève et lit son papier :

— L'ordre du jour porte sur la conspiration de l'Œillet, le sort que nous réservons à la veuve Capet, le remaniement du jury du Tribunal révolutionnaire, et enfin la mise à l'ordre du jour de la Terreur… S'adressant à Robespierre : Si vous voulez bien, nous examinerons d'abord l'affaire de l'Œillet…

Robespierre s'adresse à Billaud-Varenne et à Collot d'Herbois[1] :

— Encore cet Œillet ? Je vous en prie, passons rapidement sur cette gesticulation de concierges, nous n'en finirons donc jamais avec cette pantomime ?

1. Chargés de l'Intérieur.

Je pensais que nous avions épuisé le sujet, que reste-t-il encore à examiner ?

— J'ai convoqué Fouquier-Tinville, répond Billaud-Varenne, il doit nous remettre son rapport, il attend d'être reçu en compagnie du président du Tribunal révolutionnaire.

Surpris, Robespierre demande :

— D'Herman ?

— Précisément.

— Mais je l'ignorais... Introduisez-les !

Fouquier-Tinville et Herman entrent dans la salle, ils se découvrent. Barère leur désigne deux places proches de celle de Robespierre.

— Salut et fraternité, citoyens...

Tous répondent :

— Salut et fraternité !

Robespierre s'adresse à Herman avec un sourire :

— Bonjour ami. Puis à Fouquier-Tinville, sur un ton sec et cassant : Pouvez-vous nous exposer rapidement votre rapport sur l'affaire de l'Œillet, s'il vous plaît ?

Fouquier-Tinville sort la feuille contenant le résumé du rapport et la tend à Robespierre. Celui-ci s'en saisit, remonte ses lunettes dans sa perruque, le silence s'établit autour de lui. Comme tous les grands myopes, il lit en plaçant le texte à deux centimètres de ses yeux. Le maître examine le feuillet en diagonale tandis que tout le monde se tait. On attend... Au bout d'un moment, il fait retomber ses lunettes sur son nez, puis se tourne vers Fouquier-Tinville tout en jetant ostensiblement le rapport sur la table.

— Votre rapport est sans intérêt, cette petite intrigue de prison est sans consistance, j'espère que vous ne comptez pas sur cette singerie pour étayer l'inculpation d'Antoinette ? Vous avez bien noté qu'elle n'a pas trébuché une seule fois aux questions des enquêteurs... Quelle déconvenue ! Vous n'avez décidément rien compris à ce que nous attendions de vous !

Fouquier-Tinville servile répond aussitôt :

— Président, je n'ai rien pu obtenir de plus des deux députés instructeurs Amar et Sevestre qui ont interrogé la veuve Capet, vous pouvez être assuré, président, que nous avons fait le maximum.

Lindet intervient dans un éclat de rire :

— Vous avez désigné Amar et Sevestre comme instructeurs ? Que c'est drôle !

Rires autour de la table, tandis que Fouquier prend l'expression du poisson carnivore. Robespierre, affecté par l'hilarité générale, amorce l'ombre d'un sourire :

— Je sais, je sais ! Ce choix ne fut pas très heureux, hélas, nous n'avons pas trouvé mieux ! Il sort une feuille d'un dossier en soupirant puis la tend à Fouquier en lui demandant sur un ton sec : Voici la lettre que vous m'avez adressée le 25 août, veuillez la lire aux membres du Comité, s'il vous plaît.

Fouquier se lève et lit d'une voix rauque :

— Citoyen président, malgré les longueurs qu'a entraînées l'affaire Custine, le tribunal se trouve inculpé dans les journaux et dans tous les lieux publics, qu'il ne se soit pas occupé de la ci-devant Reine. Il ne m'est parvenu aucune pièce de cette affaire et je réitère qu'il n'est pas en mon pouvoir de donner de suite à cette affaire, tant que je n'aurai pas reçu les pièces… Signé : Fouquier-Tinville.

Un silence suit sa déclaration. Robespierre, sur un ton agacé, demande alors à l'accusateur :

— Nous ne vous avons rien communiqué parce que nous ne possédons rien contre elle, vous devrez donc vous débrouiller sans nous. Etonnez-nous pour une fois en faisant preuve d'imagination ! Ce ne sont pas les traîtrises d'Antoinette qui manquent, tout de même ! Mais à quoi songez-vous à la fin ?… Toutes ces palabres nous ont fait perdre beaucoup trop de temps, que comptez-vous faire maintenant ?

— Sonder de nouveau les archives, président, pour tenter de trouver des charges !

Robespierre hausse les épaules. Lindet renchérit :

— Citoyen accusateur, vous allez perdre un peu plus votre temps ! Avec la pagaille qui y règne, vous auriez beaucoup de chance si vous trouviez quelque chose à vous mettre sous la dent.

— Malheureusement, rétorque Saint-Just, la stupide affaire de l'Œillet a été divulguée par Hébert qui en a fait des gorges chaudes dans son journal.

Robespierre, déjà informé de la diffusion de l'Œillet dans le grand public, fait semblant de l'ignorer afin de culpabiliser un peu plus Fouquier-Tinville.

— Comment ? J'avais pourtant demandé que cette affaire ne s'ébruite pas ! Pourquoi avez-vous permis à l'opinion publique de s'emparer de la rumeur ? Qu'est-ce que c'est encore que cette histoire ?

— J'avais pourtant pris toutes les précautions dans ce sens, président, on ne peut empêcher les fuites d'une affaire qui fixe autant l'imagination du peuple !

Robespierre bondit.

— Qu'osez-vous dire ? Fixer l'imagination du peuple avec une intrigue lamentable montée par des gens lamentables pour un résultat lamentable ? Ça, une affaire qui fixe l'imagination du peuple ? C'est une plaisanterie. Il s'adresse ensuite à Couthon en laissant tomber ses bras sur la table, tandis que le teint de Fouquier vire au verdâtre : C'est navrant ! Nous allons être ridiculisés !

— Je pense, Maximilien, répond Couthon de sa voix douce, que ce sera un mal pour un bien. L'actuel déchaînement de l'opinion publique contre Antoinette nous permettra plus facilement de la traduire devant le Tribunal révolutionnaire et de nous en débarrasser.

— Et de mettre une fois pour toutes la Terreur à l'ordre du jour, dit Saint-Just.

— Nous en débarrasser ? s'étonne Robespierre, mais nous ne tenons nullement à nous en débarrasser ! Elle m'est trop précieuse pour faire la paix.

— Président, dit Fouquier-Tinville, je ne demande qu'à traduire la veuve Capet devant le Tribunal révolutionnaire. Dictez-m'en seulement les motifs pour étayer mon accusation.

La réponse cinglante de Robespierre ne se fait pas attendre :

— Sachez une fois pour toutes que nous n'avons aucun motif à vous fournir ! Assumez le poste que l'on vous a confié, c'est pour cela qu'on vous a mis là !

— Président, je ferai de mon mieux.

— Où en sommes-nous avec toute la bigoterie qui se pratique à la Conciergerie ? demande l'autre.

— Selon vos instructions, président, l'abbé Emery reçoit tous les jours des prêtres réfractaires. Peut-on continuer à fermer les yeux ?

— Laissez faire, laissez faire, ils nous aident.

— Et pour la veuve Capet, autoriserons-nous toujours leurs visites ?

— De qui ?

— De la femme Fouché et de sa clique de curés ?

— Que veulent-ils ?

— Faire donner la communion à l'Autrichienne par un prêtre réfractaire du nom de Magnin.

— La communion ? s'interroge Robespierre en riant. Laissez-le faire, ils nous facilitent la tâche.

— Ils ont comme projet de faire donner la messe dans le cachot de la veuve Capet.

Tout le monde s'esclaffe.

— Dois-je les laisser faire, président ?

— Bien sûr, et même les aider. Comprenez bien que c'est grâce à eux si nous avons la paix à la Conciergerie. Richard sait-il qu'il ne doit pas s'y opposer ?

— Oui, président.

— Cet abbé Emery est un dangereux réactionnaire, lance Saint-Just, ne serait-il pas temps de l'éliminer ?

— Mais non ! insiste Robespierre. Laissons-le faire, il ne faut pas qu'on le juge si tôt. C'est un homme qui nous est utile, il fait qu'on va à la mort sans se plaindre. Soyez rassurés, son jour viendra.

— Nous le laissons vivre, renchérit Fouquier, parce qu'il étouffe plus de plaintes et de tumultes dans nos prisons par la douceur de ses conseils, que les gendarmes et la peur de la guillotine ne pourraient le faire.

— Hébert, dit Barère, attend depuis un bon moment dehors pour faire une déclaration au Comité qui ressemble à un ultimatum. Il est accompagné du maire.

— Qui les a invités ? demande sévèrement Robespierre.

— C'est moi ! précise Barère, j'ai cru bon de les convier afin de ménager les sans-culottes.

— Alors finissons-en, faites-les entrer, dit Robespierre excédé.

Comme il est habituel de ne jamais laisser une personne étrangère assister aux débats du Comité de salut public, Robespierre dit sèchement à Fouquier-Tinville :

— Citoyen accusateur, vous pouvez vous retirer, merci.

— Président, puis-je faire signer au Comité la liste des condamnés de demain ?

Robespierre fait signe à Saint-Just de signer.

— Donnez, donnez ! dit Saint-Just en parcourant la liste en diagonale.

Il la signe rapidement, puis la présente à Billaud-Varenne qui s'en saisit et l'agite en demandant :

— Combien sont-ils ?

— Soixante et un ! répond Fouquier-Tinville. Citoyen député, nous sommes au pas, nous avons pris la bonne cadence.

Personne ne relève. Billaud-Varenne signe sans même lire et passe la feuille à Collot d'Herbois qui procède de la même façon. Fouquier récupère la liste des condamnés à mort que personne n'a lue et s'apprête à sortir. Il croise sur le pas de la porte Hébert accompagné de Pache, le maire de Paris. Ils se découvrent en se saluant :

— Salut et fraternité ! Hébert se tourne vers Fouquier : Ne t'en va pas, Quentin, il faut que tu prennes connaissance des pétitions des trente-deux sections de Paris… Cela te concerne.

Fouquier revient sur ses pas et reprend sa place à table. Hébert dépose une pile de papiers face à Robespierre et lui lance sans transition :

— Je viens remettre au Comité les pétitions provenant de trente-deux sections de Paris sur quarante-huit. Elles demandent toutes la même chose : la tête de l'Autrichienne, et sans jugement si nécessaire.

Robespierre, ironique, répond de sa voix haut perchée :

— Tiens tiens ! Vous ne réclamez plus son retour au Temple ? Comment cela se fait-il ? Vous avez bien fait d'avoir abandonné cette idée saugrenue – il constate en ricanant l'effet produit sur l'assistance… Cela ne vous gênerait-il pas, citoyen substitut, si nous prenions le temps de lui faire tout de même un petit procès ?

Hébert, déstabilisé par l'allusion de Robespierre pour sa complicité avec de Batz, fait aussitôt de la surenchère :

— Pour quoi faire ? Le peuple est à bout. Il ne comprend pas pourquoi après sa tentative d'évasion, la louve n'est pas aussitôt montée à l'échafaud.

Robespierre lance sur un ton encore plus dur :

— Parce qu'il nous faut des chefs d'accusation tangibles, citoyen substitut !

— Ah, je vous en prie, vous n'allez pas prétendre que ce sont les preuves qui manquent ?

— C'est un peu cela ! intervient Couthon de sa voix douce en lançant un sourire complice à Robespierre. Son dossier d'accusation est encore incomplet. Nous comptons beaucoup sur vous pour le compléter !

— Incomplet ? Aux yeux de qui ? Certainement pas aux yeux du peuple ! Conclusion : vous ne faites rien ?

Robespierre soupire d'exaspération. Le maire de Paris intervient :

— Sois tranquille, Jacques, nous trouverons les preuves nécessaires pour la décapiter.

Robespierre intervient sur un ton glacial :

— Citoyen maire, il n'est pas dans vos compétences d'instruire le procès d'Antoinette. Quant à vous, citoyen Hébert, vous n'avez aucun avis à émettre ! Le Tribunal révolutionnaire possède un accusateur public, un président, des juges et des jurés qui l'instruiront en temps voulu. Leurs directives sont dictées par le peuple représenté par les Comités de salut public et de sûreté générale – il s'empare des pétitions et sur un signe les passe à Constant Labussière. Toutefois, nous prenons en compte ces pétitions parce qu'elles reflètent la volonté populaire. Mais seul le Tribunal révolutionnaire de Paris est apte à juger Antoinette ! Nous vous remercions pour votre diligence, citoyen substitut, vous pouvez vous retirer.

Hébert, interloqué d'être ainsi éconduit, se lève, imité par le maire de Paris. Robespierre s'adresse alors à ce dernier sur un ton sec :

— Ne partez pas, citoyen Pache, le Comité doit entendre le maire sur le décret qui entérine définitivement le vote de la Convention sur la Terreur. S'adressant à Hébert : Donc, merci encore, citoyen substitut, vous pouvez maintenant vous retirer.

Les yeux d'Hébert sortent de leurs orbites. C'est debout et du haut de sa courte taille, ses deux petites mains blanches posées à plat sur la table, qu'il lance à Robespierre :

— J'ai promis la tête d'Antoinette…

— Pas possible, coupe Saint-Just, en la faisant transférer au Temple ?

Tout le monde rit.

— J'irai la couper moi-même si on tarde à me la donner !

Robespierre lève les yeux au ciel.

— … Je l'ai promise de votre part aux sans-culottes qui me la demandent… Sans eux vous n'existez plus…

— Et vous non plus ! lance Couthon en souriant.

— L'instinct de la République les pousse à s'unir à nous et vous hésitez ! Prenez garde !

Il sort sans saluer.

— Il doit en avoir des choses à se faire pardonner pour être si violent ! dit Saint-Just.

Robespierre soupire :

— Quelle outrance ! Voyez-vous, mes amis, le peuple ne devrait jamais écouter ceux qui lui inspirent une défiance universelle. Hébert dans son journal se livre à tous les excès, voilà l'exemple frappant où la liberté de la presse ne doit pas être permise : lorsqu'elle compromet la liberté publique… C'est désolant… Allez ! Barère, s'il vous plaît, la suite de l'ordre du jour.

Barère consulte son papier.

— Quel sort décidons-nous de réserver à la veuve Capet ?

Robespierre, étonné et las, lève les yeux au ciel :

— Mais nous n'en savons rien encore ! Tout dépend de la tournure des négociations avec les Autrichiens ! C'est une évidence et une nécessité !

Constant Labussière dans son coin accuse le coup. Cambon intervient vivement :

— Tu as parfaitement raison, ce serait la pire des erreurs tactiques que de la supprimer au moment même où nous négocions avec l'Autriche des préliminaires de paix, elle constitue un otage de premier choix, supprimez-la et vous perdrez une solide monnaie d'échange.

Couthon lance, ironique :

— Pour le moment, nos préliminaires de paix semblent plutôt une fin de non-recevoir ! Ils ont arrêté les quatre députés de la Convention et notre ministre de la Guerre qui venaient négocier !

— Raison de plus pour garder Antoinette ! dit Jean Bon Saint-André.

— Mais vous semblez oublier qu'Hérault avait précédemment perdu beaucoup de temps dans ses tractations avec les Autrichiens en leur proposant de l'échanger contre la paix, dit Billaud-Varenne, et ils n'en ont pas voulu.

Hérault de Séchelles acquiesce en opinant du chef.

— L'Empereur d'Autriche se moque éperdument du sort de sa tante. D'ailleurs, à part ce pauvre Fersen et nous-mêmes, qui s'intéresse vraiment à son sort ?

Rires autour de la table.

— En revanche, elle nous sera aussi très utile pour instaurer la Terreur !

— Et puis il reste encore au Temple le petit Capet comme monnaie d'échange éventuelle avec l'ennemi, reprend Hérault de Séchelles.

Robespierre lance son méchant regard de myope sur Fouquier-Tinville qui s'est levé et attend toujours la permission de sortir.

— Citoyen accusateur, si j'en crois votre rapport, le cachot d'Antoinette est devenu le dernier salon où l'on cause, et Michonis avait même transformé la veuve Capet en personnage de foire avec visite payante à haut rendement. Comment avez-vous pu permettre une telle ignominie ?

Fouquier terrorisé reprend aussitôt le faciès du poisson carnivore.

— ... C'est déshonorant et dégradant pour la Nation qu'on puisse tirer ainsi profit des prisons de la République, rajoute Robespierre.

Fouquier-Tinville, de plus en plus verdâtre, balbutie :

— C'est exact, président, mais je n'avais rien autorisé, c'était une conspiration montée par Michonis...

Robespierre l'interrompt brutalement de sa voix aiguë :

— Qu'insinuez-vous encore ? Une conspiration montée par Michonis ? Un administrateur de police et membre de la Commune de Paris qui comploterait ? Il s'adresse à Pache : Entendez-vous, citoyen maire ?

Celui-ci fait l'étonné.

— ... Michonis aurait comploté contre la République ?

Robespierre ricane, l'autre servile rit également.

— ... Comment un fonctionnaire d'Etat comme vous, payé huit mille livres par an, peut-il avancer de telles absurdités ? Mais Michonis ne complote pas, il voulait tout simplement monnayer les visites d'Antoinette. C'était une petite intrigue de prison et non une affaire d'Etat comme vous le laissez croire !

— Président, c'est pourtant ce qu'il m'avait semblé, mais je vois que…

— Il est grand temps que vous révisiez votre jugement sur ce complot de servantes.

— Je me suis trompé et j'en suis affecté, vous pouvez le croire, président. En revanche, nous allons déménager la veuve Capet dans une prison encore plus sûre pour que…

— … Ah oui ? s'étonne Robespierre sur un ton ironique, pour la mettre où ?

— Dans un cachot qui mesurera trois mètres sur deux et où toutes les issues seront bouchées.

— En quoi ce local offrira-t-il plus de garanties que le précédent ?

— Il est éloigné de la sortie par trois guichets supplémentaires. Son régime alimentaire sera réduit au strict minimum. Deux plats : un de viande et un de légumes, pas de dessert. Les visites sont interdites, et désormais, deux gendarmes résideront en permanence à l'intérieur et deux autres à l'extérieur ! Le nouveau concierge ne pourra pénétrer dans le cachot qu'accompagné d'un officier avec un ordre écrit pour chaque visite.

— Diable ! Mais espérons que toutes ces mesures porteront enfin leurs fruits, dit Robespierre qui lui tourne aussitôt le dos pour s'adresser au maire de Paris avec un faux sourire : Alors, citoyen Pache, votre sentiment ? Qu'allons-nous faire d'Antoinette ?

— Je me range totalement à votre point de vue, président, se soumet l'autre. Pourtant, le sang de l'Autrichienne permettrait de lier étroitement le Tribunal révolutionnaire non seulement à la Convention mais aussi au peuple de Paris.

Thuriot, qui s'était retranché dans un silence hostile, se lève et déclare :

— Eh bien, moi, je ne suis pas du tout d'accord avec ce que pense Pache. Cambon et Jean Bon ont raison, si nous supprimons Antoinette, nous allons déchaîner contre nous l'Europe des Rois et cette guerre ne finira jamais ! La preuve est là : après la victoire de Valmy, nous avons quand même été battus à Neerwinden, non ? Allons-nous recommencer sans cesse la même guerre ? Vous avez bien vu qu'une victoire éclatante comme Jemmapes ne nous a pas empêchés d'essuyer des défaites cuisantes à Valenciennes et à Mayence. Voulez-vous d'une guerre éternelle avec l'Europe ?

— Ce qui se dit autour de cette table est parfaitement sensé ! dit Robespierre en nettoyant de nouveau ses lunettes et en prenant soin de ne pas donner raison à Thuriot. J'ai moi-même toujours été contre la stupide déclaration de guerre à l'Autriche, mais souvenez-vous toutefois que cette Europe des Rois n'a pas attendu pour se coaliser contre nous. En revanche, il est vrai aussi que le sang des Habsbourg va nous entraîner dans des guerres interminables avec la maison d'Autriche et ses alliés.

Il se lève, s'adosse à la cheminée, réfléchit quelques instants en fixant le plafond et déclare :

— Alors que faire ? Eh bien, la réponse est simple – il toussote –, nous n'avons plus le choix – il remet ses lunettes –, mes amis, je vous tiendrai le même discours que celui que je vous ai tenu lors du procès de Louis Capet. Je le répéterai toujours : nous ne sommes pas des juges, nous sommes des hommes d'Etat. Ce n'est pas une décision de justice que nous avons à rendre pour savoir s'il faut oui ou non condamner Antoinette, mais il nous faut prendre une mesure de salut public pour sauvegarder la République. Je vous pose de nouveau la question : Si les rois vivent, que devient la légitimité de notre Révolution ? Ne perdrions-nous pas notre raison d'être et ne deviendrions-nous pas alors des calomniateurs ? Voulez-vous d'une Révolution sans Révolution ? La réponse est évidente : sans aucune manifestation de haine, nous devons condamner Antoinette uniquement parce qu'il faut que la patrie vive !

— La condamner à quoi ? lance Thuriot.

— Nous ne le savons pas encore. En revanche, ce que nous savons, c'est que nous n'avons pas à la juger : nous devons simplement appliquer par une condamnation cette mesure de salut public qui garantit la pérennité de la Révolution, un point c'est tout. C'est pour cette seule et unique raison que nous avons besoin du glaive de la justice et que ce glaive est tout naturellement le Tribunal révolutionnaire ! Vous voyez bien, mes amis, que toute notre action s'inscrit dans une logique parfaite !

Thuriot glisse à part à Cambon qui en rit :

— Il ne faudrait tout de même pas que ce glaive devienne une hache !

Saint-Just intervient, l'index levé vers le ciel comme un prophète :

— Moi je vais encore plus loin : j'estime que nous n'avons pas à juger Antoinette comme une simple citoyenne mais comme une ennemie, vous admettrez donc que nous avons moins à la juger qu'à la combattre. Je voudrais d'ailleurs vous présenter un avant-projet de réaménagement du Tribunal révolutionnaire que nous mettrons en application très rapidement.

— Pour quelles raisons le réaménager ? demande Thuriot. Quels défauts lui trouves-tu ?

— Sa conception actuelle, qui est celle de Danton, est bien trop permissive, elle protège les traîtres et nous fait perdre trop de temps.

— Mais la justice ne peut être expéditive !

— Louis a raison, tranche Robespierre, il faut que ce tribunal soit actif comme le crime, et instruise tout procès en vingt-quatre heures. Louis, voudrais-tu nous donner quelques précisions sur ces nouvelles lois que nous soumettrons à la Convention au printemps prochain ?

Saint-Just ouvre un volumineux dossier :

— Voici dans les grandes lignes ce qui changera, dit Saint-Just. Avant tout, réaménagement de l'article XII : "La formalité de l'interrogatoire préalable est superflue ; elle sera supprimée…"

— Mais c'est une monstruosité ! s'écrie Thuriot. Donc, plus d'instruction avant le procès ?

— Eh non… Je continue. Réaménagement de l'article XIII : "… que s'il existe des preuves, soit matérielles soit morales, il ne sera point entendu de témoins, à moins que cette formalité ne paraisse nécessaire pour découvrir des complices…"

— Quoi ? Vous supprimez aussi les témoins à décharge ? Mais votre projet porte un coup mortel à l'état de droit !

— Nous supprimons ! Nous supprimons les témoins !

— Mais alors, sur quel critère établirez-vous la notion de culpabilité ?

— L'unique règle des jugements sera la conscience des jurés, éclairée par l'amour de la patrie. Ainsi la défense sera supprimée, et il n'y aura que deux verdicts possibles : l'acquittement ou la mort.

— Et quand comptez-vous mettre en application ces lois ? demande Thuriot.

— Pas tout de suite… Au printemps.

Thuriot s'adresse alors à Robespierre :

— Durant combien de temps comptes-tu maintenir cette juridiction criminelle ?

— Jusqu'à ce que le peuple affranchi de la tyrannie puisse enfin profiter des bienfaits de la probité et de la vertu et éliminer tous les traîtres qui comptent renverser la République grâce au complot de l'étranger.

— N'as-tu pas peur que le peuple gronde à tes mesures ? dit Thuriot en ricanant.

— Quiconque veut cabaler contre le gouvernement est un traître. Si on veut calomnier le gouvernement révolutionnaire, c'est pour le dissoudre. Si on veut flétrir le Tribunal révolutionnaire, c'est pour que les conspirateurs respirent en paix. Nos lois apporteront au peuple la sûreté du régime révolutionnaire.

Thuriot est abasourdi. Un grand silence s'abat sur les membres du Comité. Rien n'a échappé bien sûr à Constant Labussière assommé qui s'apprête à tout rapporter à de Batz.

Barère rompt le silence :

— Il faudra quand même être assuré de la fiabilité de ce glaive comme de la constance des jurés, afin que la seule condamnation possible, dans tous les cas de figure et quelle que soit l'inculpation, soit bien la mort.

— C'est évident ! dit Robespierre. Vous pensez bien, mes amis, que nous y avons songé, et nous nous sommes assurés de la fiabilité indéfectible de douze patriotes irréprochables.

Collot d'Herbois demande :

— Les avons-nous choisis sur la liste proposée par Fouquier-Tinville et Floriot-Lescot ?

— Non seulement choisis, dit Saint-Just, mais également nommés à titre définitif, et ils seront même rétribués à partir du 8 septembre !

Thuriot revient à la charge :

— En quelque sorte, des jurés de pacotille à la botte du pouvoir ?

Robespierre accuse le coup, réfléchit quelques secondes, enlève ses lunettes, et lui répond en le fixant de son regard émoussé :

— En quelque sorte ! Et je n'en ai pas honte puisque nous utilisons les mêmes armes que nos ennemis ! Puis il se tourne vers Herman : Pour illustrer notre action patriotique, mon ami, voudriez-vous exposer à ceux qui se méprennent sur le sens de notre combat comment s'organisera le procès de la veuve Capet ?

Lindet sur un ton ironique enfonce le clou :

— Ces jurés, bien sûr, ont tous été désignés par un tirage au sort…

Eclat de rire général, sauf pour Robespierre, Saint-Just et Couthon qui n'apprécient pas. Herman se lève pour faire sa communication de sa voix nasillarde. Robespierre l'écoute, toujours debout appuyé contre la cheminée. Herman parle de sa place :

— Nous avons été très sélectifs dans le choix de ces jurés, car ils conditionnent l'élimination physique de nos ennemis grâce au seul verdict possible de condamnation : la mort. C'était le but à atteindre et nous avons refondu le Tribunal révolutionnaire en conséquence. Pour frapper les esprits, il est essentiel qu'Antoinette soit traduite la première, car son procès va nous permettre d'inaugurer la Terreur. Vous connaissez la plupart de ceux qui ont été choisis, je les ai convoqués afin de vous les présenter tous ensemble... Il ajoute avec un sourire glacial : C'est un échantillon de la diversité de nos concitoyens puisque nous avons même parmi eux un ci-devant marquis – rires polis. Puis s'adressant à Barère : Pourrait-on les introduire ?

Barère s'adresse à son tour à Labussière :

— Constant, veux-tu introduire les jurés, s'il te plaît ?

Labussière se lève, ouvre une porte, douze hommes pénètrent dans la salle de délibération, ils paraissent intimidés. Tous les membres du Comité se lèvent et se disposent face à eux. Les jurés se placent en arc de cercle. Herman désigne le premier d'entre eux à Robespierre :

— Je ne vous présente pas le citoyen Souberbielle, puisqu'il est votre chirurgien !

Robespierre lui sourit, mais ne lui serre pas la main pour ne pas être obligé d'en faire autant avec les autres.

— Bonjour ami ! dit-il simplement.

Herman passe rapidement de l'un à l'autre, Robespierre ne serre toujours pas les mains.

— Le citoyen Nicolas, imprimeur, le citoyen Thoumin, ancien procureur, le citoyen Besnard, commissaire priseur, le citoyen Antonelle, ci-devant marquis, ancien député à la Législative...

— Ah ! oui, c'est vrai, dit Robespierre, vous étiez maire d'Arles et député à la Législative quand je n'y étais pas. Aviez-vous voté la guerre ?

— Oui, président, répond l'autre gêné.

— Vous avez eu grand tort. Vous êtes donc tombé dans le piège que vous a tendu la cour ? Ils comptaient que nous perdrions cette guerre pour ramener la monarchie absolue en France.

— C'est exact, président ! Et croyez bien que je le regrette !

Herman poursuit ses présentations :

– ...Vous connaissez déjà le citoyen Ganney, perruquier...

— Bien sûr, bonjour ami.

Lindet souffle à l'oreille de Cambon :

— J'ai rarement rencontré un pareil abruti, il a écrit une lettre de remerciements au ministre, il y avait une faute à chaque mot. Fouquier et Herman feront ce qu'ils voudront de cet imbécile !

Herman continue :

— Voici le citoyen Lumière qui est musicien.

Robespierre qui aime la musique lui demande :

— De quel instrument jouez-vous, ami ?

— Du luth, président.

— Ah ! c'est bien. Où exercez-vous votre art ?

— Dans les guinguettes, président, pour les mariages et les premières communions, mais aussi pour les enterrements.

Tout le monde rit.

— Voici le citoyen Desboisseaux qui est sabotier de son état.

— Bonjour, n'est-ce pas que vous avez un beau métier ?

— Je le crois, président ! dit l'autre en riant.

— Fournissez-vous les patriotes ?

— Bien sûr, président, je fournis tous les sans-culottes du faubourg Antoine !

— Ça c'est très bien.

— Les citoyens Devèse et Trinchard, tous deux menuisiers.

— Bonjours mes amis, nous avons grand besoin de votre art. Son expression se durcit quand il s'adresse à Fouquier : Notez de les convoquer pour la rénovation des tribunes de la Convention... Puis se tournant de nouveau vers les deux menuisiers : Mes amis, venez me voir demain en fin de matinée à l'Assemblée, j'ai un travail urgent pour vous : de nombreux fauteuils sont défoncés et font un bruit du diable pendant les séances.

Les autres s'inclinent. Herman enchaîne :

— Le citoyen Chrétien, cafetier, le citoyen Baron, chapelier, et enfin le citoyen Fieve.

— Bonjour, bonjour mes amis…

Les présentations terminées, Robespierre met ses mains derrière le dos, fixe le sol durant quelques instants pour mieux se concentrer, puis déclare de sa voix aigrelette :

— Citoyens jurés, vous savez sans doute que l'ennemi est à nos portes. Selon les vœux de l'Autrichienne, l'Europe des Rois nous envoie ses mercenaires pour envahir notre pays afin de détruire la République. Elle projette d'installer sur le trône le fils de Capet sous sa Régence.

Il sort un grand mouchoir blanc de sa poche, enlève ses lunettes qu'il nettoie de nouveau, en fixant encore le plafond.

— Sur ce point je ne partage pas le pessimisme de notre ami Carnot, car je suis tout a fait serein quant à l'issue du combat que livre notre peuple en armes contre des mercenaires, l'ennemi sera refoulé par l'élan patriotique de nos braves soldats. C'est une certitude. Mais les autres ? Cette conspiration de l'étranger alimentée par les ennemis de l'intérieur ? Ces forces de l'ombre ? Les voilà ceux que vous devrez frapper fort puisque la justice nationale est désormais entre vos mains. Et c'est de vos travaux que le peuple verra l'affermissement de cette Vertu, fondée, ne l'oubliez pas, sur l'Egalité. Mais pour que le règne de cette Vertu arrive, nous devrons parcourir un chemin long et difficile où le procès d'Antoinette n'est qu'une simple péripétie. En outre, vous serez contraints sous le poids de votre conscience de patriotes de rendre des jugements apparemment cruels et qui pourront même vous paraître injustes, mais sachez que pour réaliser le règne de la Vertu, vous devrez dans vos verdicts suspendre parfois vos lois morales individuelles – il met un temps d'arrêt en promenant son regard voilé sans lunettes sur l'assemblée pour deviner l'effet produit. Oui ! Oui ! Vous avez bien entendu, j'ai bien dit : vos lois morales individuelles ! Votre conscience, quoi ! Et dans quel but me direz-vous, devrions-nous suspendre nos intimes convictions ?

Un silence de mort accueille ces dernières paroles, Robespierre poursuit :

— Mais dans celui de consacrer la Terreur, car elle seule est au service de la morale collective. Puis, après un autre temps d'arrêt : Et servir la morale collective, c'est être au service de qui, au juste ? La morale collective sert le bien-être de la patrie. Vous pourrez me répondre : quand on a une conscience, faire fi de sa morale individuelle pour appliquer la Terreur, c'est plus facile à dire qu'à faire. Eh bien, non, mes amis, ce n'est pas vrai, parce que vous prendrez conscience dans votre rôle de jurés que Vertu et Terreur sont indissociables, et quand votre jugement aura atteint ce stade de clairvoyance, votre conscience sera libérée. La Terreur sans la Vertu est funeste, alors que sans la Terreur la Vertu est impuissante ! Seulement voilà, il vous faut des lois pour guider votre conscience de jurés. Le système judiciaire actuel est inefficace pour juger les traîtres. Il est trop lent et laisse trop de garanties à nos ennemis. Je mettrai à votre disposition au printemps de bonnes lois qui vous permettront de combattre efficacement cette conspiration de l'étranger qui mine la République[1] – il remet ses lunettes. Citoyens jurés, je vous remercie. Barère, pouvez-vous raccompagner, s'il vous plaît, les officiers du Tribunal révolutionnaire ?

Les jurés se retirent, Robespierre regagne sa place à la table, tout le monde en fait autant. Collot d'Herbois demande alors à Herman :

— Pour le procès d'Antoinette, avez-vous la même assurance concernant la fiabilité des témoins ?

1. Ce sont les terribles "lois de Prairial" que le peuple appela les "lois de sang".

C'est Fouquier-Tinville qui se précipite pour répondre :

— Concernant le procès de l'Autrichienne, je voudrais rassurer le Comité sur le choix des témoins à charge : ils ont été triés sur le volet ! Nous avons analysé avec certain d'entre eux toutes les étapes de la vie de la veuve Capet pour la charger à chacun de ses crimes commis contre le peuple. Nous avons même choisi d'anciens nobles qui l'ont approchée dans le passé mais avec lesquels elle ne s'est pas entendue – rires dans l'assistance. Enfin, nous fournirons les témoignages de sa trahison.

Thuriot, ne perdant pas une occasion de le contrer, demande :

— Témoignages vrais ou faux ?

Fouquier-Tinville désarçonné répond après quelques secondes de réflexion :

— Disons utiles à la Nation.

Thuriot se tourne alors vers Herman :

— Et qui vous assistera à la présidence ?

— J'ai quatre assesseurs et un greffier.

Thuriot, s'emparant d'un crayon, questionne :

— Et qui sont ?

— Coffinhal, Foucault, Donzé-Verteuil, Lane, et le greffier Fabricius.

Hérault de Séchelles intervient en riant :

— Fabricius ? Pourquoi ce curieux nom ?

Couthon lui répond de sa voix douce :

— Il a changé son nom, il s'appelle en réalité Nicolas Paris, bien qu'il soit né à Marseille !

Rires autour de la table.

— Comme il portait le même nom que l'assassin de Le Peletier, il tremblait qu'on le confondît avec lui.

Robespierre montre des signes d'impatience :

— A l'avenir, il faudrait se préserver de ces situations ridicules qui rejaillissent sur nous, en évitant d'engager des assesseurs porteurs de noms aussi grotesques.

Fouquier-Tinville sentant l'allusion se justifie :

— Je l'ai quand même retenu, président, parce que c'est un excellent greffier et que le travail à venir est considérable. Il est d'ailleurs fortement recommandé par Danton.

Robespierre ne répond pas. Thuriot revient à la charge :

— Et la défense ? Lui accorderez-vous des défenseurs ou pas ?

— Nous avons retenu deux noms, dit Herman, Chauveau-Lagarde et Tronçon-Ducoudray, ce sont deux avocats talentueux.

— Tiens, s'étonne Thuriot, pourquoi cette soudaine mansuétude de votre part en lui donnant des avocats de renom ?

— Pour donner plus d'authenticité à ce procès.

— Vous avez bien fait, il va en avoir grand besoin.

Lindet éclate de rire :

— Tu parles d'une authenticité ! Antoinette va certainement penser : "Que de prévenances de la part du Comité à mon égard ! Comme il a eu la délicatesse de choisir mes jurés, mes juges, mes témoins et même mes avocats, je me dis : Antoinette, si tu en sors vivante, c'est que tu es sûrement la Vierge Marie !"

Rires de toute l'assistance, y compris de Robespierre, Couthon et Saint-Just. Lindet poursuit :

— Mais rassurez-moi, devant tant de nominations confiées au hasard du tirage au sort, vraiment mes amis, ne devrions-nous pas, pour plus de sécurité, désigner aussi le public ? Rassurez-moi en me disant que vous y avez songé.

Rires de nouveau. Collot d'Herbois reprend un ton grave :

— Et sur combien de semaines s'étalera son procès ?

— Sur deux jours, plus une journée d'instruction, dit Fouquier-Tinville.

Lindet ricane :

— Hein ? Deux jours ? Dites, si elle était éventuellement condamnée, n'accorderiez-vous pas un petit délai supplémentaire pour lui laisser le temps de monter à l'échafaud ?

Rires. Fouquier-Tinville n'apprécie pas :

— Les deux jours du procès sont fixés aux 14 et 15 octobre, et l'instruction aura lieu le 12.

— Ah, parce qu'il y aura tout de même une instruction ? s'enquiert Thuriot.

— Bien sûr, et nous accordons toute la journée du 13 aux avocats pour préparer leur défense.

Collot d'Herbois s'adresse toujours sur un ton grave à Fouquier et à Herman :

— Surtout, ne croyez pas, citoyens, que je critique vos choix, je ne me le permettrai pas ! Je m'informe simplement : Si j'ai bien compris, vous envisagez de vous donner un jour pour instruire ce procès et deux jours pour mener les débats. Expliquez-moi comment vous organisez l'ensemble dans un temps aussi court ?

— Le 12 octobre, c'est l'instruction proprement dite, précise Fouquier-Tinville, le président Herman interrogera la veuve Capet sur les faits qui lui sont reprochés. Nous serons deux à la questionner et Fabricius enregistrera les débats qui me serviront de base à la rédaction de mon réquisitoire.

— Le Comité pourra-t-il assister à l'instruction ? demande Collot d'Herbois.

— Vous n'y pensez pas ! Ce serait mal perçu, intervient Robespierre, il y aurait un côté voyeur qui serait choquant.

Collot d'Herbois intervient de nouveau :

— Il existe un moyen simple d'éviter cet inconvénient, déclarez d'abord que cet interrogatoire est secret, puis pratiquez-le dans une quasi-obscurité, et ainsi nous serons invisibles aux yeux de l'Autrichienne et de l'opinion publique.

— Nous verrons si cela est possible, dit Herman de sa voix nasillarde.

Thuriot riposte aussitôt :

— Vous m'avez bien dit qu'Antoinette bénéficierait de la journée du 13 octobre pour organiser sa défense, n'est-ce pas ? Vous accordez donc généreusement vingt-quatre heures à ses avocats pour la préparer ? Sur un ton ironique, il ajoute : Vous qui tenez tellement à donner un semblant de crédibilité à ce procès, n'estimez-vous pas que vingt-quatre heures, c'est trop ?

Vexé, Fouquier-Tinville répond :

— Je ne pense pas qu'il faille l'interpréter ainsi, citoyen conseiller... Nous estimons que nous n'avons pas à la juger mais à la combattre ! Offrir en outre deux jours de débats à notre pire ennemi démontre une grande mansuétude de notre part !

Thuriot se lève et s'adresse à tous, avec son accent provençal :

— Sans doute ! Sans doute !... Soyez rassurés, personne ne mettra en doute l'immense mansuétude que vous aurez manifestée pour la prisonnière. Bon, eh bien, j'ai tout compris ! Maintenant que nous sommes entre nous et que personne ne nous écoute, on peut avouer que le procès que nous lui faisons n'est rien d'autre qu'un procès jugé d'avance puisque le verdict me semble prononcé avant même de l'avoir entendue.

— Ce n'est pas exact puisque rien n'est encore décidé, dit Robespierre.

— Admettons ! Je suis impressionné de voir le mal que vous vous donnez pour habiller ce procès d'un semblant d'honorabilité. Il semblerait que vous redoutiez l'infamie. Comme je vous comprends ! Il ne faudrait surtout pas qu'on découvre trop tôt que ce fut un procès truqué, n'est-ce pas ?

Fouquier-Tinville, transfiguré en poisson carnivore et de plus en plus mal à l'aise, répond :

— Ce n'est pas exact, citoyen conseiller, puisque nous lui offrons les garanties d'un tribunal populaire ! Les jurés sont issus du peuple, et nous devons avoir confiance en la justice du peuple !

Thuriot, surpris, réplique sur un ton ironique :

— Vous prétendez que ces jurés ont été choisis par le peuple ? Alors, d'une bien drôle de façon ! Puis, sur un ton dur : Vous appelez cela de la justice, citoyen accusateur ? Plaisantez-vous ou êtes-vous cynique ? Vous qui exercez les fonctions de magistrat, qui prétendez-vous duper avec votre pantalonnade ? Il se tourne vers Robespierre et l'apostrophe : Dis donc, toi le champion de la Vertu, comment peux-tu endosser la paternité d'une telle mascarade ! Fonderais-tu ta Vertu sur l'arbitraire, la malhonnêteté intellectuelle et l'injustice ? Nous qui jadis avons combattu cet arbitraire à la Constituante, nous qui avons été le premier peuple en Europe à déclarer les droits sacrés de l'homme, voici qu'au sommet de l'Etat aujourd'hui, ses chefs deviennent les artisans de la peine de mort, de l'infamie, du mensonge, de l'assassinat, des faux témoignages, des jurés soudoyés, des faux témoins à charge, des avocats choisis d'avance et même des magistrats asservis au pouvoir… Mais comment en sommes-nous arrivés là ? Toujours à Robespierre dont la pâleur est de cire : C'est cela, ta Vertu ? Et pour compléter ce tableau, nous avons en prime l'hypocrisie et la lâcheté ! Car il est de notoriété publique que la vue du sang te fait défaillir, n'est-ce pas ? Pour une fois, Maximilien, je t'en prie, exécute ta victime de tes propres mains, tire-lui un coup d'arquebuse dans la tête comme Brutus a fait justice lui-même en tuant le tyran ! Ne te réfugie pas derrière nous pour éliminer tes ennemis. Non, mon cher, ne compte pas sur moi pour faire ce travail de boucher, car j'espère que vous avez tous compris que ce n'est pas spécialement Antoinette que je défends ici, mais que je m'insurge contre ce procès en infamie que vous lui faites ainsi que tous les autres qui attendent derrière. Même aux pires criminels, la République doit assurer les droits sacrés d'une justice équitable !

Robespierre, de plus en plus pâle, regarde ostensiblement sa montre, toutefois sa main tremble légèrement.

— J'en ai bientôt fini, "citoyen président", poursuit ironiquement Thuriot. Pour conclure, je voudrais te dire que je suis bien soucieux pour toi, Maximilien…

Robespierre l'interrompt sur un ton ironique de sa voix aigrelette :

— Je te remercie pour ta sollicitude !

Rires autour de la table. Thuriot s'adresse à eux :

— … Ne riez pas, malheureux ! Ne riez pas, tout cela est très grave…

Lindet, qui ne manque pas une occasion de faire un bon mot, lance :

— Tu ne voudrais tout de même pas qu'on pleure ?

Thuriot s'adresse de nouveau à Robespierre :

— C'est vrai que je suis soucieux pour toi, Maximilien…

— Diable ! s'exclame Robespierre, ironiquement grave, mais de plus en plus pâle.

— Dis-moi, en toute sincérité, avec ton semblant de justice, vraiment Maximilien, tu penses abuser qui ? Le peuple que tu prétends chérir ? Et lequel ? Celui d'aujourd'hui ou celui de demain ? Si tu penses abuser le peuple d'aujourd'hui, tu pourras peut-être y parvenir, si tu vis assez longtemps pour le manipuler, mais le peuple de demain ? Quelle vision l'Histoire va-t-elle lui léguer ? Haïssable, probablement pour l'éternité. Ce n'est pas à toi que j'apprendrai que la mémoire des peuples outragés demeure irrémédiablement vengeresse et je crains fort qu'à ton endroit, cette mémoire ne soit plus faite de répulsion que d'oubli ! En histoire, le passé douloureux revient sans cesse. Il n'y a qu'une morale, Maximilien, c'est celle qui est inhérente à l'homme, et celle-là, elle est universelle. Ton discours fumeux sur la morale individuelle qui s'oppose à la morale collective n'est qu'une supercherie pour te débarrasser de tes ennemis et pour asseoir ton pouvoir personnel ! Ce Comité de salut public qui est à ta botte étouffe les voix intérieures. Conclusion, Maximilien : j'ai très peur que les Français ne te haïssent pour l'éternité !…

Le visage de Robespierre est de plus en plus contracté et blanc, la description de ce visage par Mirabeau, "d'un chat qui aurait bu du vinaigre", s'adapte parfaitement à la situation. Sur ce masque sinistre, il tente pourtant d'inscrire un sourire qui se voudrait ironique : le résultat n'est qu'une horrible grimace. Il lui dit d'une voix aiguë avec l'intention d'être spirituel :

— Citoyen conseiller, aurais-tu par hasard terminé ta déposition ?

Mais personne ne rit.

— Oh oui ! J'en ai terminé. Et en même temps avec toi ! Mettant fin à mes fonctions dans cette maison, je me libère définitivement du Comité de salut public ! Vos objectifs, votre mode de fonctionnement et surtout vos options sont aux antipodes de ma conception de la Liberté, de la Justice et de la Morale... J'aime la Liberté, j'aime la Révolution française, mais pas la tienne. S'il fallait un crime pour l'assurer, j'aime mieux me poignarder. Quant à votre prétendue Vertu républicaine, servie par un tribunal de sang, pardonnez-moi si je ne suis pas preneur ! Parce que vous comptez vraiment faire le bonheur du peuple avec cette utopie dégoulinante de ses larmes et de son sang ? J'espère au moins que vous êtes sincères, parce que seule une véritable conviction peut à la rigueur justifier vos crimes devant l'Histoire. Je tiens absolument à démissionner avant que vous ne décidiez de mettre à l'ordre du jour cette Terreur chère à votre cœur ! Puis il s'adresse directement à Labussière : Citoyen secrétaire, je désire obtenir le reçu de ma démission précisant la date et surtout l'heure de mon départ. Celle-ci doit obligatoirement précéder celle où les conseillers voteront le décret d'application de la loi instituant la Terreur. Il se fait ironique : Pardonnez-moi, mes "ex-collaborateurs", d'être si pointilleux, mais j'ai une famille et je ne veux pas que mes enfants et mes petits-enfants dédaignent ma postérité ou aient honte un jour de porter mon nom ! Il tend une feuille de papier à Barère : Voici ma lettre de démission ainsi que mon insigne du Comité.

Il enlève de son cou la plaque du Comité de salut public soutenue par un ruban bleu, blanc et rouge et la dépose sur la table. Constant Labussière lui remet le reçu de son désistement. Il part en disant :

— Je devrais normalement vous dire : Salut et fraternité, mais comme fraternité et Terreur sont incompatibles, je vous dirai seulement : Salut !

Il sort sans même refermer la porte derrière lui. Après son départ, on peut entendre des rires gênés autour de la table. Robespierre livide demande à Barère :

— Reprenons l'ordre du jour, s'il vous plaît !

Lindet ne résiste pas à faire un bon mot :

— Après ce que nous venons d'entendre, pouvons-nous encore mettre la Terreur à l'ordre du jour ?

Robespierre le foudroie du regard et s'adresse aussitôt aux conseillers :

— Il nous faut voter immédiatement les décrets d'application !

Il ouvre un dossier, en extrait une feuille, se lève, remonte ses lunettes dans ses cheveux et lit le document qu'il place à deux centimètres de ses yeux :

— Voici la résolution votée le 5 septembre par la Convention nationale que je vous propose de faire appliquer : "La Convention nationale décide qu'elle n'aura pas à juger seulement les nobles, les prêtres et les contre-révolutionnaires, mais tous les ennemis du peuple : les boutiquiers, les gros commerçants, les ci-devant procureurs, les huissiers, les valets insolents, les intendants et hommes d'affaires, les gros rentiers, et les chicaneurs par essence." Alors, quels sont ceux qui sont pour l'application de ce texte ?

Tout le monde lève le bras.

— C'est parfait, voilà, c'est oui à l'unanimité ! La Terreur est donc décrétée ! Puis il s'adresse à Billaud-Varenne : Billaud, il serait utile que vous formuliez un discours musclé à la Convention et aux Jacobins pour annoncer que la justice se prononcera rapidement sur le sort d'Antoinette et n'oubliez pas de faire voter l'impression de votre discours ! Il se tourne vers Fouquier-Tinville : Pour désamorcer la fureur populaire, vous proclamerez le plus tôt possible que la veuve Capet est décrétée d'accusation et traduite devant le Tribunal révolutionnaire. Et voilà. Plus de questions ? Il demande à Barère : L'ordre du jour est-il épuisé ?

Barère fait signe que oui.

— Eh bien, la séance est levée !

SAMEDI 7 SEPTEMBRE, TRENTE-SEPTIÈME JOUR DE DÉTENTION, CHEZ LE MARQUIS DE VILLEQUIER, MIDI

5

Veillée d'armes

Le baron Jean de Batz et le chef des chevaliers du Poignard, le marquis de Villequier, préparent une opération armée à l'occasion du transfert de la Reine à l'Hospice national de l'Archevêché. Jean de Batz porte encore cet uniforme de général de brigade de l'armée républicaine qui lui a si bien réussi jusqu'à présent. Quant au marquis de Villequier, il inaugure celui de colonel de la gendarmerie nationale.

— Constant Labussière, précise de Batz, nous informe que le déplacement de Sa Majesté est fixé au milieu de l'après-midi. Il nous faut agir promptement. Pensez-vous que M. Ray et le docteur Giraud[1] soient opérationnels ?

— Tout est prévu ! Elisabeth coordonnera son action avec la leur. Mme Guyot[2] doit arriver d'un instant à l'autre pour l'accompagner à la Conciergerie où elle doit prendre les ordres de Fouquier-Tinville.

La porte s'ouvre. Marie Grandmaison annonce justement Elisabeth Lemille et Jean-Baptiste Basset :

— Jean, nos amis sont là !

— Fais-les entrer.

Tous deux sont travestis. Elisabeth, métamorphosée en infirmière, est entièrement vêtue de blanc.

1. Ray est l'économe de l'Hôtel-Dieu. Giraud y est chirurgien. Ce sont des membres actifs du complot.

2. Elle est infirmière-chef, directrice de l'Hospice national de l'Archevêché.

Un grand voile descend jusqu'à sa taille, encadrant son visage du front au menton. Elle ressemble à une sœur de l'Immaculée Conception. La blancheur éclatante de l'étamine crée un contraste saisissant avec l'azur métallique de ses yeux. Quant à Jean-Baptiste Basset, il a revêtu le costume de lieutenant des gardes nationaux, bleu aux revers rouges et sanglé de buffleteries passées au blanc d'Espagne.

— Bonjour, mes amis, dit de Batz la main tendue. Elisabeth, la tenue d'infirmière vous sied à ravir !

— Merci, monsieur le baron.

— Asseyez-vous, car nous n'avons pas une minute à perdre. Vous savez que la Reine doit être déplacée cet après-midi. Elisabeth, vous vous rendrez d'abord à la Conciergerie. Il sort une feuille d'une sacoche en cuir et la lui tend : Voici un ordre de mission signé de Chabot en personne et rédigé sur du papier à en-tête du Comité de sûreté générale, vous êtes devenue intouchable, mon amie !

— Cet ordre, monsieur le baron, demande-t-elle malicieusement, est-il vrai ou faux ?

— Voyons, Elisabeth ! Vrai ! Croyez-vous vraiment que je prendrais le risque de vous envoyer dans cette cage de tigres munie d'une fausse habilitation ?

— Bien sûr que non, monsieur, pardonnez-moi.

— En revanche, cet ordre, Elisabeth, vous le reprendrez dès qu'il sera lu par votre interlocuteur quel qu'il soit !

— Pourquoi, monsieur ?

— Je ne veux pas laisser traîner une recommandation signée de Chabot. Aucune trace de son écriture ne doit subsister. J'ai beaucoup trop besoin de lui pour qu'il puisse être compromis !

— Ce serait désastreux que nous perdions un pareil auxiliaire, ajoute Basset.

— Votre mission officielle, poursuit de Batz, précise que vous attendrez la Reine à l'Hospice et veillerez ensuite sur son état de santé… Il se tourne vers Basset : Et vous, Jean-Baptiste, vos perruquiers sont-ils prêts ?

— Oui, monsieur, Je les ai répartis en deux groupes, les uns sont déguisés en maraîchers – il rit –, les autres en gendarmes nationaux ! Ces faux gendarmes sont postés depuis midi dans le souterrain de l'Hospice, assistés de cinq chevaliers du Poignard, tandis que Guillaume attend dans une barque de poissonnier à l'extrémité du souterrain.

— Qui débouche où ? demande Elisabeth.

— Sur les quais, sur le petit bras de la Seine. Il communique par bonheur avec la chambre de la Reine par une simple grille

— Jean-Baptiste, les barreaux sont-ils épais ?

— Assez, monsieur.

— Quel est l'armement de vos hommes ?

— Deux arquebuses et quarante mousquets, monsieur.

— Quarante ? Vous disposeriez de quarante hommes armés ?

— Non, monsieur, ils ne sont que vingt ! Ils détiennent chacun deux fusils pour pallier la lenteur de la recharge. Ils pourront ainsi déclencher un feu continu...

— De quelle intensité ?

— Avec deux fusils chacun, on annule le temps mort de la recharge en poudre, ils assumeront quarante-cinq secondes de mitrailles ininterrompues ! Un véritable mur de fer à utiliser en toute dernière extrémité. En cas de danger, ils utiliseront plutôt leur arme préférée : le poignard, c'est plus discret !

— Tout cet armement est largement suffisant pour couvrir éventuellement notre fuite, conclut de Batz.

— Jean-Baptiste, précise Villequier, soyez très prudent, depuis qu'ils ont décrété la Terreur, ils arrêtent les gens dans les rues pour effectuer des contrôles d'identité. Ils perquisitionnent même les demeures privées.

— J'éviterai le plus possible de m'afficher en garde national, monsieur.

— Si on vous contrôlait dans ce déguisement, que feriez-vous, mon ami ? demande de Batz

— Je dirai que c'est mon tour de faction, dit l'autre en souriant.

— Souhaitons que cet argument soit assez dissuasif !

L'infirmière Guyot, directrice de l'Hospice national de l'Archevêché, est annoncée. Marie Grandmaison l'introduit aussitôt. Elle porte son uniforme blanc d'infirmière-chef. Tout le monde se lève pour la recevoir.

— Madame, s'exclame de Batz, nous n'attendions que vous, prenez place, je vous prie ! Nous sommes impatients d'en savoir davantage sur cet Hospice... Est-il à l'image de l'horrible infirmerie de la Conciergerie ?

— Non, monsieur le baron, nous devons reconnaître en toute honnêteté que le régime est meilleur. En revanche, ce qui reste déplorable, c'est l'esprit dans lequel il a été conçu.

— Qu'entendez-vous par là, madame ?

— Je veux dire que lorsqu'un fléau s'abat sur une population, il y a toujours un asile qui s'élève pour apporter assistance et consolation aux malheureux.

— Vous me surprenez, madame, l'Hospice de l'Archevêché aurait-il été créé dans cet esprit ?

— Pas le moins du monde, monsieur le baron. Toute idée de bienfaisance lui est étrangère. L'Hospice n'est que grilles, verrous, guichets, maçonneries qui cachent le jour et l'air, et la chaleur de l'été triple le nombre des fièvres putrides.

— Vous me rassurez ! Je commençais à croire que les terroristes avaient gardé une once d'humanité...

— Soyez rassuré, monsieur le baron, ce n'est pas le cas ! Au milieu de leur stratégie haineuse, ils ont été confrontés à un obstacle majeur que représente la maladie de leur victime dans sa nudité et sa brutalité !

— Evidemment, cela contrecarre leurs plans.

— Ils ont dû composer avec cet imprévu... Mais soyons réalistes, s'ils accordent un instant de trêve à des accusés affaiblis, vieux et malades, ce n'est pas dans un but humanitaire, mais pour leur permettre de comparaître en meilleure santé devant leurs assassins déguisés en juges.

— Madame, je ne me suis jamais fait la moindre illusion sur l'humanité des actions des terroristes !

— Pouvez-vous me croire si je vous révélais que je souhaite à ceux qui entrent dans cet hospice-prison d'être rapidement emportés par leur maladie plutôt que de se voir guéris par nos médecins pour passer de leurs mains à celles du bourreau ?

— Parlez-nous de ces médecins : d'après ce que j'ai entendu dire, ils ne sont pas fameux. Combien sont-ils ?

— Cinq, un médecin-chef, le docteur Thery, qui sera bientôt remplacé par le docteur Enguchard, et trois chirurgiens, les docteurs Bayard, Naury et Souberbielle. Plus un chirurgien assistant, le docteur Giraud.

— Ils sont tous mauvais ? demande de Batz en riant.

— Bayard et Giraud sont d'honnêtes praticiens, les autres, n'en parlons pas, ils ne connaissent que deux traitements : la saignée et la diète.

— Et Sa Majesté va tomber entre les mains de tels charlatans ?

— Non, monsieur, je me suis organisée à cet effet, la Reine sera suivie par Bayard et Giraud.

Tous ont écouté Mme Guyot dans un silence pesant. Le baron de Batz se lève brusquement :

— Mes amis, n'oublions pas notre mission... Madame, quelles sont les dernières nouvelles ?

— La Reine est attendue avec impatience cet après-midi, monsieur.

— Nous sommes prêts.

— M. Ray, notre économe, lui a réservé une chambre en sous-sol qui communique par un souterrain avec les quais de l'île de la Cité.

— Nous sommes également au courant.

— De votre côté, monsieur le baron, vos hommes sont-ils déjà en place ?

— Bien sûr, intervient Jean-Baptiste Basset, nos perruquiers sont commandés par cinq chevaliers du Poignard et par Guillaume qui attend dans cette fameuse barque qui doit emmener Sa Majesté sur la place du Marché-Neuf…

— Qui est Guillaume ? interrompt Mme Guyot.

— C'est mon époux ! précise Elisabeth.

L'autre acquiesce d'un sourire.

— Nos hommes déguisés en gendarmes, insiste Basset, sont postés à l'abri des regards dans le souterrain depuis midi. D'autres déguisés en poissonniers avec Guillaume protègent l'embarcation !

— Et ensuite ? s'enquiert Mme Guyot.

— Ensuite, poursuit de Batz, la barque qui aura pris en charge Sa Majesté passera successivement sous le pont au Double puis sous le pont Saint-Charles pour atteindre enfin le Petit-Pont qui donne sur la place du Marché-Neuf. Sa Majesté débarquera là au milieu de barcasses de toutes sortes.

— Aux yeux de tous ?

— Plus la foule est dense, précise de Batz, plus grande est la sécurité, chère madame ! La Reine et Elisabeth travesties en maraîchères monteront dans une carriole remplie de légumes et d'huîtres conduite par Guillaume. Rien, absolument rien ne les distinguera des autres marchandes…

— Si ce n'est la présence de mon arquebuse sous mon siège ! lance Elisabeth moqueuse.

— Durant le temps nécessaire à Jean-Baptiste pour regrouper ses hommes, Elisabeth donnera le change en vendant réellement des huîtres et des légumes !

— Réellement, monsieur le baron ? s'enquiert cette dernière.

— Bien sûr, il faut que tout cela semble vrai.

— Je n'aime pas les huîtres, monsieur le baron, raille-t-elle d'un ton désolé.

— Eh bien, vous vous rattraperez sur les légumes ! Maintenant, retenez bien votre attention, car la situation se complique : j'attendrai dans une calèche arrêtée dans un coin du Marché-Neuf tandis que Jean-Baptiste transformera ses faux gendarmes en marchands de poissons et les dispersera dans la foule. J'enverrai aussitôt un signal à Guillaume et la carriole de Sa Majesté s'ébranlera en direction du nord par la rue de la Juiverie. Le marquis de Villequier, déguisé en colonel avec ses gendarmes à cheval, attendra la Reine à la jonction de la rue de la Juiverie et de la rue de la Lanterne. Durant le trajet, il se maintiendra à deux cents mètres de la berline de la Reine, tandis que moi-même resterai à cent mètres derrière lui.

— En cas d'incident, insiste Mme Guyot, comment s'opérera la protection de Sa Majesté ?

— Le marquis de Villequier avec ses quarante gendarmes interviendra au moindre incident. Ne trouvez-vous pas que cela soit suffisant ?

— Et s'ils sont eux-mêmes contrôlés ? insiste-t-elle.

— C'est prévu ! C'est là où le général Delafer entre en scène. J'arrive porteur d'un ordre de mission. Je descends de voiture, et je pique comme d'habitude une terrible colère !

Tout le monde rit.

— Pour quelle raison ?

— Je ne sais pas… Par exemple, on aurait osé retarder ma mission d'inspection sur le front nord… ou quelque chose de ce genre… Il est très rare qu'on demande des comptes à un général de brigade en colère surtout quand il est chargé d'une inspection pour le compte du Comité de sûreté générale… Il ajoute en riant : D'ailleurs, Chabot m'a délivré un sauf-conduit au nom du général Delafer !

— Savait-il au moins que ce général n'existait pas ? s'enquiert Villequier.

— Quand il m'a demandé à quel général était destiné ce sauf-conduit, je lui ai répondu : Mais enfin, cher ami, c'est pour ce brave Delafer ! Ne voulant pas paraître pour un imbécile, il m'a répondu : Delafer ? Mais, de Batz, mon ami, il fallait me le dire tout de suite, je l'aime beaucoup ! Tout le monde rit, il poursuit : Allez, mes amis, examinons de nouveau ce magnifique plan de Turgot[1] !

Les autres se regroupent autour de lui.

— Suivez bien le trajet que nous allons suivre. Lorsque Sa Majesté sera installée dans sa carriole, en espérant que l'odeur ne l'incommodera pas outre mesure, elle me rejoindra sur la place du Marché-Neuf. Elle embarquera aussitôt dans sa berline en compagnie de deux jeunes femmes enceintes que nous comptons libérer.

— Parce que vous comptez libérer des femmes enceintes ?

— Je vous expliquerai cela plus tard, ce sont deux femmes qui attendent d'accoucher pour monter à l'échafaud... Elles prendront aussitôt la direction du nord par la rue de la Juiverie, puis elles traverseront l'autre bras de la Seine par le pont Notre-Dame...

— Excusez-moi, monsieur, interrompt Basset, la traversée du pont au Change les amènerait plus rapidement au nord-est.

— Je sais bien, Jean-Baptiste, mais les sicaires d'Amar rôdent sur ce pont, en outre il est trop près de la Conciergerie. En réalité, c'est l'étape suivante avec la traversée de la rue des Arcis qui me donne du souci. Elle est infestée de terroristes.

— Pourquoi ne pas la contourner ? demande Villequier.

— Nous perdrions trop de temps, n'oubliez pas que la nouvelle de l'évasion de la Reine se répandra dans tout le pays comme une traînée de poudre. Il faut que nous ayons pris quelques longueurs d'avance vers la frontière.

— Je déteste la rue des Arcis, dit Elisabeth, on y trouve une horrible section pleine de jacobins, et le soir lorsqu'on se promène dans ce secteur, on croise des mines franchement patibulaires !

— Savez-vous, monsieur, ajoute Jean-Baptiste, que nous sommes convoqués cette semaine par cette

1. Voir le plan de Turgot, p. 698-699.

section, avec l'abbé Magnin, la mère Larivière et Charlotte Le Bihan[1] ?

— Je n'aime pas cela... Pour quelles raisons ? s'inquiète de Batz.

— C'est Botot Du Mesnil qui a déclenché cette convocation. Le soir où la Reine est arrivée à la Conciergerie, un témoin a reconnu le chevalier de Rougeville dans la rue de la Barillerie. Malheureusement, Botot m'a vu également ce soir-là au 37 de la même rue. D'où l'enquête.

— Ils ont mis tout ce temps à réagir ? A part vous, Botot aurait-il vu quelqu'un d'autre ?

— Personne d'autre. Je lui ai fait croire que j'avais une aventure sentimentale sous le porche avec Charlotte Le Bihan.

— Alors que le chevalier de Rougeville, Guillaume et moi étions cachés au fond derrière un tas de bois, précise Elisabeth.

— Donc il ne vous a pas vus ?

— Non, monsieur.

— Je préfère cela...

— Mais savez-vous, monsieur, qui commande la section des Arcis ?

— Je n'en ai pas la moindre idée.

— Le vieux Harel... L'époux de notre Marie bien-aimée !

— En êtes-vous sûr ?

— Certain, monsieur, j'ai la liste des chefs des quarante-huit sections de Paris que m'a transmise Constant Labussière, et la mère Harel est bien déléguée adjointe.

— Jean-Baptiste, il faut agir avant que vous soyez traduits devant cette section. Une fois la Reine à l'abri et si tout se passe bien, je veux que vous mettiez aussitôt en application le plan conçu contre les époux Harel, principalement contre elle ! Elle sait trop de choses depuis l'affaire de l'Œillet ! Je ne veux pas

1. Voir tome 1, p. 105.

qu'elle soit là quand vous comparaîtrez devant la section des Arcis, elle serait capable de vous déclarer comme suspects.

— C'est prévu, monsieur, réplique Elisabeth le visage dur, c'est le transfert de la Reine qui a retardé sa mise en application. Je vous demande, monsieur, de me laisser régler personnellement cette affaire, la mère Harel et son vieux mari ne perdent rien pour attendre.

— Elisabeth, vous avez carte blanche, mais je tiens à ce que vous soyez aidée dans cette action, je vous interdis de l'entreprendre seule ! N'oubliez pas que le vieux Harel fait partie de la police secrète de la mairie.

— Vous pouvez être rassuré, monsieur, dit Jean-Baptiste, tous les perruquiers seront derrière elle.

— Parfait ! Continuons notre périple, approchez – ils se penchent tous sur le plan de Turgot. Je vous disais donc que nous suivions l'interminable rue Saint-Martin, qui aboutit à la porte Saint-Martin. En principe, les barrages de gendarmerie sont beaucoup plus loin dans le faubourg Saint-Martin. Une épreuve délicate nous attend : c'est la traversée de la grille Saint-Martin. Il nous faut parvenir à cette barrière de Paris avant que la nouvelle de l'évasion de la Reine ne se soit répandue jusqu'à eux. Si nous arrivons trop tard, ils seront sur les dents et fouilleront toutes les voitures, principalement les nôtres qui se dirigent vers la frontière.

— Que ferons-nous si nous sommes interceptés ? demande Elisabeth, l'œil allumé.

— Je ferai monter immédiatement Sa Majesté dans ma berline. Si nous sommes poursuivis, le marquis de Villequier fixera nos poursuivants par un mur de fer et de feu. Cela nous permettra d'acquérir une bonne longueur d'avance et de passer la frontière où le prince de Lambesc et ses deux cents dragons du Royal-Allemand l'attendent depuis midi.

— La Reine, précise Elisabeth, avait manifesté le désir d'emmener avec elle Rosalie Lamorlière, le saviez-vous ?

— C'est momentanément impossible, en revanche nous la transférerons plus tard quand Sa Majesté sera chez l'Empereur... Avez-vous des questions à poser ?

— Madame Guyot, demande Elisabeth, le barreau a-il été scié comme convenu ?

— M. Ray l'a fait dans la plus grande partie de son épaisseur, il suffira d'un bon coup de pied pour le rompre au dernier moment afin d'éviter que les gendarmes de Botot Du Mesnil ne le découvrent scié.

— Je résume une dernière fois notre action, dit de Batz, arrêtez-moi, madame, si vous n'êtes pas d'accord... Première phase : Elisabeth se rend avec vous et le marquis de Villequier à la Conciergerie avec un ordre de mission spécial signé par le Comité de sûreté générale et visé par Chabot. Il y est écrit qu'elle doit assurer la garde de la Reine durant son séjour à l'Hospice...

— Vous êtes parvenu à faire avaler aussi cela à Chabot ? s'étonne Villequier.

— Il suffisait d'en payer le prix, mon ami ! J'ai surtout attiré son attention sur l'avantage qu'il tirerait de la nomination d'Elisabeth comme gardienne de la Reine. Son geste apparaîtra comme un grand acte de patriotisme – on rit... En outre, vous devrez, madame, présenter votre nouvelle aide-soignante aux trois médecins de l'Hospice...

— Parvenue à la Conciergerie, à qui devrais-je remettre mon ordre de mission ? demande Elisabeth

— Au concierge Richard, précise de Batz.

— Est-il au courant ?

— Il l'est !

— Fait-il partie du complot ?

— Pas vraiment, mais il doit se douter de quelque chose. Depuis l'Œillet, les Richard sont sur le fil du rasoir. Cet imbécile d'Hébert veut les envoyer en prison, j'évite de leur confier une nouvelle mission pour le moment.

— D'autant plus, ajoute Jean-Baptiste, que Mlle Fouché et l'abbé Magnin projettent toujours de célébrer la messe dans le cachot de la Reine.

— C'est très bien, ajoute de Batz, occupez-vous-en ! Chère Elisabeth, j'espère que Fouquier-Tinville et le concierge Richard ne vous ont jamais rencontrée auparavant ?

— Non, monsieur, ils ne me connaissent pas !

— Si on me demande pour quelles raisons on a nommé une nouvelle aide-soignante, s'inquiète Mme Guyot, que devrais-je répondre ?

— Que le grand patriote Chabot, membre du Comité de sûreté générale, est excessivement méfiant. Il n'a confiance qu'en elle pour assurer la garde de la prisonnière, et n'oubliez surtout pas de leur préciser qu'elle est une patriote révolutionnaire au-dessus de tout soupçon !

Tout le monde rit.

— Mais c'est vrai ! ajoute Elisabeth avec malice, douteriez-vous que je sois une patriote ? J'aime mon pays !

— N'exagérons rien, s'exclame Villequier, une patriote révolutionnaire chevalier du Poignard, c'est excessivement rare de nos jours !

— Elisabeth, demande de Batz, revoyons la leçon que vous avez apprise par cœur… En arrivant à la Conciergerie, voulez-vous nous rappeler quel sera votre rôle dans cette cage aux fauves ? Répétons-la une dernière fois, voulez-vous ? Allez, on vous écoute.

Elle se concentre quelques secondes puis récite :

— Avoir l'air très pressée, paraître toujours suspicieuse et de mauvaise humeur – elle ne peut réprimer un fou rire. Excusez-moi, c'est nerveux… Ne parler à personne d'autre qu'à ceux qui gardent la Reine. Quand l'accusateur public s'adresse à vous, ne répondre que par des phrases courtes ! Elle rit encore puis se reprend : Enfin, paraître menaçante avec le personnel comme s'il trahissait en permanence la République !

— Bravo, Elisabeth ! lance de Batz, une vraie petite terroriste !

— Mon Dieu ! Que me faites-vous faire, monsieur le baron, si mon pauvre père me voyait… Sa fille en terroriste !

— A l'Hospice, quand vous serez face à Sa Majesté, surtout ne montrez aucune émotion ni aucune complaisance devant les factionnaires, n'oubliez pas d'être glaciale et dure...

Le rire d'Elisabeth s'efface immédiatement.

— Je n'y arriverai pas.

— Il le faut ! insiste de Batz. Vous serez surveillée de près par les sbires de Fouquier-Tinville... Les lieutenants Lebrasse et de Bûne vous observeront avec attention. S'ils découvrent la moindre émotion chez vous, tout est perdu... Soyez toujours comme le sont les terroristes quand ils s'adressent à la Reine : menaçants et pleins de haine ! Le salut de Sa Majesté est à ce prix.

— J'essaierai... ajoute Elisabeth. Mais je ne promets rien. Il y a de plus un inconvénient majeur.

— Lequel ?

— Je ne connais strictement rien au métier d'infirmière !

— Ne vous en souciez pas, intervient Mme Guyot, à l'Hospice, vous serez secondée par une assistante du nom de Françoise Le Bihan, qui ne vous quittera pas d'un pouce. Vous n'aurez rien à faire d'autre que de protéger la Reine.

— Est-elle sûre au moins, cette assistante ? demande de Batz.

— C'est la sœur de Charlotte Le Bihan, la mercière du pont Saint-Michel. La famille est ultra-royaliste.

— C'est exact, affirme Jean-Baptiste Basset, Charlotte et Françoise sont des amies sûres.

— Avez-vous songé, s'inquiète de nouveau Elisabeth, que je ne sais ni lire ni écrire. Si on me demande de signer ou de lire un papier, que devrai-je faire ?

— Trouvez aussitôt une bonne raison pour vous fâcher très fort, dit de Batz en souriant, vous verrez, c'est une méthode très efficace.

— En pénétrant à l'Hospice, précise l'infirmière, elle devra aussi affronter cette crapule de Tarcilly.

— Qu'est-ce encore que celui-là ? demande Villequier.

— L'horrible concierge de l'Hospice ! Un ivrogne invétéré, obsédé de contrôles d'identité qu'il effectue jour et nuit. C'est un couard qui tremble devant les terroristes. Elisabeth doit lui prouver qu'elle est sous la protection du Comité de sûreté générale. Il aura peur d'elle et il ne la poursuivra pas de sa vindicte !

— Qui assure la garde de l'Hospice ? demande de nouveau Villequier.

— Les deux compagnies du lieutenant-colonel Botot Du Mesnil. Ses hommes sont partout. Ils sont commandés par le capitaine Adnet et ses deux lieutenants Lebrasse et de Bûne. En revanche, leurs gendarmes sont de braves garçons, ils sont horrifiés du sort réservé aux femmes enceintes et aux nourrissons.

— C'est-à-dire ? interrompt de Batz.

— J'ai vu plus d'un de ces garçons pleurer quand l'accouchement aussitôt terminé, on arrachait les nouveau-nés aux jeunes mamans pour les faire monter toute chancelantes et toutes pâles sur l'échafaud…

Un grand silence tombe sur l'assistance.

— Je crois que là, ajoute Villequier au bout d'un moment, ils ont atteint le fond de l'indignité… Dorénavant, mes amis, plus de quartier !

— Ce crime monstrueux, ajoute de Batz, les mâchoires serrées, est l'illustration de ce que l'homme est capable d'enfanter quand il a atteint les abysses de l'infamie. Au retour du Roi, nous brûlerons cet Hospice pour en effacer la moindre trace…

— Surtout, soyez gentil, monsieur le baron, de me prévenir avant ! dit Mme Guyot pour détendre l'atmosphère, mais personne ne rit.

— Passons à la phase suivante, ajoute de Batz l'air grave. Jean-Baptiste, lors de son déplacement de la Conciergerie à l'Hospice, je pense que la Reine sera gardée par une section de gendarmes, n'est-ce pas ?

— C'est exact, monsieur, je sais par Constant Labussière qu'elle sera accompagnée dans l'une des deux voitures par Lebrasse et deux municipaux. Dans l'autre prendra place de Bûne avec ses factionnaires armés. Il est prévu également une escorte de vingt gendarmes à cheval.

— Ma première intention, ajoute de Batz, était d'attaquer cette escorte sur le trajet qui va de la Conciergerie au flanc sud de Notre-Dame. Vous allez comprendre pour quelles raisons j'ai abandonné ce projet.

— Pour se rendre à l'Hospice, sait-on par où passera le convoi de la Reine ? demande Villequier.

— Constant Labussière m'a certifié que ce serait par l'est, précise de Batz.

Tous se lèvent et se penchent de nouveau sur le plan de Turgot[1].

— Suivez-moi, s'il vous plaît. Il pose son index sur un point précis : La voiture de la Reine sortira par la rue de la Barillerie, tournera perpendiculairement à quatre-vingt-dix degrés dans la rue de la Draperie en suivant toujours le même axe par les deux rues qui la prolongent, c'est-à-dire la rue des Marmousets et la rue de la Chanoinesse. J'attire votre attention sur le fait que cette rue de la Chanoinesse est la dernière avant d'atteindre le parvis de Notre-Dame où nous risquons d'être à découvert. L'idéal serait d'attaquer le convoi ici. Il existe plusieurs voies adjacentes pour s'enfuir en cas de besoin… Normalement, la voiture termine son parcours en tournant à droite dans la rue du Chapitre, traverse le parvis de Notre-Dame face à l'Hôtel-Dieu pour atteindre enfin l'Hospice de l'Archevêché. Or, j'avais projeté d'attaquer le convoi avant qu'il ne s'engage dans cette rue du Chapitre, juste en face de l'église des Arcis. Hélas, c'était trop près de la Conciergerie… J'ai mesuré le temps nécessaire pour faire ce trajet : il faut douze minutes au maximum à une voiture circulant au trot. C'est trop court. Ce serait une folie, le lieu de l'embuscade est beaucoup trop près de Botot Du Mesnil, il arriverait aussitôt avec des renforts… Il fallait impérativement trouver autre chose…

1. Voir le plan de Turgot, p. 698-699.

Pour conclure, la Reine quitte la Conciergerie, pour arriver à l'Hospice environ dix minutes plus tard…

— … Sitôt arrivées, poursuit Elisabeth, il faut qu'elle descende le plus rapidement possible dans cette chambre souterraine…

— Soyez assurée, affirme Mme Guyot, que je m'arrangerai pour qu'il en soit ainsi.

— C'est là, poursuit de Batz, qu'a été conçu le plan d'évasion de Mme Guyot et du docteur Giraud. Il faut que vous sachiez que l'Hospice et les jardins de l'Archevêché, situés contre le flanc de Notre-Dame, sont à pic sur l'eau de la Seine et se reflètent même dans le fleuve. Je me suis promené sur la rive opposée et j'ai constaté que tous les bâtiments de l'île de la Cité possédaient un souterrain agencé en arches qui avaient les pieds dans l'eau. C'est par ces sous-sols que l'Hospice et l'Hôtel-Dieu reçoivent leur ravitaillement. Un mouvement incessant anime les barques des maraîchers, des poissonniers et des fournisseurs en général. Il y a un monde fou sur les bords de la Seine à cet endroit. C'est le lieu rêvé pour une évasion. La Reine et Elisabeth ayant revêtu une tenue de maraîchère, passeront totalement inaperçues dans cette faune… Maintenant, je laisse la parole à Jean-Baptiste.

— A l'autre bout du souterrain, reprend ce dernier, Guillaume, déguisé en maraîcher, tient une barque prête. Il aura auparavant échelonné tout au long du souterrain quinze perruquiers déguisés en faux gendarmes pour s'opposer à d'éventuels poursuivants… A toi, Elisabeth.

— Mon pauvre Guillaume en maraîcher, dit Elisabeth en riant, on lui réserve toujours des rôles héroïques !…

— Parce que nous savons qu'il est capable de les assumer ! dit de Batz. Alors Elisabeth, que faites-vous après ?

— Comme je me tiens près de la Reine dans la chambre souterraine, je donne un bon coup de pied dans le barreau qui vole en éclats…

— C'est la phase finale, interrompt de Batz, j'ai fait un calcul savant : Savez-vous, mes amis, de combien de temps la Reine disposerait pour s'enfuir de sa chambre si l'alerte était donnée ?

— Il nous faut une minute et demie ! affirme Elisabeth, c'est le temps que les gendarmes de Botot Du Mesnil mettraient pour enfoncer la porte blindée de la pièce où nous nous trouvons. Comme nous l'aurions préalablement condamnée de l'intérieur, une minute et demie suffit largement pour s'enfuir.

— En combien de temps atteindrez-vous l'embarcation ? s'enquiert Villequier.

— Le souterrain décrit une courbe sur une longueur de cent mètres avant d'atteindre la Seine, précise de Batz. La Reine et Elisabeth ne mettront pas plus de deux minutes pour l'atteindre en courant…

— Dans son état, croyez-vous que la Reine pourra assumer une telle épreuve ?

— Je la soutiendrai si nécessaire, et même la porterai s'il le faut ! affirme Elisabeth.

— Ma merveilleuse amie, dit de Batz, j'espère qu'un jour nous vous rendrons au centuple ce que vous faites pour elle.

— Puisque j'ai la bonne fortune que vous m'aidiez à venger mon père, monsieur le baron, j'en conclus que vous ne me devez rien !

Les autres restent silencieux, c'est Jean-Baptiste Basset qui tente d'apporter une note de gaîté :

— Nous avons une chance inouïe : du fait de la courbure des murs, si on nous tire dessus, les balles, qui ne seront jamais dans l'axe de notre fuite, iront s'écraser contre les parois. Ce n'est pas tout : le souterrain est jalonné de grilles transversales. En nous enfuyant, nous les condamnerons derrière nous les unes après les autres. Comme il y en a quatre, il ne faudra pas moins de trente minutes à nos poursuivants pour les rouvrir. D'ici là, la Reine sera loin…

— Jean-Baptiste, demande de Batz, de combien de places Guillaume dispose-t-il dans sa barque ?

— De cinq places à l'étroit, monsieur.
— Comment les répartissez-vous ?
— Une pour Sa Majesté, une pour Elisabeth et une pour Guillaume. Il reste deux places disponibles pour les femmes enceintes que nous sauverions de la guillotine.
— Et toi, Jean-Baptiste, s'inquiète Elisabeth, que deviens-tu dans ce souterrain ?
— Si tout se passe bien, la Reine une fois embarquée, je passe une blouse de maraîcher, en gardant mon uniforme de lieutenant de gendarmerie en dessous. J'embarque mes faux gendarmes transformés en pêcheurs et maraîchers.
— Avec quelle embarcation les emmenez-vous ?
— J'ai loué les services d'un marchand, je lui ai dit qu'on transporterait du personnel des cuisines.
— Alors pourquoi, Jean-Baptiste, ne pas l'utiliser pour libérer toutes les femmes enceintes ?
— Les risques sont immenses. Si notre marchand voit toutes ces femmes embarquées parmi les hommes, il pourrait suspecter une opération illicite et donner l'alerte. Nous risquerions de compromettre nos chances de libérer la Reine.
— C'est bien pensé, constate de Batz, continuez. Que faites-vous après ?
— Quand mes hommes seront débarqués, ils se fondent dans la foule. Je rejoins la voiture du général Delafer qui stationne discrètement dans un angle du Marché-Neuf. A cet instant, je redeviens lieutenant de la garde nationale.
— Qui est le général Delafer ? s'étonne l'infirmière.
— Vous l'avez devant vous, chère madame.
— Nous avons déjà fait le coup à Botot Du Mesnil le soir de l'Œillet, précise Basset en riant, il ne faudrait pas que nous tombions de nouveau sur lui !
— C'est prévu, j'ai demandé à Chabot de l'envoyer en inspection à Orléans traquer les royalistes… De Batz devient tout d'un coup silencieux, il réfléchit quelques secondes avant d'ajouter : Jean-Baptiste,

mon ami, vous avez dit qu'il ne restait que deux places libres dans la barque de Guillaume... Quel dilemme si nous ne pouvons libérer que deux malheureuses ! Avez-vous pu vous procurer, comme je vous l'avais demandé, la liste de celles qui doivent monter à l'échafaud ?

— Oui, monsieur, Constant Labussière me l'a fournie.

Il déroule un parchemin qu'il lui tend. Villequier se rapproche de de Batz pour lire par-dessus son épaule.

— Les connaissez-vous toutes, mon ami ?

— Non, monsieur, seulement celles qui sont soulignées.

— Sur cette liste, je vois déjà deux noms connus, je préfère que ce soit vous qui lisiez. Il lui rend le rouleau de papier : On vous écoute.

La gorge serrée, Jean-Baptiste commence sa macabre énumération :

— La princesse Françoise de Monaco a été condamnée à mort... S'est déclarée enceinte : elle a été transférée à l'Hospice...

— Je l'ai connue quand elle avait quinze ans, elle venait de se marier avec Joseph de Grimaldi. Une superbe fille brune aux yeux verts. Quel âge a-t-elle aujourd'hui ?

— Vingt-six ans, et deux enfants en bas âge, deux petites filles !

— Continuez !

— La jeune Louise de Blamont, mariée, sans enfant. Condamnée à mort. Enceinte de sept mois. Sursis jusqu'à l'accouchement.

— Mon Dieu, j'ai connu aussi Louise enfant, j'avais seize ans. Son père, le baron de Chamborant, voulait que j'épouse sa fille. Elle n'avait qu'une douzaine d'années, mais était aussi d'une incomparable beauté !

— Elle l'est toujours ! dit l'infirmière Guyot.

— Quel âge a-t-elle aujourd'hui ?

— Vingt ans !

— Continuez !

— La jeune marquise de Saint-Pern. Condamnée à mort. Enceinte de trois mois, elle obtient un sursis jusqu'à l'accouchement. C'est la sœur de Saint-Pern, vous savez, monsieur, ce garçon de dix-sept ans qu'ils ont guillotiné !

— Hélas, je connais cette horrible histoire. J'ai connu aussi la marquise de Saint-Pern lorsqu'elle était enfant... Vous souvenez-vous, mes amis, de cette malheureuse famille entièrement décimée par les terroristes ?

— Bien sûr, dit Elisabeth, nous avons suivi cette tragédie. Au quartier Saint-Michel, les nôtres furent horrifiés. Ne trouvant pas le père, ils ont guillotiné le fils. Il venait d'avoir dix-sept ans ! Il ne reste plus aujourd'hui de vivante que sa pauvre sœur. La marquise doit la vie à l'enfant qu'elle porte.

— Quel âge a-t-elle ?

— Vingt et un ans. Elle est déjà mère de cinq enfants.

— Continuez, continuez, Jean-Baptiste, dit de Batz le visage grave.

— Catherine Drieux, une couturière originaire de Rouen... Elle a été condamnée à mort. Elle se déclare enceinte de quatre mois. Quatre enfants en bas âge. Elle doit être examinée demain par Souberbielle

— Quel âge ?

— Trente et un ans !

— Continuez !

— Madeleine Kolly : condamnée à mort. Elle s'est déclarée enceinte à plusieurs reprises. Souberbielle doit l'examiner demain pour la dernière fois... Elle a trente-cinq ans...

— Continuez, continuez !

— Une républicaine notoire, Olympe de Gouges : condamnée à mort. Elle s'est déclarée enceinte.

— On ne va tout de même pas se pencher maintenant sur le sort de tous les républicains ! lance Villequier, laissons les rats se dévorer entre eux !...

— Non, mon ami ! s'exclame sèchement de Batz, c'est peut-être une républicaine, mais il nous faudra la protéger !

— A quel titre ? demande l'autre ironiquement.

— Vous oubliez qu'elle s'est proposée d'aider le vieux Malesherbes à défendre le Roi lors de son procès !

— Pardon ! Franchement je l'ignorais !

— Pour moi, ce noble geste la réhabilite définitivement, ajoute de Batz. Les royalistes ont contracté une dette envers elle !

— C'est exact, dit Elisabeth, j'aime profondément cette femme, et le peuple la respecte. Elle a de plus manifesté son mépris à l'infâme Orléans quand il a voté la mort de son cousin ! Tout le monde a été choqué d'une telle veulerie, même Robespierre lui a dit : "Je ne t'en demandais pas tant !"

— Récemment, ajoute Jean-Baptiste, elle a condamné la politique de l'Incorruptible en des termes virulents ! Nous devons tout faire pour lui éviter l'échafaud.

— Hélas, nous ne disposons que de deux places dans notre barque, songe de Batz, quel âge a-t-elle ?

— Elle est coquette, elle cache son âge ! dit Basset en riant. Autour de quarante-cinq ans.

— En avez-vous d'autres ?

— La dernière, Marie-Anne Quetineau : condamnée à mort. Elle s'est déclarée enceinte, elle bénéficie d'un sursis.

— Quel âge ?

— Trente-quatre ans.

— N'est-elle pas la femme du général Quetineau qui a été guillotiné ?

— Si monsieur.

— Les terroristes lui reprochent d'avoir été battu par les Vendéens, comme si perdre une bataille devenait un crime. Pauvre femme, quel acharnement sur ce couple... Est-ce tout, Jean-Baptiste ?

— Ce sont les seules que je connaisse, monsieur.

— Il y en a des dizaines d'autres, affirme Mme Guyot. Quand on songe que l'Hospice a cinq étages remplis de malheureux...

— Votons, propose de Batz, pour savoir lesquelles nous pouvons sauver.

— Mais enfin, dit Villequier, c'est tout tracé, c'est d'abord la jeune Blamont, elle n'a que vingt ans !

— Je crois que M. le marquis a raison ! rétorque Elisabeth, c'est elle que nous devrions emmener en premier lieu.

— Et l'autre ?

— Celle qui a vu toute sa famille guillotinée, cela va de soi, précise Basset.

— Vous faites allusion à la marquise de Saint-Pern ?

— Oui monsieur, elle a cinq enfants en bas âge. Elle n'a que vingt et un ans !

— Eh bien, c'est d'accord, conclut de Batz, on les sortira de là ! Je pense que nous avons fait le tour du problème, le reste est désormais entre les mains de Dieu. Avez-vous d'autres questions à me poser ?

Personne ne répond.

— Chère Elisabeth, on vous a prévenue des risques que vous encouriez si vous étiez reconnue à la Conciergerie, c'est à coup sûr l'échafaud ! Vous pouvez encore refuser et personne ici ne vous en tiendra rigueur. Le danger est réel : si un habitant du quartier vous reconnaissait, je ne pourrais malheureusement pas vous sauver, Chabot refuserait à coup sûr de se mouiller pour une simple infirmière… Avez-vous bien réfléchi, mon amie ?

— Oui, monsieur, je connaissais dès le début les dangers d'une telle opération, nous en avons longuement parlé, Guillaume et moi, mais les terroristes ne nous font pas peur ! Et puis, ajoute-t-elle en riant, vous semblez tous avoir oublié que je suis une sorcière et que je pressens le danger.

De Batz conclut en lui souriant :

— Mme Guyot et le marquis de Villequier vont maintenant vous accompagner en voiture à la Conciergerie. Surtout, soyez prudente. Allez, mon amie, que la Providence vous assiste… Je vous dis donc à tout à l'heure, Elisabeth, puisque nous avons rendez-vous sur les bords de la Seine avec Sa Majesté la Reine de France.

Samedi 7 septembre, trente-septième jour de détention, la Conciergerie, midi

6

Chez les coupeurs de têtes

Un fiacre attelé à quatre chevaux ralentit quand il débouche dans la rue de la Barillerie. Un colonel de gendarmerie et deux infirmières en occupent le fond.

— Nous vous laisserons devant la grande entrée, dit la plus âgée des deux. A tout à l'heure, Elisabeth !

— A tout à l'heure, madame.

— J'espère que le cœur ne vous manquera pas quand vous serez face à ces fauves, s'inquiète Villequier.

— Non, monsieur le marquis, pas le cœur, le pardon me fera défaut !

La voiture s'arrête face à la magnifique grille dorée. Deux gendarmes en faction s'approchent de la voiture dont la portière s'ouvre au même instant. En descend la jeune infirmière, tenant un petit balluchon et revêtue de la tête aux pieds d'une tenue blanche immaculée.

Ce matin, Elisabeth Lemille voit avec d'autres yeux la façade sinistre de ce bâtiment qu'elle côtoie pourtant quotidiennement. Aujourd'hui, l'intérêt qu'elle y porte est parvenu à son comble. Le sentiment qu'elle ressent est un mélange de haine inextinguible et de curiosité... Dire que je vais voir enfin le visage des meurtriers de mon père ! pense-t-elle. Elle veut d'abord savoir qui sont ces gens qui assassinent le peuple.

Elle se dirige promptement vers l'entrée quand elle est arrêtée dans son élan par les gardes :

— Où vas-tu, citoyenne ? lance le plus gradé des deux.

— Lieutenant, adresse-toi à moi ! tonne une voix du fond de la berline.

Intrigué, le jeune officier se penche vers l'intérieur de la voiture et découvre un colonel de gendarmerie qu'il voit pour la première fois. En revanche, il reconnaît Mme Guyot, l'infirmière-chef de l'Hospice de l'Archevêché où il se rend chaque matin. Le lieutenant Maurice-François Lebrasse salue au garde-à-vous :

— Mes respects, mon colonel !... Bonjour, citoyenne Guyot.

— Bonjour, Maurice.

— Repos, lieutenant ! ordonne le marquis de Villequier. La citoyenne est envoyée par le Comité de sûreté générale pour assurer le transfert de la veuve Capet. J'espère, lieutenant, que tu es au courant des consignes.

— C'est-à-dire, mon...

— C'est bon ! Accompagne-la immédiatement auprès du citoyen Richard pour qu'elle assure sa mission.

— A vos ordres, mon colonel !

La portière se referme, la voiture s'éloigne. Elisabeth est tout à ses ruminations de vengeance.

— Je te montre le chemin, citoyenne ?

— Je te suis.

— Comment t'appelles-tu ?

La question est très mal reçue.

— Dis-moi, dit-elle avec humeur, est-ce que cela fait partie de ta mission patriotique de connaître mon nom, ou dois-je y voir une tentative personnelle de rapprochement ?

L'autre répond en riant :

— Plutôt personnelle mais aussi...

— Dans ce cas, tais-toi ! Contente-toi d'obéir aux ordres en me conduisant au citoyen concierge !

Lebrasse, désarçonné par la brutalité de la réponse, n'insiste pas. Ils franchissent la petite cour sans échanger un mot puis traversent le premier guichet pour parvenir à l'avant-greffe dans le bureau de Richard. Elisabeth à qui rien n'échappe est sous le choc. Elle est d'abord agressée par l'odeur de fosse d'aisance mêlée à celle de mauvaise eau-de-vie et de tabac froid. Ça doit être cela l'odeur de la mort, songe-t-elle. Ensuite, elle est frappée par la pénombre des locaux. La lumière du jour y pénètre à peine. Elle se dit qu'un lieu de larmes, de pleurs et de souffrance ne peut être autrement qu'obscur et nauséabond... L'intérieur de cette prison est en parfait accord avec l'aspect morbide de ses façades. Puis elle remarque que la saleté règne partout. Les murs crasseux, le sol plein de détritus, le brouhaha qui vient du fond des couloirs obscurs fait de cris, de hurlements de chiens, de portes métalliques qui claquent. Elle perçoit les ordres des guichetiers lancés à tue-tête, auxquels réplique le rugissement des molosses.

— Tu es rendue, citoyenne, conclut Lebrasse en l'abandonnant, salut et fraternité !

— Salut.

Elle pénètre seule dans l'avant-greffe. Aussitôt, deux énormes chiens sous muselière grondent.

Elle se trouve face à deux soldats éméchés et à un vieil homme avachi derrière un bureau, enfoncé dans un grand fauteuil noir à oreilles. D'énormes registres et des bouteilles vides encombrent la table. Fidèle au poste, Amédée cuve son eau-de-vie en compagnie des deux guichetiers en armes. A la vue d'Elisabeth, il lance :

— Salut, jolie citoyenne ! Qui donc viens-tu soigner dans nos vilains murs, quel est l'heureux élu qui a la chance d'être ton malade ?

Les guichetiers éclatent de rire. Les yeux d'Elisabeth lancent des éclairs.

— D'abord, lève-toi quand tu t'adresses à un missionnaire du peuple, et à quel titre occupes-tu le fauteuil du citoyen concierge ?

— J'allume le miston[1], ma belle ! répond l'autre en éclatant de rire.

1. Allumer signifie "regarder sous le nez" ; le "miston" est l'individu. En argot, cela signifie surveiller les individus qui entrent et sortent de la Conciergerie.

Heureusement Richard arrive à cet instant.

— Excuse-moi, citoyenne, d'être en retard, je ne t'attendais pas si tôt !... Prends un siège, je te prie. Amédée, s'il te plaît, laisse-nous.

L'autre sort en ricanant tandis que les deux porte-clefs goguenards demeurent assis au fond de la pièce.

— Citoyen concierge, lance Elisabeth furibonde, tu devrais être mieux informé des instructions du Comité de sûreté générale – elle jette littéralement son ordre de mission sur le bureau. Je ferai part de tes insuffisances au citoyen Chabot. Ses ordres ne semblent pas t'impressionner outre mesure !

— Tu te trompes, citoyenne, quand tu auras mon âge, tu apprendras qu'on observe les ordres à la lettre !

Il prend connaissance de sa mission, recopie ses nom et qualités sur un des trois grands registres, pose délicatement la plume et lui rend son papier en souriant.

— Que reproches-tu à ma maison, Elisabeth Lemille ?

— Je ne suis pas venue ici pour analyser avec toi les défaillances de ta gestion mais pour garder l'Autrichienne lors de son séjour à l'Hospice de l'Archevêché.

— Diable ! dit-il sur un ton railleur, c'est une mission bien lourde pour une femme de ton âge ! Quoi d'autre, citoyenne Lemille ?

— Le conseiller Chabot exige qu'elle soit déménagée cet après-midi même.

— Mais c'est prévu ainsi ! répond Richard en souriant.

— Le Comité de sûreté générale a exigé que j'arrive ici quelques heures avant pour assurer une bonne coordination.

— On peut effectivement se demander, citoyenne, comment nous aurions fait sans toi !

Les deux guichetiers éclatent de rire. Richard se tourne aussitôt vers eux ;

— Vous, vous êtes priés d'être corrects !

Elisabeth revient à la charge :

— Compte tenu de ce que je vois autour de moi, j'en conclus que mon concours ne sera pas inutile...

— Merci d'avance pour ta précieuse collaboration ! lance Richard moqueur.

— Douterais-tu par hasard que les aristocrates puissent l'enlever durant son transfert ?

— Pas le moins du monde ! répond l'autre sur ton ironique.

— Sans plus ? C'est tout ce que cela te fait, citoyen concierge… As-tu bien compris que j'attends de toi un soutien sans faille pour mener ma mission à bien ?

L'autre sourit toujours :

— Mais bien sûr, citoyenne, tu peux compter sur moi – il lui tend une feuille de papier, son sourire s'est effacé. En attendant, voici les consignes relatives à son déplacement. Si tu veux bien en prendre connaissance.

Elisabeth ne sait pas lire. Se souvenant de la stratégie conseillée par de Batz en pareil cas, furieuse, elle se lève d'un bond. Richard surpris se lève aussi, ils se retrouvent face à face.

— Comment oses-tu traiter ainsi un envoyé du Comité de sûreté générale ? lui lance-t-elle.

— Mais qu'ai-je dit, citoyenne, qui t'ait heurtée ?

— Me ferais-tu l'injure, citoyen concierge, de croire que j'ignore ces consignes ?

— Pardonne-moi, citoyenne, je voulais simplement t'exposer l'article V relatif au transfert des prisonniers – il lui tend de nouveau la lettre. Cet article-là doit être soumis à ton approbation, c'est une obligation réglementaire. Elle hésite une seconde, s'en empare d'un mouvement brusque puis fait semblant de lire. Intrigué, Richard qui l'observe penche la tête en avant :

— Tu arrives à lire à l'envers, citoyenne ?

Elisabeth tressaille, elle trouve aussitôt la riposte :

— Je ne lisais pas ! J'étais en train de réfléchir à comment je devrai rédiger mon rapport sur toi ! Elle jette littéralement la feuille sur le bureau : Reprends ton papier, je connais tout cela par cœur !

Richard pressent qu'elle ne sait peut-être pas lire. Il se rassoit et ajoute aimablement :

— Au fait, Elisabeth, que me reproches-tu exactement ?

Malgré son agressivité, elle est touchée par ce ton conciliant. En revanche, elle ne veut en aucun cas entrer dans le jeu d'une compassion réciproque. Ce serait contraire au rôle de coriace qu'on lui a assigné. Elle invente le premier prétexte qui lui passe par la tête :

— D'abord appelle-moi citoyenne, s'il te plaît !

— Si tu y tiens… Alors que me reproches-tu, citoyenne ?

De plus en plus mal à l'aise dans cette colère artificielle, elle poursuit :

— Ton manque de considération pour un agent du comité en mission. Je me sens terriblement offensée par ton attitude !

— Allons, allons, tu sais très bien que tout cela n'est pas vrai…

— Tu récidives cette suspicion en prétendant que j'ignore le sens de ma mission. C'est insulter une déléguée du peuple ! Elle ricane : Sais-tu ce que tu risques si par hasard j'effectuais un contrôle sanitaire de cette maison qui sent si mauvais ? Tu serais aussitôt mis aux fers !

— Aux fers ? Rien que cela ? Mais encore ?

Eclat de rire des deux autres. Richard se retourne furieux :

— Vous, silence !

Elisabeth poursuit :

— Comment oses-tu confier la surveillance de l'entrée de cette maison de justice à un ivrogne qui abaisse la République ?

— Veux-tu parler d'Amédée ? Lui, abaisser la République – rires des guichetiers… C'est un vieux retraité qui ne ferait pas de mal à une mouche ! Il me remplace seulement de temps en temps.

— Et c'est tout ce que tu as trouvé pour assurer le contrôle des entrées quand tu es absent ? Un être aviné d'une saleté repoussante, qui sent la transpiration et l'eau-de-vie à cent lieues ! Mépriserais-tu le peuple à ce point, citoyen concierge ?

Ayant fait jusque-là preuve de patience, Richard abandonne cette fois son ton avenant.

— Là, tu vas trop fort, citoyenne Lemille – il se lève de nouveau –, en attendant, nous avons perdu assez de temps.

Il trempe la plume dans l'encrier et la lui tend :

— Je te prie de signer le registre d'entrée prouvant que tu as pris connaissance des consignes.

Comme elle ne sait pas non plus écrire, elle invente une nouvelle excuse :

— Signer, moi ? Me prendrais-tu pour une de tes prisonnières, par hasard ?

— Tout visiteur entrant ou sortant de la Conciergerie, répond Richard sur un ton sec, est tenu de signer le livre des entrées, personne ne peut s'y soustraire, c'est une obligation absolue !

Elisabeth n'a pas d'autre choix que de poursuivre la tactique enseignée par de Batz : jouer les outragées en colère.

— Tu recommences à m'insulter ? Tu assimiles un envoyé des Comités à un simple visiteur ou, pire, à un scélérat ? Moi qui suis chargée de surveiller la femme du tyran, tu me provoques en m'obligeant à mêler mon nom aux leurs ?

Maintenant, Richard est définitivement persuadé qu'elle ne sait ni lire ni écrire ; généreusement, il va feindre de l'ignorer. Il joue alors sur la corde sensible pour lui permettre une sortie honorable.

— Si tu refuses, citoyenne, tu m'exposerais à de très graves ennuis. Ne confonds pas : tu ne signes pas le registre d'écrou, celui-ci est réservé aux prisonniers.

Le coup a porté. Elle se rassoit, il l'imite.

— Bon, je veux bien faire un geste pour t'éviter de tels déboires, dit-elle, mais je te préviens, je ne souillerai pas mon nom dans ton registre fétide, je consens à signer d'une simple croix. C'est à prendre ou à laisser !

Il décide de la taquiner gentiment :

— Mais c'est très bien, citoyenne, beaucoup de visiteurs qui ne savent ni lire ni écrire signent ainsi.

Elle sursaute :

— Tu ne m'inclus pas dans cette catégorie, j'espère ?

— Que vas-tu chercher là, citoyenne !

— Où faut-il signer ?

Richard continue de la mettre gentiment dans l'embarras :

— Tout simplement sur la ligne où tu peux lire : "citoyenne infirmière Elisabeth Lemille".

Il pensait la piéger, il en sera pour ses frais.

— D'accord ! réplique-t-elle, tiens, guide-moi en plaçant ton doigt en face de mon nom. Je veux que ma croix soit la plus petite possible, je ne voudrais pas me tromper de ligne en signant sur celle d'un traître !

— Tu as parfaitement raison, citoyenne, ce serait lamentable !

Richard s'exécute en pointant son index sur le papier, elle dessine en face une minuscule croix.

— Je te remercie, citoyenne, maintenant l'accusateur public veut te voir avant le transfert de la veuve Capet.

— Je suis là pour cela. Allons-y !

Elle se lève, lui aussi. Ils sortent en empruntant le couloir des prisonniers. Ils parviennent au troisième guichet tenu par Louis Larivière. Ce dernier est à son poste avec son chien Ravage. Elisabeth évite son regard, elle a une appréhension… Et si sa grand-mère ne l'avait pas prévenu de ce nouveau complot, songe-t-elle, pourvu qu'il ne me dise pas bonjour ! Elle constate que lui aussi évite son regard, mais quand il l'aperçoit habillée comme une nonne, il lui tourne aussitôt le dos pour cacher un irrépressible fou rire.

Ils franchissent ensuite tous les barrages au milieu de la faune habituelle. Quand elle croise l'entrée du corridor noir, une odeur ammoniacale d'urine lui saute à la gorge

— Vois-tu, citoyenne, lui dit Richard, le cachot de la veuve Capet est situé tout au fond !

Elle est horrifiée. Elle doit cacher son émotion et son dégoût et ne trouve rien d'autre à dire :

— Ah, très bien…

Ils franchissent enfin les derniers guichets où chaque garde est accompagné de son chien. Quand ils traversent le parloir, ils côtoient les amis et les parents des victimes agglutinés aux grilles. La dernière d'entre elles se referme violemment derrière eux. Ils descendent les trois marches du perron et débouchent dans le préau des hommes où une centaine de malheureux errent sans but. Quand ils aperçoivent Elisabeth, ils font aussitôt la haie sur deux rangées pour la voir passer lumineuse dans son uniforme blanc. L'odeur qu'ils dégagent lui soulève le cœur.

— Que vous êtes belle, mademoiselle ! lance l'un d'eux.

Se souvenant des consignes de de Batz, elle répond sèchement :

— Merci, citoyen !

Parvenu au pied de la tour Bonbec, Richard, muni d'un quinquet dans la main gauche et d'un énorme trousseau dans la main droite, ouvre la lourde grille qui donne accès à la tour. Ils empruntent aussitôt les marches disposées en colimaçon dans l'épaisseur même de la paroi. L'obscurité est rapidement opaque.

— Fais attention, l'escalier est raide, prévient Richard, les dalles sont humides et inégales ! Passe devant, je préfère être derrière toi au cas où tu glisserais…

Sans un mot de gratification, elle le précède et commence à gravir les premières marches quand soudain elle l'entend lui dire :

— Elisabeth, je voudrais vous avouer quelque chose, écoutez-moi !

Elle se retourne brusquement, étonnée qu'il l'appelle de nouveau par son prénom, et intriguée par ce vouvoiement.

— Je sais que vous êtes la fille de l'adjudant Lavigne et que vous complotez avec le baron de Batz !

Le choc est violent. Elle perçoit comme une masse qui lui serait tombée sur la tête. Une chaleur intense monte dans sa poitrine, elle sent son sang descendre dans ses jambes. La tête lui tourne. Elle s'appuie contre la paroi car sa vue se voile. Elle se laisse choir sur les marches. Richard, craignant qu'elle ne tombe à la renverse, la retient par le bras et la maintient assise…

— Elisabeth ! Est-ce que vous vous sentez bien ?

Au bout de quelques secondes, effondrée, elle lève les yeux vers lui :

— Ça va… dit-elle d'une voix éteinte. Comment savez-vous que je suis sa fille ?

— Parce que je suis des vôtres ! J'ai aidé Michonis et Rougeville dans leur tentative de libérer la Reine. Je savais qu'ils étaient des agents de de Batz. Rougeville m'a souvent parlé d'une fille d'une grande beauté et douée d'une force exceptionnelle qui luttait à ses côtés. Il m'a raconté qu'elle s'était battue comme une lionne dans la forêt de Meaux contre les terroristes ! Elle a surtout, me disait-il, des yeux d'un bleu impressionnant : il suffit de les voir une seule fois pour ne jamais oublier leur couleur. Moi qui ai connu ceux de votre pauvre père, quand je vous ai vue au greffe, j'ai tout de suite su que vous étiez sa fille !

— Vous connaissiez donc son drame ?

— Bien sûr, Rougeville m'a raconté sa triste histoire. Je sais qu'à Nantes, l'adjudant Lavigne avait refusé de tirer sur le peuple. Carlier l'a fait arrêter et lui a proposé de le libérer s'il acceptait de cracher sur la croix. Ayant refusé, il a été expédié à la Conciergerie et traduit devant le Tribunal révolutionnaire. Rougeville m'a aussitôt demandé de le loger dignement, je l'ai installé du mieux que j'ai pu dans une chambre à la pistole…

Elisabeth, les yeux pleins de larmes, lui demande :

— Combien de temps est-il resté ici ?

— Deux ou trois jours seulement.

— Se doutait-il qu'il allait mourir ?

— Probablement, mais votre père était un colosse qui ne laissait rien paraître. Après avoir prononcé sa condamnation, le président Herman lui a demandé s'il avait quelque chose à ajouter. Il a répondu en riant : "Président, je pars devant. Comme tu me suivras dans quelques jours, je te dis donc à très bientôt ! Pendant ce temps je vais intercéder en ta faveur auprès du Seigneur, tu en auras bien besoin !"

Elisabeth s'écroule. Elle sanglote le visage entre les mains. Son voile d'étamine a glissé sur ses épaules en libérant sa magnifique chevelure blonde. Richard a les yeux humides.

La scène est surréaliste : dans le décor sinistre de cet escalier, lui debout, immobile, n'est qu'une ombre, elle presque à genoux, étincelante de blancheur sous la flamme du quinquet qui irradie la couleur de ses cheveux, on croirait qu'elle prie…

— C'est trop cruel, murmure-t-elle. Pourquoi se sont-ils acharnés sur lui ? Il était pauvre, il était bon, il servait son pays, sa seule exigence était ses convictions chrétiennes, ils l'ont tué pour cela ! Monsieur Richard, je vous en supplie, aidez-moi à trouver ceux qui l'ont chargé ! Vous savez très bien qu'après chaque séance, le tribunal efface le nom des témoins et des juges pour ne laisser aucune trace des criminels… Est-il vrai que ce seraient les époux Harel qui auraient été ses témoins à charge devant le Tribunal révolutionnaire ?

— C'est exact !

— Je m'en doutais… Mais pourquoi ? Les monstres ! Ils paieront !…

— Attention, les époux Harel font partie de la police de Robespierre, n'entreprenez rien contre eux, ils vous tueraient.

— Monsieur Richard, toute ma vie est là, je ne vis que pour venger sa mort. Avant de l'enterrer, ils l'ont laissé plusieurs jours sur le gazon du cimetière de la Madeleine… Je l'ai vu jeté là… Elle sanglote : Il avait… il avait… Elle pleure de plus en fort comme une petite fille, elle essaye de dire : Si vous saviez, monsieur Richard…

Celui-ci lui dit doucement :

— Qu'avait-il, mon enfant ?

Elle concède alors dans un cri de douleur en hurlant :

— Il avait la tête entre les jambes et les yeux grands ouverts !

Secouée de sanglots, elle appuie son front contre ses genoux. Richard s'est assis sur une marche au-dessus d'elle. Le quinquet à la main, silencieux, il attend qu'elle se calme. Au bout d'un moment, le visage inondé de larmes, elle ajoute :

— … Ils l'ont jeté dans la fosse commune avec les Suisses. On m'a déconseillé de tenter de le récupérer, j'aurais été arrêtée comme suspecte… La mort dans l'âme, j'ai dû l'abandonner.

— Je suis prêt à vous aider à le venger, Elisabeth.

Elle arrête aussitôt de pleurer, ses yeux bleus immenses encore noyés, elle lui lance farouche :

— Monsieur Richard, vous vous souvenez de son jugement, n'est-ce pas ?

— Bien sûr !

— Qui était l'accusateur ?

— Fouquier-Tinville.

— Qui présidait ?

— Je vous l'ai dit : c'était Herman.

Silencieuse, elle réfléchit un moment puis :

— Vous êtes donc au courant de notre projet de libérer la Reine, n'est-ce pas ?

— Mais bien sûr, j'espère que cette fois vous réussirez.

— Qui a fait échouer l'Œillet ?

— Le gendarme Gilbert et la servante Harel.

— Encore elle… D'ailleurs, je le savais ! Et vous, monsieur Richard, pourquoi n'avez-vous pas encore quitté cette maison de l'enfer ?

— Marie, mes enfants et moi sommes pris dans une nasse !

— Pourquoi ne pas démissionner ?

— Démissionner ? Mais ce serait signer notre arrêt de mort. Nous serions immédiatement arrêtés comme suspects.

— Comment se fait-il que vous n'ayez pas été inquiétés après l'Œillet ?

— Ils ont besoin de moi, comme ils ont besoin du bourreau Sanson. Pour la satisfaction de Robespierre, nous assumons le fonctionnement de cette machine de mort qui doit guillotiner soixante personnes par jour. Fouquier est autant otage vis-à-vis de lui que moi vis-à-vis de Fouquier ! Le régime se maintient par une terreur réciproque. C'est très simple : il faut guillotiner pour ne pas être soi-même guillotiné... Maintenant, dites-moi de qui vous avez obtenu votre ordre de mission ?

— De Chabot !

— Je pensais que c'était plutôt d'Hébert...

— Pourquoi Hébert ?

— Parce qu'il est acheté par de Batz !

— Mais Chabot aussi ! Comme tous...

— Hébert a juré ma perte. Je sais beaucoup trop de choses sur lui !

— Nous aussi ! Entre autres, le million qu'il a encaissé pour ramener la Reine au Temple !

— S'il n'y avait que cela – il se lève. Je vous dévoilerai un jour toutes ses turpitudes...

On entend soudain une porte qui s'ouvre dans les étages supérieurs. Il se rassoit aussitôt.

— Silence ! souffle Richard, le doigt sur les lèvres, On descend du deuxième !

Il atténue la clarté du quinquet en rentrant la mèche dans son fourreau. Ils attendent. Des bruits de chaussures ferrées résonnent au-dessus de leur tête. Ils perçoivent des bribes de phrases :

— Soixante à juger... On ne dînera pas encore avant quatre heures... Moi, quand j'ai faim, ma conscience est très vite éclairée... Je suis convaincu d'avance de leur culpabilité quand les accusés conspirent contre mon ventre !

On entend des rires. La porte du premier palier grince, puis claque, et de nouveau c'est le silence.

— Qui sont ces gens ? demande Elisabeth.

— Deux jurés de la salle Egalité. J'ai reconnu leur voix… C'était Vilate et Trinchard, deux laquais de Robespierre !

— Des jurés ? Qui s'expriment ainsi ?

— Eh oui… Si seulement ils étaient les seuls !

— Soumettre sa conscience à son appétit, mais quel cynisme !

— Il vaut mieux qu'ils ne nous aient pas vus ensemble !

— Pourquoi ? D'où venaient-ils ?

— Du deuxième. Ils descendaient probablement des archives. Fouquier vit également au même étage avec sa femme et ses jumeaux.

— Difficile d'imaginer qu'un tel homme puisse avoir une famille !

— Et pourtant, il a bien une femme et deux enfants !

— Lorsqu'il rentre le soir dans son foyer, que peut-il bien répondre à son épouse quand elle lui demande : Alors comment as-tu passé ta journée ? Très bien, j'en ai fait guillotiner soixante ! Pouvez-vous concevoir une vie de famille avec un tel homme ?

— Je vous l'accorde, nous sommes en plein délire ! Elisabeth, mon enfant, il est imprudent de rester ici plus longtemps, les séances du tribunal vont bientôt finir, les condamnés à mort descendent au greffe par cet escalier…

— Dire que je vais devoir parler à l'assassin de mon père !

— Ce n'est pas lui l'assassin de votre père, Elisabeth. Ce sont les fous qui appliquent ce régime sanguinaire qui l'ont tué. Fouquier est un caractériel, mais il n'est pas vraiment malintentionné. Je l'ai connu au début de la création du Tribunal révolutionnaire, il était soucieux de respecter les droits des accusés… Et puis les terroristes ont acquis de plus en plus de pouvoir, les pressions sur lui ont été de plus en plus fortes, sa grande erreur fut de se maintenir, il aurait dû partir à ce moment-là. Depuis, Robespierre lui assène sans cesse : Vous êtes là pour ça ! Je sais qu'il fait sa sale besogne avec mauvaise conscience !

— Pourquoi accepte t il alors de la faire ?

— Parce qu'il n'a pas d'autre choix que d'obéir, il est littéralement piégé ! Chaque soir, il doit prendre les ordres au Comité de salut public pour y subir les vexations et les menaces de la clique au pouvoir et repartir avec la liste des victimes à guillotiner le lendemain. Je sais qu'il a sauvé des prisonniers de l'échafaud. Ils ne sont pas nombreux, c'est vrai, mais il y en a tout de même quelques-uns ! En les sauvant, il contrevenait aux ordres, si les terroristes l'avaient su, ils l'auraient exécuté sur l'heure. Cet homme, au demeurant très rude, vit comme nous tous dans l'angoisse permanente.

— Monsieur Richard, nul n'est tenu d'agir contre sa conscience !

— Vous parlez à la légère, mon enfant, il faut savoir ce qu'est une vie d'otage !

— Monsieur Richard, vous ne parviendrez pas à me persuader que Fouquier-Tinville n'est rien d'autre qu'un vulgaire assassin.

— Il ne peut dévier d'un pouce, il serait aussitôt exécuté !

— Et alors ? Faut-il tuer sans cesse pour préserver sa vie ?

— Allez, Elisabeth, nous reprendrons cette conversation plus tard. Debout, l'accusateur n'aime pas attendre !

Il ranime la flamme du quinquet. Elle se lève lentement en réajustant son voile d'infirmière.

— Je préférerais que vous passiez devant, monsieur Richard…

Ils reprennent leur ascension. Sur le premier palier, tout est silence. La lourde porte qui permet d'accéder à l'étage est close.

— Attention, "citoyenne Elisabeth", dit-il en riant, la main posée sur la poignée, ici c'est le dernier arrêt avant le plongeon dans la fosse aux tigres. En franchissant cette porte, "citoyenne infirmière", tu quittes la civilisation et son vouvoiement pour entrer chez Cerbère !

Elisabeth encore éprouvée ne peut réprimer un sourire douloureux, elle lui répond sur le même ton :

— Tu peux compter sur moi, “citoyen concierge” ! Tout à l’heure, au greffe, tu as pu juger que je savais maquiller mon verbe et m’effacer derrière une révolutionnaire au cœur dur !

— C’est vrai, tu as été parfaite, “citoyenne infirmière” ! répond-il en riant. Bon, maintenant parlons sérieusement : Je vous en prie, Elisabeth, tenez bien votre rôle devant l’accusateur, s’il éprouvait le moindre doute, vous seriez en grand danger !

— Depuis que je suis une grande fille, je n’ai plus peur des croquemitaines, monsieur Richard !

— Les hommes que vous allez croiser n’attachent aucune valeur à la vie. Mon enfant, soyez très vigilante dans vos réactions !…

— Je vous promets de l’être !

— Bon, dit-il en soupirant, maintenant pouvons-nous y aller, “citoyenne” ?

— Allons-y, “citoyen” ! Elle ajoute en le retenant par le bras : Vous n’avez pas oublié votre promesse, n’est-ce pas ?

— Laquelle, mon enfant ?

— De m’aider à venger mon père !

— Elisabeth, comment pouvez-vous en douter ?

Dès qu’il ouvre la lourde porte palière, elle est surprise par la rumeur qui règne à l’étage. Le premier palier de la tour Bonbec donne sur l’extrémité de la galerie des Peintres[1], à proximité de la salle des gardes, tout contre une chambre du tribunal appelée “Egalité”. Des gendarmes se lèvent pour la voir. L’un d’eux s’approche d’elle :

— Oh ! la belle infirmière. Je me sens très malade tout d’un coup !

1. La galerie des Peintres, au premier étage, distribue une des principales salles du Tribunal révolutionnaire. Les allées et venues y sont très importantes.

— On se calme ! réplique sèchement Richard.

Le tribunal est encore en session et les portes de la salle Egalité sont fermées. Une multitude de visiteurs autorisés à assister aux séances déambulent dans la galerie. C'est un tumulte fait de conversations entremêlées, d'aboiements de chiens, de vociférations, et toujours ces interpellations hurlées par les guichetiers.

— Pourquoi braillent-ils ainsi ? demande Elisabeth.

— Ce sont les guichetiers. Ils sont souvent plus ou moins ivres.

Ils laissent derrière eux la galerie des Peintres pour s'engager dans le couloir malodorant qui relie la tour Bonbec à la tour d'Argent. De nombreuses salles y accèdent. Par les portes restées ouvertes, Elisabeth observe un personnel nombreux qui s'affaire en tous sens.

— Que font ces gens ?

— Ils assurent le service du tribunal. Ce sont des juges, des secrétaires, des huissiers, des copistes...

Comme ils passent devant un bureau dont la porte est ouverte, un homme en perruque lance :

— Salut Richard ! Dis donc, pourrais-tu demander à Sanson deux charrettes de plus pour demain, ils sont trente de plus à passer en jugement ! Nous sommes débordés, il en arrive de toute la France ! Qui est cette jolie citoyenne ? Bonjour !

— Je te présente Elisabeth Lemille. Elle est envoyée par le Comité de sûreté générale pour garder la veuve Capet à l'Hospice de l'Archevêché. Elisabeth, voici le juge Sellier.

Elle salue d'un simple mouvement de tête.

— Mes compliments, citoyenne, tu es bien belle pour une tâche aussi ingrate !

— Ma tâche, citoyen, est très éloignée de ce genre de considération. Le Comité de sûreté générale m'a chargée d'une mission patriotique, et tes remarques sur mon physique ne sont pas de mise ici.

Richard gêné met fin à l'entretien :

— Tu peux compter sur tes charrettes supplémentaires pour tes prévenus. Salut, Sellier !

— Dis donc, répond l'autre à voix basse en riant, elle a le sang sacrément chaud la citoyenne, ça doit être une sacrée affaire au lit ! Allez, salut Richard !

Ils s'engagent dans un couloir aveugle éclairé par des quinquets malodorants. Elisabeth dit en baissant la voix :

— Vous appelez ça un juge, monsieur Richard ? Un juge qui commande des charrettes supplémentaires sans préjuger du nombre d'innocents ? Quelle infamie ! C'est un assassin qui joue au juge. Cela prouve qu'il a déjà rendu son verdict et qu'il les enverra tous à l'échafaud. Après avoir entendu des jurés cyniques, je découvre maintenant des juges assassins !

L'autre ne répond pas. Ils montent les quelques marches du corridor aveugle pour aboutir enfin à la tour César.

— Dorénavant, attention à ce que vous dites, chuchote Richard, dès à présent, nous sommes chez Fouquier-Tinville.

Ils côtoient une foule de gens affairés qui les bousculent sur leur passage. Elisabeth demande à voix basse :

— Pourquoi sont-ils si pressés ?

Richard répond sur un ton confidentiel :

— Ce sont les artisans de cette usine de mort ! Ils courent parce qu'ils ont peur de ne pas remplir leur tâche à temps, ils sont talonnés par l'accusateur !

— Leur tâche ? De quelle tâche voulez-vous parler ?

Il passe sa main contre son cou pour imiter la guillotine.

— Quelle horreur ! Mais ce n'est pas possible… Tout ce zèle pour supprimer des vies ?

— Eh oui ! S'ils n'étaient pas aussi empressés, c'est la leur qu'on supprimerait !

— J'ai l'impression de vivre un cauchemar… Dire que c'est cette meute qui a égorgé mon père ! dit Elisabeth en regardant autour d'elle.

Elle scrute le regard de chaque individu qu'elle croise, espérant y déceler quelque chose d'étranger à l'homme, au minimum de la folie, à défaut d'autres monstruosités. Hélas, elle ne découvre rien d'autre que des créatures qui font leur travail, si ce n'est avec complaisance, du moins avec application !

— C'est invraisemblable, confie-t-elle, ils donnent l'impression d'être les artisans consciencieux d'une maison de fous ! J'ai le sentiment de me trouver dans une immense toile d'araignée dont le centre est occupé par l'accusateur public. Bien qu'il soit invisible, on perçoit partout sa présence !

Ils parviennent enfin à l'entrée du bureau de celui-ci. Elle est étonnée de constater qu'il est exposé à tous les regards et que les deux battants de la porte restent grands ouverts. Elle découvre une vaste salle où de nombreux copistes travaillent en silence. Au premier plan, un grand bureau aux pieds de griffons. Il est inoccupé : probablement le sien. Un homme d'une trentaine d'années se précipite, c'est Robert Wolf, un des principaux commis-greffiers.

— L'accusateur est en séance durant une demi-heure encore, leur dit-il. Il vous prie d'aller l'attendre dans la galerie des Peintres.

Il détaille Elisabeth avec intérêt.

— Robert, je te présente la citoyenne Lemille, c'est elle qui accompagnera la veuve Capet à l'Hospice.

— Ah ! parfait. Nous sommes au courant de ta venue, salut et fraternité, citoyenne !

— Salut ! répond Elisabeth, tout étonnée de découvrir dans le regard clair de cet homme une douceur insolite.

— Le Comité de sûreté générale nous a informés de ta mission, ajoute Wolf, l'accusateur désire te voir avant que tu te rendes à l'Hospice.

— Nous retournons l'attendre dans la galerie des Peintres, à tout à l'heure, Robert.

— A tout à l'heure !

Sous la conduite de Richard, elle va plonger dans les profondeurs de ce lieu de mort. Il faudra qu'elle cache son effarement, ses émotions, sa révolte et son dégoût devant les scènes inconcevables auxquelles elle va être confrontée.

En fin de matinée, le mouvement dans la galerie des Peintres devient intense. Les charognards qui guettent leurs proies se promènent d'une extrémité à l'autre, jusqu'à la salle ronde de la tour Bonbec où stationne le corps de garde.

— Qu'attendent donc tous ces gens ? Est-ce la famille des prévenus ?

— Pas du tout ! Ils viennent se délecter à la vue des condamnés à mort. Ceux-là n'ont pas trouvé de place dans la salle, alors ils attendent dehors pour les voir passer.

On entend soudain des applaudissements retentir derrière les portes de la salle Egalité.

— Pour qui sont ces applaudissements ?

— Le public manifeste sa joie à l'annonce du verdict.

— D'acquittement ?

— Hélas non, de mort.

Les deux battants de la porte s'ouvrent brusquement, une foule sort précipitamment dans un brouhaha. Elisabeth voit surgir de cette chambre infernale des hommes l'air important, habillés de manteaux noirs et coiffés de chapeaux à la Henri IV couronnés de plumes noires.

— Qui sont ces oiseaux de proie ? demande-t-elle.

— Les assesseurs du président Herman.

— Ils ont bien l'air de ce qu'ils sont !

— Attention, Elisabeth, murmure Richard, voilà ceux qui vont mourir. Surtout, pas de larmes devant les fauves, vous seriez arrêtée par les moutons de Fouquier qui nous guettent.

Dans cette animation enfiévrée, les condamnés à mort font irruption. Ce sont principalement des femmes. Elles sont encadrées par les habits bleus, les buffleteries jaunes et les bicornes à pompons des gendarmes du lieutenant Lebrasse. L'huissier Simonet s'adresse à Richard :

— Citoyen concierge, l'accusateur te demande de le rejoindre avec la citoyenne Lemille dans la salle des séances. Je descends les condamnés au greffe, Sanson est déjà arrivé.

— Attends… Avant de descendre, exige Richard, dis-moi deux mots sur le verdict.

La première qui sort du tribunal a vingt ans à peine. La tête basse, le teint cireux, un regard figé d'épouvante, elle est soutenue aux aisselles par deux soldats qui la portent littéralement, car ses pieds traînent au sol. Un filet de bave sort de sa bouche. Elle marmonne des mots incompréhensibles.

— C'est une femme du Poitou, n'est-ce pas ? Le verdict ?

— La mort, mais elle est déjà presque morte !

Derrière elle, c'est une religieuse, également soutenue, qui prie les mains jointes.

— C'est sœur Gattey[1], précise Simonet, elle est condamnée à mort.

Puis un groupe de trois adolescentes en larmes qui vacillent en marchant. Elles sont précédées d'un ecclésiastique les yeux au ciel, qui prie avec ferveur.

— C'est encore la bande du Poitou, condamnées à mort.

— Qui est l'homme qui prie ?

— C'est leur confesseur, il a voulu partager leur sort, précise Simonet en riant. Fouquier n'a pas voulu le décevoir, il lui a dit : “D'accord, pars avec elles, tu les guideras sur le chemin du ciel puisque tu connais si bien la route !”

Un homme de belle prestance aux cheveux blancs sourit à Elisabeth quand il passe devant elle. Elle en est ébranlée.

— Qui est-ce ? demande-t-elle.

— Le président du parlement de Toulouse. Condamné à mort.

Il est apostrophé par un sans-culotte :

— Dis donc, le vieux ! Au parlement, tu étais plus fier que ça, n'est-ce pas ?

1. Voir tome 1, p. 272.

L'autre, le regard fixe droit devant lui, ne répond pas.

Puis c'est une belle femme de trente ans aux allures aristocratiques. Elle arbore une magnifique chevelure brune qui tombe sur ses reins. Elisabeth est fascinée par l'expression de ses traits. Aucune peur sur ce beau visage plein de charme et une totale sérénité malgré l'épreuve terrible qu'elle vient de vivre.

— Qui est-ce ? demande Elisabeth.

— C'est la ci-devant princesse de Monaco. Elle est condamnée à mort, mais elle a refusé de lire sa condamnation. Elle a dit au président : "Cela n'a aucun intérêt pour moi puisque je suis enceinte de six semaines." Elle va être transférée à l'Hospice de l'Archevêché.

— Eh, l'aristo ! lui crie le sans-culotte, tu peux toujours faire la fière, on verra si tu as la même tête souriante au fond du panier !

Elle s'arrête à sa hauteur, fait mine de détailler le visage de l'homme avec attention, puis après deux secondes de réflexion, elle lui lance :

— Je suis désolée pour vous, mon pauvre ami, l'horreur de la vôtre est telle qu'il n'y a aucun doute : même le couteau de la guillotine ne saurait l'effacer !

Elle est suivie par une grande femme aux cheveux châtains et aux grands yeux noirs. Elle a dépassé la quarantaine, mais sa démarche est étonnamment juvénile. Dès qu'elle apparaît, elle est interpellée par la foule des visiteurs :

— Olympe ! Olympe ! Qu'est-ce que tu fais ici ? Qu'est-ce qu'ils t'ont fait ?

— C'est Olympe de Gouges, elle est très populaire. Ils l'ont condamnée à mort.

— Ah ! c'est elle ! dit Elisabeth avec admiration.

— Ils l'ont condamnée pour un pamphlet écrit contre Robespierre et la peine de mort !

Un couple qui semblent être de bons bourgeois lui chuchotent quand elle arrive à leur hauteur :

— Courage, Olympe, tu as terrassé cette racaille, que Dieu t'aide !

Elle leur répond sur le ton de la confidence :

— Mes ennemis n'auront point la gloire de voir couler mon sang. Je suis enceinte et donnerai à la République un citoyen ou une citoyenne.

— Veux-tu avancer ! hurle l'huissier.

— Simonet ! lance le lieutenant Lebrasse, fais sortir de la file les citoyennes Monaco et Gouges. On ne les remet pas à Sanson, elles se sont déclarées enceintes, elles vont directement à l'Hospice ! Fais le nécessaire !

Le lieutenant Lebrasse conduit sa longue traînée vers l'escalier à vis de la tour Bonbec pour l'amener aux charrettes de Sanson sous les railleries et les injures des accoutumés.

Elisabeth, précédée de Richard, pénètre enfin dans la salle Egalité. Elle reçoit en plein visage une chaleur moite mêlée au fumet humain laissé par le public. Elle voit tour à tour, à gauche, ces horribles gradins où tant de larmes ont été versées, et à droite, des estrades que les jurés s'apprêtent à quitter. Deux hommes, l'un assis l'autre debout, portant des chapeaux à plumes noires, s'entretiennent en échangeant des documents. Richard se dirige vers eux, Elisabeth le suit. Celui qui est assis derrière une table aux pieds de griffons lui fait face, tandis que l'autre lui tourne le dos. Elle reconnaît aussitôt dans le premier "le boucher" à son faciès de poisson carnivore. Elle se souvient de l'avoir aperçu au marché Saint-Michel le jour où Louise Pitot, la maraîchère, faillit être arrêtée[1]. Elisabeth pressent d'instinct, sans l'avoir jamais vu, que celui qui lui tourne le dos est Joseph Herman. Dire que ce sont les deux hommes qui ont assassiné mon père ! Ah, si je pouvais les tuer maintenant ! songe-t-elle.

— Président… citoyen accusateur, leur lance Richard, je vous présente la patriote Elisabeth Lemille que nous envoie le citoyen Chabot.

Joseph Herman se retourne, Elisabeth est confondue : l'homme qui est face à elle est le contraire de ce qu'elle imaginait ! Il est beau. Ses traits sont réguliers,

1. Voir tome 1, p. 244.

il a des yeux noirs profonds avec un léger strabisme, son teint est pâle, sa taille élancée, jusqu'à son maintien raffiné qui pourrait le faire passer pour un aristocrate. Et pourtant, malgré toutes ces qualités, Elisabeth constate qu'il se dégage de cet être, froid comme une lame, quelque chose d'impossible à cerner qui met aussitôt mal à l'aise. Elle ne peut dire ce qui compromet ainsi l'harmonie chez lui. Il s'incline légèrement pour la saluer sans le moindre sourire.

— Je te félicite, citoyenne, le Comité de sûreté générale m'avait annoncé ta nomination, c'est un grand honneur pour toi !

Sa voix nasillarde ne cadre pas non plus avec son physique.

— Merci, président, réplique Elisabeth en s'efforçant de durcir le ton, j'espère être à la hauteur de ma tâche.

Quant au "boucher", il se dispense même de la saluer.

— Tu devras prendre garde, dit-il d'emblée avec un rire rauque, de ne pas tomber sous le charme de la Capet. Elle fait la conquête aussi bien des femmes que des hommes !

Il rit de plus belle, Herman n'apprécie pas.

— Citoyen accusateur, réplique Elisabeth, je suis prévenue du pouvoir pervers de l'Autrichienne.

— Tout le monde était prévenu et pourtant tout le monde a succombé – il rit encore. C'est pour cela, ma fille, que je te mets en garde !

— A quelle heure la reprise des jugements ? demande Herman à Richard en fermant sa sacoche.

— A seize heures.

— A tout à l'heure.

Il se retire. Fouquier se tourne vers Elisabeth.

— Assieds-toi, on doit causer.

Un huissier se présente.

— Ah ! Simonet, monte donc à la buvette et rapporte-moi une anisette de Bordeaux – il ouvre sa tabatière, prend un prise. Alors, comme cela, Elisabeth, tu connais bien le citoyen Chabot ?

— Oui, mais pas plus que cela, citoyen accusateur !

— Pourquoi as-tu été désignée par le Comité de sûreté générale pour garder l'Autrichienne ?

— Je suppose qu'ils cherchaient une infirmière douée d'une grande force physique.

— Tiens donc ! Dans quel but ?

— Pour la soigner et l'empêcher de tomber éventuellement aux mains des aristocrates.

— Mais nous avons la force armée pour cela... L'aurais-tu déjà rencontrée ?

— Qui donc, citoyen accusateur ?

— L'Autrichienne, pardi !

— Jamais !

— Connaîtrais-tu les gens de l'Hospice par hasard ?

— Je connais la citoyenne Guyot.

— C'est tout ? Et les médecins ?

— Non, mais le citoyen Chabot m'a longuement vanté leurs mérites !

— Duquel en particulier ?

— Du docteur Souberbielle, il m'a dit qu'il soignait l'Autrichienne.

— C'est exact, c'est un grand patriote. Connais-tu les gens de l'Hôtel-Dieu ?

— Non, citoyen accusateur.

— Tu ne connais pas le docteur Giraud ?

— Non !

— Pourtant, c'est un chirurgien de renom, bien qu'il ne soit que chirurgien adjoint. C'est étonnant, en tant qu'infirmière, que tu n'en aies pas entendu parler !

— J'en ai entendu parler, mais je ne le connais pas personnellement.

— Et Ray, l'économe ? Le connais-tu ?

— Non plus ! Pourquoi ? Je devrais le connaître, citoyen accusateur ?

— Non, mais méfie-toi de lui, c'est un fourbe ! D'ailleurs, je l'ai à l'œil... Il se tourne vers le concierge : Dites-moi, Richard, a-t-elle pris connaissance des consignes pour le transfert de l'Autrichienne ?

— Bien sûr, citoyen accusateur !

— Je n'aime pas beaucoup cette idée de la transférer à l'Hospice. Robespierre y tient, mais je dois être vigilant, cette boîte-là est pleine de comploteurs…

Il fixe Elisabeth avec insistance, elle ne baisse pas les yeux :

— Pourquoi avoir choisi quelqu'un comme toi pour surveiller l'Autrichienne, je trouve cela bizarre.

— Tu penses peut-être que je ne serai pas à la hauteur de ma tâche ? dit-elle en soutenant son regard.

— Pourquoi Chabot a-t-il choisi une personne si jeune ? Je lui en avais proposé de bien plus expérimentées. Qui donc t'a imposée pour cette tâche ?

— On ne m'informe pas des décisions du Comité de sûreté générale, citoyen accusateur, douterais-tu de son patriotisme ?

Sa réponse fait ricaner Fouquier-Tinville qui ajoute en l'observant avec insistance :

— Toi, tu es sacrément habile, quel âge as-tu donc ?

— Vingt-quatre ans, citoyen accusateur. Tu sembles douter de mes capacités, veux-tu viser mon ordre de mission ?

— Je l'ai déjà visé, intervient Richard.

— Bien sûr, bien sûr !… Fais voir !

Il le lit distraitement et le lui rend. L'huissier Simonet dépose l'anisette de Bordeaux sur le bureau, Fouquier s'en empare aussitôt et la boit d'un trait, les yeux à demi fermés. Il repose doucement le verre et dit à Elisabeth :

— Si tu as un problème à l'Hospice, tu t'adresseras au citoyen Tarcilly, c'est le concierge, il a toute ma confiance… Tu logeras dans la même chambre que l'Autrichienne, tu ne la quitteras pas d'un pouce. Les instructions des Comités sont formelles : il lui est interdit de communiquer avec qui que ce soit ! Si tu constates le contraire, tu dois m'en informer aussitôt par l'intermédiaire du concierge.

Elisabeth acquiesce d'un mouvement de tête. Elle ajoute :

— Citoyen accusateur, la citoyenne Guyot saura ce que je dois faire, n'est-ce pas ?

— Bien sûr, mais méfie-toi d'elle, elle fréquente de drôles de gens, m'a-t-on dit, surtout des curés, mais enfin Robespierre tient beaucoup à elle, je me demande pourquoi…

Il se lève, les autres l'imitent.

— Salut et fraternité ! dit-il en tendant la main à Elisabeth.

Elle s'en empare, elle la perçoit épaisse et légèrement humide.

— Salut, citoyen accusateur ! dit-elle simplement.

— Richard, fais-la accompagner par Lebrasse à l'Hospice en voiture attelée. Puis sur un ton légèrement ironique : N'oublie pas que la citoyenne doit être traitée avec égards, elle est déléguée par le Comité de sûreté générale… Allez, salut.

Il s'éloigne.

Samedi 7 septembre, trente-septième jour de détention, l'Hospice national de l'Archevêché, seize heures

7

L'hospice-prison

La nouvelle de l'arrivée de la Reine à l'Hospice national de l'Archevêché se répand comme une traînée de poudre dans le quartier de Notre-Dame. Elle attire de très nombreux badauds jusqu'aux portes de l'édifice. Pour maintenir la foule à distance et prévenir toute tentative d'enlèvement, le parvis de la cathédrale et les abords de l'Hospice ont été quadrillés par les gendarmes du capitaine Adnet, l'adjoint du colonel Botot Du Mesnil. La tache du maintien de l'ordre est confiée au lieutenant de Bûne.

Une berline fend la foule pour pénétrer sur l'esplanade et stationne devant l'Hospice. En descendent le lieutenant de gendarmerie Maurice Lebrasse et une infirmière tout de blanc vêtue. Ils se dirigent aussitôt vers l'entrée du bâtiment où les accueillent l'infirmière-chef Guyot, son assistante Françoise Le Bihan, le docteur Bayard et enfin le lieutenant de Bûne.

— Bienvenue à l'Hospice national du Tribunal révolutionnaire, citoyenne Lemille, dit l'infirmière-chef, je te présente le docteur Bayard et le lieutenant de Bûne – les autres saluent en souriant –, et voici Françoise Le Bihan qui t'assistera tout au long de ton séjour ici.

Elisabeth sait qu'elle fait partie du complot.

— Sois la bienvenue ! dit l'autre en la regardant intensément.

— La citoyenne est envoyée par le Comité de sûreté générale pour garder la veuve Capet, tranche le lieutenant Lebrasse, vous devrez tout faire pour faciliter l'exécution de son mandat.

Il salue et s'éloigne aussitôt.

— Citoyenne, précise le docteur Bayard, il faut d'abord te présenter au concierge Tarcilly, afin qu'il vise ton ordre de mission. A tout à l'heure.

Il s'éloigne.

— Je t'y conduis, propose de Bûne à Elisabeth, veux-tu me suivre, citoyenne ?

— Elisabeth, précise l'infirmière-chef, nous allons te montrer la chambre que tu partageras avec la veuve Capet. N'as-tu que ce balluchon ?

— Oui, je n'ai besoin de rien, je n'ai que du linge de corps et deux tenues de rechange.

— Très bien ! Françoise, veux-tu l'accompagner, s'il te plaît ?

Le lieutenant de Bûne et les deux femmes franchissent l'immense vestibule gardé par des factionnaires en armes. Il est encore décoré de somptueux lambris et couronné par un immense lustre de cristal. Il donne accès à un escalier monumental de marbre blanc dont la splendeur de la rampe en cuivre et fer forgé souligne les fastes de l'ancien archevêché de Paris. On en a condamné l'accès par une lourde grille gardée par un guichetier. Ce palais fut le siège de l'épiscopat avant que l'évêque Gobel l'abandonne définitivement aux révolutionnaires.

Une activité fébrile y règne, où sont mêlés des infirmiers vêtus d'un blanc douteux, des huissiers en blouse grise, des brancardiers en bleu, des secrétaires en civil et de nombreux gendarmes.

Toute cette misère humaine qui évolue dans ce décor luxueux, quel odieux contraste ! songe Elisabeth qui lance à Françoise :

— Mais c'est immense ici ! Et toutes ces allées et venues, quel bouillonnement !

— A droite, précise l'infirmière, ce sont les bureaux des services administratifs et le cabinet du concierge, à gauche, c'est là que les femmes accouchent et que les chirurgiens opèrent.

— Et c'est plein ?

— Jusqu'au cinquième étage ! Le second est réservé aux femmes enceintes qui sont condamnées à mort et qui…

Elle n'a pas le temps de terminer sa phrase, on entend soudain des hurlements stridents. La porte qui accède aux soins s'ouvre violemment. Un huissier et deux infirmiers portant un brancard font irruption. Une jeune accouchée en larmes secouée de convulsions est attachée, les fers aux pieds et aux mains. Elle hurle au milieu de cris perçants :

— Au secours ! Au secours ! Mon bébé ! Je ne veux pas mourir !… Mon bébé !… Ils m'ont pris mon bébé… Je ne veux pas mourir ! Rendez-moi mon bébé !…

Le lieutenant de Bûne quitte les deux femmes pour interroger l'huissier :

— Simonet ! Pourquoi les fers ?

— Elle se débat furieusement, mon lieutenant, on ne peut pas la tenir !

— Enlève ces fers et installe des sangles et un treillis.

L'infirmière Guyot se précipite, elle demande à Simonet :

— Qu'as-tu fait du nouveau-né ?

— Au premier étage, citoyenne chef, dans la salle des nourrices !

Elle se lance dans l'escalier en courant. Les cris de la jeune accouchée deviennent de plus en plus stridents. Elle est transportée à l'extérieur du bâtiment, où ses hurlements s'entendent encore.

Françoise Le Bihan profite de l'éloignement du lieutenant de Bûne pour glisser à l'oreille d'Elisabeth :

— C'est ainsi du matin jusqu'au soir ! Si vous demeurez ici quelque temps, vous aurez le choix entre vous endurcir ou devenir folle !

— Pourquoi travaillez-vous dans cet enfer ? souffle Elisabeth.

— Il faut que je gagne ma vie. Sans le soutien de Mme Guyot, je n'aurais jamais pu rester ici ! C'est une femme exceptionnelle !

— C'était donc vrai, lui dit Elisabeth entre les dents, on leur enlève leur bébé sitôt l'accouchement terminé pour conduire la mère à l'échafaud ?... Je ne voulais pas le croire ! Que vont-ils faire de cette malheureuse ?

— Elle part pour la Conciergerie où l'attend la charrette de Sanson. A six heures, elle sera guillotinée... Voilà ce qu'ils ont fait de leur République !

— Vous savez, ils n'ont pas fait mieux de leur monarchie constitutionnelle !

— Attention, Elisabeth, le lieutenant revient !

De Bûne s'adresse à Françoise :

— Où est l'infirmière-chef ?

— Elle est montée voir le nouveau-né, lieutenant.

— Dites-lui que Lebrasse et moi emmenons la mère à la Conciergerie. Françoise, pouvez-vous accompagner la citoyenne Lemille chez Tarcilly ?

— Mais bien sûr, lieutenant.

Les deux femmes se dirigent à droite du vestibule vers les services administratifs. Elles longent un couloir qui aboutit au bureau du concierge.

— Comment est-il, ce Tarcilly ? chuchote Elisabeth.

— Cela dépend s'il a bu ou pas.

— Et s'il a bu ?

— C'est un fou furieux !

Elle frappe à la porte discrètement. Une voix rauque répond :

— Oui ! Oui ! Entrez !

Françoise lui dit à voix basse :

— A sa voix, on peut dire qu'il est à jeun !

Les deux femmes entrent dans un bureau qui se trouve dans un désordre indescriptible. Une odeur de pieds négligés les assaille. Des papiers poussiéreux répandus en désordre, des bouteilles de vin vides disséminées un peu partout jusqu'au sommet des armoires... Sur une chaise une chemise sale, dans un angle des pantoufles usagées...

Quant au concierge, il est en harmonie parfaite avec cet environnement. Un être massif au cou de taureau, un bonnet rouge crasseux sur la tête et une chemise tachée de graisse. Le reste est à l'avenant : un visage large au maxillaire carré, un teint apoplectique, des petits yeux inquisiteurs, des ongles noirs.

Il se lève dès leur arrivée. Françoise lui signale aussitôt :

— C'est l'envoyée du Comité de sûreté générale, citoyen concierge, je te présente la citoyenne Lemille chargée de surveiller la veuve Capet.

Au seul mot de Comité, Tarcilly s'incline servilement :

— Très honoré ! Très honoré !

Il lui tend une main épaisse, elle ne lui concède que l'extrême bout de ses doigts.

— Salut et fraternité, citoyenne. Sois la bienvenue dans cette maison du peuple !

— Salut ! tranche Elisabeth. Si ma mission consiste à surveiller l'Autrichienne, je dois aussi établir un rapport sur la tenue de cet hospice. Le conseiller Chabot, à la demande expresse de Robespierre, veut que le service sanitaire des prisons de la République soit exemplaire ! Elle jette une feuille sur le bureau : Voici mon ordre de mission, lis-le et rends-le-moi, s'il te plaît. Elle regarde ostensiblement autour d'elle et ajoute : Je trouve que la tenue de ton Hospice laisse fortement à désirer, citoyen !

— La tâche est immense, citoyenne, mes crédits sont limités, je fais ce que je peux !

On frappe à cet instant à la porte.

— Qu'est-ce que c'est ? crie Tarcilly.

L'infirmière Guyot pénètre dans le bureau :

— Ah, c'est toi ! Salut !

— Salut, Tarcilly, tu vas être fier, figure-toi que le Comité de sûreté générale t'envoie un élément de valeur en la personne d'Elisabeth Lemille. Elle a été spécialement choisie par le conseiller Chabot pour inspecter ton Hospice et pour garder aussi l'Autrichienne. Nous ne devons pas la décevoir. Dis donc, il est bientôt dix-sept heures, il serait bon que tu la libères pour qu'elle rejoigne son poste au sous-sol. La veuve Capet va arriver d'un moment à l'autre...

— Mais bien sûr, je vais l'accompagner…

— Je m'en charge ! interrompt l'infirmière-chef, Françoise et moi allons l'installer.

— Comme tu voudras.

Elles sortent. Les trois femmes traversent de nouveau le vestibule pour emprunter le grand escalier. Elles parviennent au premier sous-sol. C'est l'étage des cuisines. Des relents de graillon et de ragoût froid envahissent tout l'espace. L'infirmière Guyot, veillant à ne pas être entendue, dit à voix basse :

— Tout va bien, mes enfants, quand Sa Majesté arrivera, je l'accompagnerai dans sa chambre, et nous appliquerons aussitôt notre plan… Nous sommes ici au niveau des anciennes cuisines de l'archevêque de Paris. Il devait aimer la bonne chère parce qu'elles sont immenses ! La chambre de la Reine est située plus bas, au deuxième sous-sol, au niveau de la Seine… Descendons !

Elles croisent de nombreux portefaix qui remontent de grands paniers dégoulinants remplis de légumes et d'énormes pièces de viande.

— Prenez garde de ne pas glisser, dit-elle.

— Par où ces marchands accèdent-ils à l'Hospice depuis la Seine ? demande Elisabeth.

— Par un petit quai où stationnent toutes leurs embarcations.

— Pourquoi ne pas l'utiliser pour libérer la Reine ?

— Impossible, il est gardé jour et nuit par des gendarmes. Alors qu'au bout de notre souterrain, il en existe un autre où il n'y a personne… Une véritable aubaine !

Elles arrivent au deuxième sous-sol face à un appontement encombré de barques où de nombreux marchands s'affairent à décharger leurs marchandises. Une odeur de vase et d'eau croupie est partout présente. Immédiatement au pied des marches, sur la droite, un corridor sombre donne accès, côté Seine, à trois portes munies de gros verrous. L'infirmière ouvre la dernière. Elles sont aussitôt saisies par des effluves de moisi. Elles se retrouvent dans une cellule obscure où deux fenêtres à barreaux donnent dans une galerie souterraine qui longe la Seine. La lumière du jour en provenance des orifices creusés dans le plafond du boyau pénètre difficilement. A chaque extrémité se trouvent des lits de sangles, séparés par une table et deux chaises en paille.

L'infirmière allume deux quinquets qu'elle accroche aux murs, puis ouvre une des fenêtres. A travers les barreaux, un air frais à l'odeur de vase leur fouette le visage. Elle referme soigneusement la porte blindée derrière elle en basculant une barre de fer qui la condamne de l'intérieur.

— Mes enfants, leur dit-elle en riant, venez voir.

Elle leur montre un barreau scié aux trois quarts du côté opposé à leurs regards :

— Regardez, un violent coup de pied et hop !... Sa Majesté est libre !

— C'est ce fameux souterrain qui mène à la barque de Guillaume ? demande Elisabeth.

— Bien sûr, vous briserez le barreau aussitôt que Sa Majesté sera ici. Dès lors, l'espace créé entre deux barres est suffisant pour s'enfuir.

— Nos hommes attendent donc dans le boyau derrière ces barreaux ? s'inquiète Elisabeth.

Une tête de gendarme apparaît au même moment.

— Coucou, nous sommes là !

Les trois femmes surprises poussent un cri.

— Thierry, vous nous avez peur ! dit Mme Guyot.

— Qu'est-ce que vous faites comme bruit !... On vous entend du bout du souterrain ! Bonjour, mesdames, je me présente : marquis Thierry de Belbœuf, chevalier du Poignard ! A Elisabeth : Je te salue, ma sœur !

— Bonjour, mon frère ! Où est Guillaume ?

— Tout au bout, dans sa barque, dit l'autre en riant.

— Parce que vous êtes vraiment frère et sœur ! s'étonne Françoise Le Bihan.

— De sang… précise Elisabeth, de sang ! Tous les chevaliers du Poignard sont frères de sang.

— Vous êtes combien là-dedans ? interroge Mme Guyot.

— Vingt… pour vous servir !

— Jean-Baptiste n'est-il pas avec vous ? demande Elisabeth.

— Il parlemente à l'autre bout avec Guillaume !

— Pouvez-vous lui demander de venir, j'ai besoin de savoir a quel moment il faut briser le barreau !

Il est bientôt dix-huit heures. Le baron de Batz, dissimulé derrière le général Delafer, s'impatiente au fond d'une berline attelée à six chevaux frais. Il a pris soin de la garer à l'abri des regards sous les marronniers à l'autre bout de la place du Marché-Neuf, entre l'esplanade et la rue Saint-Germain-le-Vieux[1]. Quatre perruquiers, dont Colas, tous déguisés en maraîchers, assurent une protection rapprochée autour de la voiture. Chacun dissimule une arme sous son tablier.

De Batz demande à son cocher :

— Sébastien, ne verrais-tu pas Jean-Baptiste du côté des quais ?

— Non, monsieur le baron, répond l'autre à voix basse, en revanche, je vois un détachement de six gendarmes commandé par un capitaine qui se dirige vers nous, que dois-je faire ?

— Surtout rien !

Le détachement approche, le capitaine demande au cocher :

— Dis donc, cela fait une heure que tu stationnes là, qu'attends-tu donc ?

— Et alors ? Ce n'est pas interdit, que je sache !

— Justement si ! On attend l'Autrichienne… Il est défendu de s'arrêter à moins de cinq cents mètres autour de Notre-Dame. Montre-moi ta carte de sûreté et celle de ton voyageur !

1. Voir le plan de Turgot, p. 698-699.

— Que se passe-t-il, Sébastien ? dit une voix du fond de la voiture.

— Dis à ton maître de déplacer immédiatement sa berline ! crie l'officier de gendarmerie.

— Dis-lui toi-même, lance l'autre en ricanant, tu verras bien s'il accepte ou pas !

— Comment ? Tu refuses d'obéir ?

— Si tu t'adresses à lui sur ce ton, mon capitaine, tu vas au-devant de gros ennuis !

— Saisissez-vous de lui ! hurle l'autre à ses gendarmes.

— A ta place, je ne ferais pas cela... répond le cocher.

La portière de la voiture s'ouvre, le général Delafer apparaît, l'air désabusé :

— Allons ! Allons ! Capitaine, quelle mouche t'a-t-elle piqué ?

Quand il voit un général de brigade apparaître, l'autre tombe en état de choc.

— Oh ! mon géné... Pardonnez-moi, mon général, je ne pouvais pas prévoir que... garde à vous !...

Ils rectifient tous leur position.

— Ça va ! Ça va ! Repos !... Repos, les enfants ! Présente-toi, capitaine !

— Capitaine de gendarmerie Adnet, mon général ! De la première compagnie de gendarmerie nationale affectée à la Conciergerie en remplacement du colonel Botot Du Mesnil en mission d'inspection à Orléans, mon général !

— Ah, mon bon ami Botot est donc absent ? Voilà pourquoi le Comité de sûreté générale m'a demandé de prendre son commandement ! Dis-moi, quand Botot rentre-t-il d'Orléans ?

— Pas avant huit jours, mon général !

— C'est très bien ! Il se reprend aussitôt : Je veux dire, on fera aussi bien que s'il était là !

— Effectivement, mon général, il est parti hier à Orléans. J'ai l'ordre de déployer mes hommes sur cinq cents mètres autour de Notre-Dame.

— Je suis au courant, tu as très bien fait, je n'aurais pas fait mieux ! Je t'observe depuis une heure, tu fais bien ton travail ! Dès que la veuve Capet sera sous les verrous, je ferai un bon rapport sur toi au Comité de sûreté générale.

— Merci, mon général. Je dois appliquer la consigne jusqu'à demain midi.

— Demain midi ? Pourquoi demain midi ? Elle va être transférée d'un moment à l'autre. Dès qu'elle sera parvenue à l'Hospice, libère tes hommes !

— Ce ne sera pas possible avant demain midi, mon général, la veuve Capet ne sera transférée que demain matin !

— Sûrement pas, Adnet, j'attends l'Autrichienne d'un moment à l'autre ! Je suis chargé d'inspecter son arrivée.

— Mais il y a eu contre-ordre, mon général !

— Que veux-tu dire, Adnet ?

— L'accusateur a fait suspendre le transfert jusqu'à demain matin.

— Qu'est-ce que tu dis ?

— Fouquier-Tinville a reculé jusqu'à demain le transfert de l'Autrichienne, mon général !

— Qui en a donné l'ordre ?

— Fouquier-Tinville, mon général, il craint un complot, à ce qu'on dit. Il a chargé le commissaire de police Harel et sa femme d'effectuer une inspection des locaux demain et de transférer la veuve Capet aussitôt après si tout va bien !

— Les époux Harel, dis-tu, vont inspecter l'Hospice ?

— Oui, mon général, la veuve Capet ne sera transférée demain matin qu'après leur contrôle.

Le baron de Batz encaisse le choc sans sourciller. Il décide de jouer le jeu en abondant dans le sens du capitaine.

— L'accusateur a sûrement de bonnes raisons pour le faire, as-tu doublé la garde ?

— Euh, non, mon général.

— Et qu'attends-tu ?

— Je vais la faire doubler immédiatement, mon général !

— Tes hommes sont-ils en état d'alerte maximum ?

— Pas encore, mon général.

— Bravo ! As-tu prévenu l'infirmière-chef que la veuve Capet ne venait que demain matin ?

— Je vais le faire immédiatement, mon général !

— Je suis déçu, Adnet, moi qui voulais faire un bon rapport sur toi !

— Je vais la prévenir moi-même, mon général ! Je vais appliquer toutes vos instructions, mon général, sans la moindre défaillance !

— Bon, je ferai quand même un rapport favorable si tu exécutes mes ordres dans le plus grand secret !

— Ils seront exécutés à la lettre, mon général !

— Je te donnerai cette nuit des instructions précises. Il faut sortir d'ici deux femmes enceintes. Ce sont des espionnes qui nous servent d'agents de renseignement. Robespierre n'a pas confiance en Tarcilly, il pense qu'il est acheté par le baron de Batz.

— Tarcilly acheté par le baron ? Mon général, répond-il en riant, il est trop bête pour être acheté par lui !

— Et pourquoi donc ?

— Le baron n'achète que les grosses têtes, mon général ! Celle de Tarcilly est toute petite !

Il rit de plus belle.

— Parce que tu connaîtrais le baron de Batz par hasard ?

— Non, mais je connais la tête de Tarcilly ! En revanche, tout le monde ici connaît de Batz. Les sections de gendarmerie ont reçu l'ordre de l'abattre sans sommation !

— Et toi, le reconnaîtrais-tu ?

— Non, mon général, mais le colonel Botot Du Mesnil dit que c'est un homme dangereux mais excessivement intelligent.

— Excessivement, Adnet ! Excessivement ! En a-t-il peur au moins ?

— Terriblement, mon général !

— Tant mieux !
— Pourquoi tant mieux, mon général ?
— Je voulais dire : tant mieux qu'il veuille le tuer !
— Bien sûr !
— Qui sont tes officiers subalternes ?
— Les lieutenants Lebrasse et de Bûne, mon général.
— Renvoie-les tous les deux ce soir même à la Conciergerie. Robespierre désire que la récupération de nos deux agents se fasse très discrètement. Nous les ferons partir par la Seine. Et il faudra que tu occupes Tarcilly ailleurs. As-tu compris ? Et surtout, n'oublie pas de prévenir l'infirmière-chef !
— Tout sera fait selon vos instructions, mon général, vous pouvez compter sur mon patriotisme !
— C'est cela, attends mes instructions. Ne bouge pas du parvis. Allez, exécution !
— A vos ordres, mon général.
Il salue et s'éloigne, puis revient sur ses pas :
— Pardonnez-moi, mon général, si on me demande d'où viennent les ordres, que dois-je répondre ?
— Tu diras que c'est du général Delafer, du Comité de sûreté générale.
— Général Delafer ? Merci, mon général.
Il se dirige vers l'Hospice de l'Archevêché. De Batz demande à son cocher :
— Fais signe à Colas d'approcher.
La petite tête frisée du râpeur de tabac apparaît à la portière.
— Colas, changement de programme, la Reine ne vient que demain matin, il faut prévenir Jean-Baptiste qu'il ne doit pas passer la nuit dans le souterrain. Tu lui diras de faire sortir ses hommes par petits groupes…
— A vos ordres, monsieur le baron !
Il s'apprête à partir.
— Attends ! Je n'ai pas fini ! Il se présente une situation inespérée de régler leur compte aux époux Harel !
— Comment cela, monsieur ?

— Ils sont chargés d'inspecter l'Hospice demain matin avant le transfert de la Reine. Ils voudront certainement contrôler sa chambre. Nous allons les attirer dans les sous-sols et de là nous leur réglerons leur compte ! Préviens Jean-Baptiste de réoccuper le souterrain demain matin avant six heures, as-tu bien compris ?

— Oui, monsieur.

— Ce n'est pas tout, il faut aussi prévenir Elisabeth et l'infirmière-chef de faire sortir les deux femmes enceintes, Mme de Blamont et la marquise de Saint-Pern, nous les emmenons avec nous. Il faut trouver un prétexte pour les descendre au sous-sol et les embarquer aussitôt pour l'île de la Cité.

— Nous n'avons qu'une barque, monsieur le baron, avec quoi chargerons-nous la Reine si vous faites partir les femmes enceintes avec ?

— Tu as raison, Colas, où avais-je la tête ? Elles attendront la Reine dans le souterrain. Je vais utiliser cet imbécile de capitaine pour les sortir de l'Hospice. Il faut prévoir des vêtements de maraîchères pour elles.

— Bien, monsieur.

— Prends un cheval et cours rue de la Juiverie, il faut contacter le marquis de Villequier qui attend la Reine avec ses quarante cavaliers, il va finir par attirer l'attention sur lui. Réflexion faite, qu'il fasse rentrer tous ses hommes dans la cour de l'église Saint-Christophe, le bedeau est au courant. Dis-lui d'attendre mes instructions pour cette nuit ! Dépêche-toi ! Ensuite, préviens Jean-Baptiste que le transfert est reporté.

Colas s'éloigne et récupère son cheval dans une rue adjacente.

— Es-tu sûr que je dois briser le barreau au tout dernier moment ? demande Elisabeth Lemille. Et si par malheur, je n'y arrivais pas ?

— Connaissant ta force, je n'en doute pas un instant ! répond Jean-Baptiste Basset dont la tête émerge derrière les barreaux.

On entend des bruits de bottes derrière la porte blindée.

— Attention, on vient, cachez-vous ! recommande l'infirmière-chef.

Sa tête disparaît. On frappe violemment contre la porte métallique qui résonne.

— Citoyenne Guyot ! Citoyenne Guyot ! C'est urgent, ouvrez-moi !

L'infirmière soulève la barre de fer : c'est le capitaine Adnet.

— Salut, capitaine, que se passe-t-il ?

— J'ai des instructions à vous transmettre de la part du général Delafer du Comité de sûreté générale !

Les trois femmes se regardent stupéfaites. L'infirmière-chef tranche immédiatement :

— Je ne connais pas de général Delafer, capitaine.

— C'est l'ami du colonel, voyons !

— De quel colonel ?

— Botot Du Mesnil, enfin !

Les autres se regardent incrédules :

— Où as-tu vu ce général ?

— Sur la place du Marché-Neuf, c'est lui qui remplace le colonel Botot Du Mesnil. Il attend l'Autrichienne pour demain matin !

L'infirmière a compris. De Batz se sert de lui à travers le général Delafer. Mais alors, pourquoi demain matin ?

— Ton général prétend que l'Autrichienne sera transférée demain matin ? Mais nous l'attendons d'un instant à l'autre !

— Il y a eu contre-ordre, citoyenne, Fouquier-Tinville a reporté le transfert de la veuve Capet. Il a demandé aux époux Harel de s'assurer auparavant que tout était en ordre ! Il a peur que l'Autrichienne en profite pour s'échapper.

Jean-Baptiste Basset et ses complices ont tout entendu.

— Les époux Harel ici, dis-tu ?

— Oui, ils doivent inspecter l'Hospice. Puis-je m'entretenir en particulier avec toi, citoyenne ? Ce que j'ai à te dire est confidentiel et de la plus haute importance !

Les trois femmes se regardent, de plus en plus intriguées.

— Fançoise, dit l'infirmière Guyot, remonte avec la citoyenne Lemille et attendez-moi dans mon bureau.

Elles sortent. Dans le souterrain, les conjurés sont tout ouïe.

— Je t'écoute, capitaine.

— Voila, Robespierre n'a plus confiance en Tarcilly...

Rires étouffés dans le souterrain.

— Que me dis-tu là ?

— Il est vendu aux royalistes !

— Allons donc ! Et comment le sais-tu ?

— Je le sais ! Il est vendu au baron de Batz !

— Qui est-ce ?

— Comment, tu ne connais pas le baron de Batz ?

— Non !

— C'est un homme extrêmement intelligent !

De nouveau, des rires étouffés dans le souterrain.

— As-tu entendu ce bruit dehors ?

— J'ai l'habitude, ce ne sont que les rats qui se battent... Tu disais ?

— Que c'était un homme très intelligent et très dangereux !

— Diable ! Et alors ?

— Alors, il faut que tu fasses sortir deux espionnes de la salle des condamnées à mort !

— Des espionnes ? Au service de qui ?

— Mais de la patrie ! Elles ont été condamnées à mort, mais c'était pour brouiller les cartes. Maintenant, il faut les sortir. L'opération doit être absolument secrète, surtout Tarcilly ne doit pas le savoir.

— Tu les connais ?

— Non, mais le général Delafer va me les désigner.

— Sais-tu quand les époux Harel doivent venir ?

— Demain matin.

— C'est bien, capitaine, remonte, en attendant je ferme tout et je te rejoins !

Il sort. L'infirmière referme la porte derrière lui en la barricadant. Elle s'approche de la fenêtre :

— Vous êtes toujours là ?

La tête de Basset apparaît.

— On a tout entendu. Nous sommes au courant, Colas vient de nous prévenir que la Reine ne viendrait que demain ; en attendant, il faut sortir d'ici Mme de Blamont et la marquise de Saint-Pern avant l'aube ! Le baron de Batz estime qu'il est plus prudent que nous partions d'ici cette nuit pour revenir demain matin. Il nous demande aussi de faire disparaître les époux Harel quand ils inspecteront le sous-sol !

— Facile à dire !

— Ce n'est pas insurmontable, précise l'infirmière-chef, mais ce serait maladroit de les exécuter ici. Il vaut mieux enlever ces deux serpents, principalement la mère Harel, c'est le plus venimeux des deux ! Ils doivent disparaître sans laisser de trace et aucune de nous ne doit être suspectée.

— Vous avez toute la nuit pour y réfléchir. C'est l'heure de retirer mes hommes du souterrain, nous reviendrons vers six heures.

— Et si entre-temps j'ai besoin de vous ?

— Colas restera en faction toute la nuit à l'angle du parvis et de la rue Saint-Christophe. C'est notre agent de liaison… A demain, madame…

Il disparaît derrière les barreaux.

SAMEDI 7 SEPTEMBRE, TRENTE-SEPTIÈME JOUR DE DÉTENTION, RETOUR AU 37 DE LA RUE DE LA BARILLERIE, MINUIT QUINZE

8

Comment gagner la confiance de la Reine

Quand il débouche rue de la Barillerie, un vieil homme misérablement vêtu est arrêté par une patrouille de la gendarmerie.

— Halte ! Que transportes-tu dans ce sac, citoyen ? demande l'officier.

— Des vieux habits, répond l'homme.

— Fais voir !

L'autre déballe des culottes rapées, des écharpes élimées, des bas de laine troués, des vieux chiffons de toutes sortes.

— Tu arrives à vendre ces hardes, citoyen ?

— Oui, lieutenant, j'en vis.

— Montre-moi ta carte de sûreté, s'il te plaît.

Le vieil homme la présente.

— Charles Ningam… Tu te nommes Ningam ?

— Oui, lieutenant, c'est mon nom.

— Ningam… c'est pas un nom français ?

— Nous sommes d'origine finlandaise mais français depuis trois générations.

— Il existe des royalistes déguisés en mendiants qui se cachent sous de faux noms. Qui t'a délivré cette carte ? demande l'officier en sortant un calepin et un crayon.

— Les Petits-Jeûneurs à Orléans.

L'autre note toutes les déclarations.

— Où loges-tu à Paris ?

— Chez Basset, 14, rue de la Calandre.

— Je confisque ta carte, tu viendras la récupérer à la section des Arcis dans deux jours. On va vérifier si ce que tu dis est vrai…

— Cela tombe bien, lieutenant, je devais précisément me présenter devant cette section.

— Eh bien, tant mieux ! Salut et fraternité.

— Salut et fraternité.

Le vieil homme poursuit son chemin le long de la rue de la Barillerie. Parvenu à hauteur du numéro 37, il s'engouffre dans le porche en poussant le lourd portail. Marie-Marguerite Fouché l'attend, assise sur la première marche.

— Bonsoir, mon père, dit-elle en souriant.

— Bonsoir, Marie, je suis en retard, j'ai été arrêté par une patrouille de gendarmerie – il rit –, ils m'ont confisqué ma carte de sûreté.

— Je présume que vous en avez un double ?

— J'en ai au moins cinq exemplaires ! L'abbé Magnin regarde autour de lui : Ça sent le renfermé ici.

— Cette maison est inhabitée.

— Qui logeait ici ?

— On dit que c'était la résidence d'un intendant du comte d'Artois. Je l'ai toujours connue inhabitée… Quelle heure est-il, mon père ?

— Minuit vingt-cinq.

— En général, Richard est exact, n'est-ce pas ?

On entend une voiture qui cahote sur les pavés. La boiteuse se lève, entrouvre légèrement le portail.

— C'est le boucher qui rentre, il est accompagné de deux hommes.

— Ce sont probablement les deux gendarmes qui ne le quittent pas d'une semelle.

— Non, ce sont des civils, venez voir, mon père, l'un porte un chapeau à plumes noires identique à celui de Fouquier.

L'abbé rejoint la mère Fouché. Il observe les trois hommes qui parlent à l'entrée de la cour du Mai.

— Reconnaissez-vous ceux qui l'accompagnent ? demande l'infirme.

— Oui. Celui qui a un chapeau noir, c'est Coffinhal, l'autre c'est l'un des fils du boucher, qu'il a eu de son premier mariage. On est samedi, c'est le jour où ils dînent ensemble chez Demey rue Serpente. J'y soupais jadis en compagnie du frère de Sambucy. Aujourd'hui, c'est devenu le râtelier de tous les terroristes… Tiens, le fiacre repart avec les deux autres, cela signifie que le boucher, lui, va au lit ! Ils ont dû faire un souper très arrosé.

— Tant mieux, se réjouit Marie, j'aurai plus de temps à consacrer à Sa Majesté. Au fait, mon père, Coffinhal ne serait-il pas ce juge du Tribunal révolutionnaire qui envoie les femmes enceintes à l'échafaud ?

— C'est exact, malheureusement il n'est pas le seul ! Enfin, que Dieu leur pardonne !

— Mon père, je suis terriblement angoissée à l'idée de revoir la Reine. J'ai peur d'échouer dans ma mission, que devrai-je faire si elle refuse encore de m'adresser la parole ?

— C'est impossible !

— Pour quelles raisons, mon père ?

— Parce que c'est Dieu qui t'envoie vers elle.

Les yeux de Marie Fouché se remplissent de larmes, elle se signe et croise ses dix doigts en priant.

— Seigneur, aidez-moi à la conduire à vous.

L'abbé Magnin l'observe avec un sourire amusé.

— Tu n'as donc pas confiance en Notre-Seigneur ?

— Mais si, mon père ! s'écrie-t-elle en sanglotant, vous rendez-vous compte de la tâche qui m'incombe ?

— Mais, Marie, c'est toi que le Seigneur a choisie pour pousser la Reine à le recevoir, quelle gloire ! Tu devras dire la vérité : comme il n'existe pas de salut en dehors de lui, il faudra qu'elle se mette en paix, nous allons l'aider.

— Où trouverai-je les mots, mon père ? ajoute-t-elle en pleurant.

— Sois sans crainte, c'est le Seigneur lui-même qui te les soufflera.

— Mon père, m'accompagnerez-vous cette fois chez la Reine ?

— Non, ma fille, aujourd'hui nous n'en savons pas plus qu'hier sur les intentions de Sa Majesté. Il faudra qu'elle réclame ma présence pour recevoir la sainte communion… Mais je suis serein, si ce n'est aujourd'hui, ce sera demain ou un tout autre jour…

Le portail s'entrouvre brusquement, Richard apparaît.

— Bonsoir, mes amis, ce soir nous serons plus tranquilles, l'accusateur est au lit.

Face à la Reine, Marie Fouché éprouve une immense sérénité. Sa tâche lui paraît soudain si facile… En outre, elle constate que le regard de celle-ci n'est plus le même ; ce soir, il semble empreint de tristesse, la méfiance de la veille a disparu.

Après s'être inclinée respectueusement, l'infirme lui dit avec des accents de sincérité :

— Madame, la disposition des esprits est telle que la religion seule peut vous offrir ses dernières consolations et c'est pour vous les procurer que j'ai osé me présenter devant vous. Si vous acceptez ce que je vous propose, je peux vous mettre en rapport avec un prêtre catholique non assermenté. Que Votre Majesté daigne me répondre, je ne négligerai rien pour la servir[1].

A ces mots, la Reine se lève brusquement, son regard va de Richard à Marie Fouché :

— Parce que vous en connaissez donc un qui ne soit pas jureur[2] ?

— Bien sûr, Madame, c'est un pasteur d'une très grande piété. Il enseigne la parole de Dieu dans des séminaires.

— Pensez-vous que nous pourrions nous fier à lui en toute tranquillité ?

— Je le connais depuis longtemps, Madame, intervient Richard, c'est un vrai chrétien.

1. Paroles historiques.
2. *Idem.*

— Mon Dieu, quand pensez-vous nous l'amener ?

— Demain à la même heure si Votre Majesté le désire, je pense qu'il vous conviendra, Madame, mais si ce n'était pas le cas, sur un simple signe de Votre Majesté, il se retirera.

— Redites-moi votre nom, s'il vous plaît.

— Marie Fouché.

La Reine, les yeux remplis de larmes, lui ouvre ses bras :

— Embrassez-moi, Marie, c'est Dieu qui vous envoie.

Les deux femmes en pleurs tombent dans les bras l'une de l'autre.

... Au moment où Marie Fouché quitte la Reine et franchit le seuil du cachot, le gendarme Prudhomme, allongé sur son lit de camp, se dresse sur un coude pour lui dire à voix basse :

— Que Dieu vous aide, Madame.

DIMANCHE 8 SEPTEMBRE, TRENTE-HUITIÈME JOUR DE DÉTENTION, LA CONCIERGERIE, MINUIT TRENTE

9

La communion de la Reine

Quand le père Magnin, déguisé en garde national, pénètre dans le cachot de la Reine, il est secoué par un tremblement émotionnel. Dès qu'il a franchi le paravent, la Reine en larmes tombe à genoux devant lui et se signe. L'abbé s'incline respectueusement devant la souveraine et la bénit par un grand signe de croix qu'il fait avec son bras droit tendu à l'horizontale, en le déplaçant d'abord de gauche à droite puis de haut en bas. Pour l'aider à se relever, il tend ses deux mains ouvertes qu'elle saisit aussitôt.

— Monsieur l'abbé, dit-elle, que Dieu soit béni pour sa miséricorde, puisqu'il vous a amené jusqu'à nous.

— Madame, c'est Marie Fouché, et non moi, qui est l'instrument de Dieu. Depuis un mois, elle se bat sans relâche pour permettre à Votre Majesté de recevoir la sainte communion.

— Je n'ai compris cela qu'hier, mon père, que de temps perdu par une stupide méfiance… Marie, maintenant, je mesure votre esprit de sacrifice et les risques immenses que vous prenez tous pour me secourir.

— Madame, précise Marie Fouché, l'humidité de cet endroit est préjudiciable à la santé de Votre Majesté, nous vous avons apporté quelques linges à cet effet – elle sort de son balluchon deux paires de bas noirs très épais. Voici des bas doublés intérieurement par de longs bouts de soie filoselle. Ils nous ont été fournis par les sœurs de la Charité Saint-Roch. Ils tiendront chaud à Votre Majesté.

— Comment ces bonnes sœurs ont-elles appris que je souffrais du froid ? Ces bas sont vraiment les bienvenus. Et ce merveilleux pain de farine de seigle, qui en a eu l'idée ?

— J'ai pris des dispositions pour que Votre Majesté en ait tous les deux jours une boule fraîche.

— Merci !

— J'avais pensé, ajoute l'infirme, que Votre Majesté serait heureuse si on lui procurait de quoi écrire.

— Surtout pas ! A quoi cela me servirait puisque je ne mettrai jamais en danger la personne qui serait chargée d'apporter ma lettre à son destinataire.

— Madame, il y a des moyens de la dissimuler en sortant d'ici…

— Si l'on vous surprend avec un seul mot de moi, vous périssez indubitablement ! Marie, j'ai une mission à vous confier. Par je ne sais quel miracle – elle s'empare d'une boîte noire –, ce coffret d'ébène échappe régulièrement à de minutieuses perquisitions – elle l'ouvre pour en sortir une tasse de porcelaine avec un bord en argent. Remettez, s'il vous est possible, ce dernier souvenir à Madame Royale[1], et si ces temps malheureux ne vous permettent pas de le faire parvenir à ma fille, je vous donne cette tasse, gardez-la en mémoire de moi.

L'autre s'incline en guise de remerciement.

— Je pense, interrompt l'abbé Magnin, que Votre Majesté a manifesté le dessein de recevoir l'absolution ?

— Mais c'est mon vœu le plus cher, monsieur l'abbé.

— Madame, il faut d'abord vous confesser. Il se tourne vers les autres pour leur enjoindre : Mes amis, nous devons nous isoler, pourriez-vous vous éloigner,

1. Marie-Thérèse Charlotte, fille aînée de Marie-Antoinette, appelée aussi Madame Royale. Ce n'est qu'en 1804 que la duchesse de Tarente a remis la tasse à Madame Royale, devenue duchesse d'Angoulême.

s'il vous plaît, seul Dieu doit entendre ce que Sa Majesté va lui confesser.

Les deux autres se retirent derrière le paravent, tandis que la Reine tombe à genoux pour recevoir l'absolution.

Dimanche 8 septembre, trente-huitième jour de détention, l'Hospice national de l'Archevêché, huit heures du soir

10

Les femmes enceintes du Tribunal révolutionnaire

Le docteur Bayard effectue la contre-visite du soir. Il a accepté d'être assisté de l'infirmière-chef Guyot et d'Elisabeth Lemille. Ils parviennent tous les trois au deuxième étage dans la "deuxième salle des femmes". L'entrée est barrée par de lourds barreaux de fer gardés par un guichetier.

— Bonsoir Sylvain, dit le médecin, tout va bien ?

— Tout va bien, docteur.

— Ouvre, s'il te plaît !

Les verrous cliquettent, la pesante grille grince sur ses gonds.

— Où est la surveillante de l'étage ? demande l'infirmière Guyot.

— En face, dans la "grande salle".

— Va la chercher. Dis-lui que nous passons la visite.

Quelques instants plus tard, l'infirmière Françoise Le Bihan les rejoint, traînant un lourd chariot rempli de fioles, de flacons d'élixir et d'un assortiment imposant de plantes médicinales.

Elisabeth sait que sa mission commence dès l'instant où elle pénètre dans cette pièce. Parmi toutes ces femmes enceintes, deux doivent s'évader. Elle est étonnée de constater que l'endroit est bien tenu. C'est une très grande pièce rectangulaire avec plusieurs fenêtres murées à mi-hauteur et grillagées sur la moitié supérieure. De nombreux lits de chêne sont disposés face à face de part et d'autre de l'allée centrale. Un quinquet brûle au-dessus de chaque patiente. Chaque lit est occupé par une femme enceinte. Certaines lisent, d'autres tricotent, d'autres encore somnolent. Elles semblent peu concernées par la visite du médecin.

— Ces femmes sont-elles toutes enceintes ? demande Elisabeth.

— Toutes, précise le médecin à voix basse, et toutes condamnées à mort.

— Le docteur et moi faisons ce que nous pouvons pour atténuer leurs peines, chuchote l'infirmière Guyot, mais malheureusement nous ne sommes pas seuls à décider.

Le médecin Bayard commence sa visite. Il s'arrête devant le lit d'Olympe de Gouges et lance à haute voix pour que les autres entendent :

— Citoyennes ! Votre attention, s'il vous plaît. Je vous présente Elisabeth Lemille, une nouvelle infirmière. Elle est recommandée par l'infirmière-chef, c'est dire si elle sera attentive à vos problèmes personnels...

— Mais nous n'avons aucun problème personnel, lance ironiquement de son lit la belle femme brune, notre seul problème c'est d'être ici !

Quelques-unes rient douloureusement.

— Olympe, réplique Bayard, je vous répondrai comme M. de La Palisse, si vous n'étiez pas ici, vous n'auriez pas besoin de nous !

— Quand me ferez-vous mon nouveau contrôle de grossesse ? demande-t-elle avec une certaine appréhension dans la voix.

— Demain matin. En passant au lit suivant, il souffle à l'oreille d'Elisabeth : Le premier examen était négatif, si celui de demain l'est aussi, elle sera guillotinée aussitôt.

— Mais enfin, intervient à part Françoise Le Bihan à voix basse, on ne peut faire un diagnostic de certitude avant le cinquième mois ! J'en conclus que vous coupez des femmes enceintes en deux[1] ? Mais c'est abominable !

— Je sais, je sais, Françoise, répond Bayard, j'ai fait une requête dans ce sens.

— Et qui disait ? s'enquiert Elisabeth,

— Que toute déclaration de grossesse, même au tout début, doit être prise en compte, et d'attendre le cinquième mois pour avoir un diagnostic de certitude…

— Et vous avez été entendu ?

— Non !

— Je désirerais lui parler, demande Elisabeth, m'autorisez-vous à retourner auprès d'elle ?

— Si vous voulez ! répond le médecin en s'éloignant.

Elle s'approche du lit en souriant. Olympe intriguée l'observe, le regard interrogateur. Elisabeth lui demande en désignant son lit :

— Puis-je m'asseoir une minute ?

— Oh ! mais bien sûr, dit-elle en mettant ses pieds sur le côté pour lui faire un peu de place.

— Puis-je vous révéler que j'admire énormément la femme que vous êtes et surtout le combat que vous menez contre l'arbitraire…

L'autre part d'un grand éclat de rire.

— Etre admirée par une émissaire du Comité de sûreté générale qui m'envoie à la guillotine, c'est peu banal… Je pense que vous n'êtes pas revenue spécialement pour me dire cela ?

— Olympe, dit Elisabeth à voix basse en regardant autour d'elle, je n'ai qu'un secret, je vous le donne…

— Diable ! dit-elle avec un rire forcé, et c'est ?

— Ecoutez bien ce que je vais vous dire : je suis ici parce que je fais partie d'un complot royaliste !

Le rire d'Olympe se fige instantanément :

— Pourquoi m'avoir choisie pour divulguer une chose aussi grave, ne trouvez-vous pas qu'il y a

1. "Un homme coupé en deux" : cette formule fut utilisée par Robert Badinter lors de son combat contre la peine de mort.

suffisamment de charges contre moi pour qu'il faille encore en rajouter ?

— Cette nuit, j'aurai besoin de vous pour libérer les femmes les plus jeunes de cette salle.

— Combien sont-elles ?

— Deux. Malheureusement, nous ne pouvons vous sauver toutes.

L'autre reste silencieuse durant quelques secondes puis demande :

— Et c'est quoi ce complot royaliste ?

— On doit faire s'évader la Reine demain matin.

— Mais Marie-Antoinette est à la Conciergerie !

— Elle sera transférée ici demain.

— Qu'attendez-vous de moi ?

— Trouvez un prétexte cette nuit de circonvenir le guichetier afin qu'il ouvre la grille pour libérer les deux jeunes femmes.

Olympe sourit douloureusement.

— Décidément, dit-elle un tantinet amère, jusqu'au seuil de la mort j'aurai passé ma vie à aider les autres... Qui sont les heureuses élues ?

— Blamont et Saint-Pern.

— C'est juste ! Elles sont les plus jeunes et elles ont vu leurs familles égorgées ! Bien qu'elles soient toutes les deux nobles, j'espère que c'est vraiment leur seule jeunesse qui a guidé votre choix...

— Je vous assure qu'elle fut le seul élément déterminant...

— Cela ne me gêne pas qu'elles soient nobles, nous sommes tous égaux devant l'arbitraire révolutionnaire...

— Je sais, vous avez même proposé de défendre le Roi...

— Oui, comme je défendrai la Reine si je suis encore en vie...

— Vous aimez donc la monarchie ?

L'autre rit de bon cœur.

— Constitutionnelle ! Constitutionnelle... Cette Constitution a été votée par des députés légalement élus, nous devions la respecter. Ne vous leurrez pas, je n'aimais pas plus le Roi des Tuileries que le Roi du faubourg Saint-Antoine, la seule différence entre eux c'est que celui des Tuileries a prêté serment à la Constitution, l'autre non. Nous devions donc respecter Louis XVI et au besoin nous battre pour le défendre. En le protégeant, nous défendions la légalité. En l'assassinant, ses meurtriers ont tué la démocratie !

— Vous avez stigmatisé Robespierre en des termes extrêmement durs, quel était le mobile qui vous a poussée à prendre un tel risque ?

— C'est plus prosaïque que vous ne le pensez, répond-elle en riant.

— Ah oui ?… Et c'est quoi ?

— Je voulais être quelque chose !

— Je ne vous crois pas ! Il n'y a pas que cela… Nous connaissons votre générosité.

— Si cela vous convient, pourquoi pas ! dit-elle en haussant les épaules.

— Olympe, puis-je compter sur vous cette nuit ?

— Mais bien sûr ! Je vais savoir si mes charmes opèrent toujours… sur ce brave guichetier. A la façon dont il me regarde, je pense que ce ne sera pas trop difficile !

Elisabeth se lève.

— Merci, donc à tout à l'heure.

— C'est cela, à tout à l'heure !

Elle rejoint le groupe médical tandis que le médecin examine la marquise Amélie de Saint-Pern. Elisabeth découvre la première femme qu'elle doit faire sortir. Elle est étonnamment jeune, vingt et un ans à peine.

— Non et non, je vous promets, citoyenne, affirme Bayard, que tout va très bien pour vous ici.

— Tout va très bien ? dit la marquise avec un sourire douloureux, c'est beaucoup dire, docteur ! Cela fait un mois que je n'ai aucune nouvelle de mes enfants.

— Combien en avez-vous ? demande Elisabeth.

— Cinq, mesdemoiselles, l'aîné n'a que cinq ans !

— Déjà cinq ? A votre âge ?

— Je me suis mariée à quinze ans, mon mari en avait dix-sept ! précise-t-elle d'un air triste et amusé à la fois.

— Amélie, dit l'infirmière Guyot en souriant, vous êtes désignée pour la promenade au parc demain matin, soyez prête à partir de huit heures. Vous avez droit en même temps à la salle de bains, profitez-en.

— Vous conciliez promenade et bains ? s'étonne Elisabeth.

— La petite église Saint-Denis-du-Pas attenante à Notre-Dame a été convertie en salles de bains. Elle se situe dans le prolongement des jardins de l'Hospice et du parvis de la cathédrale. Quand les prisonniers se promènent, ils peuvent ainsi en profiter.

— Chaque prisonnier a droit à une promenade ?

— Non, il faut l'accord préalable de Fouquier-Tinville !

— Quoi ? Une autorisation pour se laver ?

— Les salles de bains sont situées en dehors de l'Hospice, il pourrait y avoir tentative d'évasion.

— Où en est son traitement ? demande Bayard.

— Nous en sommes à cinquante gouttes matin et soir de teintures de sauge et de gattilier.

— Rajoutez cinquante gouttes de teintures d'alchémille et de gattilier matin et soir !

Le groupe passe à la patiente suivante, mais Elisabeth veut en savoir davantage sur le massacre de la famille Saint-Pern.

— Je désirerais m'entretenir quelques instants avec vous, demande-t-elle à la marquise, permettriez-vous que je m'asseye au bord du lit ?

— Je vous en prie, dit l'autre inquiète, de quoi s'agit-il ?

— Soyez rassurée, rien de grave, juste quelques précisions de votre part !

— Je vous écoute, que désirez-vous savoir ?

— Comment votre jeune frère a-t-il été condamné ?

La marquise ne peut retenir ses larmes.

— Il n'avait que dix-sept ans ! dit-elle en s'essuyant les yeux. Ne trouvant pas le père, les tueurs ont pris le fils.

— N'a-t-il pu justifier de son âge ?

— Si… Il a produit son certificat de baptême, mais ils n'ont même pas voulu le voir.

— Qui présidait ?

— Dumas.

— Quels sont les autres membres de votre famille qui ont été tués ?

— Tous ! Mon mari, ma mère, mes oncles, mon frère, six membres en tout immolés en même temps sur la même charrette, les vieux avec les jeunes, les cheveux blonds avec les cheveux blancs. Je suis seule avec mon père, Dieu soit loué, il garde mes enfants !

De grosses larmes coulent sur ses joues.

— Quel âge avait votre mari quand il a été condamné ?

— Vingt-deux ans. Avant de monter sur la charrette, il m'a remis ses cheveux enveloppés dans un papier où il avait pris soin de noter le nom des jurés qui l'ont assassiné. Un jour j'en ferai peut-être état !

— J'en suis sûre. Cette nuit, préparez-vous à quitter l'Hospice.

— Que dites-vous ? dit la jeune femme interloquée.

— Je dis que je viendrai vous chercher cette nuit pour vous faire évader. Je ne peux vous en dire plus. Préparez des habits dans un balluchon.

Elle se lève et rejoint le groupe de Bayard.

La suivante est une jeune femme brune aux grands yeux verts. Elisabeth remarque la chevelure magnifique qui s'étale sur le traversin.

— Bonsoir, citoyenne Monaco, dit Bayard.

Celle-ci se redresse aussitôt.

— Docteur, j'ai une lettre urgente à adresser à l'accusateur public, pouvez-vous me fournir de quoi écrire ?

— A l'accusateur ? Mais il faut l'autorisation du concierge.

— Docteur, je dois l'écrire ce soir même !
— Déjà ? Mais vous êtes entrée seulement ce matin à l'Hospice.
— Les médecins et la sage-femme m'ont examinée. Ils ont conclu à l'absence de grossesse. Je dois me justifier de ce mensonge auprès de l'accusateur public… Donnez-moi de quoi lui écrire, je vous prie.
— Je verrai ce que je peux faire ! intervient l'infirmière-chef.
— Madame Guyot, il y va de l'honneur !
— C'est bon, c'est bon, dit Bayard, vous aurez un crayon et du papier.
Elisabeth échange un sourire avec elle. Elle lui dit à voix basse :
— Je reviendrai moi-même vous l'apporter dans un moment.
— Merci ! dit-elle le visage illuminé. Accepteriez-vous, mademoiselle, de m'aider cette nuit ?
— Vous aider ? Comment ?
— Très simplement : je désirerais que vous m'aidiez à me couper les cheveux…
Elisabeth rejoint la visite au lit de la seconde femme qu'elle doit libérer.
— Bonsoir, citoyenne Blamont ! dit Bayard.
Elisabeth découvre une très jeune femme d'une pâleur impressionnante.
— C'est fini les vertiges ? demande le médecin.
— J'en ai un peu moins, docteur.
Bayard demande à l'infirmière-chef :
— Quel est son traitement ?
L'autre consulte ses fiches :
— Betterave rouge et asperges crues râpées, cinquante grammes par jour de chénopode bon Henry haché, une décoction de morgeline et d'ortie…
— Mais c'est parfait ! Prenez bien ce traitement, citoyenne… Il vous donnera du sang !
— Merci, docteur, dit-elle tristement.
L'équipe médicale passe au lit suivant. Elisabeth ne les suit pas, elle désire en savoir davantage. Elle

s'assoit de nouveau sur le bord du lit en souriant ; l'autre semble surprise de son attitude.

— Votre grossesse se passe-t-elle bien ?

— Je lui dois la vie, mon mari, lui, n'a pas eu cette chance !

— Pourquoi êtes-vous ici ?

— Parce qu'il y a trois ans, j'ai reçu une lettre d'une tante religieuse qui me donnait des conseils sur la religion, je ne lui ai jamais répondu ! Je n'avais que dix-sept ans alors ! Ils nous ont condamnés, mon mari et moi, à cause de ce vieux papier qu'ils ont découvert chez nous !

— Quel âge avait votre époux ?

Ses yeux se remplissent aussitôt de larmes.

— Vingt-sept ans, mademoiselle ! Quand il a comparu devant le Tribunal révolutionnaire, il n'a pas pu se défendre, on ne l'a pas laissé parler.

— Quel âge avez-vous ?

— J'ai vingt ans.

Elisabeth se lève :

— Surtout, ne vous endormez pas, je reviendrai vous voir tout à l'heure.

Elle rejoint le groupe qui stationne devant une femme du peuple d'une trentaine d'années du nom de Marie-Anne Leclerc, veuve Baty :

— Te sens-tu mieux, citoyenne ? lui demande Bayard.

— Non !

Il se tourne vers l'infirmière-chef.

— La posologie de la sauge ?

— Cent gouttes de teinture matin et soir, mais il ne faut pas tenir compte de ce qu'elle raconte, elle est un peu folle !

— Doublez quand même les doses. Il s'adresse à la femme : Prends-tu ta médecine convenablement au moins ?

— On essaye !

— Comment on essaye ? Sais-tu que ce traitement est important, car il protège ta grossesse.

— Eh bien, tant mieux !

— Allez, Marie-Anne, prends bien tes gouttes et tu iras de mieux en mieux !

L'autre hausse les épaules en levant les yeux au ciel. Le groupe s'éloigne, Elisabeth s'assoit près d'elle.

— Bonjour, Marie-Anne.

— Oui, salut ! Tu désires ?

— C'est la deuxième fois que tu es hospitalisée ici, n'est-ce pas ?

— Qu'est-ce que ça peut te faire ?

— La première fois, tu t'es déclarée malade, et la deuxième fois, tu t'es déclarée enceinte ?

— Et alors, c'est interdit d'être malade ou de faire un enfant ?

— Moi, je sais pourquoi tu es ici ! chuchote Elisabeth sur le ton de la confidence.

— Eh bien, tant mieux pour toi. Alors, pourquoi viens-tu me voir si tu es si bien renseignée ?

Elle est pourtant curieuse de connaître la réponse.

— Tu as dit que c'était abominable ce qu'on avait fait au Roi et à la princesse de Lamballe, est-ce que je me trompe ?

— Mes propos ont été défigurés, j'ai été condamnée à mort sans être écoutée, maintenant laissez-moi tranquille !

Elisabeth se lève puis se penche sur elle. L'autre, croyant qu'elle veut l'embrasser, a un vif mouvement de recul. Elle lui dit tout contre l'oreille d'une voix à peine perceptible :

— Vive le Roi !

La femme réagit comme si elle avait été piquée par une abeille :

— Attends, ne pars pas ! dit-elle précipitamment.

— Je reviendrai te voir tout à l'heure, Marie-Anne.

La suivante est une femme d'une trentaine d'années.

— Alors, citoyenne Quetineau, comment allons-nous ?

— J'ai toujours des pertes de sang, docteur, répond-elle avec angoisse.

— Il faut surtout ne pas bouger du lit et bien prendre tes gouttes de sauge toutes les deux heures ! Bayard recommande à l'infirmière Guyot : Passez maintenant à trois cents gouttes de sauge et rajoutez cent gouttes matin et soir d'extrait de gattilier.

— Je suis vos instructions à la lettre, docteur, j'ai tellement peur de faire une fausse couche !

— Mais non, mais non ! dit-il en souriant, tout ira bien.

— Par moments, docteur, j'ai terriblement peur de l'échafaud, et parfois je songe à mon époux qu'ils ont guillotiné, et je désire alors en finir !

— Allons, Marie, vous sortirez d'ici avec votre enfant ! affirme l'infirmière Guyot.

L'autre lui sourit sans trop y croire. Ils s'éloignent.

— Que vous mentez bien, ma chère ! dit Bayard à voix basse.

— Ah oui ? Qu'auriez-vous répondu d'autre à ma place à cette pauvre femme ?

— Rien d'autre, hélas… Continuons cette visite, je suis pressé de rentrer.

Elisabeth qui veut toujours en savoir plus est restée en arrière. Elle s'assoit encore sur le bord du lit.

— Comme mon père, votre mari était donc dans l'armée républicaine ? lance-t-elle sans transition.

Après quelques secondes d'étonnement, la femme répond :

— Il était général, mademoiselle, et combattait les troupes de Vendée. Il a été battu par Bonchamps et fait prisonnier.

— Mais je ne comprends pas, s'il était prisonnier des royalistes, comment a-t-il pu être guillotiné ?

— Les Vendéens l'ont relâché. Bonchamps lui avait proposé de le libérer sur parole, et même Lescure, à qui mon mari avait naguère rendu un très grand service, lui avait proposé de partager sa chambre et même son lit !

— Pour quelles raisons le général Quetineau a-t-il refusé ?

— Bonchamps et Lescure l'ont supplié de rester un prisonnier sur parole. Rien n'y fit, mon mari était un général républicain. Il est rentré à Paris, Robespierre l'a remercié de sa fidélité à la Révolution par l'échafaud.

— De quoi avez-vous besoin ?

— Pour quelles raisons vous intéressez-vous autant à nous ? On dit que vous êtes ici pour garder la Reine.

— C'est exact, je l'attends demain ! En attendant, je m'occupe un peu !

— Paraît-il que vous seriez envoyée par le Comité de sûreté générale, est-ce possible ?

— C'est exact.

Elisabeth se lève.

— C'est incroyable qu'on puisse trouver au sein de cette clique des gens comme vous.

— Je reviendrai vous voir cette nuit.

Elle s'apprête à rejoindre la femme suivante quand le portail de fer de l'entrée de la salle grince puis claque en grondant. Un guichetier fait irruption en hurlant :

— Tout le monde debout pour l'appel !

Les femmes se lèvent précipitamment et prennent position au pied de leur lit, à l'exception de la femme Quetineau. Le concierge Tarcilly, aviné et rouge comme une pivoine, pénètre comme un taureau, accompagné de l'économe Ray et du médecin-chef Enguchard qui remplace Thery.

— Salut, Bayard, dit Tarcilly, je ferai l'appel pendant ta visite – murmures de réprobation dans la salle. Silence pendant l'appel ! Compris ? Je ne veux rien entendre… Vous répondrez seulement "présente" à l'appel de votre nom ! Il déroule un rouleau de papier que lui tend l'économe et s'adresse à Bayard : Où en es-tu de ta visite ?

— J'en ai déjà vu six.

— Qui sont ?

— Gouges, Saint-Pern, Monaco, Blamont, Baty et Quetineau.

— Il m'en reste encore huit à contrôler ! Dis donc, citoyenne Quetineau, pour quelles raisons n'es-tu pas au pied de ton lit comme tout le monde ?

— Parce qu'elle n'a pas le droit de se lever, et tu devrais le savoir, lance Elisabeth.

— Excuse-moi, citoyenne, réplique l'autre servilement à l'envoyée du Comité de sûreté générale, je faisais appliquer le règlement.

— Tu es excusé pour ton erreur d'interprétation du règlement intérieur de l'Hospice, mais tu as oublié que la décision des médecins prend le pas sur les tiennes, sauf quand l'intérêt de la Nation est enjeu, ce qui n'est pas le cas ici !

— Qui a décidé de la laisser au lit ? demande le médecin Enguchard.

— C'est moi, lance Bayard.

— Le motif ?

— Je ne donne pas les diagnostics en public, si tu désires vraiment le savoir, je passerai tout à l'heure dans ton bureau pour t'en informer. Tu peux continuer, citoyen concierge.

— Roger Victoire ?

— Présente !

— Tu peux te recoucher… A huit heures demain matin pour la promenade et la douche !

— Bonjour, Victoire, lui dit gentiment Bayard.

— Bonjour, docteur.

— Rien à signaler ?

— Rien, docteur, ajoute-t-elle avec angoisse, si ce n'est que j'arrive bientôt à terme !

— Tout ira bien ! Il s'adresse à l'infirmière-chef : On ne change rien au traitement.

Le groupe passe au lit suivant, laissant Elisabeth auprès d'elle.

— Pour quels motifs vous ont-ils arrêtée ? demande celle-ci.

— Un motif stupide, on nous a reproché d'avoir apporté du sucre et du café aux Prussiens quand ils étaient dans le camp de la Lune !

— C'est tout ?

— Mon mari aurait proclamé que la Convention nationale n'était composée que d'un tas de scélérats et de voleurs et autres discours imaginaires que nous aurions tenus… Mon mari a été guillotiné et moi j'ai obtenu un sursis jusqu'à l'accouchement.

— Vous êtes enceinte de combien de mois ?

— De huit mois, vous imaginez mon angoisse, il ne me reste plus qu'un mois à vivre !

— Vous savez, beaucoup de choses peuvent changer d'ici là !

— Je suis étonnée qu'un agent du Comité de sûreté générale parle ainsi, franchement vous me donnez de l'espoir, mademoiselle.

Tarcilly poursuit :

— Drieux Catherine ?

— Présente.

— Tu peux te recoucher !

Il passe un document au docteur Enguchard, ce dernier le lit à haute voix :

— Citoyenne, tu as subi un premier examen par les docteurs Thery et Souberbielle et la sage-femme Prioux. Cet examen s'est révélé négatif. Je ferai un contrôle ultime demain matin. S'il est encore négatif, le jugement du 6 septembre 1993 sera appliqué.

— C'est quoi ce jugement ? chuchote Elisabeth à l'infirmière-chef.

— Enfin, réfléchissez, que voulez-vous qu'il soit !

— Quelle monstruosité !

— Lubomirska Rosalie ?

— Praisant ! dit-elle avec son accent polonais.

C'est une grande femme blonde aux yeux bleus. Elle est frappée d'une pâleur cadavérique.

— Tu peux te recoucher. !

Cette fois-ci, Tarcilly passe un document à l'économe Ray qui prend la parole :

— Citoyenne, la recherche des signes de grossesse pratiquée par le docteur Enguchard ici présent s'étant révélée négative, tu as tenté de soudoyer un infirmier lors de la promenade aux bains. Tu voulais te faire faire un enfant par un malade de l'Hospice, tu lui as demandé de t'ouvrir les locaux de la salle de bains, il a refusé et il t'a dénoncée. En conséquence, tu rejoindras la Conciergerie dès huit heures demain matin.

— Et ma petite fille qui est seule, que devient-elle ?

— Elle sera mise aux Enfants-Trouvés sous la sauvegarde de la Nation.

— Avant de partir je dois écrire à une amie pour qu'elle garde ma petite fille, tu dois me donner un crayon et du papier.

— La loi vous autorise à écrire une lettre si vous le désirez, lance Elisabeth. Je vous apporterai aussi ce dont vous avez besoin.

Tarcilly poursuit son appel, mais quand le groupe est passé au lit suivant, Elisabeth ne les a pas suivis. Elle est restée auprès de la Polonaise. Elle s'est assise sur le bord de son lit. Elle veut savoir jusqu'où les terroristes poussent l'infamie afin d'en porter témoignage.

— Voulez-vous, madame, que je me charge de transmettre votre lettre à son destinataire ? lui propose-t-elle à voix basse.

— Oh ! bien sûr. Mais c'est un grand danger pour vous ! Mon amie est une aristocrate !

— Qui est-ce ?

— Amélie dé Hohenholé.

— Vous voulez dire Amélie de Hohenhole ? Je m'arrangerai pour lui faire parvenir. Combien avez-vous d'enfants ?

— J'ai deux. Ma petite Alexandrine, elle a cinq ans, c'est tout… et mon fils Léon !

— Je reviens tout à l'heure, madame.

— Je ne suis plus madame, maintenant je suis rien du tout !

Elle se lève quand elle entend le concierge appeler :

— Kolly Madeleine ?

— Présente !…

— A tout à l'heure, dit Elisabeth à la Polonaise.

Elle rejoint le groupe médical pour entendre Tarcilly terminer ses recommandations :

— Citoyenne Kolly, tous tes examens en vue de découvrir des signes de grossesse se sont révélés négatifs, tu rejoins dès demain la Conciergerie.

— Non, intervient Bayard, cette femme est malade, il faut qu'elle termine sa convalescence.

— Je regrette, lance Enguchard, ici c'est moi qui décide, elle partira demain !

Elisabeth murmure à l'infirmière-chef :

— Qui est-ce ?

Mme Guyot répond à voix basse :

— Une mère de sept enfants qui a peur de la mort.

— Comment pourrions-nous le lui reprocher ! Kolly est bien son nom ?

L'infirmière compulse ses papiers :

— Elle a un nom interminable : Madeleine Françoise Joséphine de Rabec, épouse de Pierre-Paul de Kolly, ancien fermier général. On dit que son septième enfant aurait pour père le secrétaire de son mari.

— Elle trompait son mari ?

— Il aurait été consentant.

— Tromper son mari avec sept enfants ? C'est impensable !

— Je n'y crois pas non plus, c'était un libelle contre Kolly… Depuis qu'elle est emprisonnée, elle essaye à tout prix de se faire faire un enfant. Elle s'est déclarée enceinte à plusieurs reprises, mais chaque fois l'examen fut négatif… Maintenant vous savez tout…

Le concierge Tarcilly termine sa diatribe :

— … En conclusion, pour échapper au glaive de la Loi, tu nous as trompés plus de trois fois en nous faisant croire en des grossesses hypothétiques entrecoupées de fausses couches imaginaires… Le dernier examen des docteurs Naury et Souberbielle et des sages-femmes Prioux et Bellamy étant négatif, tu retourneras à la Conciergerie demain matin.

Le groupe laisse la femme abasourdie, les yeux pleins de larmes. Elisabeth reste près d'elle.

— Savez-vous où sont vos enfants ? lui demande-t-elle.

— Non, mademoiselle, répond l'autre effondrée en sanglotant. Je vais laisser sept orphelins de père et de mère… J'ai tout fait pour être enceinte afin de ne pas les abandonner !

— Vous n'avez aucune idée d'où on peut les trouver ?

— Mademoiselle, supplie-t-elle en pleurant, faites quelque chose, ils doivent errer quelque part dans Boulogne-sur-Mer. Ils n'ont personne au monde !

— Pourquoi Boulogne-sur-Mer ?

— C'est là que nous résidions.

— Quel âge a l'aîné ?

— Dix ans, et le dernier un an !

Elle sanglote de plus en plus fort, à tel point que la visite est interrompue, le docteur Bayard et l'infirmière Guyot reviennent vers elle.

— Il faut secourir ses enfants, ils sont abandonnés à Boulogne-sur-Mer, tranche Elisabeth.

— Je ne le savais pas, dit l'infirmière-chef. J'informe immédiatement la section locale.

Elle se précipite vers la sortie, la porte métallique claque et gronde derrière elle.

— Je reviendrai vous voir tout à l'heure, murmure Elisabeth.

Tarcilly ne s'est pas apitoyé sur son sort, il a poursuivi son appel :

— Loriot Claire ?

— Présente.

— Tu peux te recoucher !

Elisabeth remarque que le lit est occupé par une fille du peuple.

— Alors, Claire, cette grossesse ? s'informe Bayard.

— Elle va beaucoup trop vite, docteur !

— Comment cela ?

— Parce que chaque jour me rapproche un peu plus de l'échafaud. Tant que je serai ici, je vivrai !

— Vous pourrez rester ici autant que vous voudrez ! dit Bayard en riant. Puis, se tournant vers Françoise Le Bihan : Qu'en est-il de son traitement ?

— Teinture de sauge et de gattilier, cinquante gouttes trois fois par jour.

— Comme elle se rapproche du terme, arrêtez la sauge et passez à cent gouttes de teinture d'alchémille trois fois par jour, elle a les jambes enflées, faites-lui boire des infusions de vigne rouge.

— Qui est cette femme ? s'enquiert à part Elisabeth auprès de Françoise Le Bihan.

— Elle pratiquait le commerce de ses charmes sur les boulevards parisiens.

— Pourquoi est-elle ici ?

— Elle a été arrêtée comme prostituée et conduite à la section des Tuileries. Elle s'est mise à crier : "Vive le Roi ! Vive la Reine ! Vive Louis XVII !" Elle a été condamnée à mort, elle s'est déclarée enceinte.

Elisabeth s'approche d'elle.

— Alors, Claire, paraît-il qu'on serait royaliste ?

— Pensez donc, ma sœur, dit-elle dans un grand éclat de rire, fallait-il que je sois bête pour crier "Vive le Roi" chez les coupeurs de têtes, non ?

— Vous étiez saoule ce jour-là ?

— Pas du tout, ma sœur ! Ce jour-là, j'étais dans la colère avec la tête perdue, mais j'ai tout désavoué dans mon bon sens !

— Vous avez bien fait. Au revoir, Claire.

— Au revoir, ma sœur ! Elle ajoute à voix basse : Priez pour moi !

— Elle vous a pris pour une sœur de charité, précise l'infirmière Le Bihan en riant, surtout ne la décevez pas, c'est une brave fille...

— Serilly Anne-Marie ?

— Présente !

Tarcilly part d'un gros rire gras :

— Sais-tu, marquise, que tu es morte ?

— Que voulez-vous dire ? s'indigne la malheureuse femme qui devient aussitôt livide. J'attends un enfant, vous ne pouvez m'exécuter, j'ai la loi pour moi !

— Qui parle de t'exécuter, nigaude ? Il repart d'un grand éclat de rire et ajoute : Je te dis simplement que tu es morte, voilà tout !

Autour de lui, personne ne comprend le sens de ses paroles, mais tous sont outrés de cet humour douteux à l'égard d'une femme qui vit dans la terreur de l'échafaud.

— Pourrais-tu être plus explicite, citoyen concierge ? intervient Elisabeth. Je trouve tes propos déplacés.

— On peut rire un peu, citoyenne, répond l'autre.

L'économe Ray présente un papier.

— Voilà l'extrait mortuaire dûment daté de la citoyenne Serilly, ils ont fait une erreur en ne tenant pas compte de sa grossesse ! Il s'adresse à la malheureuse femme : Excuse-nous, citoyenne !

Tarcilly lui arrache la feuille et la tend à la jeune femme en ricanant :

— Tiens, je te la donne en souvenir de ton passage ici[1].

Ils passent à la femme suivante, mais Elisabeth reste auprès de l'autre. Elle s'assoit sur son lit et demande à voix basse :

— Vous permettez ?

— Bien sûr !

— Vous avez perdu votre mari, n'est-ce pas, madame ?

— Oui, mademoiselle, M. Mégret de Serilly a été décapité il y a à peine un mois.

— Ont-ils aussitôt accepté votre déclaration de grossesse ?

— Oui, quand j'ai été enfermée à la Conciergerie, j'ai déclaré que j'étais enceinte. Aussitôt la sage-femme Prioux et deux personnes dont le docteur Enguchard ici présent et le pharmacien Quinquet m'ont examinée.

1. Elle devait s'en servir plus tard contre Fouquier-Tinville lors du procès des membres du Tribunal révolutionnaire.

— A la Conciergerie même ?

— Oui, sur une table, dans la salle du greffe. J'ai connu la plus grande humiliation de ma vie, d'autant plus que le pharmacien n'aurait pas dû y assister, il n'était pas médecin. Cet homme est répugnant !

— Mais enfin, il ne vous a tout de même pas examinée lui-même ?

— Mais si.

— Quoi, même l'intérieur ?

— Même l'intérieur... Mademoiselle, pourquoi remuez-vous tout cela ?

— Quel âge avez-vous, madame ?

— Trente ans.

— Je reviendrai tout à l'heure.

— Si vous voulez.

Elisabeth rejoint le groupe qui est au pied du lit de Marie Malicornet, une paysanne au service d'un prêtre défroqué.

— Tu serais enceinte de huit semaines, as-tu déclaré ? demande Bayard.

— Ben oui.

— C'est moi qui l'ai examinée, dit le docteur Enguchard, tous les doutes sont permis sur cette grossesse.

— Pardon, citoyen docteur, je n'ai aucun doute pour ma grossesse, elle est là et bien là !

— On renouvellera l'examen dans huit jours.

— Ben, c'est bien inutile, je suis grosse et le resterai !

— La visite est terminée, lance Tarcilly. Le compte est bon, elles sont bien quatorze ! Il crie : Celles chez qui la grossesse n'a pas été reconnue la fois précédente sont convoquées demain matin à huit heures pour un ultime et dernier examen avec les docteurs Enguchard, Naury et les sages-femmes Prioux et Bellamy. Eteignez les quinquets. Bonne nuit.

Ils se retirent tous les trois. Elisabeth les suit.

Lundi 9 septembre, trente-neuvième jour de détention, l'Hospice national de l'Archevêché, minuit trente

11

Dans la rue de la Juiverie

Tout est silence au sein de l'Hospice. Sur ordre du capitaine Adnet, la garde a été doublée tout autour du parvis de Notre-Dame,

Sur le palier du deuxième étage, face à l'entrée de la "deuxième salle des femmes", un factionnaire assis à même le sol, le dos appuyé au mur, dort profondément. Dans la salle, Olympe de Gouges, elle, ne dort pas. Elle attend un signal pour circonvenir le guichetier.

Elisabeth Lemille, Françoise Le Bihan et l'infirmière-chef Guyot confèrent au rez-de-chaussée autour d'une théière bouillante.

— L'une de nous doit aller prendre les ordres auprès du baron de Batz, dit l'infirmière-chef, son agent de liaison fait le planton près de l'église Saint-Christophe, il nous passera la consigne.

— Je le connais bien, c'est Colas le râpeur de tabac, on a fait le coup de feu ensemble dans la forêt de Meaux, dit Elisabeth en se levant. J'y vais. C'est où ?

— Longez la façade de Notre-Dame, traversez le parvis, la première rue à gauche c'est la rue Saint-Christophe[1], l'église fait l'angle, Colas est là. Mais n'y allez pas vêtue ainsi, on vous repérerait à cent mètres à la ronde, il faut que vous soyez couleur muraille. Les terroristes arrêtent les gens et montent dans les maisons. J'ai ce qu'il vous faut.

1. Voir le plan de Turgot, p. 698-699.

Elle se lève, ouvre un placard pour en extraire une cape grise et un grand chapeau de mareyeur noir.

— Mettez cela, et enfoncez bien les bords du chapeau sur vos yeux. Il suffit que l'un d'eux croise votre regard pour que vous soyez aussitôt reconnue !

— Lebrasse et de Bûne sont retenus à la Conciergerie pour la nuit, précise Elisabeth, cela ne devrait pas présenter de difficultés. Je serai de retour dans une demi-heure. Je prends les consignes et je reviens.

— J'ai fait mettre deux cuillères à soupe d'élixir d'opium dans le vin du guichetier, il ronfle comme un sonneur ! Vous pourrez faire sortir les deux femmes dès votre retour.

— Tant mieux, Olympe n'aura point besoin d'user de ses charmes.

Elisabeth revêt cape et chapeau et se dirige vers la sortie. Son allure est entièrement masculine. Parvenue dans le grand vestibule, elle tombe sur le docteur Enguchard qui s'entretient avec le pharmacien Quinquet. Elle ralentit son allure pour surprendre leurs propos.

— ... Maintenant tu as tout le matériel qu'il te faut dans ta pharmacie ? demande Enguchard.

— Pas du tout, répond l'autre, je manque de beaucoup d'objets, j'espère qu'on guillotinera quelques apothicaires pour que rien ne manque[1] !

Elle est dégoûtée d'un tel cynisme. Ils aperçoivent soudain Elisabeth.

— Eh bien, citoyenne, où vas-tu à cette heure vêtue ainsi.

— J'ai eu une journée chargée, docteur, je vais m'aérer un peu, j'ai une très forte migraine.

— Veux-tu quelques grains d'opium ? lui propose le pharmacien.

— Non merci, je pense que le grand air me fera du bien !

— Eh bien, bonne promenade, citoyenne !

1. La phrase est authentique.

Elle traverse le parvis complètement désert, hormis les gendarmes du capitaine Adnet qui ont formé les faisceaux et jouent aux cartes à même le sol sous la lumière d'un quinquet fumant. La lune est pleine dans une splendide nuit de fin d'été. Elisabeth est saisie par le caractère insolite que donne la clarté lunaire à cette place. Aucune couleur tranchée, aucun blanc ni noir, tout est gris pâle ou gris foncé. Les bâtiments ont une ombre portée très allongée qui s'étire sur le sol. Les architectures grisâtres semblent être en carton pâte. A droite c'est Notre-Dame, étrange et irréelle, à gauche la façade silencieuse et sévère de l'Hôtel-Dieu, plus loin à gauche les Enfants-Trouvés, et à droite collée à la basilique, la charmante petite église de Saint-Denis-du-Pas. L'absence totale de passants combinée à la géométrie des bâtiments qui surgissent verticalement du sol de façon anormalement rectiligne donne dans cette lumière grise une impression simulée de décor de théâtre.

Elle longe les portes de la cathédrale, où deux pauvres hères dorment à même le sol. Elle passe sous le dôme pointu des Enfants-Trouvés où culmine une croix monumentale qui sera bientôt détruite. En longeant la façade, elle entend pleurer un enfant au premier étage, auquel répondent les injonctions sévères d'une nourrice… Elle progresse et côtoie sur sa droite la petite église de Saint-Denis-Du-Pas. Dire qu'ils ont fait un établissement de douches dans la maison de Dieu ! songe-t-elle en marchant. Ils ne respectent rien ! Et combien de femmes enceintes guillotinées sont passées par là ? Dix ? Vingt ? Trente ? Cent peut-être… Quelle horreur ! Quand donc ce cauchemar finira-t-il ? Décidément aucune pitié… Non, aucune pitié pour ces monstres !

Elle tourne enfin à gauche dans la rue Saint-Christophe quand deux spadassins qui l'attendaient lui tombent dessus. Elle n'a pas le temps de réagir à temps, l'un d'eux lui donne un violent coup de bûche sur la tête. Elle a bien vu venir son bras, mais n'a pu l'éviter entièrement. Le choc n'a pas été assez fort pour lui faire perdre connaissance. Elle saisit son poignard et tend le bras à l'horizontale. L'autre, entraîné par son élan, vient s'empaler dessus et s'effondre à ses pieds. Le second spadassin s'apprête à la transpercer de son épée, mais il n'a pas le temps de finir son geste, Colas lui assène un violent coup de masse sur la nuque, il tombe foudroyé.

Elisabeth se remet de son choc en se tenant la tête. Elle dit à son compagnon avec une pointe d'humour :

— Dis donc, Colas, est-ce qu'ils sont bien morts ? Justement, c'est toi que je venais voir !

Celui-ci se penche et examine les corps qui gisent à terre.

— Archi-morts ! Mais, Elisabeth, tu saignes !

Un filet de sang coule le long du cou de la jeune femme.

— Ce vaurien n'a pas pu me donner le coup qu'il voulait me donner, mais il m'a sacrément sonnée, sans mon coup d'arrêt, il me fracassait la tête !

Elle enlève son chapeau libérant sa chevelure blonde où quelques mèches sont agglutinées par un sang poisseux. Elle tâte le sommet de son crâne, sa main revient ensanglantée.

— C'est une petite plaie du cuir chevelu, ce n'est rien… Allons, Colas, fouille ces deux hommes, nous devons savoir qui ils sont… Dépêche-toi, je ne voudrais pas tomber sur une patrouille dans cet état… Elle en saisit l'un des deux par les pieds et invite son compagnon à faire de même : Traînons-les sous le lampadaire qui fait l'angle, ici on ne voit rien !

Colas vide alors leurs poches et trouve deux cartes de la section des Arcis qu'il lui donne.

— C'est quoi ?

— Leur carte de membre de la section des Arcis.

— La section des Arcis ? Mais c'est la mère Harel qui en est secrétaire adjointe !

— Et alors ?

— Dis-moi comment s'appellent ces deux rebuts ?

Colas examine les cartes avec attention :

— Bergot François… et… Ruffin Marie-Anne…

— Marie-Anne ? Quelle chance ! C'est aussi un prénom féminin ! Cette carte me sera très utile ! Garde celle de Bergot pour toi et donne-moi celle de Ruffin.

— Attends, Elisabeth, as-tu vu l'âge de Ruffin ? Quarante-deux ans ! Tu ne peux en faire usage ! En revanche, Bergot a le même âge que moi ! Que veux-tu faire de ces cartes ?

— Idiot ! Nous sommes maintenant deux membres de la section des Arcis ! Ote toute trace d'identité à ces deux cadavres.

L'autre retire tout ce qu'il peut trouver.

— Tiens… Voilà leurs certificats de civisme.

— Lis-moi seulement la conclusion.

— "Civisme au-dessus de tout soupçon" !

— Donne-moi celui de Ruffin et garde l'autre ! Détruis tous les autres papiers.

Dans les poches de l'un d'eux, il découvre une liasse très importante d'assignats.

— Il y a beaucoup d'argent, qu'en fait-on ?

— C'est le salaire qu'ils ont dû toucher pour me tuer… Donne ! Je sais comment l'utiliser – elle met la liasse dans sa poche. Ces deux crapules étaient envoyées pour me supprimer ! Quelqu'un a dû prendre connaissance de mon ordre de mission visé par Chabot, et ce quelqu'un ne veut pas que la Reine soit transférée à l'Hospice !

— Qui donc ?

— Fouquier-Tinville, le maître à penser des époux Harel, je ne vois que lui. Bon ! Nous avons perdu assez de temps, aide-moi à les mettre sous ce porche. Nous allons transformer nos petits révolutionnaires en royalistes. Donne-moi ton insigne de perruquier !

— Tu es folle… Mon insigne de perruquier ? Que veux-tu en faire ?

— Donne ! On va le mettre dans sa poche !

— Enfin, Elisabeth… pas mon insigne !

— Ne sois pas idiot, Colas, ils sont anonymes, tu en auras un autre ! Tiens, regarde, je mets le mien dans la poche du dénommé Ruffin, mets le tien dans celle de Bergot. Quand la police de Robespierre les trouvera, ils croiront qu'ils trahissaient au profit des royalistes. Donne-moi aussi ta croix !

Elle enlève celle qu'elle porte autour du cou et la passe à l'un des deux cadavres.

— Mais que fais-tu encore ?

— Donne ta croix, idiot ! On va en faire deux royalistes convaincus, mets ta croix au cou de l'autre, dépêche-toi !

Colas s'exécute en maugréant.

— Pourquoi fais-tu cela, Elisabeth ?

— Décidément, tu ne comprends jamais rien ! Un royaliste sans sa croix leur semblerait suspect.

— Pourquoi en faire des royalistes ?

Elle lève les yeux au ciel.

— Pour mouiller aux yeux des terroristes celle qui me les a envoyés.

— Qui te les a envoyés ?

— Mais Harel, idiot !

L'autre rit de bon cœur.

— Harel en royaliste, que c'est drôle !

— Ne ris pas, quand on fera disparaître les Harel, on croira qu'ils se sont enfuis chez nous ! Allez, aide-moi à les traîner sous le porche. Tandis qu'ils mettent les corps des deux hommes à l'abri des regards, Elisabeth ajoute : Dis donc, mon petit Colas, j'espère que tu n'as pas cru que j'allais garder cet argent pour moi ?

— Ben... Je ne sais pas...

— Idiot ! C'est l'opinion que tu as de moi ? Suis-moi, on va s'en débarrasser immédiatement !

Elle revient sur ses pas en direction du parvis de Notre-Dame. L'autre court derrière elle.

— Mais ou vas-tu, Elisabeth ? Tu ne vas pas les jeter dans la Seine tout de même ?

— Mais non, nigaud ! Nous allons faire deux heureux.

Elle sépare les assignats en deux liasses égales, s'approche doucement des mendiants avinés qui dorment à poings fermés devant l'entrée de Notre-Dame et glisse délicatement l'argent dans la poche de chacun d'eux.

— Elisabeth, tu es folle, il y en a pour une fortune !

— Et alors ? dit-elle en riant, ne dit-on pas que la fortune vient en dormant ? Maintenant nous avons assez perdu de temps… Alors, quelles sont les consignes ?

— Le baron de Batz veut te voir cette nuit même.

— Où est-il à cette heure ?

— Dans la cour de l'église Saint-Pierre-des-Arcis, les deux berlines sont là-bas.

— Est-ce loin d'ici ?

— Il faut marcher cinq minutes dans la rue Saint-Christophe, ensuite on prend la troisième à droite dans la rue de la Juiverie, et on tombe au bout sur l'église en question.

— Dépêchons-nous, en route ! Elle enfonce son chapeau noir, referme sa cape grise et enjoint à Colas : Résume-moi pendant ce temps les consignes.

Elle accélère le pas, l'autre plus petit qu'elle doit courir pour se maintenir à sa hauteur

— Je t'écoute… Que devons-nous faire ?

— Faire sortir à quatre heures du matin les femmes Blamont et Saint-Pern, les amener au deuxième sous-sol dans la chambre destinée à la Reine et se tenir prêts à les évacuer. Le baron de Batz recommande surtout de détruire le barreau de communication avec la Seine au tout dernier moment, en cas d'extrême nécessité !

— Ensuite ?

— Basset pénètre à six heures dans le souterrain pour nous prêter éventuellement main-forte. Le marquis de Villequier et ses quarante cavaliers quittent la cour intérieure de Saint-Christophe et reprennent leur position initiale rue la Juiverie. Le baron de Batz se réinstalle dans une des deux berlines, la Reine et les deux femmes enceintes montent dans l'autre qui stationne sur la place du Marché-Neuf. Les deux voitures prennent le chemin de la frontière.

— Et la femme Harel dans tout cela ?

— On la fait descendre au sous-sol, comme elle arrivera certainement la première à l'Hospice, on casse le barreau, on l'évacue par les quais, on la remet aux chevaliers du Poignard qui l'emmènent dans un fiacre. On n'entendra plus jamais parler des époux Harel.

— Et la Reine ?

— Quand elle arrivera, l'infirmière Guyot la fera descendre aussitôt au deuxième sous-sol d'où elle s'enfuira par le souterrain pour embarquer avec les deux jeunes femmes jusqu'au Marché-Neuf. Elles seront acheminées à la frontière dans une berline en compagnie du marquis de Belbœuf. Le baron de Batz les suivra à une vingtaine de mètres tandis que les quarante cavaliers du marquis de Villequier suivront à deux cents mètres derrière, il ne restera plus qu'à…

Soudain, Elisabeth chancelle, elle s'appuie contre le mur d'une maison.

— Qu'as-tu, Elisabeth, tu ne sens pas bien ? C'est sûrement ta blessure…

— Colas… aide-moi ! Je sens que je vais m'évanouir, il faut absolument que je m'allonge… Vite, Colas !…Vite ! Aide-moi à entrer sous ce porche !

Il la soutient par les épaules et la pousse vers l'entrée d'une maison dont les portes sont décorées de vitraux colorés. Elle vacille puis perd connaissance. Ne pouvant la porter plus loin, il l'installe au pied des escaliers, à même le sol. Il lui ôte son chapeau et roule son manteau sous sa tête. Elle est totalement immobile. Les rayons de la pleine lune passent à travers la verrière et éclairent la scène d'une lumière étrange. Colas est fasciné par la cascade de cheveux blonds qui flamboie sous l'éclat des reflets multicolores… Elle a les yeux ouverts. Elle ressemble au gisant d'une reine du Moyen Age… Dieu qu'elle est belle ! songe le pauvre Colas. Les grands yeux bleus sous les rayons bariolés ont pris une couleur étrange et le regard est fixe… Soudain, Colas prend peur. Est-ce qu'elle serait morte ?

— Elisabeth… Elisabeth !… Tu m'entends ?

Après quelques secondes interminables, Colas voit le regard s'animer, elle cligne des paupières, puis tourne la tête vers lui :

— Colas, mon ami ! Je viens d'avoir une vision… Elle lui saisit le bras, le serre très fort et chuchote : M'entends-tu, Colas ?

L'autre commence à paniquer.

— Une vision ?… Mais qu'est-ce que c'est, Elisabeth ?

— J'ai vu des hommes qui s'affairaient à l'entrée d'un bâtiment… tout près d'ici… des terroristes. J'ai vu des sectionnaires au bonnet rouge et des gardes nationaux. Si nous avions tourné l'angle de la rue… nous tombions sur eux.

— Quoi ? Rue de la Juiverie ?

— Oui !

— Tu as vu cette rue ?

— Oui !

— La connais-tu ?

— Non !

— Que faisaient-ils ?

— C'étaient des soldats. Ils perquisitionnaient des maisons, ils montaient dans les étages ! Ils arrêtaient des femmes et des enfants !

— Mais le baron de Batz est juste au bout de cette rue !

— Il ne risque rien, ils ne savent pas qu'il est là…

— Qu'as-tu vu encore ?

— Ils ont arrêté plusieurs familles J'ai vu des femmes pleurer, ils emmenaient aussi les hommes. J'ai vu des petits enfants qui criaient… Plusieurs voitures sont prêtes à les emmener !

— Et ensuite ?

— Plus rien, ça a disparu… C'est fini – elle tente de se lever. J'ai un terrible mal de tête, j'ai l'impression d'avoir reçu des coups de bâton sur tout le corps.

— Reste allongée encore un moment…

Elle repose sa tête sur son manteau et se rendort. Au bout de cinq minutes, elle se réveille en sursaut :

Colas ! Il faut absolument sauver ces gens, ils finiront sûrement sur l'échafaud.

— Enfin, Elisabeth, tu as certainement rêvé !

— Idiot, je suis sûr que c'est vrai !

— D'accord, d'accord ! Repose-toi...

— Je me sens mieux.

Elle s'assoit.

— Tu as fait un cauchemar.

— Je te dis que ces gens sont en danger, on ne peut les abandonner !

— C'est simple, puisque tu y tiens, eh bien, il n'y a qu'à y aller... Repose-toi, j'y vais !

— Surtout pas ! Laisse-moi faire. Elle se redresse complètement en tâtant le sommet du crâne et constate : Tiens, je ne saigne plus, mais quel mal de tête !

— Repose-toi, te dis-je, j'y vais.

— Non, Colas, je t'aime bien, mais maladroit comme tu es, tu mettrais tous ces pauvres gens dans le pétrin ! J'ai un plan pour les tirer des griffes de ces assassins... Dis-moi où se trouve le marquis de Villequier à cette heure.

L'autre lève les yeux vers l'horloge de la tour des Enfants-Trouvés.

— Il est une heure du matin ! Il devrait prendre position au bout de la rue de la Juiverie d'un moment à l'autre, à proximité de l'église Saint-Pierre-des-Arcis où il attend la Reine !

— Mais c'est l'endroit où se trouve le baron de Batz... C'est bien ce que tu m'as dit ? Tout au fond de la rue ?

— Bien sûr !

— Combien de temps te faut-il pour leur demander de nous rejoindre rue de la Juiverie ?

— Je connais bien ce quartier, mon beau-frère habite rue de la Licorne, c'est une rue parallèle à la rue de la Juiverie, il me faut dix minutes en courant !

— Vas-y ! N'oublie pas de leur signaler nos noms de révolutionnaires pour qu'ils nous appellent ainsi dès qu'ils arriveront.

— J'ai oublié le mien !

— Bergot, idiot ! Et moi, je m'appelle ?

— Euh… Ruffian ?

— Ruffin ! Répète !

— Bergot et Ruffin !

— Quelle est notre section ?

— Les Arcis !

— Demande au baron de Batz de venir en tenue de général avec les deux berlines ! Répète !

— En général, avec les deux berlines !

— Ecoute bien, voilà comment nous allons procéder : moi, je suis Marie-Anne Ruffin, âgée de quarante-deux ans.

L'autre éclate de rire :

— Tu les portes rudement bien !

— Est-ce que tu m'écoutes, idiot ?

— Je t'écoute !

— Marie-Anne Ruffin va demander à ces crapules de suspendre les arrestations. Ordre de Robespierre de remettre tous ces gens à l'armée. Le marquis de Villequier et ses cavaliers doivent arriver les premiers. Tu demanderas à M. le baron d'arriver cinq minutes après, pas une seconde de plus ! As-tu compris ?

— Oui, pas une seconde de plus !

— Tu lui diras de proclamer tout haut qu'il s'agit d'une affaire d'Etat, un complot de l'étranger ! Répète !

— D'accord, une affaire de l'Etat…

— Non ! Pas une affaire de l'Etat, une affaire d'Etat, idiot ! Un complot de l'étranger ! Répète !

— Une affaire d'Etat, un complot de l'étranger !

— On rassemble tout le monde dans nos voitures sous le prétexte de les conduire à Robespierre dans un endroit tenu secret. Répète depuis le début !

— D'abord, M. de Villequier, cinq minutes après M. de Batz… une affaire d'Etat… un complot de l'étranger… Robespierre… un endroit secret… Ça va ?

— Allez, file les chercher ! Moi je vais essayer de retenir les autres jusqu'à ce qu'ils arrivent.

Colas remonte la rue Saint-Christophe en courant et tourne à gauche dans la rue de la Licorne. Il disparaît dans l'obscurité.

La rue Saint-Christophe est déserte. Elisabeth, malgré ses vertiges, réajuste sa cape grise et enfonce son chapeau jusqu'aux yeux. Avec son mouchoir qu'elle imprègne de salive, elle efface les traces de sang séché sur son cou. Elle ressort la carte de la section des Arcis, mais ne peut vérifier l'adresse qui y est inscrite, car elle ne sait pas lire…

Ignorant un violent mal de tête, elle reprend sa marche sur une longueur de trois cents mètres et tourne à droite dans la rue de la Juiverie. Celle-ci est barrée transversalement par un cordon de gardes nationaux qui entourent deux berlines noires en stationnement. Elle est aussitôt repérée par un officier.

— Hé là-bas ! Approche un peu, toi ! Que viens-tu faire ici ? Tu habites le quartier ?

— Je remplis une mission d'Etat, je suis pressée.

Elle poursuit son chemin, il lui barre la route. Elle le repousse.

— Pousse-toi ! Laisse-moi passer, je te dis que je suis pressée !

Elle fait quelques pas.

— Arrête, ou j'ouvre le feu ! hurle le lieutenant.

Les gardes ont mis leur fusil à l'horizontale dans sa direction. Elle s'arrête, se retourne et attend.

— Présente-moi ta carte de sûreté ! C'est quoi ton nom ?

— Ruffin Marie-Anne. Voilà ma carte, tiens, lis aussi la conclusion de mon certificat de civisme, tu verras à qui tu as à affaire.

— Tu as quarante-deux ans ?

— Mais non, ils se sont trompés, ils ont inversé les chiffres, j'ai vingt-quatre ans !

— Tu habites toujours à l'adresse indiquée ?

— J'ai changé d'adresse, celle-ci n'est plus valable, je ne me souviens plus si j'ai signalé aux Arcis mon changement de rue, rappelle-moi ce qu'on lit sur celle-là ?

— 36, rue des Cannettes, mais alors tu habites juste à côté ?

— Evidemment !

— Tu es peut-être une amie des traîtres que nous arrêtons ?

— De quels traîtres veux-tu parler ?

— Trois familles de ci-devant : Butler, Erlach et Duplessis-Chatillon. Tu les connais ?

Elle éclate de rire.

— Mon pauvre ami, tu manques vraiment d'imagination… Je suis venue les arrêter pour les remettre à l'armée… Regarde ma carte de plus près, tu verras quelle est ma section.

L'autre lit avec attention.

— Tu es aux Arcis ? Qui est ton chef de section ?

— J'ai surtout affaire au sous-chef, mon amie Marie Harel !

Le visage du lieutenant s'illumine.

— Mais c'est aussi mon amie ! Oh ! pardonne-moi, citoyenne – il lui tend la main. Je m'appelle Lefebure – il lui rend sa carte et son certificat –, je t'amène tout de suite au chef de section ! Suis-moi !

— De quelle section ?

— La section des Piques.

Elisabeth respire, ce n'est pas celle de Marie Harel. Ils ne sont pas au courant de la mission des deux tueurs, donc ils ne la connaissent pas.

Elle est conduite devant trois bonnets rouges assis derrière une table en bois installée dans l'entrée d'une bâtisse. C'est une sorte de mini-tribunal révolutionnaire de quartier. Elisabeth a tout de suite repéré celui du milieu, les deux autres étant là pour faire de la figuration. Le chef est un homme jeune et maigre avec des cheveux longs, un visage pâle et anguleux. D'instinct elle pressent que cet homme est un révolutionnaire convaincu, ne serait-ce que par son regard soupçonneux, noir et fixe.

— Salut et fraternité, citoyens ! leur dit-elle.

Ils répondent par un simple mouvement de tête.

— Tu m'as devancée dans l'arrestation des aristocrates de mon quartier. Cela fait un mois que je demande qu'on les arrête. Ils complotent ferme avec les Autrichiens. C'est beaucoup plus grave que vous ne le pensez. Robespierre a fait appel à la gendarmerie nationale qui va arriver d'un instant à l'autre. Tu dois me remettre immédiatement tes prisonniers.

Dans un coin sont regroupées trois familles qui observent la scène en silence. Les hommes et les femmes ont été séparés, vieux et jeunes sont debout à attendre qu'on statue sur leur sort. Les enfants se serrent contre leur mère.

— Qui donc es-tu pour exiger cela ? demande le sectionnaire.

— Marie-Anne Ruffin, de la section des Arcis. Jette un coup d'œil sur mon certificat de civisme, tu seras édifié.

L'officier des gardes nationaux intervient :

— Je la connais, citoyen, c'est une amie de Marie Harel.

On entend des fers de chevaux résonner bruyamment sur les pavés. L'homme se lève pour mieux voir tout en lui répondant :

— Je regrette, citoyenne, je ne peux...

Elle l'interrompt :

— Voilà la gendarmerie qui vient prendre possession des aristocrates, dépêche-toi de me remettre les prisonniers ! Si tu refuses, je ne donnerai pas cher de ta peau ! Comme ils doivent les charger, dégage immédiatement tes voitures de l'entrée.

Un cortège impressionnant arrive dans un étourdissant bruit de sabots. Le marquis de Villequier caracole en tête d'un peloton de quarante chevaliers du Poignard tous déguisés en gendarmes nationaux. Ils encadrent deux autres berlines vides tirées par six chevaux. L'imposante troupe s'arrête au niveau d'Elisabeth. Le marquis ordonne :

— Pied à terre ! Mousquets en position de défense !

Les quarante cavaliers descendent de cheval l'arme au bras et entourent le groupe des révolutionnaires, tandis que les vrais gardes nationaux observent la scène à distance. Villequier aperçoit Elisabeth, il lui lance aussitôt :

— Salut et fraternité, citoyenne Ruffin, tu as fait du bon travail ! Apercevant les trois bonnets rouges, il demande : Qui sont ces patriotes ?

Les autres, éberlués, restent silencieux. Villequier descend de cheval et se dirige vers eux la main tendue.

— Citoyen colonel Rovere, première compagnie de la gendarmerie à cheval chargée de la protection du Comité de salut public ! Salut et fraternité, citoyens !

Les autres, toujours subjugués, tendent sans conviction une main molle.

— Je suis chargé de prendre possession des prisonniers. Il s'adresse à l'un de ses officiers : Capitaine, chargez les prisonniers dans nos voitures, les hommes dans la berline de tête, les femmes et les enfants dans l'autre.

— Attends ! dit le chef des révolutionnaires, as-tu un ordre écrit ?

On entend de nouveau un bruit de sabots qui se rapproche. Elisabeth voit arriver le baron de Batz en tenue de général, entouré de deux colonels de gendarmerie.

— Je n'ai aucun document à te remettre, tranche Villequier, ce serait plutôt toi qui devrais me présenter les tiens !

— Sans un ordre écrit, je ne peux te confier les prisonniers ! Si tu insistes, je ferai appel à mes gardes nationaux pour les retenir par la force !

De Batz qui est descendu de cheval arrive avec ses colonels. Villequier hurle aussitôt :

— Compagnie, garde à vous !

Les quarante gendarmes mais aussi les gardes nationaux rectifient la position.

— Repos ! crie de Batz. Bon travail, Rovere, mais pourquoi les prisonniers ne sont-ils pas encore embarqués ? A qui appartiennent ces voitures qui encombrent le passage ?

— Elles sont à nous, dit le chef de la section des Piques.

De Batz s'adresse alors à Villequier :

— Citoyen colonel, qu'attends-tu pour charger tout ce monde ?

— Le citoyen de la section des Piques ici présent s'y oppose, mon général !

Les yeux de de Batz sortent de leurs orbites.

— Quoi ? Qu'est-ce que j'entends ? Tu protèges des aristocrates, crapule ! Il s'adresse aux dix gardes nationaux qui ont couvert l'opération : Comment, vous, le peuple en armes de Paris, vous êtes complices de cette félonie ?

L'officier des gardes nationaux se détache de son groupe, s'arrête à trois pas de de Batz, salue et répond au garde-à-vous :

— Adjudant-chef Lefebure, de la section des Piques, mon général. Nous ne savions pas que nous avions affaire à de dangereux conspirateurs, nous désavouons ces trois traîtres qui refusent de vous les livrer, la section des gardes nationaux que je commande passe désormais sous votre commandement ! A vos ordres, mon général ! Et vive la Nation !

— Vive la Nation ! hurlent les gardes nationaux.

— Vive la Nation ! reprennent en chœur les chevaliers du Poignard.

Elisabeth est prise d'un fou rire, elle s'éloigne pour le dissimuler. Décidément, ils sont parfaits ! pense-t-elle.

L'officier commandant les vrais gardes nationaux crie à ses hommes :

— Vous autres, exécutez l'ordre du général, dégagez-moi ces voitures du passage et aidez les gendarmes à embarquer ces aristocrates dans les leurs ! Allez, exécution !

— Lieutenant ! crie de Batz à ce dernier, je réquisitionne vos deux voitures au nom du Comité de salut public !

— A vos ordres, mon général !

— Colonel Rovere, arrêtez ces trois hommes qui déshonorent leur bonnet rouge !

Villequier se mord la langue pour ne pas rire. Deux gendarmes se saisissent des bonnets rouges l'un après l'autre et les hissent sur un cheval. De Batz s'approche d'Elisabeth en souriant et lance à haute voix :

— Bravo, citoyenne ! Tu as fait du bon travail ! Il la prend à part et lui dit à voix basse : Magnifique ! Maintenant, grâce à vous, on a deux voitures de plus… Mais Colas m'a dit que vous avez été blessée par deux sicaires ?

— Ce n'est rien, monsieur. En revanche, permettez-moi de vous complimenter pour la mise en scène, Botot Du Mesnil n'aurait pas fait mieux ! Qu'allez-vous faire de ces familles ?

— Je connais l'un d'eux ! Nous les emmenons dans les carrières de plâtre de Montmartre, avant huit jours ils seront en Belgique. Ils vous doivent la vie. Il faut qu'ils le sachent ! Au fait, Elisabeth comment avez-vous appris qu'ils perquisitionnaient le quartier ?

Elisabeth rougit jusqu'aux oreilles.

— J'ai beaucoup de mal à vous l'avouer, monsieur…

— Je parie que vous avez questionné un peu fort vos agresseurs pour le savoir ?

— Non, monsieur, je n'ai pas eu le temps, ils étaient morts.

— Alors comment ?

— Monsieur le baron, je suis extrêmement gênée de vous l'avouer, parce que vous ne me croiriez pas !

— Dites toujours !

— Vous savez bien, monsieur, que je possède un don de voyance.

— Mais c'est vrai ! Vous nous l'aviez laissé entendre et Rougeville m'en avait parlé ! Mais c'est merveilleux, Elisabeth !

L'autre tout étonnée ajoute :

— Alors vous y croyez ?

— Et comment, si j'y crois ! Bravo ! Bon, maintenant direction Montmartre !

— A quelle heure serez-vous de retour, monsieur le baron, pour prendre en charge la Reine ?

— Je ramène les quatre voitures et les chevaliers dans deux heures au plus tard. Sa Majesté doit être libérée dans quatre heures... Je reviens le plus vite possible pour m'occuper aussitôt de la femme Harel. Le marquis de Villequier la transférera à la frontière, moi, je resterai sur la place du Marché-Neuf en attendant Sa Majesté. Je laisserai Colas près de l'église Saint-Christophe. Vous, vous retournez à l'Hospice et faites descendre les deux femmes enceintes au sous-sol.

— Qu'allez-vous faire, monsieur, de ces trois révolutionnaires ?

— Le tribunal des chevaliers les jugera : s'ils ont envoyé les nôtres à la guillotine, ils seront pendus !

— Alors, à tout à l'heure, monsieur, je retourne à l'Hospice.

L'autre regarde sa montre.

— Il est déjà une heure et demie... A tout à l'heure, Elisabeth !

Elle s'éloigne dans la rue de la Juiverie vers la rue Saint-Christophe, tandis que de Batz crie à Villequier assez fort pour être entendu des gardes nationaux toujours complaisants :

— Colonel Rovere, vous retournez avec deux voitures sur le parvis de Notre-Dame où vous attendrez mes ordres ! Maintenant, faites monter les prisonniers dans ma voiture.

Les hommes sont chargés dans la voiture de tête, les mains liées dans le dos. Ils sont installés sur la banquette du fond. De Batz prend place sur le siège opposé. Le convoi s'ébranle dans la rue de la Juiverie, les deux voitures du marquis de Villequier continuent tout droit vers les quais, tandis que celle du baron de Batz tourne à droite en direction du pont Saint-Michel. Quand le convoi est suffisamment éloigné, de Batz se lève et coupe les liens des trois hommes. Il dit au plus âgé en riant :

— Il était grand temps que nous arrivions, monsieur le comte !

— Ah ! monsieur le baron, répond le vieil homme, je ne pourrai jamais vous exprimer ma reconnaissance. Quelle joie la comtesse et moi-même avons ressentie quand nous vous avons reconnu sur votre cheval, nous avons compris que nous étions sauvés des mains de ces assassins ! Il se tourne vers les deux autres : Mes amis, connaissez-vous M. le baron de Batz ?

— Nous n'avons pas cet honneur !

— Monsieur le baron, je vous présente le comte de Butler et le baron d'Erlach.

De Batz se lève et leur donne l'accolade.

— Ah ! mes amis, quel bonheur de vous savoir libres !

— Batz, mon ami, dit de Butler, nous vous devons la vie ! Quelle dette ! Comment avez-vous su que nous étions arrêtés ?

— Je n'y suis pour rien, monsieur le comte, vous savez, vous devez tous la vie à une fille du peuple, c'est elle qui nous a alertés.

— Mais comment l'a-t-elle su ?

— Mes amis, je préfère ne rien vous révéler, vous ne me croiriez pas.

LUNDI 9 SEPTEMBRE, TRENTE-NEUVIÈME JOUR DE DÉTENTION,
L'HOSPICE NATIONAL DE L'ARCHEVÊCHÉ, DEUX HEURES DU MATIN

12

Les beaux cheveux de la princesse de Monaco

L'infirmière-chef Guyot, accroupie, retire doucement le trousseau de clefs de la poche du guichetier Sylvain affalé contre le mur du palier et dont les ronflements s'entendent jusqu'au vestibule de l'Hospice. Elisabeth Lemille et Françoise Le Bihan, prises d'un fou rire, assistent à la scène.

— Je crois, madame, que vous êtes allée un peu fort avec l'opium ! remarque Elisabeth à voix basse. A ce train-là, il ne se réveillera pas avant midi.

— Tant mieux, dit l'infirmière-chef sur le même ton, notre brave Sylvain avait besoin de repos. Elisabeth et Françoise, tenez chacune un quinquet et suivez-moi !

Elle tourne avec précaution l'énorme clef et pousse tout doucement la porte en fer en évitant de la faire grincer. Le jour commence à se lever et la salle est à peine éclairée. Toutes joyeuses, les femmes enceintes en chemise de nuit et pieds nus sont debout de l'autre côté de la grille à les attendre. C'est Olympe de Gouges qui est à la tête du groupe.

— Mme de Blamont et la marquise de Saint-Pern, précise-t-elle, vous attendent, madame. Elles sont habillées et prêtes à partir avec vous.

— Merci, Olympe... Mes enfants, dit la brave infirmière, j'ai apporté pour celles qui veulent écrire des crayons et du papier.

La princesse de Monaco et la princesse Lubomirska se précipitent pour prendre chacune deux feuilles et un crayon.

— Hélas, nous ne pouvons vous libérer toutes, le choix est tombé sur les deux plus jeunes de ce dortoir.

— Nous le savons... Nous le savons, madame ! disent-elles en chœur. Cela ne fait rien, libérez-les... libérez-les !

— Il est un peu trop tôt pour les faire sortir maintenant, nous devons attendre une heure encore avant de les mener au sous-sol. Notre liaison extérieure n'est pas encore arrivée. Françoise et moi allons faire le guet au cas où Tarcilly se réveillerait. Mes enfants, je vous laisse avec Elisabeth.

— Surtout, madame, précise cette dernière, poussez la grille : si quelqu'un passait au deuxième étage, il ne faudrait pas qu'on voie la porte entrebâillée.

— Bien sûr. D'ailleurs, je vous laisserai la clef, vous pourrez sortir et la refermer derrière vous.

— Comment se fait-il que nous n'ayons pas vu le concierge effectuer sa ronde comme d'habitude ? demande Olympe.

— Comme Sylvain, ce soir Tarcilly fait des rêves d'opium ! dit l'infirmière en riant.

— Madame Guyot, dit la marquise de Serilly, vous devriez lui en administrer tous les jours, il gâche par sa présence notre séjour dans ce merveilleux hôtel !

Elles rient toutes.

— Trop cher pour la France qui a la bonté d'héberger nous ! dit la princesse Lubomirska. En Pologne, opium très dispendieux réservé seulement aux Russes ! Madame, si permettez, j'ai une requête pour vous adresser.

— S'il m'est possible de la satisfaire, ce serait avec joie ! Que désirez-vous, madame ?

— Préfère laisser parler Olympe pour moi !

— Je vous écoute, Olympe, que désirent-elles ?

— Pour certaines d'entre nous, c'est la dernière nuit à l'Hospice et probablement la dernière dans ce monde. Nous sommes quelques-unes à partir demain pour la Conciergerie, autrement dit pour l'échafaud.

— Mais enfin, Olympe, ce n'est pas systématique ! dit l'infirmière-chef.

— Merci, madame, mais ne rêvons pas ! Nous sommes lucides…

— Quc puis-jc fairc pour cllcs ?

— Elles désirent passer cette fin de nuit dans les limbes.

— Je ne comprends pas, Olympe, ce que vous voulez dire…

— Je veux dire qu'elles voudraient être aidées à oublier un peu… et pour cela il leur faudrait de l'opium… Voilà leur requête ! Donnez-leur de l'opium pour leur permettre de supporter ce départ pour la Conciergerie…

Après quelques secondes de silence, l'infirmière-chef lui demande :

— Combien sont-elles à partir ?

— Nous sommes six : Mme Roger, Mme la princesse de Monaco…

— Ne me comptez pas, je ne veux pas d'opium ! intervient cette dernière.

— … Mme la princesse Lubomirska, Mme Drieux, Mme Kolly et moi !

— Donc, de l'opium pour cinq ?

— Non, quatre !

— Si on ne compte pas Mme de Monaco, cela fait cinq !

— Je n'en veux pas non plus ! affirme Olympe.

L'infirmière s'adresse alors à Mme Roger :

— Désirez-vous des doses hypnotiques ou des doses soporifiques ?

— Qu'entendez-vous par là, madame ?

— L'opium, selon la dose, peut soit atténuer l'anxiété soit faire dormir.

— Atténuer l'anxiété, bien sûr.

L'infirmière s'adresse à Françoise Le Bihan :

— Donnez immédiatement à chacune d'entre elles une demi-cuillère à bouche d'élixir d'opium. A renouveler dans six heures ! Bien entendu, Françoise, cela doit rester entre nous.

— Bien entendu, madame.

— Pour la deuxième dose, remarque Madeleine Kolly avec un sourire amer, dans six heures, je crains que nous ne soyons plus là !

— Vous donnerez la deuxième dose à sept heures… Allez, Françoise… Allez chercher l'élixir et ensuite rejoignez-moi dans mon bureau.

— Madame, nous avons appris que vous attendiez la Reine, est-ce vrai ? demande Catherine Drieux.

— C'est exact, nous l'attendons ce matin.

— Est-elle vraiment souffrante ?

— Elle l'est.

— Avec toutes les ignominies qu'ils lui font subir, le contraire nous étonnerait !

— Avons-nous une chance d'entrevoir Sa Majesté ? demande la marquise de Serilly.

— Impossible, elle ne doit communiquer avec personne.

L'infirmière-chef et Françoise Le Bihan sortent en prenant soin de ne pas faire grincer la porte métallique. Cette dernière revient une minute plus tard et distribue la drogue aux quatre femmes, puis ressort avec précaution pour ne pas réveiller Sylvain.

La princesse de Monaco demande à Elisabeth :

— Mademoiselle, s'il vous plaît, puis-je disposer de vous quelques instants ?

— Bien sûr, madame,

— Aidez-moi à briser un carreau de cette fenêtre au-dessus de mon lit. Voudriez-vous ensuite m'aider à couper mes cheveux avec un débris de verre ?

— Pourquoi faites-vous cela, madame ?

— Elisabeth… Vous permettez, n'est-ce pas, que je vous appelle Elisabeth ?

— Bien sûr, madame !

— Je vous en prie, appelez-moi Françoise… A quelques pas de la fin, si vous saviez comme on a besoin de communiquer !

— Bien sûr, Françoise !

— Merci. Je veux laisser mes cheveux à mes filles, explique-t-elle au bord des larmes, c'est tout ce que je possède, et c'est tout ce qu'elles recueilleront de moi…

Elisabeth lutte pour retenir les siennes. Les femmes font un cercle autour du lit. L'émotion est sur tous les visages.

— Françoise, demande Madeleine Kolly, vous n'étiez donc pas enceinte quand vous l'avez déclaré ?

— Bien sûr que non ! C'était le seul moyen de gagner un jour afin de couper mes cheveux ici !

— Pourquoi, s'enquiert Elisabeth, teniez-vous absolument à les couper ici ?

— C'était le seul endroit où je pouvais disposer d'un sursis de vingt-quatre heures pour le faire moi-même.

— Et pourquoi teniez-vous tant à le faire vous-même ?

— Je voulais qu'ils restent purs en évitant les mains souillées du bourreau.

Elle dissimule son visage entre ses mains pour cacher ses larmes. Les autres, gênées, se lèvent et rejoignent leur couche en silence ; seules Elisabeth et Olympe s'assoient doucement sur son lit et attendent. Au bout d'un moment, la princesse dit en essuyant son visage :

— Excusez-moi… mes amies, je voudrais que vous preniez connaissance d'une lettre destinée à Fouquier-Tinville où hélas il a fallu mentir !

— Mais, Françoise, s'exclame Elisabeth, mentir à son bourreau n'est pas mentir !

La princesse sort de son traversin plusieurs lettres et lui en présente une :

— Tenez, lisez celle-ci destinée à l'accusateur public.

Les joues d'Elisabeth rougissent, elle avoue spontanément :

— Pardonnez-moi, Françoise, je ne sais pas lire !

Après deux secondes d'étonnement, la princesse la prend dans ses bras et la serre très fort.

— Ma pauvre chérie, comme vous avez dû être malheureuse !

Olympe de Gouges propose :

— Voulez-vous, Françoise, que je la lise à haute voix ?

L'autre fait oui de la tête en lui tendant la lettre. Les femmes de la salle se redressent sur leur lit pour mieux entendre. Elle lit :

— Au citoyen Fouquier-Tinville (très pressé). Je vous préviens, citoyen, je ne suis pas grosse… Je n'ai point sali ma bouche de ce "mensonge" dans la crainte de la mort… mais pour me donner un jour de plus afin de couper "moi-même" mes cheveux et de ne pas les donner coupés par la main du bourreau. C'est le seul legs que je puisse laisser à mes enfants, aussi faut-il qu'il "soit pur" ! Signé : Françoise Choiseul-Stainville – Josephe Grimaldi-Monaco, Princesse étrangère et mourant de l'injustice des juges français.

— Françoise, s'étonne Elisabeth, pourquoi donnez-vous l'impression de vous justifier auprès du boucher !

— Parce que j'ai menti !

— Avez-vous réalisé que vous auriez signé votre arrêt de mort si par malheur vous aviez envoyé cette lettre ?

— Elisabeth a raison, ajoute Olympe, vous êtes ici parce que vous avez le bénéfice du doute et cette lettre est inopportune puisqu'elle le détruit. Pourquoi tourner le dos à une telle chance ?

— J'ai le mensonge en horreur, ce n'est pas de ma faute, j'ai été élevée dans le dégoût de ce qu'il incarne… Chez les Stainville-Grimaldi il est tenu pour un crime. Je dois impérativement me justifier même auprès d'un individu tel que Fouquier-Tinville.

— Croyez-vous, Françoise, ajoute Elisabeth, qu'il faille se confesser au diable ?

— Quelle que soit la personne à qui l'on ment, le mensonge me fait horreur !

— Réfléchissez bien à ce que vous allez faire, insiste Olympe, dès qu'il recevra cette lettre, vous serez exécutée. Vous devez gagner du temps, chaque jour compte en sachant que demain les terroristes seront obligatoirement détruits. Comment pouvez vous prendre le risque de perdre ce que nous avons de plus précieux : la vie !

— Merci, mes amies, de votre sollicitude, mais ma décision est prise... Vivre dans le mensonge est au-dessus de mes forces !

— En quoi la morale souffrirait-elle si vous attendiez dix jours, vingt jours, un mois, six mois, que sais-je, avant d'envoyer cette lettre à votre meurtrier ?

— La morale n'en souffrirait peut-être pas, mais moi si.

Olympe et Elisabeth sont consternées. Cette dernière fait une ultime tentative :

— Je vous propose un pacte, Françoise...

— Vous êtes toutes les deux adorables de vouloir me préserver ainsi, mais il n'y a pas de marché possible avec l'honneur...

— Pardonnez-moi si je me suis mal exprimée... Il ne s'agit pas de marchandage mais d'arbitrage. Je vous propose de vous en remettre à la justice de Son Altesse le prince régnant, Honoré III de Monaco. S'il juge que l'honneur impose que vous envoyiez cette lettre, alors il faudra le faire.

— Mais je connais à l'avance la réponse de Son Altesse Sérénissime, ce sera d'envoyer la lettre ! Je suis très touchée de votre marque d'attention à mon égard, mais je dois vous avouer encore une chose : sitôt arrivée à l'Hospice, j'ai fait parvenir cette lettre à l'accusateur public. A cette heure, mon exécution est certainement programmée.

— Pourquoi avez-vous fait une chose pareille ? s'indigne Elisabeth en se levant. Avez-vous songé une seconde à vos filles ? Par une appréciation démesurée de l'honneur, vous avez décidé de les abandonner ?

— Elles ne sont pas abandonnées, elles ont leur grand-père qui veillera sur elles. Mes filles ne doivent pas douter une seconde que leur mère a tenté d'échapper à la mort par faiblesse.

Le regard dur, Olympe lance :

— Pardonnez-moi, Françoise, mais j'ai bien peur que dans ce geste inconsidéré je ne dénote quelque chose qui ressemble à de la vanité !

— Plutôt mourir, Olympe, que de mentir par peur de la mort ! Vous avez raison, mon amie, c'est certainement de la vanité, mais pas au sens où vous l'entendez, cette vanité-là ne m'est pas propre, c'est celle de mon honneur. Je suis fière de moi quand je m'y soumets !

Que répondre à cette exaltation ? pense Elisabeth. Quelle tragédie ! Elle ajoute :

— Et que deviendront vos enfants sans leur mère ?

— Je vais écrire une lettre à mes filles pour leur expliquer ma conduite. Elles doivent savoir pourquoi mieux vaut mourir que mentir par lâcheté ! Je ne veux pas qu'on puisse croire que c'est par peur de mourir que je suis ici ! Il faut que Louise, la gouvernante de mes enfants, sache aussi la raison qui m'a fait différer mon exécution, qu'elle non plus ne puisse me soupçonner de faiblesse !

— Je n'aurais jamais sacrifié mes cinq enfants, même pour une question d'honneur ! s'écrie la marquise de Saint-Pern.

La princesse tourne vers elle ses grands yeux verts :

— Ne me jugez pas, Madeleine, j'ai été élevée ainsi.

Olympe et Elisabeth impuissantes restent muettes. Françoise de Monaco se lève, prend une chaussure sous sa couche, et avec son talon casse un carreau. Elle en ramasse le plus gros morceau, s'assoit sur le bord du lit sous le regard médusé des autres femmes. Avec la lame de verre brisé, elle scie consciencieusement sa superbe chevelure brune. Les longues mèches noires et brillantes glissent les unes après les autres, d'abord sur ses épaules, puis sur le lit, certaines échouent sur le sol. Elisabeth les ramasse aussitôt pour les poser soigneusement sur la couverture. Quand il ne reste plus rien à couper sur les côtés, la princesse tend le débris de verre à Elisabeth :

— J'ai besoin de vous, mon amie, pour couper ceux qui sont derrière.

Elisabeth s'exécute jusqu'à ce qu'il ne reste plus rien des ravissantes boucles. Quand les lourds rubans de cheveux sont réunis, la princesse les peigne pour les rendre plus homogènes. Elle confectionne ensuite une natte pesante qu'elle fixe à chaque extrémité par un ruban noir. Même les cheveux coupés, la princesse de Monaco est encore belle.

— Voilà, dit-elle en caressant la tresse, ce qu'il restera à mes filles de leur triste mère.

Elle l'enveloppe dans un papier épais sur lequel elle inscrit l'adresse de ses enfants.

— Comment comptez-vous leur faire parvenir ? demande Elisabeth.

— Par Fouquier-Tinville, je n'ai pas d'autre choix !

— N'y comptez pas, cet homme restera insensible à votre douleur.

— J'y ai songé, je lui ai envoyé une seconde lettre où je flatte son ego. Elle sort un autre papier qu'elle tend à Olympe et lui demande : Voudriez-vous la lire ?

— J'ai terriblement peur que tout cela ne soit bien inutile, dit Olympe, mais soit !

Elle s'éclaircit la voix puis murmure :

— Au citoyen Fouquier-Tinville. Citoyen, je vous demande au nom de l'humanité de faire remettre ce paquet à mes enfants ; vous m'avez eu l'air humain…

Olympe, surprise, pose la feuille sur ses genoux.

— Fouquier-Tinville humain ? Ne pensez-vous pas que cela soit excessif ?

— Mais non, Olympe, c'est un fat, vous verrez, il sera très flatté ! Continuez, mon amie…

— … et en vous voyant, j'ai eu le regret que vous ne fussiez pas mon juge…

— Françoise, de quoi vous sert à vous abaisser ainsi ? s'indigne à son tour la marquise de Saint-Pern.

Je vous assure qu'il ne fera rien de ce que vous lui demandez !

— Si je veux que mes filles héritent de mes cheveux, je n'ai d'autre choix, Madeleine, que de m'adresser à lui… Continuez, Olympe.

— … Je ne vous chargerais peut-être pas d'une dernière volonté si vous l'eûtes été. Ayez égard à la demande d'une mère malheureuse, qui périt à l'âge du bonheur, et qui laisse des enfants privés de leur seule ressource ; qu'au moins ils reçoivent ce dernier témoignage de ma tendresse et je vous devrai encore de la reconnaissance. Signé : Françoise Choiseul-Stainville – Josephe Grimaldi-Monaco.

— Parce que ce ne fut pas Fouquier-Tinville l'accusateur de votre procès ? s'étonne Elisabeth.

— Non !

— Qui présidait ?

— C'était Dumas, Grebeauval était l'accusateur public. J'ai eu les pires !

— Sur quoi se fondait votre inculpation ?

— Je ne sais pas, j'ai refusé de lire l'acte d'accusation, j'estimais que c'était une formalité qui ne méritait pas d'être examinée !

— Vous avez très bien fait, ajoute Olympe. En revanche, on m'a affirmé que vous vous seriez livrée spontanément aux terroristes, pourquoi ?

— Vous ne pouvez concevoir le poids d'une existence de proscrite. Quand j'ai su que j'allais être arrêtée, j'étais à Compiègne chez une amie. Elle avait l'intention de me cacher dans une grange. Les habitants de la ville savaient que j'étais chez elle, elle se mettait en grand danger. Je me suis enfuie dans les bois en pleine nuit déguisée en paysanne. Même cachée au fond de la forêt, vous n'êtes pas à l'abri d'une dénonciation. Quand je cherchais à me nourrir, on me regardait d'un drôle d'air… Marcher, marcher, marcher sans cesse, sans but dans une errance sans fin, c'était devenu au-dessus de mes forces… Alors je me suis remise entre les mains des bourreaux. Ils m'enfermèrent à Sainte-Pélagie puis à la Conciergerie, et enfin je fus traduite devant le Tribunal révolutionnaire qui me condamna à mort. J'ai déclaré que j'étais enceinte de trois mois. A peine de retour dans mon cachot, je vis survenir les trois ignobles individus que vous connaissez bien : le docteur Enguchard, le pharmacien Quinquet et l'horrible sage-femme Prioux...

— Vous avez eu droit comme moi à ces trois fripouilles ? lance de son lit la marquise de Serilly, et même à ce voyeur de Quinquet ?... Vous rendez-vous compte, un pharmacien qui pratique des examens médicaux chez les femmes ! Quelle infamie ! Et ses deux autres complices du vice qui l'encouragent ! Etes-vous aussi passée par là ?

— Oui, Marie-Louise, ajoute l'autre les yeux baissés, j'ai subi aussi cela.

La princesse Lubomirska s'approche de son lit, un papier à la main.

— Elisabeth, vous promettre aimablement de remettre une lettre à mon amie Amélie de Hohenhole, pour s'occuper de ma fille ?

— Bien sûr, madame, donnez-la-moi – elle s'empare de la lettre –, je connais quelqu'un qui la lui remettra.

— Merci.

Elle retourne dans son lit.

— Olympe, mon amie, demande Françoise de Monaco, puis-je vous mettre encore à contribution ?

— Oui, Françoise !

— Accepteriez-vous d'écrire sous ma dictée une lettre adressée à mes petites filles ? Je suis dans un tel état de nerfs, je suis incapable de tenir une plume !

L'autre prend une feuille et un crayon, et s'assoit en tailleur au pied du lit...

— Quel âge ont vos petites filles ? demande Elisabeth.

— Trois ans et deux ans.

Pour découvrir la lettre de la princesse, les femmes sont revenues les unes après les autres s'asseoir autour de son lit, à même le sol. Elisabeth est impressionnée : toutes ces formes accroupies disposées en cercle autour d'elle, en chemise de nuit blanche, semblent irréelles. A peine éclairés par une lumière évanescente, leurs visages ont pris une teinte blafarde. Ces femmes immobiles qui vont mourir ressemblent déjà à leurs fantômes. Un silence religieux s'installe. Olympe, le visage grave, attend, le crayon à la main. Françoise de Monaco, le regard perdu dans ses pensées réfléchit. Puis d'une voix cassée, elle commence à dicter :

— Mes enfants…

Elle s'arrête quelques secondes, la gorge serrée, ses grands yeux verts sont embués de larmes, elle se ressaisit, son regard redevient dur. Elle poursuit :

— … Voilà mes cheveux, mais je voulais pouvoir couper moi-même cette triste dépouille pour vous la donner…

Dans son coin, Marie-Louise de Serilly pleure doucement. Sa voisine, Madeleine Kolly, les yeux rougis, la serre affectueusement dans ses bras.

— … je ne voulais pas qu'elle le fût par la main du bourreau, et je n'avais que ce moyen : j'ai passé un jour de plus dans cette agonie, mais je ne m'en plains pas. Je demande que ma chevelure soit sous un bocal, couvert d'un crêpe noir, serré dans le courant de l'année et découvert seulement trois ou quatre fois dans votre chambre, afin que vous ayez devant les yeux les restes de votre malheureuse mère qui mourut en vous aimant, et qui ne regrette la vie que parce qu'elle ne peut plus vous être utile. Je vous recommande à votre grand-père ; dites-lui que sa pensée m'occupe et qu'il vous tienne lieu de tout ; et vous mes enfants, soignez ses vieux jours et faites-lui oublier ses malheurs. Votre mère qui vous aime.

— Voulez-vous la relire ? propose Olympe, les yeux humides, en lui tendant la lettre.

— C'est inutile, merci, Olympe.

Elle plie la missive en quatre et la glisse dans le paquet qui contient la natte.

— Deux mots encore pour ma brave servante et j'en aurai fini.

Olympe prend la deuxième feuille de papier.

— ... Que Louise sache la raison qui m'a fait différer ma mort, qu'elle ne me soupçonne pas de faiblesse...

Elle enlève un anneau qu'elle portait au doigt, le regarde intensément en le faisant tourner.

— J'avais fait graver le nom de mes enfants à l'intérieur.

Elle dépose dans le paquet la seconde feuille de papier destinée à la gouvernante. On entend soudain des éclats de voix qui montent du rez-de-chaussée. Françoise Le Bihan revient précipitamment, pousse la grille et lance :

— Remettez-vous toutes au lit, on a une inspection... Elisabeth, descendez tout de suite, l'infirmière-chef a besoin de vous ! Venez avec moi ! Vite, refermez la grille !

Au moment où elles vont franchir le seuil, la princesse de Monaco se précipite sur elles :

— Elisabeth ! Elisabeth !

— Oui, Françoise ?

— Promettez-moi, mon amie, d'être là demain quand nous partirons !

— Je vous le promets, Françoise !

Amélie de Saint-Pern et Louise de Blamont les rejoignent :

— Elisabeth, ne nous oubliez pas ! On vous attend ! Vous reviendrez pour nous conduire au sous-sol, n'est-ce pas ?

— Mais oui, je vais revenir.

Elles sortent précipitamment en condamnant la porte métallique à double tour. Le guichetier commence à émerger de son sommeil.

— Que faisons-nous des clefs ? demande Elisabeth.

— Posez-les près de lui, il croira qu'elles sont tombées de sa poche !

Elles dévalent rapidement les escaliers du deuxième étage.

— Savez-vous qui participe à cette inspection ? s'enquiert Elisabeth.

— C'est une femme laide avec un vieil homme. Ils sont accompagnés du capitaine Adnet et de plusieurs gendarmes nationaux.

Elles parviennent à cet instant au palier du premier étage. Elisabeth s'arrête net.

— La femme laide, dit-elle, c'est sûrement Marie Harel ! Et le vieillard, son mari ! La garce est en avance sur l'horaire prévu, elle comptait nous surprendre ! On va les recevoir dignement, je vous promets qu'ils ne seront pas déçus de la réception !

— Que veulent-ils ?

— Officiellement, ils sont chargés par Fouquier-Tinville d'inspecter l'Hospice. En réalité ce n'est qu'un prétexte ! Ils veulent à cette occasion rendre un rapport négatif pour justifier le refus de l'accusateur de transférer la Reine ici. C'est la raison pour laquelle ils m'ont envoyé deux tueurs cette nuit.

— Des tueurs ? Que vous ont-ils fait ?

— Peu de chose… Elle montre en riant la plaie de son cuir chevelu et s'exclame : C'étaient deux amateurs !

— Que sont-ils devenus ?

— Ils sont retournés au Père éternel !

— Pourquoi voulaient-ils vous tuer ?

— Parce que je suis favorable au transfert ! Ils savent pertinemment que je m'opposerai à un rapport tendancieux de leur part !

— Alors pourquoi Fouquier s'oppose-t-il à la venue de la Reine ?

— Fouquier a vaguement pressenti qu'une évasion se préparait. Il a une peur panique qu'elle ne lui échappe. Si elle s'évadait, il sait que Robespierre ne le lui pardonnerait pas. Comme il est seul responsable, il joue sa tête dans cette affaire. Officiellement, il ne peut rien contre moi, je suis couverte par Chabot et le Comité de sûreté générale, Alors il a tenté de m'éliminer ! Il y a encore une autre raison qui pousse Fouquier à agir ainsi : c'est le procès de la Reine !

— Quel rapport ?

— Mais ce procès est l'affaire de sa vie. Il compte en tirer une immortelle gloire – elle rit. J'imagine déjà la tête de la mère Harel quand elle va me voir vivante ! Elle croit qu'a l'heure actuelle je ne suis plus de ce monde, bien qu'elle doive se demander où sont passés ses deux tueurs... Pauvres gens, quelle déconvenue quand ils me trouveront en excellente santé !

— Que faut-il faire à présent ?

— Il faut s'emparer de ces deux serpents, coûte que coûte ! J'ai un compte personnel à régler avec eux ! Courez prévenir Colas qui attend devant l'église Saint-Christophe. Ordonnez à Jean-Baptiste de rejoindre de toute urgence le souterrain avec ses hommes. Qu'il sache que les époux Harel sont en avance. Qu'il brise le barreau de la fenêtre et m'attende, je le rejoindrai dès que possible... Demandez-lui aussi de prévenir mon mari de venir me chercher sur le quai de Notre-Dame le plus rapidement possible pour me débarquer dans le souterrain.

— Pour quelles raisons vous y rendre ?

— Je veux être dans la chambre pour recevoir dignement nos hôtes – elle rit. Personne ne sait ici que j'y serai, personne ne pourra me soupçonner de les avoir fait disparaître. En revanche, ils ne doivent laisser aucune trace... Attention, il nous les faut vivants !

— Pourquoi ?

— La mère Harel va nous apprendre beaucoup de choses sur la conjuration de l'Œillet... C'est elle qui l'a fait échouer... Surtout, Françoise, demandez à Jean-Baptiste de remettre le barreau brisé dans son axe et qu'il s'arrange pour le faire tenir. Avec un peu de chance et beaucoup de pénombre, on ne s'apercevra pas qu'il a été scié. Maintenant, écoutez bien ce que nous allons faire en descendant pour affronter les époux Harel.

LUNDI 9 SEPTEMBRE, TRENTE-NEUVIÈME JOUR DE DÉTENTION, L'HOSPICE NATIONAL DE L'ARCHEVÊCHÉ, TROIS HEURES DU MATIN

13

La capture de deux serpents

Dans le vestibule de l'Hospice, Marie Harel et son mari s'entretiennent avec l'infirmière Guyot.

— Où avez-vous prévu de mettre l'Autrichienne, citoyenne ?

— Au deuxième sous-sol dans une cellule obscure.

— Je compte commencer mon inspection par elle, et si...

On entend soudain des éclats de voix en provenance du grand escalier, c'est Elisabeth qui hurle :

— Il est inadmissible de laisser dormir un guichetier de garde... Je veux voir immédiatement le concierge, il est responsable de cette situation !

— Il dort encore, citoyenne infirmière, répond humblement Françoise Le Bihan, assez fort pour que les autres entendent, nous n'arrivons pas à le réveiller !

— Quoi ! Il dort encore ? Je ne peux le croire !

Parvenue au bas de l'escalier, Elisabeth lui dit à voix basse :

— Dépêchez-vous d'aller prévenir Colas, vous en avez pour cinq minutes et revenez aussitôt, j'ai besoin de vous !

Tandis que Françoise se faufile vers la sortie, Elisabeth, la mine fort contrariée, fonce droit sur le groupe. Quand la femme Harel l'aperçoit, elle devient livide, ses cernes bruns s'accentuent, ses petits yeux noirs deviennent hagards, son grand nez osseux rappelle un bec d'oiseau. Elle prend l'expression de la poule en proie à une grande frayeur. Quant au vieux Harel, avec son teint olivâtre, sa calvitie circonscrite au sommet du crâne et ses longs cheveux gris sales qui tombent en couronne sur les épaules, il ressemble à la sorcière des contes d'enfants. Elisabeth, qui feint de les ignorer, s'adresse sèchement à l'infirmière-chef :

— Citoyenne infirmière, je ferai un rapport circonstancié au Comité de sûreté générale sur la façon déplorable dont le concierge Tarcilly assure la sécurité de cet établissement. Le conseiller député Chabot sera aujourd'hui même informé de ce manquement grave au règlement ! Comment peut-on laisser sans surveillance une salle qui héberge quatorze criminelles ?

— Citoyenne, répond l'autre, voici la citoyenne Harel et son époux. Ils sont justement envoyés par l'accusateur public pour inspecter la chambre de l'Autrichienne.

— Salut et fraternité, citoyens, leur lance Elisabeth, nous ne serons pas trop de trois pour rétablir l'ordre républicain dans cette maison.

— Salut et fraternité, répond Marie Harel avec un horrible sourire, tu as bien raison, citoyenne, de sévir contre ceux qui négligent la Nation.

Françoise Le Bihan revient à cet instant. Elle se joint à eux et fait comprendre à Elisabeth par un simple battement de paupières que sa mission auprès de Colas est remplie.

— Citoyens Harel, dit l'infirmière Guyot, voici Françoise mon assistante !

— Très honorés, citoyenne, répondent les deux autres. Salut et fraternité !

Elisabeth revient à la charge :

— Comment Tarcilly peut-il se comporter avec une telle désinvolture ?

Le capitaine Adnet, conditionné par de Batz, se déchaîne à son tour :

— Voilà une preuve supplémentaire que Tarcilly est un traître ! D'ailleurs, je sais que Robespierre se méfie de lui !

— Ah bon… s'étonne la mère Harel.

— Tu peux me croire, citoyenne, c'est un traître !

— Mais de qui l'as-tu appris, citoyen ? demande l'autre suspicieuse.

— Du général Delafer lui-même, pardi !

— Quel général dis-tu ?

— C'est le général qui…

Elisabeth pressent que la tournure prise par la conversation devient scabreuse. Si le capitaine Adnet poussait plus loin ses explications, tout le projet d'évasion de la Reine s'écroulerait. Les époux Harel, découvrant la mystification de ce prétendu général, feraient chavirer toute l'opération du baron de Batz. Elle lance un regard désespéré à l'infirmière-chef. Celle-ci a saisi la gravité du message. Elle réagit aussitôt en interrompant brutalement Adnet :

— … Capitaine Adnet, s'il vous plaît ! Une chose capitale que j'allais oublier de vous signaler !

— Laquelle, citoyenne ?

Elle est prise de court, car aucune réponse ne lui vient à l'esprit. C'est Françoise Le Bihan qui vole à son secours :

— Avant qu'ils descendent dans la chambre de l'Autrichienne, nos amis doivent visiter impérativement un haut lieu de la victoire du peuple sur les traîtres du fédéralisme !

— Ah bon ? De quel lieu s'agit-il ? s'étonne le gendarme.

— Mais enfin, citoyen capitaine, vous oubliez la chapelle des Ordinations ?

— C'est vrai qu'elle est sacrément grande !

— Ce n'est pas l'essentiel, capitaine ! enchaîne l'infirmière Guyot, cette chapelle est le détour obligé que doit entreprendre tout citoyen. Un haut lieu où des patriotes ont changé le cours de l'Histoire, cela mérite votre visite, citoyens Harel !

— C'est vrai qu'elle n'est pas seulement grande ! répète Adnet.

— Je crois savoir, citoyen capitaine, ajoute Françoise, que vous avez vous-même participé activement à tous les événements qui s'y sont déroulés, vous pourriez faire profiter nos amis de votre conduite héroïque…

— Heu… vous savez, je n'étais que planton à l'entrée…

— Qu'importe ! Vous avez tout vu, n'est-ce pas ? C'est là l'important !

— Ah ! pour avoir tout vu, c'est vrai que j'ai tout vu !

— Il doit être temps de pratiquer notre inspection, s'impatiente la mère Harel.

— Citoyenne, nous en avons pour quelques minutes, insiste l'infirmière-chef, cet endroit est vraiment historique, il serait dommage que tu n'en profites pas. Françoise, montre le chemin à nos amis !

Elisabeth dit à la mère Harel :

— Je t'abandonne durant quelques instant, je dois monter dans les étages. Je te dis donc à tout à l'heure, citoyenne.

Tandis que le petit groupe se dirige vers la chapelle des Ordinations, Elisabeth souffle à l'infirmière-chef :

— Retenez-les vingt minutes, donnez-moi le temps d'atteindre la chambre de la Reine !

Elle se dirige vers le grand escalier et feint d'en monter les premières marches. L'infirmière Guyot répercute à voix basse les instructions à Françoise :

— Il nous faut gagner encore vingt-cinq minutes pour permettre à Jean-Baptiste et Elisabeth de regagner le souterrain. Heureusement, Adnet est un sacré bavard, il ne va pas manquer de se rendre intéressant. Françoise, gagnez du temps en relançant tout ce que peut raconter cet imbécile.

— Vous pouvez compter sur moi !

— A tout à l'heure, Françoise…

Le groupe est reçu sur le seuil de la chapelle par l'huissier Simonet à moitié endormi.

— Simonet, lui dit Françoise, nous allons faire visiter la chapelle des Ordinations à nos visiteurs. Ensuite tu les accompagneras dans la chambre de l'Autrichienne où tu les laisseras effectuer tranquillement leur inspection, et toi, tu remonteras aussitôt. L'infirmière-chef a besoin de toi !

Dès qu'ils ont disparu dans l'immense salle, Elisabeth revêt sa cape grise et son chapeau à larges bords et gagne discrètement la sortie. Elle longe le parvis de la cathédrale et s'arrête sur le bord des quais. Dans une embarcation, quatre marins rament à grande vitesse vers elle. Parmi eux, elle reconnaît son mari. Quand la barque touche le quai, elle s'y précipite.

— Vite, Guillaume, dépose-moi dans le souterrain, je veux être là quand les Harel seront capturés.

— Voici ce que les calotins appelaient la chapelle des Ordinations, dit le capitaine Adnet au couple Harel. C'est ici qu'ils formaient d'autres calotins. Cette immense pièce de plus de cinquante mètres de long, trente de large, et douze de haut, a été cloisonnée en petits logements pour le personnel médical de l'Hospice.

— Vous avez transformé la sacristie en habitations, remarque le vieux Harel de sa voix lente et chevrotante, ça c'est une bonne idée… Qui donc y logez-vous ?

— Les chirurgiens et les officiers de santé, précise Adnet.

— Ah ! ils sont gâtés.

— Nous pourrions maintenant entreprendre notre inspection des locaux de l'Autrichienne, dit Marie Harel avec impatience.

— Vous n'avez pas vu le principal, insiste Adnet, il s'en est passé des choses ici !

— Racontez, racontez, capitaine, lance Françoise, c'est passionnant !

— Il faut reconnaître, Marie, dit Harel à sa femme, que c'est très instructif !

— Ne te rends-tu pas compte, imbécile, lui répond l'autre à voix basse, qu'ils font tout pour retarder notre inspection ? J'aimerais bien en connaître la raison.

— Que vas-tu chercher là, Marie, ils font tout pour nous être agréables !

— Imbécile ! lui souffle-t-elle.

Ils progressent dans la gigantesque sacristie pour atteindre la "basse sacristie". Cinq cadavres recouverts d'un linge blanc sont alignés sur une immense table. L'odeur est insoutenable.

— Ici, dit Adnet, c'est la morgue.

— On se doutait bien que nous n'étions pas chez un parfumeur ! dit Marie Harel avec humeur. Bon, maintenant, il est temps de faire notre inspection.

— Moi, capitaine, s'exclame Françoise, je ne sais toujours pas quelles sont ces pages d'Histoire qui ont été écrites ici !

— Il y en a eu trois auxquelles j'ai assisté ici même ! Venez, citoyenne, venez ! Je veux vous montrer où j'étais exactement ce jour-là.

Il se dirige vers un angle de la salle, suivi à contrecœur par Marie Harel.

— Dépêchons, citoyen ! lui dit-elle, nous perdons un temps précieux !

— Erreur, citoyenne ! C'est grâce à ce socle de marbre que j'ai tout vu.

Il monte dessus. La femme Harel lève les yeux au ciel.

— Et qu'avez-vous vu capitaine de si haut ? demande Françoise.

— Tout !

— C'est-à-dire ?

— Imaginez mille hommes assis sur des gradins qui dictent la volonté du peuple !

— Sur des gradins ? s'étonne le vieux Harel de sa voix monocorde. Que sont-ils devenus ces gradins ?

— On s'en fiche ! lance la mère Harel, allons faire cette inspection.

— Ils ont été démontés depuis !

— A qui étaient-ils destinés ? demande le vieux.

— Mais à l'Assemblée constituante ! Elle était ici au début, quand elle a suivi le Roi à Paris. Il descend de son piédestal, se place à un endroit précis dans la salle et demande : Devinez qui était assis là ? Comme personne ne devine, il s'exclame : Robespierre le grand ! Il court se positionner à un autre endroit : Et là ? Même jeu : Ce traître de Mirabeau ! Et là ? Bailly le félon ! Et là ? Sieyès le péteux ! Je vous raconterai comment les sections ont voté ici la mort des girondins… Il court vers un autre emplacement : Ici était Marat ! L'ami du peuple n'avait plus que deux mois à vivre !

— Ce devait être passionnant, capitaine, lance Françoise, racontez donc.

— C'était le 30 mai, deux jours avant l'arrestation de la clique des Vergniaud, Brissot, Valazé et autres traîtres. Tous les chefs de section de Paris portaient le bonnet rouge.

— Que ce devait être beau ! s'écrie Françoise sans rire.

— Ah ! oui, c'était beau ! C'était beau, mais ça ne sentait pas bon !

— Allons donc ! dit-elle, pourquoi ?

— Il faisait chaud ce jour-là et les chefs de section étaient venus à pied de tous les coins de Paris, certains même étaient pieds nus tandis que d'autres portaient des sabots remplis de paille. Comme ils transpiraient beaucoup des pieds, ils avaient l'habitude de se déchausser quand ils étaient assis ! Ça sentait obligatoirement très fort !

— Pour de tels héros, quelle importance ? s'écrie Françoise.

— C'est bien vrai ! Ils se déclarèrent aussitôt en insurrection contre la Convention ! Et dressèrent le drapeau rouge sur l'Hospice !

— Comme ce devait être émouvant, ajoute Françoise, mais pourquoi rouge, et pas bleu, blanc, rouge ?

— Rouge comme au 10 août, pour sauver la chose publique !

— Ah ! très bien… Et alors ?

— Alors, ils votèrent la déchéance des girondins ! C'est alors que…

Soudain, tout au fond de la salle une porte s'ouvre, L'infirmière Guyot réapparaît. Elle lui crie :

— Je crois, capitaine, que nos amis doivent pratiquer maintenant leur inspection, ils reviendront visiter les Ordinations tout à l'heure s'ils le désirent.

— Enfin, ce n'est pas trop tôt ! murmure Marie Harel à son époux.

— Tu as bien tort, mon amie, c'était très intéressant, je reviendrai ! Je veux visiter aussi Notre-Dame.

— Voulez-vous que je vous résume en deux mots ce jour mémorable ? demande Adnet.

— Non, non, capitaine, lui crie l'infirmière-chef, nous allons être en retard ! Il faut descendre au sous-sol. Simonet, veux-tu accompagner les citoyens dans la chambre de l'Autrichienne, et remonte aussitôt, j'ai besoin de toi !

Quand Elisabeth débarque sur le petit quai, Jean-Baptiste l'attend. Elle est aussitôt entourée par vingt faux gendarmes. Cinq d'entre eux la reconnaissent aussitôt, ce sont les chevaliers du Poignard mêlés aux quinze perruquiers.

— Bonjour, ma sœur ! lui disent-ils.

— Bonjour, mes frères ! Vite, montrez-moi le chemin ! La mère Harel va descendre d'un instant à l'autre, je dois l'attendre dans la chambre…

En courant, ils franchissent un espace courbe jalonné tous les cinquante mètres d'une grille.

— Jean-Baptiste, as-tu brisé le barreau ? demande Elisabeth en reprenant son souffle.

— Mais bien sûr ! Tu verras, tu seras étonnée : même fracturé, on peut encore le faire tenir, ils ont eu l'intelligence de le scier en biais aux deux extrémités : cela le maintient en place.

— L'infirmière-chef n'est-elle pas descendue, au moins ?

— Je ne l'ai pas encore vue !

— Tant mieux ! Il ne faut pas qu'on la voie ici… Pourvu que la mère Harel ne nous précède pas… Vite, vite, Jean-Baptiste, tu es trop lent !

— Tu cours trop vite, Elisabeth, je ne peux te suivre !

Ils arrivent enfin à l'extrémité du boyau qui donne sur la grille. Jean-Baptiste s'empare d'un barreau qui tombe sans effort dans ses mains, libérant un espace par lequel s'engouffre Elisabeth. Elle se retrouve seule dans la chambre et remet aussitôt le barreau en place.

— Comment vas-tu opérer ? s'inquiète Jean-Baptiste de l'autre côté de l'ouverture.

— Au moment où le couple pénétrera dans la chambre, je serai dissimulée derrière la porte. Avec leur seul quinquet, ils ne verront qu'une chambre vide avec une grille qui paraîtra intacte. Quand la porte se refermera derrière eux, ils m'apercevront alors, mais ce sera trop tard : je descends la barre de fer qui en condamne l'accès, toi, tu pénètres en force, tu les neutralises et les emmènes dans le souterrain. Je vous suis après avoir remis le barreau à sa place, et en laissant la porte entrouverte. Ensuite je retourne tranquillement à l'Hospice où personne ne s'est rendu compte de mon absence, tandis que les Harel ont disparu sans laisser la moindre trace… Il demeure néanmoins une inconnue !

— Laquelle ?

— Simonet entrera-t-il ou pas dans la chambre ? s'interroge Elisabeth. S'il le fait, cela complique tout !

— Ce serait très ennuyeux !

— Je ne crois pas qu'il le fasse, Mme Guyot lui a intimé l'ordre de remonter aussitôt, et puis c'est un sacré fainéant ! Il en fait toujours le moins possible !

— Dans le cas contraire, nous l'emmènerions avec nous. Personne ne doit être témoin de l'enlèvement des Harel !

— Je laisse la porte entrebâillée, Simonet n'aura qu'à la pousser pour entrer… Maintenant, taisons-nous parce qu'ils ne vont pas tarder à arriver.

Bien que le jour se soit levé, le souterrain reçoit peu de lumière. Elisabeth, avec sa cape grise et son chapeau noir, est méconnaissable dans la demi obscurité. Du palier du deuxième sous-sol, on entend les cris des marchands qui débarquent leurs victuailles avant de la monter dans les étages. Elle chuchote :

— Dites, les gars ?

Plusieurs têtes à peine discernables apparaissent derrière les barreaux :

— Quoi ?

— S'ils résistent en hurlant, il faudra les assommer avant qu'ils alertent toute la gendarmerie.

— J'ai ce qu'il faut pour cela.

L'ombre montre un objet en forme de tube.

— C'est quoi ?

— Une section de tuyau de plomb.

— Ne frappe pas trop fort, n'oublie pas qu'il nous les faut vivants !

— Citoyens, dit l'infirmière-chef au couple Harel, je vous confie à notre brave Simonet qui va vous accompagner dans la chambre de l'Autrichienne. S'adressant à l'huissier : Quant à toi, tu remontes immédiatement, tu dois te rendre à la Conciergerie pour remettre un pli à l'accusateur, tu as bien compris ?

— J'ai compris.

Un quinquet à la main, suivi par les deux autres, il emprunte les marches qui conduisent au premier sous-sol. A l'étage des cuisines, ils croisent de nombreux manutentionnaires qui transportent viandes et légumes. Ils parviennent enfin au deuxième sous-sol qui débouche sur le palier face à la Seine.

— C'est par là… précise Simonet en tournant à droite dans un couloir obscur.

Il s'apprête à mettre la clef dans la serrure de la troisième porte quand il constate qu'elle est légèrement entrebâillée.

— Tiens, c'était ouvert !

Il pousse le vantail qui s'ouvre aux trois quarts sur une pièce plongée dans la pénombre.

— Voilà, c'est ici, précise Simonet en leur tendant le quinquet, gardez-le. Pour remonter, c'est facile, on tourne à gauche, et deux étages au-dessus vous êtes dans le vestibule. En partant, poussez simplement la porte parce que je garde les clefs. Salut !

Il s'en va. Marie Harel, suivie par son époux, découvre une chambre avec une fenêtre condamnée par d'épais barreaux.

— Ça sent drôlement le moisi ici ! s'étonne-t-elle. C'est tout de même curieux qu'on installe l'Autrichienne si près de la Seine ! Je ne trouve pas cela très prudent…

— Tu as parfaitement raison !

Elle se retourne, la porte se ferme violemment derrière eux en grondant. Elle aperçoit une forme humaine enveloppée dans une cape et coiffée d'un chapeau. Elle n'a pas le temps de réaliser qu'un des barreaux de la fenêtre tombe sur le sol avec un bruit sec, immédiatement suivi de l'irruption de plusieurs soldats.

— Jean-Baptiste, saisis son quinquet ! crie Elisabeth qui enlève son chapeau, découvrant son visage encadré par le voile d'infirmière.

— Mais que fais-tu ici, citoyenne, s'étonne la mère Harel, et pourquoi tous ces gendarmes ?

Elle n'a pas le temps de terminer sa phrase qu'elle reçoit une formidable claque sur la joue gauche, qui la projette contre le mur. Elle perd l'équilibre et tombe assise sur les dalles humides.

— Qui t'a permis de me tutoyer ? dit Elisabeth, les poings sur les hanches. Dorénavant, quand tu diras "tu" à la place de "vous", tu recevras une claque. Je te préviens qu'elles seront chaque fois de plus en plus fortes !

— Tu payeras de ta tête ce que tu viens de faire, lance le père Harel, tu oublies qui nous sommes et que…

Une claque interrompt sa phrase. Sous la violence du choc, un filet de sang apparaît au coin de ses lèvres, il trébuche et tombe assis aux côtés de sa femme.

— Toi aussi, le vieux, tu pratiques le tutoiement ? Décidément c'est une manie !

Les chevaliers du Poignard et les perruquiers rient.

— N'aurais-tu pas attrapé cette détestable habitude auprès de tes amis terroristes, par hasard ? dit le marquis de Belbœuf déguisé en gendarme. Vous êtes vraiment très mal élevés ! Il va falloir remédier à cet inconvénient.

— Qu'est-ce que vous voulez ? grogne la mère Harel.

— Debout ! lance Elisabeth, tu vas le savoir !

Les deux autres se relèvent.

— Te souviens-tu, ma jolie, de mon nom de jeune fille ?

— Comment le saurais-je ?

— Lavigne, cela ne te dit rien ?

— On a jugé naguère un traître qui s'appelait Lavigne, mais le tien ne me dit rien !

Elisabeth bondit sur elle et lui assène avec la main droite une terrible claque sur la joue gauche, puis avec la main gauche une autre sur la joue droite, elle se déchaîne en frappant sans arrêt et de plus en plus fort tantôt à gauche, tantôt à droite, rien ne semble pouvoir l'arrêter. Le sang perle de la bouche et du nez de la femme Harel qui chancelle. Elle s'appuie contre le mur, mais Elisabeth ne cesse de frapper. Elle frappe maintenant en même temps les deux joues, écrasant à chaque coup violemment, comme dans une presse, le visage entre ses mains.

— Arrête, hurle le père Harel, tu vas la tuer !

— Tu crois ? rétorque-t-elle.

Comme une furie, elle se tourne et lui envoie un violent coup de poing au ventre. L'autre s'écroule, elle va s'acharner de nouveau sur sa femme quand Basset et Belbœuf la maîtrisent.

— Arrête, Elisabeth, tu vas les tuer, tu sais bien qu'il nous les faut vivants !

La jeune femme serre les poings, tandis que ses bras sont maintenus le long du corps par les chevaliers. Sa lèvre tremble de rage, son voile est tombé, libérant ses cheveux blonds en bataille, ses grands yeux bleus baignés de larmes lancent des éclairs. Elle est impressionnante de fureur. Elle ressemble à une lionne blessée. D'un mouvement violent des bras, elle se dégage de l'étreinte des deux hommes puis demeure immobile, les yeux toujours noyés, silencieuse, fixant au sol les deux époux. Eux appliquent leur mouchoir contre leur nez et leur bouche ensanglantés et gardent les yeux baissés de peur de déclencher de nouveau sa fureur.

— Tu peux être rassuré, dit Jean-Baptiste, ils seront jugés par les chevaliers et ils paieront. Allez, emmenons-les ! Il s'adresse aux deux époux affalés : Debout ! On va faire une petite promenade de santé sur la Seine. Je vous préviens : au moindre cri, au moindre appel, vous perdrez la vie. On va vous montrer ce que l'on vous plongera dans le cœur si vous ouvrez seulement la bouche… Belbœuf, s'il vous plaît, pouvez-vous leur faire une démonstration de ce qui les attend s'ils nous trahissent ?

Les chevaliers exhibent leur poignard d'argent et passent tour à tour le plat de la lame contre leur visage tuméfié.

Une demi-heure plus tard… Françoise Le Bihan et l'infirmière-chef sont assises dans un bureau devant une tasse de café. L'huissier Simonet est debout face à elles. Entre deux verres d'eau-de-vie, il tente de saisir le but de sa mission.

— Voyons si tu as bien compris, mon ami, interroge l'infirmière-chef. En arrivant à la Conciergerie, à qui dois-tu donner ce pli ?

— A Wolf.

— Et que dois-tu lui dire ?

— Que c'est urgent ! Qu'il doit le remettre immédiatement à l'accusateur.

— N'oublie surtout pas de lui rapporter que les citoyens Harel, avant de partir, ont insisté pour qu'il soit aussitôt informé !

— Mais je ne les ai pas vus partir ! répond l'autre, le regard vitreux.

— Enfin, Simonet, rappelle-toi quand tu es remonté, je suis descendu ensuite les chercher !

— Ah bon ?

— Quand nous sommes remontés, précise François Le Bihan, ils ont insisté pour qu'on prévienne l'accusateur !

— Mais je ne les ai pas vus remonter !

— Simonet, tu bois trop ! ajoute l'autre. Ils t'ont même dit au revoir, voyons ! Rappelle-toi ! Ils t'ont même dit : Plus rien ne s'oppose au transfert de l'Autrichienne ! Tu t'en souviens ?

— Ah ! peut-être… En revanche, je me souviens très bien qu'en arrivant, ils m'ont dit bonjour.

— Allez, dépêche-toi, tu es en en retard ! ordonne l'infirmière-chef.

Il sort. Les deux femmes se regardent inquiètes.

— Croyez-vous que Fouquier avalera cette histoire ? s'interroge Françoise.

— Nous n'avons pas le choix, nous ne pouvions faire autrement !

On frappe à la porte.

— Entrez !

C'est Elisabeth, le visage serein. Les deux femmes se lèvent aussitôt.

— Alors ? demande l'infirmière-chef.

Elisabeth ferme soigneusement derrière elle, s'assoit lentement et, montrant la cafetière en bâillant, demande :

— Je peux ? Je tombe de sommeil !

— Mais servez-vous ! Alors ?

La mine détendue, elle prend son temps pour répondre :

— C'est fait !

— Qu'est-ce qui est fait ?

— Les deux serpents roulent sous bonne garde vers la frontière.

— Et ensuite ?

— Ils seront interrogés et jugés par les chevaliers du Poignard !

— Pensez-vous qu'ils seront pendus ?

— Compte tenu de leurs crimes, c'est très probable. Elle boit doucement son café, les yeux mi-clos, puis repose sa tasse en précisant : J'ai croisé Simonet très éméché dans les escaliers. Il m'a demandé si j'avais vu remonter les époux Harel.

— Qu'avez-vous répondu ? s'inquiète Mme Guyot.

— Qu'ils étaient partis très satisfaits de leur inspection et qu'ils voulaient revenir visiter en détail la chapelle des Ordinations. C'est ce qu'il fallait dire ? Elle bâille de nouveau.

— Ouf ! Bon, revenons aux époux Harel, comment cela s'est-il passé ?

— Ils ont reçu une formidable correction ! Heureusement que Jean-Baptiste était là pour m'arrêter, sinon je tuais ces deux serpents à coups de claques !

— Tuer à coups de claques, est-ce possible ? s'étonne Françoise.

— Il faut savoir, précise en riant l'infirmière-chef, que chaque claque d'Elisabeth peut tuer un bœuf !

— Je pense, chère madame Guyot, que là vous exagérez un peu. Elle bâille : Il faut que je dorme, je ne tiens plus debout !

— Nous allons prendre un peu de sommeil, car nous sommes toutes épuisées, je vous réveillerai dans deux heures. En attendant l'arrivée de Sa Majesté, nous descendrons aussitôt nos deux femmes enceintes dans le souterrain, allez dormir ! Françoise, vous coucherez Elisabeth dans la chambre qui jouxte l'entrée de la chapelle des Ordinations.

Elisabeth dort profondément. La porte s'ouvre brusquement. Le capitaine Adnet fait irruption dans la chambre :

— Citoyenne ! Citoyenne ! Réveillez-vous.

Il la secoue par les épaules. Elisabeth se redresse brusquement.

— Que se passe-t-il ?

— Le concierge Tarcilly est devenu fou, il a fallu que je fasse appel au docteur Bayard, sans lui nous aurions eu une émeute !

Elisabeth se lève d'un bond.

— Veuillez vous retourner, capitaine ! Alors, que s'est-il passé exactement ? dit-elle en se rhabillant.

— Le concierge a arpenté au beau milieu de la nuit toutes les salles avec son registre en compagnie de deux guichetiers. Il a réveillé les malades en leur demandant le nom de leur conjoint, leur adresse, le nombre d'enfants et des dizaines de questions insidieuses. Les autres se sont révoltés en disant que ces renseignements serviront à envoyer leur famille à l'échafaud, que son registre était un registre de proscription, ils l'ont dilacéré. Plusieurs malades ont défoncé les portes. Tarcilly a failli être écharpé. Ils ont réclamé le docteur Bayard qui est parvenu à ramener le calme !

— Pourquoi ne m'avez-vous pas réveillée ?

— J'ai préféré vous laisser dormir.

— Qu'est-ce qui a pu déclencher la panique du concierge ?

— L'excès d'alcool comme d'habitude, mais un cuisinier qui travaillait au deuxième sous-sol avait remarqué qu'une porte de la prison était ouverte sur le même palier, il est allé voir. En l'inspectant, il a constaté qu'un des barreaux de la fenêtre avait été scié, il a voulu alerter aussitôt le concierge, mais il a eu beaucoup de mal à le réveiller. Quand l'autre a enfin réalisé, il est devenu fou !

— Qu'avez-vous fait alors ?

— Le général Delafer m'avait ordonné de descendre les citoyennes Blamont et Saint-Pern au sous-sol, mais Tarcilly n'a rien voulu entendre. Je suis alors retourné prendre les ordres auprès du général, car je ne savais plus ce qu'il fallait faire, or, il n'était plus là !

— Où était-il auparavant ? demande innocemment Elisabeth.

— Sur la place du Marché-Neuf, dans sa voiture. C'est de là qu'il surveillait le transfert de l'Autrichienne, mais il a disparu.

— Si Tarcilly n'obéit pas à vos injonctions, il faut l'arrêter !

— Je n'ai pas qualité pour le faire, il ne me reste plus qu'à informer l'accusateur que je n'ai pas pu remplir la mission que m'avait confiée le général ! Je vais me rendre immédiatement à la Conciergerie pour prendre les ordres.

— Attendez un peu d'en savoir davantage avant d'alarmer inutilement l'accusateur !

— Non, non ! Il faut qu'on me dise ce que je dois faire maintenant !

Il ressort précipitamment. Elisabeth est effondrée.

C'est une catastrophe ! songe-t-elle. Quelle va être maintenant la réaction de Fouquier ? Le boucher tient enfin l'excuse qui va lui permettre de refuser le transfert de la Reine, c'est sûr ! A la découverte d'un barreau scié, personne n'osera émettre un avis contraire. Et nos jeunes femmes enceintes que nous devions faire évader[1] ? Elles qui comptaient tellement sur moi ! C'est une tragédie ! Il faut que je prévienne immédiatement Colas d'ordonner à Jean-Baptiste de quitter le souterrain et d'informer le baron de Batz de la situation... Mais s'il n'est plus sur la place du Marché-Neuf, où le trouver ? Pourvu que Colas soit

1. Louise de Blamont eut la vie sauve avec la mort de Robespierre. Elle accoucha après le 9 Thermidor mais perdit son enfant. (Voir "Les acteurs du drame", p. 629.)

Amélie de Saint-Pern accoucha également après la mort de Robespierre, ce qui lui sauva la vie. Elle mit au monde son sixième enfant qui mourut dès le lendemain. Elle revint un an plus

toujours à Saint-Christophe, il n'y a que lui qui puisse le savoir, il faut le joindre sans délai !

Elle sort précipitamment.

tard avec toute sa famille dans cette Conciergerie, sur les mêmes bancs où elle était assise, pour voir Fouquier-Tinville et ses comparses passer en jugement. Elle apporta la preuve formelle de leur responsabilité dans l'extermination de toute la famille Saint-Pern. (Voir "Les acteurs du drame", p. 631.) Leur histoire sera évoquée dans le tome 3 : *La Vengeance du baron de Batz*.

LUNDI 9 SEPTEMBRE, TRENTE-NEUVIÈME JOUR DE DÉTENTION,
L'HOSPICE NATIONAL DE L'ARCHEVÊCHÉ, HUIT HEURES DU MATIN

14

Une confraternité qui laisse à désirer

L'inspecteur des prisons Thirié-Grandpré[1] a réuni au grand complet le personnel médical et administratif de l'Hospice national de l'Archevêché. Se trouvent rassemblés autour de la table du réfectoire des infirmières, le médecin-chef Enguchard, les chirurgiens Bayard, Giraud, Naury et Souberbielle, les sages-femmes Prioux et Bellamy, le pharmacien Quinquet, les infirmières Guyot et Le Bihan, les économes Ray et Fays, le concierge Tarcilly, l'huissier Simonet et même le portier Chauvin.

— Je vous ai réunis, dit l'inspecteur pour examiner les graves événements qui se sont passés cette nuit tandis que le concierge dormait à poings fermés – Tarcilly, de rouge vire à l'écarlate. Je résume : On a trouvé après le départ des époux Harel un barreau scié dans la chambre qui devait recevoir la veuve Capet !

Le docteur Giraud et l'infirmière-chef échangent un regard furtif.

— Il était évident que c'était dans le but de la faire évader. Ce qui est incompréhensible, c'est que depuis leur départ, les époux Harel ne nous ont plus donné signe de vie. Citoyenne Guyot, vous les avez bien accompagnés au sous-sol, n'est-ce pas ?

1. Thirié-Grandpré était chef de division à la Commission des administrations civiles. C'est lui qui inspecta l'horrible infirmerie de la Conciergerie. (Voir le tome 1, “Les agonisants du docteur Thery”, p. 257.)

— Non, citoyen commissaire, je ne suis pas descendue avec eux. J'avais chargé l'huissier Simonet de les accompagner, en revanche je suis allée les chercher de peur qu'ils ne retrouvent pas leur chemin.

— C'est moi qui suis descendu, confirme l'huissier, je les ai laissés dans la chambre destinée à l'Autrichienne et je suis remonté.

— Et tu n'as rien remarqué d'anormal ?

— Non, rien, si ce n'est que la porte était ouverte quand je suis arrivé.

— Parce que tu n'avais pas les clefs ?

— Si.

Le commissaire se tourne vers Tarcilly.

— Quelle explication donnes-tu à cela ?

— Les clefs sont suspendues sous bonne garde au premier guichet, quelqu'un les aura prises !

— Quand je suis descendue, les Harel avaient disparu, dit l'infirmière-chef, j'ai donc refermé la porte et j'ai remis les clefs à leur place.

— A quel moment sont-ils remontés ?

— Je ne peux le dire, mais au bout d'un quart d'heure, ils n'étaient plus là.

— Qui les a vus remonter, à part vous ?

— Moi, affirme Françoise Le Bihan sans sourciller, je confirme qu'ils étaient très satisfaits de leur inspection. Ils m'ont annoncé que tout était parfait et que la veuve Capet pouvait être transférée. J'ai voulu prévenir l'infirmière-chef, mais je ne l'ai pas trouvée tout de suite. En fait, elle était descendue au sous-sol.

— C'est exact ! J'ai aussitôt envoyé l'huissier Simonet prévenir l'accusateur public que la veuve Capet pouvait être transférée.

— Comment sont-ils repartis ?

— A pied, précise Françoise, ils voulaient visiter Notre-Dame.

— Le cocher qui les avait amenés à l'Hospice, ajoute Thirié-Grandpré, les a attendus jusqu'à sept heures ce matin, il ne les a plus revus.

— C'est vrai, confirme Simonet, le vieux Harel voulait revenir visiter la chapelle des Ordinations et Notre-Dame.

— Quoi qu'il en soit, le sort des époux Harel ne relève pas de ma mission, je suis ici pour examiner les manquements graves au règlement des prisons qui se sont déroulés cette nuit. Il se tourne vers le concierge : Les charges sont lourdes contre toi. Les officiers de santé de l'Hospice m'ont remis ce matin même une pétition.

L'économe Ray se lève et lance sur un ton indigné :

— Citoyen commissaire, nous demandons la révocation du concierge Tarcilly, cet homme est un grand alcoolique aussi immoral qu'incapable !

— Salaud ! hurle ce dernier, tu veux me foutre dehors pour t'emparer de mon logement de fonction !

— Du calme ! ordonne Thirié-Grandpré.

— On veut surtout te foutre dehors, surenchérit le docteur Bayard, parce que tant que tu seras là, il nous sera impossible de faire correctement notre travail !

— J'aurai de très nombreuses réclamations à formuler, ajoute l'économe.

— Je vous écoute, citoyen.

— Tout va mal, le bon ordre ne règne pas du tout dans cette maison. Nous baignons dans les fausses dénonciations et souffrons de l'absence de conscience professionnelle de certains médecins[1].

— Vos accusations sont graves. Qui sont-ils ?

— Par exemple, le docteur Naury ne se conforme pas plus au règlement que par le passé[2] !

— Prouve-le, crapule ! crie l'autre.

— Un peu de calme, citoyens, réclame Grandpré. Continuez.

— Il ne fait qu'une seule visite par jour. Depuis quelque temps, il ne prend même pas la peine de panser les malades, ce dont se plaint l'officier de santé Giraud ici présent[3].

1. Paroles historiques.
2. *Idem.*
3. *Idem.*

— Mais c'est faux ! se défend l'autre.

— Docteur Giraud ?

— C'est parfaitement exact, je suis obligé de faire son travail.

— Je prends acte ! Quoi d'autre, citoyen économe ?

— Le docteur Enguchard joue de son influence sur les malades.

— Moi ? Misérable ! Je te mets au défi de le prouver !

— Rien n'est plus facile, poursuit l'autre en ricanant, comme il se prétend le maître de cette maison, personne n'ose se plaindre si ce n'est en secret. Il fait croire aux uns qu'il peut les aider grâce à sa grande influence auprès du Tribunal révolutionnaire, les autres, il les menace de les faire transférer à la Conciergerie… Docteur Bayard, est-ce que je mens ?

— Pas du tout, c'est la stricte vérité.

— Allez-y, réplique Enguchard, mettez-vous à deux pour cracher votre bave ! Vous n'avez aucune preuve !

— Tu en veux ? lance Bayard.

— J'espère que vous pouvez prouver toutes ces graves accusations ? dit Grandpré.

— Vous souvenez-vous, citoyen commissaire, de la dernière visite du Comité de secours de la Convention ?

— Très bien, j'en faisais partie.

— On ne peut pas dire que l'impression que leur firent les médecins fut très favorable, n'est-ce pas ?

— C'est exact. Leur rapport fut même très défavorable.

— Figurez-vous que pour s'en protéger, Enguchard demanda aux détenus une attestation en sa faveur, il la fit circuler de salle en salle…

— Face à toutes ces calomnies, exulte l'autre, il était normal, citoyen commissaire, que nous nous protégions et prouvions notre bonne conduite !

— En matière de bonne conduite, ajoute Bayard, il menaça ceux qui refusaient de signer de les faire transférer à la Conciergerie. La situation devint vite explosive et je dus apaiser ceux qui se sentaient menacés par lui !

— Des preuves ! hurle Enguchard.

— Il suffit que vous fassiez le tour des salles, citoyen commissaire, pour en être persuadé !

— Docteur Giraud, demande Grandpré, abondez-vous dans le sens du docteur Bayard ?

— Non seulement j'abonde entièrement dans son sens, répond l'autre, mais le désintérêt d'Enguchard pour ses malades est parfois cynique au point d'en devenir comique. La citoyenne Guyot ici présente vous le confirmera. Quand des malades se plaignent à lui de souffrir de leur existence, il répond : "Qu'ils crèvent !" A ceux qui ont des coliques : "Qu'ils pètent !" Aux femmes enceintes qui demandent à être soignées, il répond qu'on ne soigne que les bourriques[1]... et bien d'autres choses de cette veine !

— Je constate, dit le commissaire, que depuis mon dernier contrôle la situation ne s'est guère améliorée à l'Hospice.

— Bien au contraire ! ajoute Bayard.

— Giraud, as-tu d'autres exemples du comportement d'Enguchard ? demande Souberbielle.

— Je peux citer le cas de la citoyenne de Maillé qui a perdu le contrôle de ses nerfs depuis la mort de son fils.

— N'était-ce pas ce garçon de dix-sept ans qui avait jeté un hareng pourri à la tête d'un guichetier ?

— En effet, citoyen commissaire, il a été guillotiné pour cela, et depuis, sa mère est devenue folle, elle est sujette à des crispations et pousse de grands cris. Comme cette malade ne convient pas au médecin-chef, il l'a transférée dans une autre salle afin de ne pas être gêné. Malheureusement, dans celle-ci résident des patients qui ont besoin de grand repos, notamment la citoyenne Saint-Servan qui ne peut sortir de son lit et qui au moindre bruit tombe sans connaissance.

— Justifiez-vous, s'il vous plaît ! crie Grandpré à Enguchard.

1. Paroles historiques.

— Mais je n'ai pas à me justifier, citoyen commissaire, il n'y avait là aucune mauvaise intention de ma part.

— Dis plutôt que tu as voulu te venger de la citoyenne Saint-Servan, renchérit Bayard, parce qu'elle avait refusé de signer ta pétition, alors tu lui as mis à ses côtés une malade agitée !

— C'est faux et archi-faux !

— Et les malades non galeux que tu places dans la salle des galeux ? J'ai tout fait pour les sortir sans succès.

— Citoyen Ray, avez-vous autre chose à ajouter ? demande Grandpré.

— Oui, citoyen commissaire, la plus ignoble de toutes !

— On vous écoute.

Ray se lève de nouveau et pointe son index vers le pharmacien Quinquet.

— Voilà un bien étrange pharmacien qui pratique des examens médicaux chez les femmes !

— C'est effectivement ce que vous lui reprochiez dans le rapport que vous m'avez adressé. Soyez précis, s'il vous plaît, citoyen Ray, qu'insinuez-vous par ce type d'examens ?

— Mais, citoyen commissaire, il n'existe qu'une seule sorte, c'est l'exploration manuelle du vagin.

Toute l'assistance se tourne vers le pharmacien devenu écarlate.

— Comment ? Vous faites de tels actes alors que vous n'êtes pas médecin ? s'indigne Grandpré.

— Je fais partie du corps médical, citoyen commissaire.

— Il s'érige en officier de santé, renchérit Ray, il s'occupe des malades et des maladies auxquelles il entend moins bien qu'à sa pharmacie, il signe des rapports souvent dictés par la passion en envoyant à l'échafaud des femmes qui se déclarent enceintes[1].

1. Paroles historiques.

— C'est bien vrai, ajoute Bayard en ricanant, il examine surtout les femmes enceintes de quatre à six semaines, et jeunes et jolies de préférence !

— Quelle infamie ! s'écrie Quinquet, voila comment on me remercie de l'aide que j'apporte aux médecins. Ma curiosité scientifique est bien mal récompensée.

— Si tu avais la moindre conscience professionnelle, tu éviterais de mêler ton nom à ceux qui envoient ces femmes à la guillotine, et surtout abstiens-toi de toucher ces malheureuses !

— Heureusement que j'ai ma conscience pour moi !

— Tu peux la garder ta conscience, personne ne te la volera.

— Personne ne sollicite ton aide, lance le docteur Giraud, garde tes produits pharmaceutiques avariés et laisse-nous travailler !

— Mes produits avariés ? Crapule !

— Je suis désolé, citoyen, intervient Grandpré, mais j'ai là un rapport de la citoyenne Guyot, qui va dans le même sens. Citoyenne infirmière-chef, voulez-vous nous résumer l'objet de vos récriminations, s'il vous plaît ?

Celle-ci se lève et prononce un véritable réquisitoire contre certains médecins :

— Les officiers de santé ont le tort grave d'employer, par économie, des médicaments de mauvaise nature[1]...

— Mais qu'est-ce que vous insinuez, hurle Enguchard en se levant, que nous sommes des assassins ?

— Avez-vous des preuves de ce que vous avancez ? s'inquiète l'inspecteur.

— Nous connaissons tous ici l'exemple du cérat avarié[2] !

Bayard et Giraud opinent du chef en même temps.

— Et alors ?

— Son application déclenche de terribles érésipèles.

1. Paroles historiques.
2. *Idem.*

— C'est faux, les épidémies d'érésipèles que nous avons eues ont été amenées par les Nantais !

— Il n'empêche, affirme Bayard, que depuis que nous avons refusé de l'employer, l'épidémie s'est éteinte !

— Elle s'est éteinte avec le départ des Nantais pour l'échafaud !

— Vous affirmez, citoyenne Guyot, que les médecins inspirent peu de confiance aux malades ?

— Hélas, citoyen commissaire, je retrouve tous les matins les médecines, tisanes et potions jetées aux commodités[1].

— Comment expliquez-vous cette attitude, citoyenne ?

— Par une certaine défiance, citoyen commissaire. Les docteurs Enguchard et Naury pratiquent la saignée et la diète à tour de bras, et cela se sait. Avec un tel régime, on ne doit pas s'étonner de voir les malades succomber !

— Guenon ! lui lance Enguchard.

— Cela suffit, s'écrie l'inspecteur, tout cela sera examiné en détail en commission et j'appliquerai les sanctions qui s'imposent. Quant à toi, Tarcilly, tu es révoqué. Prends des dispositions pour libérer ton logement de fonction avant midi. Tu es remplacé par le citoyen Senseit.

On entend des bruits de bottes dans le couloir, accompagnés d'éclats de voix. On frappe à la porte, Simonet se précipite pour ouvrir. Des gendarmes qui accompagnent le lieutenant Lebrasse font irruption. Ce dernier salue Grandpré :

— Mes respects, citoyen commissaire, nous cherchons le concierge Tarcilly.

— Il est révoqué, affirme l'autre, de quoi s'agit-il ?

— Nous devons prendre en charge six condamnées pour les amener à la Conciergerie.

— Qui sont-elles ?

1. Paroles historiques.

L'autre lit son papier :

— Les femmes Monaco, Lubomirska, Kolly, Gouges, Drieux et Roger.

— Citoyenne Guyot, êtes-vous au courant de ce transfert ?

— Bien sûr, citoyen commissaire, elles se sont toutes déclarées enceintes depuis peu, mais l'examen, paraît-il, était négatif.

— Comment, paraît-il ? s'indigne Enguchard.

— Pouvez-vous vous en occuper, s'il vous plaît, citoyenne ? demande Grandpré.

L'infirmière-chef sort, suivie de Lebrasse. L'inspecteur se tourne alors vers Enguchard, l'air désabusé :

— L'examen était donc négatif pour les six, docteur ?

— Absolument, citoyen commissaire !

— Tiens, tiens... Je ne suis pas médecin, mais il faudra que vous m'expliquiez comment on réfute un diagnostic de grossesse avant le cinquième mois !

— Il aura du mal ! s'écrie le docteur Bayard.

L'autre ne répondant pas, Grandpré conclut :

— C'est bon, la séance est levée.

Lundi 9 septembre, trente-neuvième jour de détention, l'Hospice national de l'Archevêché, neuf heures du matin

15

Une leçon pour mourir

En revenant à l'Hospice, Elisabeth traverse le vestibule, c'est l'instant où les six condamnées descendent les dernières marches du grand escalier encadrées par une double rangée de gendarmes.

De nombreux détenus maintenus à distance font une haie sur leur passage. Les visages sont tristes, des femmes et même des hommes ont les larmes aux yeux. Sur les instances de l'infirmière-chef, Thirié-Grandpré a autorisé les malades de l'Hospice à descendre pour un dernier adieu. Quand elles paraissent dans le vestibule, elles sont reçues par des applaudissements frénétiques. La princesse de Monaco, l'indignation au visage, est en tête, elle est suivie d'Olympe de Gouges un sourire méprisant aux lèvres, la princesse Lubomirska montre un visage fermé, Catherine Drieux, Madeleine Kolly et Victoire Roger suivent en larmes.

— Toute cette force armée pour six femmes ? lance Françoise de Monaco au lieutenant Lebrasse, vous avez donc si peur de nous, lieutenant ?

— Je n'y peux rien, répond l'autre mal à l'aise, j'exécute les ordres !

— Quel beau métier tu fais ! ajoute Olympe.

Elisabeth se précipite vers elles pour les embrasser, mais le cordon de gendarmes du lieutenant Lebrasse l'arrête :

— On ne passe pas !

— Laisse-moi passer, crétin, je suis envoyée par le Comité de sûreté générale !

— Personne ne passe ! Même pas toi ! Les ordres sont formels.

Quand la princesse de Monaco l'aperçoit, elle s'arrête et lui crie à travers le cordon de gendarmes :

— Adieu, Elisabeth, nous nous sommes connues trop tard !

Elle lui envoie un baiser. Elisabeth, les yeux noyés, lui crie :

— Françoise, partez tranquille, vos filles sauront !

Elle a compris, elle lui sourit. On se presse contre les gardes pour mieux leur parler.

— Bravo, citoyenne ! lance à la princesse une détenue issue du peuple.

— Oui, bravo ! crie une autre.

— Citoyennes, leur répond-elle, je vais à la mort avec toute la tranquillité qu'inspire l'innocence, je vous souhaite un meilleur sort[1] !

Au moment où Olympe de Gouges arrive à leur hauteur, un groupe de détenus crient :

— O-lympe ! O-lympe ! O-lympe !

Elle se hisse sur la pointe des pieds pour leur répondre par-dessus les plumets des gendarmes.

— Enfants de la patrie, vous vengerez ma mort[2] !

Ils lui répondent, les bras levés :

— Oui ! Oui ! On te vengera !...Vive la République !

Avant de passer la porte, Françoise de Monaco demande à un très jeune gendarme :

— J'ai une grâce à te demander, promets-tu de me l'accorder[3] ?

— Parle, citoyenne !

— J'ose implorer ta pitié, je la réclame en mon nom et au nom de tous ceux qui m'entendent. Voilà

1. Paroles historiques.
2. *Idem.*
3. *Idem.*

un paquet de mes cheveux, envoie-le à l'adresse qui est dessus. Me le promets-tu[1] ?

— Oui, citoyenne, répond l'adolescent, les larmes aux yeux.

— Jure-moi en présence de ces honnêtes gens que le même sort attend, que tu me rendras ce dernier service que j'espère des humains[2].

— Je te jure, citoyenne, que je ferai tout ce qui est en mon pouvoir.

Elle sort de sa poitrine un paquet qu'elle lui remet. Elisabeth a suivi la scène avec attention. Malheureusement, le lieutenant Lebrasse aussi.

Le cortège des femmes franchit le seuil de l'Hospice. Deux fiacres les attendent. En dernier hommage, le très jeune gendarme se précipite pour tenir la porte à la princesse. Une foule de Parisiens tenue à distance par la troupe les entoure. Toutes montent avec courage dans les voitures, sauf Madeleine Kolly qui s'effondre au milieu des larmes :

— Non ! Je ne veux pas mourir ! Je ne veux pas mourir ! Je ne monterai pas ! Je veux voir mon fils, Laissez-moi voir mon fils !

La princesse de Monaco redescend alors, la soutient doucement par les épaules et l'aide à remonter dans la voiture. Elle lui chuchote à l'oreille :

— Du courage, mon amie, il n'y a que le crime qui puisse montrer de la faiblesse[3]...

Et la portière se referme sur elles. Les deux berlines entourées de gendarmes à cheval s'éloignent sous le regard noyé de larmes d'Elisabeth. Quand elles ont disparu dans la rue Saint-Christophe, elle rattrape le jeune gendarme dans le vestibule. Il est en train d'examiner le contenu du paquet en présence du lieutenant Lebrasse.

— Qu'est-ce que tu fais, lieutenant ? C'est un sacrilège !

1. Paroles historiques.
2. *Idem.*
3. *Idem.*

— Savais-tu qu'il y avait des lettres à l'intérieur ?

— Bien sûr ! Elles n'ont rien de compromettant. Rien ne t'empêche de le faire parvenir à l'adresse indiquée.

— Impossible, tout sera remis à l'accusateur !

— Ne sois pas idiot, Lebrasse, en quoi des cheveux peuvent-ils être un objet de délit ?

— D'accord pour les cheveux, mais j'envoie les lettres à l'accusateur.

— Eh bien, si tu veux, garde-les et donne-moi les cheveux avec l'enveloppe.

Elle s'en empare et sort précipitamment de l'Hospice national de l'Archevêché pour ne plus jamais y revenir.

Et c'est ainsi qu'Elisabeth Lemille remit la natte de leur maman à deux toutes petites filles. L'une deviendra la duchesse de Louvois et l'autre la marquise de La Tour Du Pin[1]. Quant aux lettres, Fouquier-Tinville ne les remit jamais à leurs destinataires, il les rangea dans un volumineux dossier. Elles y sont toujours et c'est avec une certaine émotion qu'on les retrouve aux Archives nationales.

1. De nos jours, la natte de la princesse de Monaco est pieusement conservée par la famille Chabrillan, descendante de La Tour Du Pin.

Deuxième partie

LE COMPLOT DES PERRUQUIERS

Il n'y a plus de Vendée, je viens de l'enterrer dans les marais de Savenay. J'ai écrasé les enfants sous les pieds des chevaux et massacré les femmes. Je n'ai pas un prisonnier à me reprocher, j'ai tout exterminé.

GÉNÉRAL WESTERMANN,
commandant les armées de la Convention.

LUNDI 9 SEPTEMBRE, TRENTE-NEUVIÈME JOUR DE DÉTENTION, DANS LA BERLINE DU BARON DE BATZ, QUATRE HEURES DU MATIN

1

Les quatre opérations du baron de Batz

La voiture du baron de Batz quitte dans la nuit la place du Marché-Neuf pour se diriger à vive allure vers le village de Charonne. Elle est suivie à distance par huit cavaliers déguisés en gendarmes. Aux côtés du baron ont pris place Jean-Baptiste Basset, le marquis de Villequier et Guillaume Lemille. Quand il a appris que Tarcilly refusait de libérer les jeunes femmes enceintes, et qu'un conflit avait éclaté entre ce dernier et le capitaine Adnet, de Batz a compris que la tentative d'évasion de la Reine avait échoué et qu'il fallait déguerpir au plus vite.

— Tu bifurqueras vers la barrière de Montreuil, crie-t-il à son cocher à travers la lucarne, il y a trop de troupes dans la rue de Charonne !

Mais à peine a-t-il pénétré dans la rue Saint-Christophe qu'un groupe de gendarmes ordonne à la voiture de s'arrêter.

— Que dois-je faire ? crie le cocher.

Basset met le nez à la portière.

— Arrête-toi, ce sont les nôtres, je reconnais La Bourdonnaye parmi les chevaliers du Poignard.

Un homme apparaît à la glace, il s'adresse à de Batz :

— Pardonne-moi, Jean, d'interrompre ta route, mais il fallait que je te prévienne : les Richard vont être arrêtés d'un instant à l'autre !

— Tu en es sûr ?

— S'ils ne le sont pas encore, ils sont sur le point de l'être.

— Comment le sais-tu ?

— Constant Labussière m'a envoyé un émissaire.

— C'est cette crapule d'Hébert qui est à l'origine de leur arrestation… malgré tout l'argent que nous lui donnons.

— Ce n'est pas tout, il est question de nommer le cordonnier Simon à la place de Richard.

— Surtout pas ! s'écrie de Batz. Tu dois contacter promptement Dangé de ma part. Il doit prendre l'affaire en main. Tu lui demanderas de faire nommer Bault, l'actuel concierge de la Force. C'est un homme à nous et c'était un grand ami de Michonis.

— Encore une chose, ajoute l'autre, Fouquier est persuadé que ce sont les perruquiers qui ont enlevé les époux Harel… Fais attention à toi, Jean-Baptiste, il a convoqué Baudrais[1] pour le lancer à tes trousses. Elisabeth est également suspectée d'avoir tué ceux qui étaient chargés de l'assassiner.

— Elle ne craint rien tant que Chabot mange dans ma main, précise de Batz, dépêche-toi de faire nommer Bault avant que Simon devienne le patron de la Conciergerie.

— Je m'en occupe immédiatement.

L'homme disparaît.

— En avant ! crie de Batz.

La voiture repart. Il descend la mèche de la lampe à huile, faisant l'obscurité à l'intérieur du véhicule.

— C'est plus prudent ainsi, dit-il en allumant tranquillement sa pipe.

La barrière de Montreuil est encore loin et la route est monotone. Un orage menace. Des éclairs rapides illuminent l'intérieur de la voiture durant une fraction de seconde. De Batz constate que Villequier et Lemille se sont endormis, mais Basset reste éveillé. Le temps d'un éclair, il aperçoit le joli visage blond du perruquier

1. Baudrais était administrateur de la police de Paris.

qui lui sourit. Encouragé, ce dernier lui demande à voix basse :

— Comptez-vous utiliser Elisabeth pour une nouvelle mission ?

— Elle est sur le point de rejoindre le front pour exécuter le gendarme Gilbert. Avant de partir, m'a-t-elle dit, je veux assister à la comparution de Jean-Baptiste et de l'abbé Magnin devant la section des Arcis, je partirai aussitôt après ! J'espère qu'ils vont trouver l'unité où est Gilbert. D'après Constant Labussière, ce serait le 29e régiment de gendarmerie qui serait cantonné près de Thionville.

— Monsieur le baron, est-il indispensable que nous prenions le risque de mettre en danger la vie de Guillaume et d'Elisabeth pour punir Gilbert ?

— J'ai longtemps hésité, mais Elisabeth a tellement insisté pour le faire que j'ai dû m'incliner... Vous ne pouvez pas laisser impuni un crime de lèse-majesté, m'a-t-elle dit, Gilbert a osé mettre le canon de son fusil sur la tempe de Sa Majesté, il doit mourir.

— Elle a raison, avant la Révolution, toucher à la Reine était puni de mort !

— Mon pauvre ami, dit de Batz désabusé, si on devait punir tous les crimes de lèse-majesté qu'elle a subis depuis son incarcération, nous devrions supprimer les trois quarts du Temple et de la Conciergerie.

— Ne pensez-vous pas, monsieur, que nous aurions dû surseoir à la capture des Harel ? Nous aurions peut-être dû commencer par la libération de Sa Majesté et les éliminer après ?

— L'occasion de les saisir était inespérée, elle ne se serait pas représentée de sitôt. Je pensais qu'il s'écoulerait peu de temps entre leur capture et l'arrivée de la Reine, dit-il en soupirant, je comptais effectuer successivement les deux opérations avant que Fouquier ne soit alerté, ce ne fut malheureusement pas le cas.

— Vous avez raison, les Harel étaient des fauves, n'ayons aucun regret de les avoir fait disparaître.

— Il fallait surtout les éliminer avant que vous ne comparaissiez devant la section des Arcis, dont ils assuraient la gestion… Au fait, c'est pour bientôt, n'est-ce pas ?

— C'est pour demain !

— Demain ? Seigneur ! Il était grand temps de les neutraliser ! Ces deux serpents vous auraient à coup sûr déclarés comme suspects. Toutefois, avant de les exécuter, j'aurai un marché à leur proposer.

— Ah bon… On ne les exécute plus ?

— Peut-être pas, s'ils acceptent mes conditions.

— Lesquelles, monsieur ?

— De collaborer avec nous pour sauver la Reine !

— Et s'ils refusent ?

— Nous les exécutons.

— S'ils trahissent ?

— Nous les exécutons.

— En attendant, nous les tenons au chaud. il n'y a donc rien à craindre de leur part puisqu'ils sont déjà remplacés à la section des Arcis. En revanche, je suis désespéré quand je songe à nos jeunes femmes qui espéraient tant s'enfuir.

— Ne craignez-vous pas, monsieur, qu'après l'élimination des Harel, Elisabeth soit en danger ?

— Ne soyez pas inquiet pour elle, mon ami, personne pour le moment ne peut inquiéter une déléguée du Comité de sûreté générale. J'ai laissé Colas rue Saint-Christophe pour maintenir le contact avec elle. Je lui ai ordonné de quitter au plus tôt l'Hospice, j'ai besoin d'elle pour l'élimination de Gilbert.

— Le temps passe, souligne Basset, j'ai bien peur que le procès de Sa Majesté ne soit imminent. Il nous faut aller vite.

— Jean-Baptiste, de combien d'hommes disposez-vous exactement ?

— Cinq cent quarante, monsieur.

— Nous lancerons quatre attaques simultanées d'une centaine d'hommes chacune.

— Cent à chaque fois ? Alors, cette fois, c'est la guerre ? dit Jean-Baptiste en riant.

— C'est la guerre ! Nous ne ménagerons personne et nous frapperons comme la foudre, nous avons suffisamment tergiversé avec des considérations humaines, cela s'est retourné chaque fois contre nous.

— Pénétrerons-nous en force dans la Conciergerie ?

— Absolument ! Nous libérerons la Reine une fois pour toutes et abattrons l'un après l'autre les huit guichetiers qui se trouveront en travers de notre chemin !

— Il faudra prévenir Louis Larivière de s'effacer à temps.

— Evidemment, nous n'allons pas tuer le petit-fils de notre chère Jeanne... Cette première attaque s'effectuera de nuit, en prenant soin de refaire le coup des lampadaires éteints.

— Durant cet assaut, que feront les autres ?

— Cent envahiront l'Arsenal, cent les Jacobins et cent la Convention.

— Simultanément ?

— C'est indispensable ! Les quatre attaques doivent s'effectuer en même temps.

— Encore faut-il que celles qui seront dirigées contre la Convention et les Jacobins s'effectuent lors d'une séance de nuit.

— Bien sûr. Nous ferons entrer au sein de l'Assemblée nos hommes armés déguisés en gardes nationaux.

— Avec quel prétexte ?

— Nous trouverons bien une motion patriotique quelconque. Nos hommes monteront sur les gradins en chantant l'*Hymne des Marseillais.* Parvenus à la Montagne de l'Assemblée, chaque garde choisira un député montagnard, lui mettra une main fraternelle sur l'épaule et tandis qu'ils chanteront tous les deux, à un signal que je donnerai, chaque député de la Montagne sera abattu d'une balle dans la tête. Je me rendrai à la tribune et déclarerai Louis XVII Roi de France, Sa Majesté la Reine régente et la Convention dissoute. Nous procéderons de la même manière contre le nœud de vipères des jacobins. Au même moment, un troisième groupe armé, des hommes travestis cette fois en gendarmes, envahira l'Arsenal, s'emparera de fusils, de poudre et des canons, et nous rejoindra à la Convention pour nous prêter main-forte… En attendant, Jean-Baptiste, avez-vous besoin d'argent ?

— Pas pour le moment, monsieur, j'ai de nouveau acheté soixante matelas que j'ai aussitôt livrés aux jeunes conscrits de la caserne de Vanves.

— Comment êtes-vous parvenu à entrer dans cette caserne ?

— J'y ai séjourné, monsieur, lors de mes obligations militaires, je connais surtout le capitaine Le Bozec chargé de l'intendance. Comme ils manquent de lits, ils font dormir les conscrits à même le sol. Lorsque je leur ai apporté des matelas, ils n'en croyaient pas leurs yeux.

— Combien en avez-vous gagné à notre cause ?

— Cinquante-deux exactement, monsieur.

— Avez-vous pallié leurs besoins personnels ?

— Ils sont démunis de tout, ils ont déjà eu cinq cents livres chacun.

— Soyez plus généreux, Jean-Baptiste, soyez plus généreux !

— Quoi, monsieur, mille livres chacun ?

— Mais oui, mon ami, allez-y, c'est du papier !

— J'ai donné mille livres au capitaine Le Bozec, il ne voulait rien accepter, j'ai dû littéralement me battre avec lui.

— Peut-être n'en avait-il pas besoin ?

— Ne croyez pas cela, monsieur, c'est un homme pur, il a quatre enfants à nourrir et il est dans une profonde misère, il n'a pas reçu ses émoluments depuis un an. Il compte déserter pour rejoindre incessamment les Vendéens.

— Vous lui donnerez dix mille livres de ma part.

— Il ne les acceptera jamais.

— Vous lui direz que c'est un ordre du baron de Batz pour le service du Roi. De combien encore avez-vous besoin ?

— J'ai promis aussi mille livres à chaque gardien de l'Arsenal.

— C'est insuffisant, on ne risque pas sa vie pour mille livres. Donnez-leur cinq mille livres et promettez-en cinq mille après l'opération. A ce niveau, ces sommes font rêver, mon ami !

— Monsieur, depuis début septembre, nous arrivons avec toutes nos largesses à la somme fantastique de deux cent cinquante mille livres !

— Et alors ? Où est le problème ? Avez-vous aidé cette malheureuse Catherine Fournier comme je vous l'ai demandé ?

— C'est inutile, monsieur, ils n'accepteront pas un sou de vous. Catherine m'a dit que c'est grâce à vous qu'ils ont trouvé un appartement rue de la Vannerie, mais désormais ils n'accepteront plus rien.

— De quoi vivent-ils ?

— Lui est rémouleur, le fils est décrotteur. Pour survivre, elle distribue un journal dans le quartier.

— Mais n'est-elle pas aveugle ?

— Si, elle se fait guider par son fils.

— C'est triste, dit de Batz en hochant la tête. Avez-vous contacté d'autres casernes à part celle de Vanves ?

— Oui, monsieur, j'ai mes entrées à Vincennes et à Courbevoie.

— Cela doit occuper la majeure partie de votre temps, l'opération de l'Hospice vous a accaparé, n'est-ce pas ? Depuis quand êtes-vous absent de votre travail ?

— Depuis vendredi, monsieur.

— Où travaillez-vous exactement ?

— Chez Carteron et Thénon, les plus grands perruquiers et barbiers de Paris.

— Je les connais... C'est une échoppe importante, vous devez certainement coiffer beaucoup de révolutionnaires dans cette boutique ?

— Effectivement, monsieur, surtout depuis le succès de la nouvelle coiffure à la jacobine !

— Quelle horreur ! Dites, faites attention qu'on ne s'étonne pas d'une absence prolongée. Si on vous demande où vous étiez, avez-vous une réponse adéquate ?

— Oui, monsieur. Je me suis constitué une clientèle particulière, j'ai seize pratiques en dehors des sieurs Carteron et Thénon, ce qui justifie mes absences. J'ai même coiffé Robespierre !

— Je l'ai su. J'espère que vos autres clients sont de notre bord ?

— Oui, pour la plupart.

— Pour nos futures actions, comment ferez-vous pour réunir un demi-millier d'hommes sans attirer l'attention sur vous ?

— Je suis sur le point de louer un local suffisamment vaste pour en contenir mille.

— Surtout, soyez prudent, mon ami. Cette pauvre Catherine Fournier participe-t-elle à vos réunions ?

— Toujours.

— Elle est bien originaire de Murat, n'est-ce pas ?

— Comme moi.

— Ne m'aviez-vous pas dit qu'elle furetait un peu trop dans les Arcis avec son fils ?

— C'est exact, je lui ai fait remarquer à plusieurs reprises qu'elle était imprudente, mais je ne peux m'empêcher d'admirer le courage de cette vieille femme bossue qui a quasiment perdu la vue en travaillant la dentelle et qui se bat comme une lionne pour notre cause.

— C'est vrai, j'avais oublié qu'elle était dentellière ! Le point de Murat, quelle merveille ! Saviez-vous que je l'ai aidée financièrement il y a trois ans à monter une action contre-révolutionnaire en Auvergne et en Lozère ?

— Bien sûr, ma mère m'a tout raconté. Vous nous avez aidés par l'intermédiaire de notre voisin, M. le marquis de La Rochelambert, n'est-ce pas ? Son domaine d'Anterroches jouxte les portes de Murat.

— Je connais bien La Rochelambert, nous sommes en relation. Je compte acheter le château de Chadieu qu'il possède dans le Puy de Dôme.

— Vous allez vous rendre acquéreur de Chadieu, monsieur le baron ?

— Oui. J'adore ce beau coin de France. Quand tout cela sera terminé, je souhaite finir ma vie là-bas.

— Ma mère m'emmenait à Chadieu quand j'étais enfant, nous serons donc voisins ?

— Bien sûr, mon ami.

— Quel bonheur, monsieur, me permettrez-vous de vous rendre visite de temps en temps ?

— Je compte que nous travaillerons ensemble, j'ai besoin d'un bon régisseur, vous n'êtes pas près de vous débarrasser de moi... Ah, je suis épuisé, deux nuits sans dormir ! dit-il en bâillant.

Une pluie fine tambourine sur le toit de la berline en produisant une douce résonance qui berce les occupants. Au bout de quelques minutes, tous les voyageurs dorment profondément, seul Jean-Baptiste est trop anxieux pour trouver le sommeil. Il guette par la fenêtre l'apparition des éclairs tout en songeant aux épreuves qui l'attendent.

LUNDI 9 SEPTEMBRE, TRENTE-NEUVIÈME JOUR DE DÉTENTION, LE BUREAU DE L'ACCUSATEUR PUBLIC, DIX HEURES DU MATIN

2

Où l'on reconnaît la main du baron

L'accusateur public est sombre. Il présente un front soucieux qui lui donne comme d'habitude l'expression du poisson carnivore. Ses principaux collaborateurs ont pris place autour de lui. Ce sont le colonel Botot Du Mesnil, de retour d'Orléans, le capitaine Adnet, les lieutenants Lebrasse et de Bûne, le greffier en chef Fabricius, Degaignié, le secrétaire des huissiers, Lelièvre, son secrétaire privé, Poinquarré, le secrétaire du parquet, et les époux Richard.

— Adnet, demande Botot Du Mesnil en lissant ses moustaches, donne-nous des précisions sur ce général Delafer.

— Il était dans une voiture qui stationnait sur la place du Marché-Neuf. Il m'a affirmé qu'il vous remplaçait, mon colonel, et que je devais me mettre sous ses ordres, j'ai obéi.

— Le gueux m'a joué la même scène le soir de l'Œillet, révèle Botot dans un demi-sourire, j'ai été possédé comme un enfant !

— En fait, ce faux général, c'est de Batz, encore de Batz et toujours de Batz ! conclut Fouquier. Eh bien, nous l'avons échappé belle ! Si j'avais envoyé l'Autrichienne à l'Hospice comme me le demandait le Comité de sûreté générale, elle serait loin à cette heure.

— Que faut-il penser alors de cette infirmière qu'ils nous ont envoyée ? demande Adnet.

— C'est la protégée de Chabot, précise Fouquier, je suis sûr qu'elle a participé au complot pour libérer la veuve Capet, mais elle est intouchable pour le moment.

— Y aurait-il eu des complicités au sein même de l'Hospice ?

— Difficile à prouver. Peut-être la mère Guyot, avec la connivence de Ray et de Bayard, mais je n'ai aucune preuve. Si je les accusais, cela se retournerait contre moi. Robespierre adore la vieille.

— Peut-on déterminer l'heure exacte à laquelle les époux Harel ont quitté l'Hospice ? s'enquiert Botot.

— D'après le rapport de l'infirmière-chef, précise Poinquarré en consultant un dossier, il devait être quatre heures du matin quand ils ont déclaré qu'ils allaient visiter Notre-Dame.

— Visiter Notre-Dame à quatre heures du matin, s'étonne Fouquier, vous avez avalé cela ?

— Effectivement, citoyen accusateur, cela nous a semblé très bizarre.

— Poinquarré, que dit le rapport sur les cadavres qu'on a trouvés sous le porche de la rue Saint-Christophe ?

— Ils portent des traces de poignard au ventre pour l'un et d'un coup sur la nuque pour l'autre.

— Comment s'appelaient-ils ?

— Bergot et Ruffin, ils étaient tous deux affiliés aux Arcis, où les Harel étaient chefs de section.

Fouquier, qui sait pertinemment que leur mission secrète était de tuer Elisabeth, demande :

— Que diable faisaient-ils dans ce secteur ?

— Mystère ! avance Adnet. Ils sont morts probablement au cours d'une rixe. On a trouvé sur eux leur affiliation à une organisation royaliste et chacun portait une croix autour du cou.

— Que dites-vous, Adnet ? demande Fouquier interloqué.

— Je précise qu'ils portaient une croix et on a trouvé sur eux un emblème royaliste.

— Mais cela n'a aucun sens !

— Seulement en apparence, citoyen accusateur, intervient Poinquarré, cela permettrait d'envisager la fuite des époux Harel chez les royalistes. N'oublions pas que Bergot et Ruffin étaient aussi affiliés aux Arcis, ils étaient peut-être tous complices ?

— Absurde ! Je n'y crois pas un seul instant, on a maquillé leur meurtre pour nous faire croire que les Harel ont viré de bord. D'ailleurs, ce n'est pas tout : la même nuit, à cent mètres de là, le carnaval royaliste continuait, trois membres de la section des Piques ont été enlevés rue de la Juiverie par des faux gendarmes. Il se tourne vers le secrétaire du parquet et l'interroge : Au fait, Poinquarré, comment l'avons-nous appris ?

— Par les gardes nationaux chargés d'arrêter une bande d'aristocrates. Il est probable que la personne qui les a tués ait emprunté le nom de Ruffin. L'officier des gardes nationaux a signalé dans son rapport qu'une jeune femme du nom de Marie-Anne Ruffin a prétendu faire partie de la section des Arcis et même être l'amie de Marie Harel.

— Les gardes ont été naïfs à ce point ?

— Confrontons-les à l'infirmière, nous verrons bien si c'est elle.

— Et si ce n'est pas elle, j'aurai bonne mine vis-à-vis du Comité de sûreté générale. On me demandera de quoi je me mêle !

— Citoyen accusateur, intervient Botot Du Mesnil, c'est difficile de faire la part des choses, je suis bien placé pour le savoir : déguisés en gendarmes, les royalistes paraissent plus vrais que les nôtres !

— Et une femme seule aurait tué deux hommes ?

— En tout cas, c'est une femme et non un homme qui a emprunté l'état civil d'un des deux morts, donc ce serait plutôt elle qui les aurait tués !

— Vous avez peut-être raison, Botot, cette femme m'a paru douée d'une constitution athlétique.

— Les royalistes, ajoute Adnet, ont même emporté avec eux les deux voitures de l'armée.

— Enfin, insiste Fouquier, vous n'allez pas me dire que les trois sectionnaires qui ont disparu étaient eux aussi royalistes ? Je vous dis que c'est la même main qui s'est emparée des Harel et des trois sectionnaires. C'est du Batz tout pur ! Cette femme est leur complice. Puis, se tournant vers le capitaine Adnet : Dites donc, Adnet, et cette histoire de femmes enceintes qui devaient être libérées, qui sont-elles ?

Poinquarré, qui examine un dossier, répond pour lui :

— Amélie Saint-Pern et Louise Blamont, citoyen accusateur.

— Je vois... Si j'ai bonne mémoire, leurs maris étaient deux traîtres, n'est-ce pas ? Puis il ajoute en riant : Racontez-nous, Adnet, ce que Batz vous a fait avaler !

— Le général Delafer – Botot Du Mesnil lève les yeux au ciel – m'a demandé de libérer secrètement deux femmes enceintes qui étaient, paraît-il, des espionnes au service de l'accusateur public !

Fouquier-Tinville éclate de rire en se tapant sur les cuisses :

— Des espionnes enceintes à mon service ! C'est la meilleure !

— Il m'a même dit, ajoute l'autre gêné, que le concierge Tarcilly ne devait pas être au courant de leur libération parce que Robespierre se méfiait de lui !

Eclat de rire général.

— Voyez-vous Robespierre se méfier de l'ivrogne Tarcilly ? s'exclame l'accusateur en riant toujours. Ah ! je les vois très bien tous les deux devant une bouteille de rouge ! L'Incorruptible qui ne boit que des infusions de véronique et du jus d'orange ! Mais, mon pauvre Adnet, Robespierre ne sait même pas que Tarcilly existe !

— Pourtant, je vous jure que c'est le général Delafer lui-même qui me l'a dit !

On s'esclaffe.

— Cela suffit, Adnet ! On a compris ! crie Botot excédé de la sottise de son adjoint.

— Bon, maintenant, dit Fouquier, il est temps de prendre ce nouveau complot en main. Comme nous n'avons aucune preuve contre cette femme protégée par le Comité de sûreté générale, il nous est impossible de l'arrêter. En revanche, nous savons qu'elle est la femme d'un perruquier du nom de Lemille, et qu'elle fréquente un certain Basset, également perruquier.

— Il habite près de chez moi, dit Botot Du Mesnil, je l'ai rencontré au mois d'août en pleine interdiction de circuler sous un porche de la rue de la Barillerie. Il m'avait avoué qu'il était avec une femme mariée. J'ai su plus tard que c'était Charlotte Le Bihan, la mercière du pont Saint-Michel. Le fameux Basset fréquente aussi un Finlandais suspect du nom de Ningam et une très vieille femme du nom de Larivière.

— C'est la grand-mère de Louis Larivière, un guichetier qui travaille chez moi, précise Richard.

— Charlotte Le Bihan, précise Poinquarré, est la sœur de Françoise Le Bihan qui est infirmière à l'Hospice.

— Curieuse coïncidence, ne trouvez-vous pas ? constate l'accusateur. Ça pue l'embrouille royaliste, tout cela ! Vous remarquerez que tous ces braves gens habitent le même quartier autour de la Conciergerie. Poinquarré, qu'as-tu comme renseignements sur eux ?

L'autre compulse ses papiers.

— Les Lemille habitent rue de la Vannerie, Basset et Ningam rue de la Calandre, la vieille Larivière dans l'ancienne amirauté. Ils logent tous à cent mètres les uns des autres, citoyen accusateur.

— Bien sûr ! C'était à prévoir ! Ce sont de dangereux comploteurs.

Un homme voûté de grande taille, au visage osseux, apparaît dans l'encadrement de la porte.

— Salut et fraternité, citoyens.

Chacun lui rend son salut. Fouquier se lève pour le recevoir :

— Salut, Baudrais, tu tombes bien. Je t'ai demandé de venir au sujet de la disparition des époux Harel et de trois hommes de la section des Piques.

— Avez-vous du nouveau ? demande l'autre.

— Non, mais il faut que tu lâches secrètement tes hommes sur une bande de perruquiers qui complotent ferme.

— Les noms ?

— Basset, Ningam et Lemille.

L'autre les note sur un petit carnet.

— Basset, Lemille et qui ?

— Ningam !

— Comment cela s'écrit ?

— Comme cela se prononce, je suppose.

— Ils nichent ?

— Basset et Ningam au 44, rue de la Calandre, et Lemille au 3, rue de la Vannerie. Attention, j'ai l'impression qu'ils sont dans les mains de Batz !

— Je sais. Dans ce cas, on risquerait de se heurter au Comité de sûreté générale.

— Exactement. Pour le moment, tu les surveilles, c'est tout !

— Entendu. Excusez-moi, j'ai deux confrontations qui m'attendent. A Fouquier : Je te tiens au courant. Salut !

Baudrais sort. L'accusateur se lève.

— Au travail !

MARDI 10 SEPTEMBRE, QUARANTIÈME JOUR DE DÉTENTION, LA SECTION DES ARCIS, DIX HEURES DU MATIN

3

La lie du peuple

Jean-Baptiste Basset, Jeanne Larivière, Charlotte Le Bihan et l'abbé Charles Magnin se rendent à la convocation de la section des Arcis. Celle-ci est située dans un immeuble du 17 de la rue du même nom. Ils sont reçus sur le seuil par un couple de bonnets rouges qui contrôle les entrées derrière un bureau en bois blanc. Deux gendarmes en armes se tiennent derrière eux. Jean-Baptiste se présente, ils l'observent, le regard interrogateur.

— Salut et fraternité, citoyens, leur lance-t-il, nous sommes venus répondre à une convocation.

Il présente son billet. La femme s'en empare d'un air revêche. Elle l'examine attentivement puis le passe à son compagnon. L'autre le détaille à son tour, le lui rend en échangeant avec elle un regard qui en dit long. Sans même lever les yeux vers Jean-Baptiste, elle déclare le bras tendu et la main ouverte :

— Vos convocations !

Basset s'empresse de les réunir et les présente. Elle les scrute minutieusement et sans lever les yeux une seule fois vers lui, les passe de nouveau à son voisin d'un air las. C'est l'homme qui leur demande :

— Vos cartes de sûreté et vos certificats de civisme ?

De nouveau Basset collationne l'ensemble et les présente.

— Il manque une carte.

— C'est la mienne qui fait défaut, citoyen, dit l'abbé Magnin, les gendarmes l'ont gardée.

— Pourquoi n'as-tu pas ta carte ?

— Je viens de te dire, citoyen, que ce sont les gendarmes qui l'ont transmise à ta section. Maintenant c'est vous qui la détenez.

L'autre agacé prend un crayon et une feuille de papier.

— Dépêchons-nous. Ton nom ?

— Charles Ningam.

— Charles quoi ?

— Ningam !

— Epelle !

— N. I. N. G. A. M.

— Tu es français ?

— Bien sûr, depuis trois générations.

— Où loges-tu ?

— 44, rue de la Calandre.

— Ton état ?

— Je suis rentier.

— Dépêchons ! Vous allez tous passer devant le comité disciplinaire de la section. Si vous êtes déclarés suspects, vous serez arrêtés immédiatement et vous coucherez en prison. Je vous rendrai vos papiers en sortant. Si seulement vous êtes innocentés… Il se tourne vers l'un des gendarmes et lui ordonne : Accompagne-les.

Ils sont propulsés dans une grande salle dont les deux extrémités ont été aménagées en gradins.

Jean-Baptiste constate qu'ils sont remplis de femmes du peuple, tricotant ou raccommodant des vieilles vestes et des culottes. Elles jettent un regard ardent sur le petit groupe qui vient d'entrer.

— Tu as vu les gueules qu'elles ont ? murmure Charlotte Le Bihan à l'oreille de Basset. Mais où ont-ils trouvé des têtes pareilles ?

— Elles sont payées cent sous par jour pour applaudir aux bons moments.

On installe les nouveaux venus sur une estrade située au fond à gauche, où d'autres postulants attendent, tandis qu'à l'opposé à droite siègent les représentants des différentes sections.

— Devine qui est assis parmi les officiels, souffle Charlotte.

Basset se penche et reconnaît un homme de petite taille au teint pâle, habillé avec une certaine recherche.

— C'est l'infâme Hébert, pardi !

— Bravo, tu as gagné ! Pourquoi est-il ici ?

— Je ne sais pas. Ils vont sûrement débattre d'un sujet commun.

— Regardez, mon père, ces guenons dans les tribunes, chuchote la mère Larivière en désignant les tricoteuses, vous n'allez pas me dire que, lorsqu'elles crèveront, Dieu les accueillera dans son sein ? Cela ferait désordre là-haut et ce serait même choquant pour ceux qui ont gardé un visage humain !

L'abbé ne peut s'empêcher de rire et d'ajouter à voix basse :

— Vous faites erreur, Jeanne, ce sont justement elles que le Seigneur voudra sauver, car ce sont elles les brebis égarées.

— Ah ! non. Là vous exagérez, mon père ! Moi je peux vous dire qu'avec des gueules pareilles, elles grilleront toutes jusqu'à la dernière ! Elle poursuit en riant : Je compte sur vous, mon père, pour persuader le Seigneur de ne pas les accepter.

— Je verrai le moment venu ce que je peux faire auprès de lui pour vous être agréable, poursuit l'abbé avec un sourire, mais je le connais… n'y comptez pas trop, il les recevra.

D'une porte latérale font irruption sept bonnets rouges, cinq hommes et deux femmes. Ils s'installent sur une estrade, face à la salle.

— Qui sont ces pitres ? marmonne Charlotte.

— Ce sont les nouveaux chefs de section. Celui qui est adipeux, c'est Lubin, le fils du boucher, une vraie brute, et le laideron qui est à sa droite, c'est Gisèle sa femme ! Ils dirigent maintenant les Arcis. Lui est cocu, car Gisèle couche avec tous les commis.

— Ce qu'elle est laide ! Bon courage aux commis !

Lubin frappe avec son marteau en bois. La salle fait silence.

— La séance est ouverte. Salut et fraternité, citoyens, bienvenue à la section des Arcis !

Les tricoteuses applaudissent.

— Je passe immédiatement à l'ordre du jour par la lecture d'un décret de la Commune de Paris qui est déjà appliqué dans certaines sections.

— Bravo ! Bravo ! hurlent les tricoteuses en tapant des pieds.

— Je lis : "La Commune de Paris, en ses représentants élus de la République une et indivisible décrète que désormais les jolies femmes n'assiégeront plus les bureaux de la mairie pour obtenir la liberté des aristocrates[1]."

Charlotte Le Bihan pouffe d'un rire étouffé. La mère Larivière indignée se redresse sur sa chaise.

— Qu'est-ce que j'entends ? dit-elle.

— Je demande la parole ! crie du fond de la salle une voix aigrelette.

Tout le monde se retourne.

— C'est Hébert qui vient d'ouvrir la bouche, dit Basset, attendons-nous à subir beaucoup de méphitisme.

— Citoyennes, citoyens, le décret en question est juste et équitable, mais malheureusement il n'est pas appliqué partout et je le déplore. Et pourtant, il faut barrer la route à toutes ces Circés qui ayant été des courtisanes sous l'Ancien Régime emploient les mêmes artifices pour corrompre les âmes républicaines.

Sur un signe de Lubin, un tonnerre d'applaudissements et de battements de pieds accueille son discours.

— Cette mesure est inapplicable et anti-républicaine ! hurle une voix de femme.

1. Ce décret authentique est rapporté par l'abbé Morellet dans ses mémoires.

On note un flottement dans l'assistance. On tente de découvrir qui a osé contester les paroles d'Hébert.

— On ne te voit pas, montre-toi, citoyenne ! lance Lubin.

Montée sur une chaise, une grande femme émerge au-dessus des têtes, des cheveux blonds abondants encadrent son visage. La salle est tétanisée, elle ressemble à une statue sur un socle.

— Elisabeth ici ? s'exclame Françoise. Mais dis-moi que je rêve !

— Malgré mes mises en garde, précise Basset, elle m'avait prévenu qu'elle nous rejoindrait. Je tremble pour elle. Après l'échec de l'Hospice, je l'ai prévenue qu'elle pouvait être arrêtée à tout moment.

Charlotte lui souffle à l'oreille :

— Mais c'est de la folie, ils voudront sûrement se venger.

— Tant que Chabot est vivant, je ne risque rien, m'a-t-elle affirmé et elle a ajouté : J'irai aux Arcis, car j'ai peur qu'ils vous condamnent comme suspects, seulement nous devons nous ignorer. Elle a beaucoup insisté sur ce point.

— Tu connais donc cette jeune personne ? demande la mère Larivière à Basset.

— C'est l'épouse de Guillaume Lemille le perruquier, intervient l'abbé Magnin. Une bien belle âme ! Son père est mort pour ses convictions chrétiennes.

— Qui es-tu ? Présente-toi, citoyenne ! lui crie Hébert.

— Je suis Elisabeth Lavigne, épouse du perruquier Guillaume Lemille. Je suis mandatée par le conseiller Chabot du Comité de sûreté générale. Je maintiens que le décret que tu défends est anti-républicain – murmures réprobateurs dans l'assistance… Les mairies doivent être ouvertes à tout public sans exception et à toutes les femmes, vieilles ou jeunes, laides ou jolies, qui viennent payer leur imposition à la Nation.

La foule applaudit à l'exception des tricoteuses qui n'avaient pas reçu d'instructions pour cette intervention inopinée.

— N'empêche, s'écrie de nouveau Lubin, que les jolies femmes des aristocrates séduisent nos patriotes et complotent contre la République !

Les tricoteuses et toutes les femmes laides applaudissent en tapant du pied.

— Citoyenne Lemille, lui lance Hébert, tu parles ainsi parce que tu te sais belle et que tu défends les intérêts d'une caste révolue.

— Moi défendre des aristocrates ? Mais regarde-moi, citoyen, malgré mon physique que je tiens sans fausse modestie pour agréable, je suis une aussi bonne républicaine que toi. Tu penses que toutes les jolies femmes sont aristocrates et qu'il n'en existe pas de belles parmi nos patriotes – l'assemblée applaudit. Voudrais-tu, à cause de dame nature qui m'a favorisée, que je ne me rende plus en mairie pour payer mes impositions ? Alors fais décréter par la Convention que toutes les jolies femmes ne paieront plus d'impôts !

Toute la salle rit aux éclats. Hébert décontenancé se rassoit.

— La cause est entendue, dit Lubin, le décret ne sera pas appliqué au secteur des Arcis.

Cette fois, les tricoteuses savent qu'elles peuvent applaudir.

— Toutes ces singeries vont-elles durer encore longtemps ? demande Jeanne Larivière à Basset. Je veux rentrer chez moi, je suis fatiguée.

— Malheureusement, il faut attendre qu'ils nous appellent...

Lubin tape avec son maillet de bois.

— Votre attention, citoyens !... Nous allons accueillir maintenant les derniers conscrits de notre section engagés dans l'armée révolutionnaire. Faites entrer !

Un groupe d'une cinquantaine de jeunes de dix-huit à vingt ans marchant au pas cadencé entrent précédés d'un tambour. Ils s'arrêtent face à Lubin qui s'est levé :

— Salut et fraternité ! dit leur porte-parole. Pour nous c'est la liberté ou la mort !

— Faites-vous le serment de défendre la patrie ? demande l'autre.

— Je jure au nom de mes camarades de nettoyer le sol de la Liberté de tous les despotes de la Terre, de renverser tous les tyrans de leurs trônes, de cimenter de leur sang l'édifice de la Liberté.

— Bravo ! Bravo ! entend-on de tous côtés. Qu'est-ce qu'ils disent ? Qu'ils tueront les tyrans ? Ah ! c'est bien.

— Un sacré programme, dit l'abbé Magnin en souriant, je crains que ces jeunes gens ne soient un tantinet présomptueux !

Lubin répond :

— Citoyens, la Nation prend acte que vous promettez de faire le sacrifice de votre vie !

— ... Mais pas de la sienne, dit Basset à l'oreille de Charlotte.

Lubin se lève et commence à chanter. Il est repris par toute la salle :

— "Allons, enfants de la patrie, le jour de gloire est arrivé..."

Quand trois couplets sont exécutés, applaudissements et battements de pieds retentissent de nouveau, puis ils chantent :

— "Ah ! ça ira, ça ira, ça ira, les aristocrates à la lanterne. Ah ! ça ira, ça ira, ça ira, les aristocrates on les pendra !"

— Citoyens ! poursuit Lubin, voici maintenant trois déserteurs autrichiens qui ont rejoint les soldats de la Liberté... Faites-les entrer.

Ce sont trois pauvres hères porteurs d'un uniforme autrichien défraîchi qui dut naguère être blanc mais dépourvu aujourd'hui d'une couleur bien définie. L'un d'eux est même pieds nus. Ils tiennent chacun un petit drapeau bleu, blanc et rouge en papier. Les tricoteuses leur font un accueil frénétique. Les estrades en bois tremblent sous leurs battements de pieds.

— Qui venez-vous défendre parmi nous ? demande Lubin.

— La Répoublik fransoz.
— Jusqu'à la mort ?
— Ja !
— Vous jurez ?
— Nous churons !
— Je ne savais pas que nous assisterions à un spectacle aussi navrant ! dit la mère Larivière.
— Je trouve cela choquant, dit l'abbé Magnin, comment peuvent-ils bafouer ainsi la dignité de ces trois malheureux ?
Les Autrichiens montent sur l'estrade et se rangent derrière Lubin avec leur petit drapeau tricolore.
— C'est pitoyable, marmonne Basset, j'ai honte !
Lubin frappe avec son maillet.
— Nous allons accueillir maintenant un héros de la patrie, c'est le citoyen Pierre Compère qui a été grièvement blessé. Applaudissez-le, citoyens !
On introduit un petit homme frisé d'une quarantaine d'années, claudiquant, avec une jambe raide et un indélébile sourire niais aux lèvres.
— Salut et fraternité, citoyen Compère, lui dit Lubin, raconte au peuple ton sacrifice.
— Citoyens, j'ai't'été à l'armée – il commence à se déshabiller pour finir torse nu – et j'ai't'eu une blessure que la v'la – il montre une poitrine balafrée – et l'on m'a't'on envoyé faire mon serment que je jure de mourir à mon poste et d'exterminer les tyrans[1]...
Les applaudissements et les battements de pieds couvrent son homélie. Compère est si content qu'il croit devoir recommencer une deuxième fois. On applaudit de nouveau, mais comme il veut répéter sa harangue une troisième fois, Lubin l'interrompt :
— On sait maintenant, Pierre Compère, que tu es un héros, mais chacun doit parler à son tour !
On voit son sourire s'effacer, puis il va bouder en se rangeant derrière lui.

1. Propos rapportés par l'abbé Morellet.

La mère Larivière ne tient plus sur sa chaise, elle demande à Basset :

— Mon petit, combien de temps encore crois-tu que nous serons retenus ici ?

— Je ne sais pas, madame, mais je crains que ce ne soit long !

— Seigneur, je n'en peux plus, ces sièges sont très inconfortables…

Nouveau coup de maillet.

— Citoyens, voici un authentique révolutionnaire, un vrai ! Un du 10 août ! Il se nomme Ducâtel, c'est lui qui traque les curés et les aristos. Il en a débusqué quelques-uns, applaudissez-le !

— Seigneur ! dit la mère Larivière, je le connais, c'est l'horreur faite homme !

— Il est condamné à mort par les chevaliers, dit Basset à l'oreille de Françoise, c'est lui qui a assassiné l'année dernière la princesse de Lamballe à coups de marteau lors des massacres de Septembre !

Un petit homme au faciès simiesque fait irruption. Il avance voûté, les bras le long du corps, en traînant les pieds. La forme de son visage frappe par l'absence de menton. Le regard halluciné qui furète en tous sens contraste avec un sourire de satisfaction permanent. Il ressemble à un hibou. Ducâtel semble chercher sans cesse une proie à capturer. Lubin se lève pour le recevoir, toute la salle l'imite.

— Salut et fraternité à toi, citoyen Ducâtel, héros de la République une et indivisible, applaudissez, citoyens !

Visiblement satisfait, Ducâtel chante aussitôt "Ah ! ça ira, ça ira, ça ira…" repris par l'assemblée et les tricoteuses qui martèlent du pied chaque "ça ira".

— Belle leçon de fanatisme, murmure l'abbé Magnin. Voilà comment on égare le peuple. Seigneur, que leur République est triste ! Je ne vois que de la haine !

— Mais enfin, mon père, affirme la mère Larivière, le peuple n'est pas ici, ce que nous voyons, c'est la lie du peuple !

Ducâtel monte à la tribune, les autres en descendent pour le laisser seul face à l'auditoire.

— Citoyennes, citoyens, je suis venu vous apporter d'abord le salut fraternel de la section du Muséum et vous annoncer trois bonnes nouvelles. La première...

— Bravo ! Bravo ! interrompent les tricoteuses en hurlant.

Le sourire de Ducâtel se fige aussitôt ; il se tourne vers elles visiblement froissé.

— Ne m'interrompez pas quand je parle ! Attendez au moins que j'aie fini mon discours avant de dire bravo, écoutez-moi d'abord, vous direz bravo après !

— Quel bel exemple de susceptibilité imbécile ! dit Charlotte en riant à la mère Larivière.

— La sottise de cet homme me terrifie, répond la vieille, imagines-tu, ma fille, tomber entre les mains d'un tel être ?

Ducâtel monte alors sur une chaise, s'empare d'un drapeau tricolore, l'embrasse et le met sur ses épaules en singeant le prêtre qui met sa chasuble avant de célébrer la messe, puis les mains jointes simulant la prière, il s'incline religieusement.

— Mes fidèles brebis – éclats de rire dans toute la salle –, nous allons aujourd'hui célébrer notre sainte Trinité, aussi je vous demanderai, mes frères et mes sœurs, de répéter après moi : Au nom de notre mère la Liberté...

L'assemblée répète :

— Au nom de notre mère la Liberté...

— Au nom de sa fille l'Egalité...

— Au nom de sa fille l'Egalité...

— Et de la sainte Fraternité...

— Et de la sainte Fraternité...

— Que soit bénie la Sainte Trinité, la seule une et indivisible à laquelle nous croyons... Amen !

— Amen, répète la salle.

— L'imbécile, dit l'abbé Magnin, il croit nous ridiculiser, mais même quand il se moque, c'est encore beau, car malgré lui, il évoque le Seigneur.

— Mes chers frères, poursuit Ducâtel sur le même ton, la première bonne nouvelle que j'apporte en ce lieu saint est l'arrestation du traître Bailly.

La salle explose en acclamations et piétinements, les chapeaux sautent en l'air.

— Oui, mes frères, ce pêcheur impénitent croupit maintenant au fond d'un cachot en attendant d'avoir la tête coupée…

— Bravo ! Bravo !

— Voilà un maire qui faisait tirer sur ses administrés avec la complicité de l'infâme Lafayette…

— Ouh ! ouh ! ouh ! crie l'assemblée

— Cela mérite la mort, mes frères !

— A mort ! Bailly à la lanterne !

— Quand il aura la tête coupée, que Dieu lui pardonne, mes frères, mais pas avant !

La salle applaudit. Une voix s'élève du fond des tribunes :

— Tu oublies, Ducâtel, que Bailly t'a donné la Liberté !

Les rires se figent, la salle est frappée d'étonnement. Qui ose parler ainsi ?

— Vous oubliez tous, poursuit la voix, que c'est lui, le révolutionnaire de 1789, qui demanda aux représentants du peuple de nous donner une constitution !

— Les vrais révolutionnaires sont ceux du 31 mai et du 10 août[1], aboie Hébert. Ceux-là ont prouvé leur civisme !

— Sans 89, il n'y aurait jamais eu de 93, réplique l'autre.

— Qui es-tu pour t'exprimer comme un traître, éructe Ducâtel dont les yeux sortent de leurs orbites.

— Elisabeth Lemille ! Une femme à qui Bailly a donné la Liberté !

— Mon Dieu ! s'exclame le père Magnin, Elisabeth est folle de les provoquer ainsi, que Dieu la protège !

1. Les jours qui virent la chute de la royauté.

— Pour le moment, c'est surtout Chabot qui la protège, précise Basset en riant, mais là je trouve qu'elle exagère, elle prend trop de risques

— Cette femme défend un traître, hurle Ducâtel, arrêtez-la !

— Parce que tu comptes arrêter un émissaire du Comité de sûreté générale, petit homme ?

La salle se fige dans un silence total.

— Essaye donc et tu verras ce qu'il en coûte de salir l'honneur des Comités…

L'assemblée est de nouveau tétanisée.

— Comment ? Elle est membre du Comité de sûreté générale ? entend-on.

Elisabeth traverse la salle et jette au nez de Lubin son accréditation. L'autre la lit et déclare :

— La citoyenne Lemille me présente une accréditation du Comité de sûreté générale signée de Chabot qui la désigne comme une grande patriote !

Il fait un signe discret en direction des tricoteuses qui applaudissent aussitôt à tout rompre.

— Je ne veux salir personne, citoyenne, bafouille Ducâtel tétanisé, je ne fais que rapporter une décision du Tribunal révolutionnaire avec l'arrestation de Bailly, c'est tout ! Et qui me dit que tout cela est vrai, citoyenne ?

— Prends garde, Ducâtel, ajoute Elisabeth, on saura au Comité de sûreté générale que tu as douté de son intégrité en soupçonnant un de ses représentants !

De nouveau, signe furtif de Lubin aux tricoteuses qui applaudissent.

— Ta tête maintenant ne tient qu'à un fil !

— Parce que tu comptes faire un rapport de notre séance aux Comités, citoyenne Lemille ? s'inquiète Lubin.

— Sans aucun doute, citoyen président, mais je ne manquerai pas de souligner le grand patriotisme avec lequel tu mènes les débats, Chabot en sera informé.

Un sourire d'apaisement apparaît sur le visage de l'homme. Il s'empresse de commander une salve d'applaudissements et ajoute :

— La section des Arcis te remercie, citoyenne Lemille. D'ailleurs, ta place n'est pas dans la salle mais à ma droite sur la tribune, voudrais-tu nous faire l'honneur de te joindre à nous ?

Sa femme Gisèle se lève pour laisser la place.

— Bien volontiers, citoyen, réplique Elisabeth, mais tu comprendras aisément que je ne peux m'asseoir aux côtés d'un homme qui a douté de la probité de nos dirigeants, aussi je te demanderai de le prier de descendre de la tribune et de quitter la section.

— Citoyen Ducâtel, veux-tu céder immédiatement la place, s'il te plaît ?

L'autre se lève et quitte la salle en claquant la porte.

— Je suis troublé par le culot d'Elisabeth ! marmonne Basset.

— Je suis sûre qu'elle a fait cela pour nous, ajoute Charlotte, elle nous savait en danger, alors elle a pris les devants.

— Maintenant elle n'a pas intérêt à rencontrer Ducâtel sur son chemin, s'inquiète la mère Larivière.

— Je crois que c'est plutôt le contraire, précise Charlotte en riant, c'est lui qui a intérêt à ne pas se trouver sur le sien !

Lubin donne un coup de maillet.

— La séance continue, j'appelle la citoyenne Regnault de la section de l'Unité.

Une femme petite et ronde se présente.

— Salut et fraternité, citoyens, dit-elle, nous avons une question à poser à nos dirigeants.

— Pose ta question, citoyenne.

— Nous voudrions savoir, après la trahison de l'Œillet, si les crimes de Marie-Antoinette, cette femme impie dominée par une nature barbare, ont besoin de nouveaux degrés de noirceur pour que l'on veuille se prononcer sur son sort ?

— Je te répondrai, citoyenne, qu'un décret de la Convention précisera le 3 octobre qu'elle passera devant le Tribunal révolutionnaire pour être jugée... Tu peux retourner à ta place. J'appelle maintenant les citoyens Tenter et Lorsec de La Flotte-en-Ré.

Ils sont deux à se présenter et portent encore leur tablier de mareyeur.

— Vous avez le salut fraternel des pécheurs de La Flotte-en Ré, voici notre motion : Nous demandons la mise en jugement de la femme impudique et despote la scélérate Antoinette coupable de lèse-nation.

— Je te ferai la même réponse : sa mise en jugement est imminente. Merci, citoyens, vous pouvez rejoindre vos places. J'appelle une députation de la ville de Chantilly.

Un groupe de quatre femmes et six hommes, tous coiffés du bonnet rouge, la pique à la main, se présentent en chantant : "Ça ira, ça ira, ça ira, les aristocrates à la lanterne..." La salle reprend en chœur.

— Nous écoutons votre motion, citoyens.

— On demande qu'on nous délivre de la louve autrichienne, Antoinette est mille fois plus coupable que Louis XVI et elle doit payer de son sang impur le sang généreux qu'elle a fait couler à grands flots !

— Ma réponse est toujours la même, elle sera déférée devant le Tribunal révolutionnaire le 3 octobre. Merci, vous pouvez retourner à vos places.

La voix aiguë d'Hébert retentit de nouveau :

— Je demande pourquoi vous refusez de satisfaire les sans-culottes quand ils vous réclament sans délai la tête d'Antoinette ?

— Qui veut répondre au citoyen substitut ?

— J'aimerais savoir, lance ironiquement Hébert, ce qu'en pense l'envoyée du Comité de sûreté générale.

Lubin se tourne vers Elisabeth, tout le monde a les yeux fixés sur elle.

— Peux-tu nous donner ton avis, citoyenne ?

— Seigneur, souffle l'abbé Magnin à Basset, faites qu'elle ne commette pas d'imprudence !

Elisabeth se lève, met les deux mains à plat sur la table et dit en fixant Hébert :

— Ta question a été étudiée au Comité de salut public, nos dirigeants ont convenu que la veuve Capet serait une monnaie d'échange contre la paix avec les mercenaires autrichiens. Cela explique le retard que l'on a mis pour la faire passer en jugement. J'espère que vous êtes tous d'accord pour éviter de faire couler le sang de vos enfants chaque fois que cela sera possible ?

Sur un signe de Lubin, les applaudissements et les battements de pieds secouent les estrades.

— C'est un mauvais prétexte, crie Hébert, nous savons tous ici que les Autrichiens refusent la négociation, alors c'est quoi la véritable cause de ce retard ?

— Toi-même nous as fait perdre beaucoup de temps, citoyen substitut !

— Moi ?

— Oui, toi ! Pourrais-tu expliquer au peuple pour quelles raisons tu as demandé le retour de la veuve Capet au Temple – Hébert devient livide –, ce qui a paru très suspect aux yeux des membres du Comité de salut public ? Il a fallu débattre longuement sur ta demande insolite et pour finir s'y opposer… Voilà une des causes de ce retard. Pourrais-tu nous donner les raisons de ta demande de transfert ?

— Parce que au Temple elle aurait été mieux surveillée… principalement après le complot des Œillets !

— Alors pourquoi, au mois d'août dernier, avais-tu demandé le contraire ? Tu voulais qu'elle soit transférée du Temple à la Conciergerie. Pourquoi ?

— J'ai cru naïvement que là-bas, les patriotes feraient plus correctement leur devoir, et j'ai été cruellement trompé !

— C'est tout ? Elle se tourne vers Lubin et ajoute : Citoyen président, il va falloir te contenter de cette réponse.

Lubin donne un coup de maillet.

— Nous allons maintenant analyser les demandes de certificats de civisme.

— Qu'est-ce encore ? demande la mère Larivière.

— C'est bientôt notre tour, précise Basset.

— Enfin, dit la vieille, je n'en peux plus, mon petit !

— J'appelle le ci-devant abbé André Morellet.

Aux yeux de cette assemblée, l'abbé Morellet est desservi par son physique aristocratique : traits réguliers, cheveux neige, yeux bleus, taille élancée.

— J'ai connu André Morellet, dit l'abbé Magnin, c'est un érudit qui s'est battu pour les idées nouvelles. C'était un grand ami de Turgot, je me demande ce qu'ils ont à lui reprocher...

— Place-toi devant l'estrade, dit Lubin. Citoyen Morellet, tu réclames un certificat de civisme afin de toucher ta pension ?

— Effectivement, citoyen président, je n'ai plus aucune ressource.

L'autre ricane :

— Tes amis aristocrates ne peuvent-ils pas t'aider ?

— Il y a longtemps que je ne compte plus d'aristocrates parmi mes amis, citoyen président !

— Et ceux de la calotte ?

— Je n'en connais pas !

— Allons donc ! T'auraient-ils eux aussi lâchement abandonné ?

— Là n'est pas la question, citoyen président, je dois subvenir moi-même à mes besoins.

Lubin s'adresse alors à la salle :

— Y a-t-il quelqu'un qui connaisse le citoyen et qui réponde de son civisme ?

Personne ne répond. Un sans-culotte monte sur l'estrade, lui dit deux mots à voix basse et retourne dans la salle. L'autre ajoute :

— J'entends murmurer à mon oreille que le civisme du citoyen est suspect !

— Citoyen président, se défend Morellet, je ne vois aucun membre de ma section ici. Comme personne ne me connaît, personne ne peut répondre de moi !

— Quelle est ta section ?

— Mauconseil.

— Je répète une dernière fois ma question : personne ne peut répondre ici du civisme du citoyen André Morellet ?

— Quelle mascarade ! murmure la mère Larivière.

Lubin jette un regard circulaire sur l'assemblée en attendant une réponse. A sa gauche, un membre du Conseil en carmagnole et bonnet rouge se lève et déclare :

— Citoyen président, je m'oppose à ce qu'il soit délivré un certificat de civisme au citoyen Morellet, parce qu'il est à ma connaissance qu'il a fait, il y a quinze ans à seize ans, une apologie du despotisme dans un ouvrage !

— Ouh ! ouh ! ouh ! crie la salle.

Lubin donne un coup de maillet.

— Silence ! La demande du citoyen Morellet est ajournée.

— Quelle indignité ! dit Basset à voix basse.

L'abbé s'adresse à son accusateur :

— Citoyen, je ne connais même pas le nom de l'ouvrage qu'on m'impute. S'il existe un tel ouvrage, il n'y a aucune raison qu'il soit de moi !

— Mettrais-tu en doute la parole du Conseil ? tranche Lubin.

— Pas le moins du monde, citoyen président, je m'en remets à sa justice. Je pense seulement que le Conseil est insuffisamment éclairé.

— Eh bien, éclaire donc le Conseil, citoyen Morellet, intervient Elisabeth, nous ne prendrons aucune décision à ton encontre sans t'avoir entendu. Parle !

— Dans quel sens le Conseil désire-t-il être informé, citoyenne ?

— Résume ton action en quelques mots.

— J'ai consumé ma vie à défendre toutes les causes du peuple.

— Lesquelles ? demande Elisabeth en jouant le jeu.

— Par exemple, la liberté de l'industrie et du commerce.
— Et puis ?
— La liberté d'écrire et d'imprimer.
— Et puis ?
— La liberté des opinions religieuses.
— As-tu au moins prôné l'interdiction des prêtres réfractaires ? crie Hébert de sa place.
Morellet se tourne vers lui.
— Je n'étais que député, citoyen substitut, je n'avais pas de pouvoir exécutif.
— A cette époque, répond l'autre, c'étaient tes amis royalistes et girondins qui l'avaient, tu aurais dû les pousser à le faire.
— On juge sur les faits, tranche Elisabeth, et non sur les intentions, continue, citoyen...
— Face à la noblesse et au clergé, j'ai soutenu le droit du Tiers à la double représentation.
— Comme Necker et l'Autrichienne ! lance Hébert. Tu étais vraiment en bonne compagnie !
Eclats de rire dans l'assemblée. Lubin frappe un coup de maillet.
— La demande du citoyen Morellet est ajournée jusqu'à ce que les commissaires rendent compte de son ouvrage tendancieux, et ces commissaires seront les citoyens Vialard, Bernard et Pâris !... Citoyen, tu peux te retirer. Reste en relation avec ces patriotes afin qu'ils rédigent leur rapport.
— Je connais ces trois débris, dit Basset, Vialard est un ancien perruquier pour femmes ruiné par les nouvelles coiffures à la jacobine. Il a présenté à l'Académie des sciences des toupets de son invention !
— Des toupets de cheveux à l'Académie ? Tu te moques de nous, mon petit ! rétorque la mère Larivière.
— Pas du tout, madame, l'Académie l'a mis à la porte, il va sûrement s'en venger. Quant à Bernard, c'est un prêtre ! Il a un faciès ignoble et il est fait comme un brûleur de maisons !

— Je le connais, dit l'abbé Magnin, il est marié. C'est un gardien d'Eglise qui ose officier ! Quel outrage à la face de Dieu !

— Quant au dernier, précise Basset, le dénommé Pâris, c'est peut-être le moins méchant des trois !

Morellet se dirige vers la sortie. Sur le trajet, il frôle la tribune où les perruquiers occupent le premier rang. Son regard croise celui de l'abbé Magnin, ce dernier fait avec son pouce un imperceptible signe de croix en guise de bénédiction. L'autre a vu son geste, quand il parvient à sa hauteur, il lui souffle :

— Merci, mon père, que Dieu soit avec vous !

On entend un violent coup de maillet.

— J'appelle les citoyennes Jeanne Larivière et Charlotte Le Bihan, les citoyens Ningam et Basset.

Tous quatre se retrouvent au pied de la tribune, face à Elisabeth entourée des membres du Conseil. Elle se sent observée par eux et prend soin de ne donner aucune expression amicale à son regard qui reste le plus neutre possible. Lubin ouvre un dossier pour en extraire une feuille.

— Je lis le motif de votre convocation : "Dans la nuit du 2 août, le lieutenant-colonel Botot Du Mesnil, en tournée d'inspection dans le secteur Saint-Michel, a surpris, malgré les interdictions de circuler, le citoyen Jean-Baptiste Basset au 37 de la rue de la Barillerie[1]. Après les interrogations d'usage sur les raisons de cette présence insolite, il a déclaré qu'il forniquait avec..."

Explosion de rires dans l'assistance, y compris parmi les membres du Conseil, puis applaudissements soutenus. Lubin jovial poursuit :

— "... donc, qu'il forniquait avec une femme mariée dont il ne pouvait révéler le nom, le mari étant excessivement jaloux..."

1. Voir tome 1, p. 34.

De nouveau, rires, acclamations et applaudissements dans la salle. Basset lève la main pour prendre la parole :

— Tu oublies, citoyen président, de dire que le colonel Botot Du Mesnil me demanda alors si elle était douée…

Rires et applaudissements. Une tricoteuse se lève et lui demande :

— Et quoi tu as répondu, mon gars ?

— Je lui ai répondu : Ah, si vous saviez, mon colonel !

Les applaudissements font vibrer les estrades de bois.

— Bravo, le blondinet ! Mort aux cocus !

Un sans-culotte se lève et crie :

— Je te parie, citoyen, qu'elle devait être dotée d'un physique avantageux, ce qui lui interdira dorénavant d'aller en mairie ?

Rires sur toutes les estrades.

— Tu as raison, citoyen, réplique Basset, elle est très jolie !

— Bravo ! Bravo !

Charlotte Le Bihan s'écrie :

— Et très amoureuse, de surcroît ! Cette fille, c'était moi !

Elle se jette dans les bras de Basset surpris. De nouveaux applaudissements et vivats retentissent.

— Embrasse-moi, imbécile ! lui dit-elle à voix basse.

Il hésite, elle l'embrasse passionnément sous les applaudissements de toute la salle. Elisabeth se lève.

— Citoyennes, citoyens, refuseriez-vous à ces amoureux et à leurs amis Ningam et Larivière des certificats de civisme ?

— Non ! Non ! crie la salle, il faut les leur donner !

— Regardez-les, ajoute Elisabeth, ce petit blondinet, cette jolie brunette, ce vieil homme et cette vénérable grand-mère, voyez-vous en eux des conspirateurs ou même des suspects ?

— Mais non ! Mais non !

— Citoyens, vous avez raison ! Mes amis, je me tourne vers le Conseil et lui demande solennellement : Allez-vous refuser à ces patriotes la dignité de citoyen en les privant de leurs certificats de civisme ?

— Non ! Non !...

Une tricoteuse se lève et s'adresse à Lubin :

— Dis donc, mon gars, moi j'pense qu'c'est p't-être le moment d'leur donner ce sacré certificat !

Lubin donne un coup de maillet.

— Accordé !

La salle applaudit frénétiquement.

— Nous allons procéder maintenant à la distribution des cocardes tricolores qui seront obligatoires pour toutes les femmes de la Nation à partir de lundi prochain. Il s'adresse à sa femme : Gisèle, commence la distribution.

Elisabeth entonne aussitôt sous le regard médusé des perruquiers :

— "Allons, enfants de la patrie, le jour de gloire est arrivé..."

L'*Hymne des Marseillais* est repris debout par toute l'assistance. A la fin, Lubin donne un nouveau coup de maillet et crie :

— La séance est levée. Vive la République !

Mercredi 11 septembre, quarante et unième jour de détention, la Conciergerie, sept heures du soir

4

Un nouveau concierge

Depuis l'arrestation de Marie Richard, c'est désormais Rosalie Lamorlière qui traite l'ordinaire de la Reine. Cette fille sans ressources, dotée d'un physique exceptionnel, qu'elle dédaigne d'ailleurs, se dévoue corps et âme pour "sa princesse".

A chaque instant du jour et de la nuit, Rosalie se bat bec et ongles pour atténuer les souffrances de la Reine martyre.

Dès le premier jour de son incarcération, quand celle-ci a présenté des saignements, sans la moindre répugnance, la jeune fille a blanchi son linge.

Depuis l'affaire de l'Œillet, les conditions de détention se sont durcies. La Reine accepte sans une plainte son nouveau sort. Elle endure en silence le froid, car on n'alimente plus le poêle, l'absence d'hygiène, l'eau vaseuse de la Seine qu'elle doit désormais boire, la solitude, l'ennui mortel des jours et les nuits interminables, l'absence d'exercice physique, l'odeur irrespirable du cachot, le bourdonnement continuel qui monte de la cour des femmes, l'anxiété du lendemain, la promiscuité des nouveaux gendarmes pourtant bon enfant, les visites répétées des municipaux, et par-dessus tout l'absence de ses enfants, et malgré cela, rien n'entame son imperturbable dignité. Les leçons de sa mère, assorties d'une éducation religieuse, l'ont conditionnée à subir son martyre. Quand on est la fille des Césars, on ne se plaint jamais et on endure l'adversité avec une foi inébranlable. Cette attitude altière, qu'on lui a souvent reprochée, est dépourvue d'une once de mépris. Durant les soixante-seize jours de sa détention, la Reine ne manifestera jamais contre ses tortionnaires la moindre animosité. Cette attitude quasi compatissante à leur égard les rendra encore plus cruels. Et pourtant, ce courage trouve ses limites dès que l'on aborde le sort de ses enfants. Elle plonge aussitôt dans un désespoir indescriptible et rien n'arrête ses larmes. Elle succombe à des crises nerveuses qui se terminent par des pertes de connaissance. La petite servante qui redoute ces accès de désespoir ne lui en parle jamais et cependant la Reine s'inquiète quotidiennement de leur santé.

La sublime Rosalie lavera jusqu'au dernier jour son linge maculé sous le regard haineux de l'incontournable sergent obèse. Le blanchissage de la camisole de nuit et de la chemise de jour requiert une nuit entière de séchage. Comme l'humidité est une des douze plaies de la Conciergerie, dès la mi-septembre les premiers froids envahissent les cachots. Il faut que Rosalie entretienne sans cesse les feux de ses fours. Chaque nuit, elle quitte quatre ou cinq fois sa chambre, située à l'entresol, pour plonger dans les profondeurs glacées de la prison. Chaque jour, elle répète les mêmes gestes : d'abord disposer d'une camisole de nuit bien propre et surtout bien chaude, l'envelopper aussitôt dans un linge pour lui éviter de refroidir, la plier en quatre et déposer le tout sur un plateau contenant le dîner ou le souper. Trois fois par jour, elle se rend dans le cachot, toujours suivie de l'horrible sergent.

Les hémorragies de la Reine devenant incoercibles, afin d'économiser le linge donné au compte-gouttes, Rosalie va découper ses propres chemises en petits carrés pour en faire des bandes hygiéniques. Quel exemple de générosité, mais aussi quelle dérision : la fille la plus pauvre qui soit partage ses chemises avec la Reine de France !

Nous savons que les Comités ont poussé la barbarie jusqu'à installer jour et nuit contre la fenêtre du cachot deux supplétifs qui l'observent. Ils se tiennent dans la cour des femmes d'où ils peuvent contempler par une vue plongeante les moindres mouvements de la prisonnière. Une curiosité malsaine les pousse à la narguer dans ses fonctions les plus intimes. Le sommet de cette ignominie est atteint lorsqu'ils attendent ce moment pour la railler en lui lançant insultes et quolibets. On peut légitimement s'interroger sur les hommes politiques qui tolèrent une telle barbarie. Où se situe le combat pour la Liberté, l'Egalité et la Fraternité quand on rencontre dans les prisons de la République des comportements si méprisables ? Où est-elle, cette République quand on permet aux gardiens de prison de torturer ainsi leurs détenus ? Cette indignité devait certainement prendre sa source chez les commissaires municipaux et chez Fouquier-Tinville, donc obligatoirement chez les membres des Comités de sûreté générale et de salut public, donc chez Robespierre, puisque rien ne se décide sans lui. Qui sont ces dirigeants qui exploitent la peine de mort pour asseoir leur pouvoir, qui sont-ils ces prétendus défenseurs du peuple qui ont fait de cette femme un otage qui a entendu son mari partir pour l'échafaud, à qui on a arraché un fils, qu'on a séparée de sa fille, qu'on a enterrée vivante dans la saleté, le froid, l'humidité, l'obscurité et l'inaction ? On est terrifié à l'idée de découvrir que ces hommes, de surcroît élus du peuple, donc porteurs d'un immense espoir, se révèlent de redoutables tortionnaires... Mais le peuple, dans un réflexe des plus naturels, refuse d'être leur complice. Tout autour de la Conciergerie, informé par Rosalie Lamorlière et par bien d'autres encore de toutes ces horreurs, le peuple de Paris, lui, se révoltera. En pleine Terreur, les petits artisans du quartier des Arcis, au péril de leur vie, s'uniront et s'armeront pour la sauver. Ils seront plus de cinq cents[1] à se

1. Cinq cent quarante exactement.

lever contre la barbarie. On appellera leur révolte le complot des Perruquiers.

Au quarantième jour de détention, tout le personnel qui servait la Reine depuis le début de son incarcération, à l'exception de Louis Larivière et de Rosalie, a disparu. Cette dernière va endosser toutes les fonctions de Marie Richard et en assumer seule la charge.

Durant les trente-six jours qui restent à courir, Rosalie va sillonner matin, midi et soir le putride couloir des prisonniers... Elle franchit tous les guichets, insensible aux réflexions graveleuses de la troupe. Suivie du sergent obèse, elle parvient les bras chargés devant la porte du cachot, pour prononcer toujours la même phrase aux nouveaux gendarmes sous l'œil vigilant du lieutenant de Bûne, car on applique déjà les nouvelles consignes :

— Pouvez-vous m'ouvrir, s'il vous plaît ?

Et toujours la même réponse :

— Montre ton laissez-passer !

Situation éminemment grotesque puisqu'elle présente au lieutenant de Bûne une autorisation qu'il a lui-même datée et signée quelques instants auparavant. Aujourd'hui, 11 septembre 1793, à dix-neuf heures, le factionnaire ouvre toutes les serrures et Rosalie pénètre dans le cachot plongé dans la pénombre. On peut deviner à travers le grillage de la fenêtre le faciès réjoui des factionnaires préposés aux basses œuvres.

Les derniers gendarmes, Prudhomme et Lamarche, sont là. Par on ne sait quel miracle, ils sont eux encore tout acquis à la prisonnière.

En cet automne précoce, l'humidité de plus en plus envahissante fait suinter les murs. L'odeur de moisi et de fosse d'aisance a pris possession du lieu. Ce soir, la Reine, accablée de fatigue, s'est mise tôt au lit. Elle est enfouie sous l'unique couverture grisâtre, son visage s'est creusé davantage. Ses lèvres sont blanches, ses cheveux quasiment blancs, son teint cireux. Ses hémorragies qui s'accompagnent de douleurs au bas-ventre la saignent à blanc. Elle souffre horriblement du froid, principalement au niveau des pieds qu'elle ne parvient plus à réchauffer. Comme toujours, son petit carlin est blotti contre elle.

A l'arrivée de Rosalie, elle se redresse légèrement et prononce ces formules répétées trois fois par jour : "Bonjour Rosalie… bonsoir Rosalie… bonne nuit Rosalie…" Et Rosalie répond : "Bonjour Madame… bonsoir Madame… bonne nuit Madame…", toujours accompagnée d'une timide, grotesque et pathétique révérence.

Ce soir, c'est :

— Bonsoir Rosalie !

— Bonsoir Madame !

La Reine se lève, l'autre l'aide à changer sa chemise maculée de sang. Quand elle s'en débarrasse, elle est pratiquement nue. Elle enfile promptement la camisole de nuit bien chaude, puis se remet aussitôt au lit. Rosalie remonte la couverture jusqu'au menton. Comme chaque soir, les deux gendarmes qui veillent à l'extérieur n'ont rien perdu de la scène, tandis que Prudhomme et Lamarche s'effacent discrètement derrière le paravent.

— Merci, ma fille ! dit la Reine en frissonnant.

— Madame, je vous ai préparé des carrés de linge pour éviter de marquer vos chemises trop souvent…

Bravant les interdits, Rosalie cache sous le traversin la petite pile de bandes découpées dans ses chemises.

— Je vous ai préparé un bon bouillon, Madame.

— Hélas, Rosalie, je n'ai pas faim…

Comme chaque soir, elle pose le bol sur le lit, la Reine en boit quelques cuillerées sans conviction. Rosalie nettoie la chambre en faisant durer le plus longtemps possible "son petit ménage du soir" afin d'abandonner la Reine à l'obscurité le plus tard possible. Elle termine en faisant brûler du genièvre et du vinaigre pour masquer le méphitisme ambiant. La Reine lui pose alors la sempiternelle question :

— Rosalie, avez-vous des nouvelles de mes enfants ?

— Oui, Madame, votre fils va très bien.
— Et ma petite fille ?
— Aussi, Madame.
— Pauvres enfants… Quels destins !
Soudain, brouhaha dans le couloir. Cliquetis de serrures. Baps aboie. La porte s'ouvre. Un petit homme rondouillard et rougeaud entre, accompagné du lieutenant de Bûne et de deux gendarmes. Tête nue, chauve, le col de la chemise grand ouvert et rabattu, il arbore une sorte de gilet-pantalon que l'on nomme carmagnole. Malgré la fatigue et le froid, la Reine se lève précipitamment, enfile sa robe de chambre de piqué blanc et ses petites pantoufles rabattues.
Durant sa détention, elle attachera toujours le plus grand soin à ne jamais laisser paraître sa fatigue.
— Bonjour, Madame ! Je suis le nouveau concierge, mon nom est Bault.
La Reine lui accorde un gracieux sourire.
— Comme je suis aise, monsieur Bault, que ce soit vous qui remplaciez le valeureux M. Richard.
— Merci, Madame, nous tâcherons de faire aussi bien.
Il tient un gros trousseau de clefs à la main, qui tinte désagréablement. Très intimidé, il demeure contre le mur, près de la porte, et attend, tandis que l'officier d'accompagnement et ses deux gendarmes se tiennent à ses côtés. La Reine ne veut à aucun prix montrer un quelconque abattement. Elle ôte son bonnet de nuit, s'assoit sur une chaise et dit à Rosalie d'un air détaché :
— Rosalie, vous allez faire mon chignon pour la nuit !
Rosalie s'empare du démêloir et s'apprête à coiffer la Reine quand le concierge Bault, plein de zèle, se précipite et se saisit du peigne :
— Laissez ! Laissez. C'est à moi de le faire !
La Reine se lève d'un bond.
— Je vous remercie, monsieur, lui dit-elle souriante en lui ôtant délicatement le démêloir des mains.

Son expression est empreinte d'une telle majesté que le brave homme en demeure confondu. Elle se rassoit et termine seule sa coiffure. Un rouleau de ruban blanc traîne sur la table, elle s'en saisit et le tend à Rosalie avec un air de tristesse et d'attachement. Elle lui dit toujours en souriant :

— Rosalie, prenez ce ruban et gardez-le toujours en souvenir de moi[1] !

L'autre, les joues rosées et les yeux humides, l'accepte en faisant une timide révérence. Le concierge se retire contrarié, Rosalie le suit. Ils franchissent ensemble tous les guichets du couloir des prisonniers. Parvenus à l'avant-greffe, Bault demande à Amédée qui somnole comme à l'accoutumée :

— Amédée, monte à la buvette, demande à Morisan de te donner une bouteille d'anisette de Bordeaux et bois-la à ma santé !

Amédée se précipite en fermant la porte derrière lui. Le concierge jette un regard circulaire, puis chuchote à voix basse :

— Rosalie, vous ne pouvez garder ce bout de ruban, je dois le déposer au greffe. Rendez-vous compte, si Fouquier l'apprenait, vous seriez tenue pour suspecte !

Rosalie, la mort dans l'âme, lui rend le ruban sans dire un mot.

— Je suis bien fâché d'avoir contrarié cette pauvre femme en voulant la coiffer, ajoute le brave concierge, mais ma position est si difficile qu'un rien me fait trembler. Je ne saurais oublier que Richard, mon camarade, ainsi que sa femme sont au fond d'un cachot. Au nom de Dieu, Rosalie, ne commettez aucune imprudence, je serais un homme perdu[2] !

— Je vous promets de prendre les plus grandes précautions.

— Savez-vous que je réponds sur ma tête de la sûreté de la Reine ? Personne à part moi n'est autorisé

1. Paroles historiques.
2. *Idem.*

à entrer dans son cachot et j'ai l'obligation d'être accompagné du lieutenant de Bûne et de deux gendarmes. Il doit faire un rapport écrit pour chaque entrée en précisant le jour et l'heure.

A cet instant, un groupe de commissaires municipaux, tous coiffés du bonnet rouge, et entourés de gardes nationaux, font irruption dans le bureau du greffe. Celui qui semble le chef intime à Bault :

— Qui es-tu ? Présente-toi, citoyen !

— Mon nom est Bault, je suis le nouveau concierge.

— Ah ! mais oui. N'étais-tu pas à la Force avant d'être ici ?

— En effet, citoyen.

— Je ne t'avais pas reconnu... Eh bien, salut et fraternité. Mon nom est Cailleux[1] : je suis administrateur des prisons chargé de la police. Et voici mes collaborateurs, les citoyens administrateurs Froidure et Michel. C'est à nous que tu devras désormais rendre des comptes. Quand as-tu pris tes fonctions ?

— Mais il y a à peine une heure, citoyen administrateur.

— Sais-tu que ton prédécesseur vient d'être jeté en prison avec sa femme et son fils ?

— Oui, citoyen administrateur, j'ai appris que Richard avait été arrêté !

— Ainsi que Michonis.

— Je le sais aussi, citoyen administrateur, pourquoi Michonis ?

— Tu le connais bien ?

— Oui, citoyen !

— Il aurait bassement monnayé l'évasion de la veuve Capet contre de l'or.

— J'ai cru savoir qu'il s'agissait d'un complot !

— Un complot ? Que vas-tu chercher, mais pas du tout ! De l'accusation de complot, Michonis a été innocenté ! Le savais-tu ?

1. Cailleux est le remplaçant de Michonis.

— Tu me l'apprends, citoyen. Mais s'il est innocent, pourquoi est-il maintenu en prison avec toute sa famille ?

— Parce qu'il a touché de l'or.

— Il est condamné uniquement pour prévarication ?

— Exactement. Les Comités ont reçu l'ordre de ne pas ébruiter cette affaire de gros sous qui les ridiculiserait. C'est la raison pour laquelle Richard et sa femme sont enfermés aux Madelonnettes et leur fils à la Force ! Ni Michonis ni les Richard ne sont vendus aux royalistes, ce ne sont que de vulgaires concussionnaires ! L'histoire de l'Œillet se résume à une simple intrigue de prison : c'est le mot d'ordre !

— Ah ! tant mieux.

— Mais oui, les gendarmes Dufresne et Gilbert, eux, ont été mutés sur le front, ils sont remplacés par quatre autres qui assurent la garde à tour de rôle. Tu devras être accompagné d'un officier chaque fois que tu rendras visite à la veuve Capet.

— Je le savais déjà, citoyen administrateur.

— Qui achète les subsistances ?

— Moi, citoyen administrateur, dit timidement Rosalie.

Surpris, Cailleux se tourne brusquement vers elle.

— Dis donc, tu es drôlement jolie, présente-toi !

— Mon nom est Rosalie Lamorlière, citoyen administrateur. De Breteuil en Picardie. Je suis la servante de la prison.

Cailleux compulse un dossier.

— Lamorlière, dis-tu ? Effectivement, tu es hors de cause dans l'histoire des Œillets ainsi que le porte-clefs Louis Larivière, est-ce exact ?

— Effectivement, citoyen administrateur, nous n'étions au courant de rien.

— Dorénavant, tout le monde est consigné ! Personne n'est autorisé à sortir, même les jours de repos. Tous les achats seront livrés sur le bureau du greffe ! Les fournisseurs apporteront eux-mêmes les fournitures qui seront déployées ici même sous le contrôle du brigadier de service. Il me transmettra tous les jours le montant des achats. Le régime de la veuve Capet sera le même que celui des autres prisonniers, plus aucun régime de faveur pour elle !

— J'attire aimablement ton attention, citoyen administrateur, ajoute Bault, sur le danger d'une telle mesure.

L'administrateur regimbe :

— Le danger ? Que me dis-tu là, malheureux ?

— Mais, citoyen administrateur, dans ce cas je ne pourrai contrôler ce que mange la veuve Capet et il sera très facile de l'empoisonner. C'est une énorme responsabilité pour moi !

Les municipaux se regardent perplexes. Au bout de quelques instants, Cailleux rétorque :

— Dis donc, citoyen, tu fais bien travailler ta tête, toi ! Mais tu as mille fois raison ! Si elle disparaissait empoisonnée, on priverait le peuple de son procès. Que proposes-tu ?

— Je peux continuer à m'en occuper, citoyen administrateur, dit Rosalie dans son coin, rouge comme une pivoine.

Les municipaux surpris se tournent de nouveau vers elle. Cailleux lui demande :

— Ferais-tu par hasard aussi bien la cuisine que tu es jolie, citoyenne ?

— Je ne sais pas, citoyen administrateur, mais c'est moi qui fais à souper à midi pour les administrateurs et les commissaires, tu as dû forcément y goûter.

— Bien sûr que j'y ai goûté ! Eh bien, moi je te dis : pour sûr qu'elle est excellente ta cuisine, Rosalie ! Dis donc, elle a beaucoup de chance l'Autrichienne de t'avoir comme cuisinière ! Puis il s'adresse à Bault : D'accord pour que Rosalie s'en occupe, mais le régime sera réduit : une soupe, viande un jour sur deux, volaille un jour sur deux, un plat de légumes et rien de plus. Pas de dessert. Compris, Bault ?

— A tes ordres, citoyen administrateur !

— C'est bon ! Maintenant, nous allons opérer un contrôle de son cachot en compagnie de notre architecte.

Rosalie intervient :

— Un architecte l'a contrôlé plus d'une fois, citoyen administrateur.

— On pense qu'un nouveau complot d'évasion se prépare. Il semblerait que les aristocrates creuseraient un tunnel sous sa prison, il faut qu'on vérifie. On procédera dorénavant à un contrôle quotidien et peut-être même matin et soir ! Et de préférence à l'improviste ! Allez, citoyen Bault, montre-nous le chemin !

La petite troupe emprunte le couloir des prisonniers.

— Mais pour quelles raisons ça pue tellement dans ce couloir ? demande Cailleux.

— Parce que cet endroit est clos et qu'il y a beaucoup de passage, citoyen administrateur.

— Ce n'est tout de même pas une raison pour que cela sente si mauvais !

La troupe parvient au troisième guichet gardé par Louis Larivière, puis tourne à gauche dans le corridor noir.

— Quelle infection ! s'écrie Cailleux, mais nous sommes dans un urinoir ici !

— Hélas, oui ! citoyen administrateur, réplique Bault. Louis, ouvre, s'il te plaît.

La Reine s'était assoupie. Baps aboie. Elle se réveille en sursaut.

— Lève-toi, citoyenne, ordonne l'administrateur.

La Reine se lève aussitôt, enfile son déshabillé blanc et, comme à chaque inspection, se tient debout dans un angle de la pièce, les bras croisés. Elle attend.

— Fouillez tout ! intime Cailleux aux gendarmes. Retournez ces matelas et surtout sondez les murs et les sols à la recherche d'un tunnel souterrain ! Vérifiez les barreaux des fenêtres ! Est-ce qu'on entend si quelqu'un parle derrière cette cloison ?

— C'est possible, dit Bault. Citoyen administrateur, les murs n'ont qu'un mètre d'épaisseur. Aussi je compte tendre une couverture sur le mur pour empêcher qu'elle communique avec l'extérieur !

— Très bonne idée. Et par la fenêtre, ne peut-on pas lui passer un message à voix basse ?

— Les deux factionnaires qui se relaient jour et nuit ne laissent approcher personne.

— C'est bien. A la porte, combien de gendarmes ?

— Deux en permanence, en plus de ces deux-là, citoyen administrateur !

— Quel est l'officier responsable ?

— C'est moi, citoyen administrateur, dit le lieutenant de Bûne.

— J'exige, lieutenant, que tu accompagnes de ta personne quiconque entre ou sort de ce cachot !

— Les ordres ont déjà été transmis et exécutés, citoyen administrateur !

— Puis-je te faire une autre suggestion, citoyen administrateur ? sollicite Bault.

— Laquelle ?

— C'est le danger de laisser des gendarmes à l'intérieur du cachot. L'Autrichienne finira par les soudoyer. Laisse-la seule et place-les à la porte, il y aura moins de risques.

Cailleux se tourne vers les deux municipaux, le regard interrogateur :

— Qu'en pensez-vous ?

— Il a peut-être raison, répond Froidure, la louve soudoierait même Satan.

— Je vais soumettre ton avis aux Comités, je crois que c'est une bonne idée que de l'isoler.

Pendant ce temps, l'architecte frappe sur les murs avec sa sonde à la recherche d'un éventuel son creux.

— Présente tes poches ! dit Cailleux à la Reine.

Un gendarme les vide brutalement mais ne ramène rien. Cailleux déroule ensuite un rouleau de papier et lui dit :

— Veuve Capet ! Conformément aux instructions du Comité de sûreté générale, à partir du samedi 14 septembre, tu logeras ailleurs. Je dois te faire part des dispositions relatives à ta nouvelle détention que je serai chargé de mettre en application : “Ce jour dh’ui 11 septembre 1793, l’an 2 de la République, une et indivisible, nous délégué par le Comité de sûreté générale, en vertu de son arrêté de ce jour, nous nous sommes transporté à la prison de la Conciergerie pour...”

La pensée de la Reine s’est envolée, elle n’écoute plus. La voix de Cailleux n’est plus qu’un vague marmonnement. Une voix lointaine l’a remplacée, elle a reconnu un timbre qui lui est cher :

— Dans l’adversité, ma fille, pense à moi... pense à moi, ma fille... Sois toujours digne, ma fille, tu es une Habsbourg, une fille des Césars... Je suis près de toi, je suis juste de l’autre côté du chemin...

Marie-Antoinette a reconnu l’intonation de sa mère et on peut lire pour la première fois sur ses lèvres décolorées quelque chose qui ne s’était pas manifesté depuis très, très longtemps : un sourire d’espoir.

SAMEDI 14 SEPTEMBRE, QUARANTE-QUATRIÈME JOUR DE DÉTENTION, LA CONCIERGERIE, SEPT HEURES DU SOIR

5

Le nouveau cachot

Rosalie Lamorlière comme chaque soir quitte la cuisine de la Conciergerie avec la camisole chaude et le plateau du repas pour la Reine. Elle se dirige vers le nouveau cachot, suivie du sergent obèse qui ne se permet plus la moindre familiarité. Le trajet à parcourir dans les couloirs est beaucoup plus long. Afin de limiter les risques d'évasion, les municipaux ont choisi une nouvelle cellule plus éloignée de la porte d'entrée de la prison que la précédente. Elle est située après le parloir et nécessite pour y accéder de franchir ses deux grilles. Elle se trouve en fait à l'extrémité gauche du couloir des prisonniers.

La Reine est logée dans un réduit de trois mètres sur deux, anciennement utilisé comme réserve à pharmacies. Toutes les issues ont été murées, à l'exception d'une fenêtre grillagée aux trois quarts donnant dans la cour des femmes, et la porte a été doublée pour éviter toute communication.

A l'extérieur, toujours dans cette même cour et devant la fenêtre, deux factionnaires sont postés jour et nuit.

Deux autres montent la garde à la porte du cachot et ont reçu l'ordre de ne laisser entrer personne. On ne peut entrer sans être accompagné de l'officier de police de la Conciergerie.

Il n'est donc pas exagéré de dire que la Reine de France est bel et bien enterrée vivante dans un réduit humide et glacé soumis à une obscurité presque totale.

Seul un semblant de lumière pâle émise par le réverbère de la cour des femmes lui parvient difficilement à travers la fenêtre grillagée. Ce cachot est encore plus exigu que le précédent. Le mobilier se limite à un lit de sangles plus étroit, une table, une chaise, un tabouret et un paravent délabré. La Reine, qui était obsédée de propreté, ne dispose que d'un broc d'eau froide pour faire sa toilette. Elle n'a plus droit à une chaise percée mais à une griache que le forçat Barrassaint vient vider de temps en temps et dont l'odeur a envahi le réduit. L'hygiène corporelle de la Reine est des plus sommaires, et considérablement aggravée par ses pertes de sang. Un froid humide entretenu par le suintement du sol et des cloisons s'abat sur son cachot dépourvu de poêle à bois. Le salpêtre du mur salit le linge au moindre contact. Le froid est devenu désormais son pire ennemi. Elle est enveloppée dans sa couverture grisâtre, elle grelotte. Malgré la double paire de bas de filoselle, elle a toujours aussi froid aux pieds. Elle garde son petit carlin sous la couverture.

Rosalie, ignorant les gendarmes qui somnolent sur les chaises, enfile rapidement le couloir des prisonniers. Elle franchit les deux grilles du parloir, puis tourne à gauche pour parvenir au nouveau cachot. Les gendarmes Prudhomme et Lamarche sont là, le mousquet à la main, qui montent la garde. Sur les conseils du concierge Bault, ils sont dorénavant postés à l'extérieur du cachot. Malgré leur prévenance, la Reine est heureuse de ne plus supporter leur promiscuité et demeurera seule jusqu'au 5 octobre.

Le concierge Bault et le lieutenant de Bûne, fidèles au poste, attendent son arrivée. Elle leur pose la sempiternelle question :

— Pouvez-vous m'ouvrir, s'il vous plaît ?

Le guichetier ouvre les serrures de la double porte. Le concierge fait pénétrer Rosalie, puis se retire en refermant derrière elle.

A l'arrivée de Rosalie, la Reine, stoïque et toujours digne, se redresse légèrement sur son lit.

— Bonsoir Rosalie !

— Bonsoir Madame !

Elle sort de son lit, ôte aussitôt sa chemise maculée. Lorsqu'elle est recouchée, Rosalie remonte la couverture jusqu'au menton et propose son bouillon de lentilles, et la Reine répond comme d'habitude :

— Merci, Rosalie, mais je n'ai pas faim… Mes pauvres enfants… qui ne savent même pas que leur père est mort ! Enfin, lui au moins il est heureux pour une éternité…

Comme chaque soir, Rosalie frotte ce sol qui sécrète une intarissable boue rougeâtre. Elle ne s'en plaint pas, car elle tient là une bonne excuse pour justifier auprès des autorités ses longues présences auprès de la Reine.

Le carillon de la Sainte-Chapelle égrène les huit coups de vingt heures… Il est temps pour elle de se retirer. Elle doit abandonner, la mort dans l'âme, "sa princesse" à cette claustration glacée et emmener les chandelles, la condamnant à la plus cruelle des nuits.

— Bonne nuit, Madame ! dit-elle en exécutant une touchante et maladroite révérence.

— Bonne nuit, merci, ma fille…

Puis, de nouveau c'est le silence, seulement rompu tous les quarts d'heure par le carillon de la Sainte-Chapelle, mais c'est aussi l'obscurité et le froid…

Samedi 21 septembre, cinquante et unième jour de détention, la forteresse de Courbevoie, huit heures du matin

6

Les matelas du Roi Louis XVII

Jean-Baptiste Basset se rend à la forteresse de Courbevoie pour remplir une mission que lui a assignée le baron de Batz. Il est installé dans un fiacre qui suit une charrette où sont empilés des dizaines de matelas. Un gendarme national du nom d'Antoine Maingot est assis à ses côtés. C'est un homme d'une trentaine d'années, très grand et très maigre. Son visage allongé rappelle la tête d'un cheval. Quand il rit, sous d'épaisses moustaches, ses lèvres s'ouvrent sur des dents immenses et déchaussées.

— Quelle est ton affectation ? demande Basset.

— La 33e division de gendarmerie.

— Quelle excuse as-tu donné pour te faire libérer ?

— J'ai dit que j'étais malade.

— N'es-tu pas étonné, dit Basset en riant, que cette permission t'ait été accordée si facilement ?

— Si ! Foutre, je me suis demandé si les ordres ne seraient pas venus de je ne sais où. Te rends-tu compte, barbier, que j'ai été autorisé à m'absenter durant un mois !

— En réalité, les ordres venaient du Comité de sûreté générale.

— Tu plaisantes !

— Ton congé a été décidé au sommet.

— Mon congé décidé au Comité de sûreté générale ?

— Puisque je te le dis…

— Comment le Comité de sûreté générale peut-il s'intéresser à un pauvre bougre comme moi ?

— Nous avons notre petite influence, mon ami, et nous avons besoin de toi… Antoine Maingot, tu vas bientôt passer aux actes !

— Enfin ! Quand, parbleu ?

— Quand j'aurai trouvé un local assez grand pour réunir mes hommes.

— Encore ton histoire de local ? Tu m'as déjà dit cela dix fois ! Tu retardes sans arrêt. Quand interviendrai-je à la fin ?

— Patience, toi, tu fais partie du plan ultime.

— Tu me dis toujours cela… C'est quoi ultime ?

— Le dernier espoir d'enlever la Reine pourrait un jour reposer sur toi…

— Si c'est cela mon ultime, je le connais par cœur, tu me l'as répété cent fois !

— A l'heure dite, tu te tiendras à l'angle de la rue de Richelieu et la rue Saint-Honoré.

— Cela aussi je le sais. Au fait pourquoi la rue Saint-Honoré ?

— Parce que c'est le chemin obligé pour se rendre place de la Révolution.

— Place de la Révolution ? Tu me l'avais caché, barbier, parce que c'est le chemin de la guillotine, n'est-ce pas ?

— En effet.

— A qui penses-tu, barbier ? Ce n'est pas à la Reine, j'espère ?

— Malheureusement, c'est une éventualité que l'on ne peut ignorer !

— Quoi ! Ils guillotineraient ma Reine ?

— Nous n'en sommes pas là, Antoine, tiens-toi prêt à rejoindre les conjurés rue Saint-Honoré.

— Quand ?

— Tu seras prévenu en temps voulu. Les conjurés auront les yeux fixés sur toi…

— Cela aussi tu me l'as déjà dit… Mais je te répète que je ne connais pas ces gars !

— Eux te reconnaîtront !

— Comment ? Ils ne m'ont jamais vu !

— Tu vas les connaître dans un instant, ce sont des jeunes merveilleux ! Au moment de l'attaque, tu porteras deux œillets blancs à la bouche.

— Deux œillets à la bouche ? Pourquoi à la bouche, barbier ? Je n'aime pas les œillets, ma mère dit toujours qu'ils portent malheur !

— As-tu entendu parler du complot de l'Œillet ?

— Foutre ! Qui ne le connaît pas ?

— Te souviens-tu qu'avec deux œillets on a tenté de sauver la Reine ?

— Oui.

— Eh bien, c'est de nouveau avec deux œillets qu'on la libérera !

— Comment ?

— Je t'ai dit que les comploteurs auront les yeux fixés sur toi… Une femme s'approchera de toi et te dira à l'oreille : "Deux œillets, Maingot !" Tu mettras aussitôt les deux fleurs dans la bouche.

— Pourquoi dans la bouche ?

— Pour qu'on les voie ! Ce sera le signal de l'action, tu sais le reste : les autres se précipiteront sur la voiture pour enlever la Reine quand elle franchira le carrefour du Palais-Royal.

— Je sais ! Je sais ! Si j'ai bien compris, pour permettre à la Reine de s'enfuir, ceux qui barreront la route aux assaillants n'auront aucune chance de s'en sortir ?

— Vous êtes tous volontaires, mais tu peux encore changer d'avis.

— Tu me vexes, barbier, pour ma Reine vénérée, sache que je me battrai jusqu'à la mort !

— Ce n'est pas tout, Antoine, il y a une autre éventualité, pas gaie du tout !

— Laquelle ?

— Si l'affaire se présente mal, tu devras passer un message différent !

— Cette fois, j'espère qu'il ne sera plus question d'œillets ?

— Si, mais cette fois la femme te dira : “Un seul œillet, Maingot !” Tu ne mettras qu’un seul œillet dans la bouche, tu le garderas le plus longtemps possible pour que tous les comploteurs le voient. Cela voudra dire : Sauvez-vous, tout est perdu… As-tu bien compris cette fois, Antoine ?

L’autre demeure pensif quelques instants.

— Foutre ! Il faudra pas confondre ! “Deux œillets, Maingot !” : Tout va bien. “Un œillet, Maingot !” : Sauve qui peut !

Il le répète à voix basse plusieurs fois.

— Si par malheur tu te trompais, Antoine, la Reine serait perdue !

— Sois tranquille, je ne me tromperai pas !

Il marmonne une fois de plus la phrase.

— Mais alors, avec un œillet, j’abandonne ma Reine ?

— Je t’ai déjà dit que c’était une situation ultime qui a peu de chance de se réaliser.

— Alors pourquoi tu en parles ?

— Parce que nous devons envisager toutes les éventualités.

— Sache, barbier, que je n’abandonnerai jamais ma Reine, plutôt mourir avec elle.

— C’est bon… Prépare-toi, on arrive.

Le fiacre pénètre dans le cantonnement. Un planton boutonneux ordonne à la voiture de s’arrêter.

— Ton laissez-passer.

— Je viens livrer les matelas commandés par l’armée, dit Basset, le capitaine Le Bozec attend leur livraison.

Ce dernier arrive en courant.

— Laisse entrer, Jean-Denis.

Le capitaine Victor Le Bozec, ancien garde de la maison du Roi, n’a rien perdu de ses convictions royalistes. Il a été enrôlé malgré lui dans l’armée révolutionnaire, C’est un homme d’une haute stature, portant des cheveux roux à l’ancienne mode réunis derrière la tête en un catogan. Il vous fixe avec un beau regard bleu dans un visage parsemé de taches de rousseur.

— Salut Jean-Baptiste, salut Antoine, vous êtes attendus avec impatience, mes amis !

— Salut Victor, répond Jean-Baptiste, je t'apporte soixante matelas supplémentaires, tu en auras cinquante autres la semaine prochaine. Où as-tu réuni tes hommes ?

— Au réfectoire.

— Au réfectoire ? Quelle excuse as-tu invoquée ?

— Coupe de cheveux gratuite exécutée par le meilleur perruquier de Paris ! J'ai dit au colonel que tu coiffais l'Incorruptible, il a été très impressionné.

— C'est un révolutionnaire, ton colonel ?

— Plutôt.

— J'espère qu'il ne va pas nous surprendre quand j'expliquerai aux gars leur mission.

— J'ai fait surveiller les abords, on nous préviendra aussitôt de son approche.

Quand le capitaine Le Bozec, suivi de Basset et de Maingot, pénètre dans le réfectoire, cinquante-deux soldats sont assis autour d'une longue table :

— A vos rangs ! Fixe !

Tous se lèvent et se mettent au garde-à-vous.

— Repos ! lance Le Bozec, reprenez vos places.

Les conscrits se rassoient.

— Soldats, Jean-Baptiste Basset a apporté un matelas de laine pour chacun de vous. Cette nuit, vous dormirez dans un bon lit. Savez-vous au moins qui vous les offre ?

L'un d'eux veut répondre en levant la main.

— Oui, Bajard, je t'écoute ?

— Mon capitaine, c'est Sa Majesté le Roi Louis XVII !

— Levez la main, ceux qui l'ignoraient.

Aucune main ne se lève.

— Bravo, les gars, dit Basset. Maintenant, écoutez-moi, je vais vous expliquer la mission que vous aurez à remplir. Pour être assuré du résultat, je vous préviens que votre action devra être héroïque. Si par malheur notre opération contre les terroristes échouait, vous êtes notre dernier espoir de libérer la Reine.

— Pourquoi échouerions-nous, monsieur ? demande Bajard.

— Plutôt crever ! lance Maingot.

— Parce que lorsque nous entreprenons une opération armée contre les terroristes, avant de passer à l'acte, nous prévoyons toujours une solution de remplacement en cas d'échec. Nous allons attaquer militairement plusieurs points dans Paris, dont la Conciergerie. Pour que ce plan réussisse, il faut que nous opérions en même temps sur tous nos objectifs.

— Combien d'hommes avez-vous ? demande Le Bozec.

— Plus de mille cinq cents !

Impressionnés, les conscrits demeurent silencieux.

— En quoi notre action sera-t-elle héroïque ? demande Bajard.

— Après vous, dit Basset, il n'y aura plus aucune chance de libérer la Reine. C'est Antoine Maingot qui cordonnera l'ensemble des opérations et qui guidera chaque groupe.

— Les gars, renchérit ce dernier, nous nous battrons le dos au mur, nous ne pourrons compter que sur nous-mêmes, mais faites-moi confiance, je n'abandonnerai jamais ma Reine !

— Laissez-moi vous expliquer notre plan, précise Basset. Bien que cette éventualité soit improbable, si les terroristes décident de l'assassiner place de la Révolution, nous l'enlèverions entre la Conciergerie et son lieu d'exécution.

— Connaissez-vous à l'avance ce parcours ? demande Bajard.

— C'est celui qu'ils utilisent depuis un an. Je le rappelle : en sortant de la Conciergerie, la voiture de Sa Majesté empruntera la rue de la Barillerie, franchira le pont au Change pour passer sur la rive droite, tournera à gauche dans le quai de la Mégisserie pour atteindre la rue du Roule, là elle tournera à droite dans la rue Saint-Honoré. Maintenant, suivez-moi bien : vous devrez intervenir quand la voiture parviendra place du Palais-Royal.

— Pourquoi attendre que la Reine soit si loin, demande Maingot, ne pourrions-nous pas la libérer plus tôt ?

— Impossible ! La Reine doit obligatoirement parvenir à ce niveau pour atteindre la rue de Richelieu qui la conduira aux carrières de plâtre de Montmartre. C'est le chemin le plus direct. Vous vous tiendrez par formation de dix tout autour du carrefour du Palais-Royal : dix avant le carrefour Saint Honoré-Richelieu et dix autres de l'autre côté de la place à l'angle Saint-Honoré-Saint-Nicaise. Enfin, dix disséminés tout autour du carrefour. Un feu nourri doit d'abord abattre l'escorte qui garde la voiture, mais aussi d'éventuels renforts qui proviendraient des quatre rues adjacentes. Les dix derniers se précipiteront sur la berline et s'empareront de la Reine. Une voiture et trois chars à ban stationneront en bas de la rue de Richelieu. La Reine sera précipitée dans la voiture qui s'enfuira en direction de Montmartre tandis que les trois chars seront disposés en travers pour empêcher toute poursuite. C'est à ce moment précis que tous les groupes se rejoindront derrière les charrettes en fixant les assaillants par un feu nourri.

— Eh bien, affirme Bajard en riant, j'espère au moins que ceux qui en sortiront vivants seront faits chevaliers de Saint-Louis !

— Ne ris pas, bambin, lance Maingot, c'est prévu ! De plus, tous les gars seront pensionnés à vie par le Roi.

— Une rente à vie ? s'exclame l'autre en s'adressant à ses compagnons : Dites, les amis, nous allons veiller à ne pas mourir !

— Montre-leur ton cordon de Saint-Louis, dit Basset à Maingot.

L'autre se met torse nu et exhibe ses tatouages. Il porte, dessiné en sautoir sur la poitrine, un cordon à l'extrémité duquel se trouve un cœur percé d'une croix.

— Celle-là les terroristes ne me l'enlèveront jamais.

— Dis donc, Maingot, demande Bajard, tu nous avais promis de nous montrer tes dessins porte-bonheur.

— C'est bien grâce à eux, bambin, que je suis encore sur mes deux jambes.

— Montre !

Les jeunes conjurés se lèvent et se répartissent autour de lui. D'un petit sac de cuir crasseux, Maingot ressort un premier dessin dont les couleurs sont passées.

— Qui est cette femme transpercée par un sabre ? demande Bajard.

— C'est ma protectrice.

— Qui ?

— Mon idole, c'est ma Reine !

— C'est écrit *mater dolorosa*, pourquoi ?

— Parce que c'est une mère martyre, imbécile.

— Pourquoi est-elle transpercée par un sabre ?

— Le sabre au flanc symbolise justement son martyre.

— Et la croix au-dessus de sa tête ?

— Parce que c'est une grande chrétienne.

— Et les trois clous au-dessous de son portrait ?

— C'est la Sainte Trinité, ignare !

— Tu nous avais promis de donner à chacun de nous un exemplaire de ton porte-bonheur.

— Les voilà !

Maingot exhibe cinquante-deux petits morceaux de papier très fins qu'il distribue aux conjurés.

— Qui est ce bébé dans une corbeille de fleurs, qui tient une croix ? demande Bajard.

— C'est le jeune Roi Louis XVII, imbécile ! C'est grâce à lui que je suis vivant. Ne vous séparez jamais de votre porte-bonheur, il ne vous arrivera rien ! Il s'adresse à Basset : Tu en veux un, barbier ?

— Non merci, dit l'autre en riant.

— Tu as tort, tu en auras peut-être besoin un jour.

— Tant pis ! répond ce dernier, qui ajoute : Maintenant, votre attention, mes amis ! Je reviendrai vers vous quarante-huit heures avant le déclenchement de l'opération. Ce jour-là, vous déserterez en emportant le maximum d'armes et de poudre. Vous aurez revêtu vos carmagnoles et vos bonnets rouges et vous repartirez vers le Palais-Royal en attendant mes instructions. Vos armes seront cachées dans les trois charrettes qui attendront rue de Richelieu. Notre ami Maingot lancera le signal de l'attaque par les deux œillets blancs qu'il aura à la bouche.

Tout le monde rit.

— Pourquoi un signal si bizarre ? demande Bajard.

— Parce que vous ne devez pas communiquer entre vous. Il ne faut pas qu'on vous voie parler les uns avec les autres. Chacun isolé dans son coin apercevra les deux œillets : ce sera le signal de l'intervention. Vous la déclencherez sans avoir à échanger un seul mot. Impossible de surprendre la moindre collusion entre les attaquants. La surprise sera totale.

— Soyez rassurés, les gars, dit Maingot, nous allons répéter notre opération dans le détail. Et vous, mon capitaine, que deviendrez-vous ? Foutre, ne risquez-vous pas d'être inquiété ?

— Ne vous souciez pas pour moi, dit Le Bozec en riant. Je me suis porté volontaire dans l'armée républicaine qui se bat contre les Vendéens, je ne pourrai être suspecté puisque je pars cette nuit. Quand vous déclencherez votre action, je serai parti depuis longtemps.

— Vous allez rejoindre cette armée d'égorgeurs ? s'indigne Basset.

— Je vais jouer leur jeu durant quelque temps, pour déserter ensuite avec armes et munitions à Saint-Florent chez les Vendéens de Charrette. Je compte entraîner beaucoup d'hommes avec moi.

— Ah ! je te comprends mieux ainsi, dit Maingot, en faisant du bras élevé à la verticale un grand geste expressif.

Les jeunes conscrits tout joyeux applaudissent.

Au même moment, sur la recommandation de Fouquier-Tinville, l'administrateur de police Baudrais lâche sa police secrète contre les perruquiers du quartier des Arcis.

LUNDI 30 SEPTEMBRE, SOIXANTIÈME JOUR DE DÉTENTION,
RUE DE LA VERRERIE, QUATRE HEURES DE L'APRÈS-MIDI

7

La dentellière aveugle

Comme tous les matins, une vieille Auvergnate aveugle et bossue, du nom de Catherine Urgon épouse Fournier, distribue *Le Courrier français* aux commerçants du secteur des Arcis. C'est son unique source de revenus, c'est dire si la famille Fournier est dans une grande misère. Le mari est rémouleur, et Jean, le fils âgé de seize ans, est décrotteur dans le quartier. Quant à leur fille prénommée également Catherine, elle cherche désespérément une place de servante.

Une canne à la main, l'infirme arpente les rues en s'appuyant sur le bras du jeune Jean. Elle est devenue aveugle en travaillant la dentelle dans son village de Murat. Comme son compatriote Jean-Baptiste Basset, cette Murataise douée d'une volonté de fer est native d'Auvergne et voue une haine farouche au régime des révolutionnaires. Dans son village natal, elle a quelques années plus tôt mené un combat violent contre les prêtres constitutionnels, qui lui valut une condamnation à mort. Elle bénéficia de l'amnistie générale lorsque Louis XVI signa la Constitution.

Dès son arrivée à Paris, elle s'est installée dans le quartier des Arcis, au 44, rue de la Vannerie. Elle a été aidée par le baron de Batz pour se loger. Elle complote ferme avec Jean-Baptiste Basset pour libérer l'infortunée Reine de France. Ils fréquentent quelques Auvergnats qui habitent le même secteur autour de la Conciergerie et cultivent ensemble de brûlantes convictions royalistes. Le baron de Batz finance la contre-révolution en mettant à leur disposition des sommes importantes : tous mettent un point d'honneur à ne jamais utiliser cet argent à des fins personnelles. Plus tard, quand la Reine sera libérée et que le Roi Louis XVII montera sur le trône, ils bénéficieront d'un régime de faveur.

Catherine Fournier doit agir avec prudence dans une zone quadrillée par cette section "patriotique", l'une des plus révolutionnaires de Paris : la terrible section des Arcis. Ce matin, la vieille femme est chargée de prévenir les conspirateurs que le déclenchement de l'action est imminent. Elle a gagné à sa cause la plupart des artisans du coin. Ils la savent dans une effroyable misère, aussi chacun tente de la secourir sans blesser sa dignité, ce qui n'est pas aisé.

— Maman, n'oublie pas ta cocarde ! dit le petit Jean en la lui mettant dans la main.

— Merci, mon petit, tu as raison, il ne faut pas se faire remarquer.

Elle pénètre au 51, rue de la Verrerie dans la boutique du serrurier Etienne Armillon. Ce dernier est assis derrière son établi, enveloppé dans son tablier de cuir, il se bat avec force contre une énorme serrure rouillée.

— Adieu Etienne ! dit-elle en tapotant le sol avec sa canne, voilà ton journal, dis donc, tu en fais du bruit aujourd'hui !

— Merci ! Bonjour Catherine, je répare une serrure pourrie qui condamnait un cachot de la Conciergerie.

— Ne la répare pas trop, que le malheureux qui en héritera puisse s'enfuir !

L'autre rit.

— Dis donc, Etienne, tu dois sacrément regretter le temps où tu travaillais pour le pauvre Louis XVI, non ?

— Tu parles ! Vivement que je travaille demain pour son fils ! Mais qu'est-ce que je vois, toi, tu portes une cocarde tricolore ? Es-tu devenue folle ?

— Tu sais bien qu'elle est obligatoire pour toutes les femmes depuis le 21 septembre, crois-moi, si seulement je pouvais m'en passer, avec le rouge au milieu elle ressemble à un œil crevé !

— Quoi de nouveau, mon amie ?

— Jean-Baptiste cherche toujours un local où nous pourrions nous réunir.

— Je trouve que nous perdons beaucoup de temps avec cette histoire de local. Pourquoi ne pas nous réunir chez Christine Mathieu, notre jolie limonadière ?

— Nous sommes trop nombreux et c'est trop exigu. Non, il nous faut un espace qui abrite plus d'un millier de personnes.

— Dis-moi, il existe bien une idylle entre la limonadière et Jean-Baptiste ?

— Je n'en sais rien.

— Menteuse – Catherine Fournier rit –, tu vois bien que tu mens ! Dis donc, elle pourrait presque être sa mère, elle a bientôt la quarantaine, et Jean-Baptiste, quel âge cela lui fait-il à présent ?

— Vingt-deux ans, mais moralement il en a quarante. Je ne connais aucun jeune aussi mûr et aussi grave que lui. Il n'empêche qu'ils s'adorent…

— As-tu des nouvelles du pays ?

— J'ai reçu une lettre de Murat.

— De qui ?

— De la veuve Quinette, elle m'a écrit un long message d'encouragement.

— Sacrée Quinette, elle te dit quoi ?

— De sauver la Reine quoi qu'il arrive ! Elle regrette d'être si loin, elle voudrait se battre à nos côtés.

— Ne trouves-tu pas que nos Murataises sont d'une autre trempe que leurs Parisiennes ?

— Ça c'est bien vrai ! Elle prédit que c'est la Reine qui renversera les jacobins, elle me cite une phrase de la Bible qui dit : “La femme renversera la montagne.” Ne trouves-tu pas que c'est prémonitoire ?

— C'est vrai, c'est troublant… Sacrée Quinette !

— Si nous avions cent Charlotte Corday, dit l'aveugle, nous les femmes, nous n'aurions pas besoin de vous pour sauver notre malheureuse Reine ! Vous les hommes, ajoute-t-elle en riant, vous êtes tous des couards[1] ! Bon, je continue ma tournée... Adieu Etienne, surtout sois prêt à frapper le grand coup !

Elle poursuit la distribution du *Courrier français* dans la rue de la Vannerie où résident de nombreux artisans dévoués à sa cause. Au numéro 16, c'est Basile Anne Bonneville le convoyeur.

— Bonjour Basile !

Le petit Jean dépose un journal sur un tonneau d'orge.

— Bonjour Catherine. Quelles sont les nouvelles ?

— As-tu reçu les trois charrettes de Jean-Baptiste ?

— Je les dépose demain rue de Richelieu. Tu lui diras qu'elles sont plus chères que prévu, il faut rajouter cinq cent quarante livres.

— Pour chaque ?

— Non pour les trois.

— C'est bon, tu seras payé. Tiens-toi prêt, le grand jour arrive ! Allez salut.

Un peu plus loin, au 44, de la rue de la Vannerie, c'est Pierre Divernesse le peintre en bâtiment ; au 47, c'est Joseph Lacroix le fripier ; au 3, c'est Colas le râpeur de tabac natif de Murat, qui était le complice d'Elisabeth Lemille à l'Hospice de l'Archevêché ; au 3 toujours, c'est Pierre Hilaire Ducattois le perruquier, dont le frère collabora avec le chevalier de Rougeville dans la forêt de Meaux. Toujours au 3, c'est le père Benoît Pichot dont la belle-fille, la valeureuse Elisabeth, a épousé l'intrépide Guillaume Lemille. Le beau-père est un ardent royaliste.

— Salut Benoît, lance-t-elle en faisant déposer un journal sur une chaise par son fils. Puis-je m'asseoir, j'ai très mal au dos ?

— Bien sûr ! Salut les Fournier, quelles nouvelles d'Elisabeth et de Guillaume ?

1. Paroles historiques.

— Toujours à la recherche de cette canaille de Gilbert, dit-elle en bourrant sa pipe.

— Cette ordure qui a osé toucher notre Reine mérite comme Ravaillac d'être tiré à quatre chevaux !

— Ne t'inquiète point, ta belle-fille va s'en charger.

— Où sont-ils donc ?

— On sait seulement qu'ils sont arrivés à Thionville où campe le régicide. Ce scélérat a été muté dans un campement près de la ville.

— Lequel ?

— La 22e division de gendarmerie.

— Comment vont-ils faire pour faire entrer une femme dans un camp militaire ?

— C'est vrai que l'entreprise n'est pas facile, dit-elle en tirant sur sa pipe, mais fais confiance à la petite, rien ne l'arrête, elle se déguisera en homme !

— Tiens, pour ton dîner de ce soir, la mère t'a préparé un pâté de grives.

— Merci Benoît, si tu savais ce qu'il m'en coûte d'accepter, dit-elle en se levant. Jean, passe-moi ma canne !

— Allons ! Allons, Catherine ! Pas d'amour-propre mal placé. Nous sommes tous solidaires.

— Quand je pense qu'à Murat, ma dentelle faisait vivre toute la famille et qu'aujourd'hui je suis obligée de vendre ce papier, que mon fils doit enlever la m… du quartier et que mon mari doit aiguiser des couteaux dans la rue !

Des larmes coulent de son regard mort.

— Tu n'es pas seule, mon amie, lui dit l'autre, tu sais bien que tu peux compter sur nous.

— Dire que toute cette misère est due à ces hérétiques qui nous gouvernent.

— Tu es au courant du dernier décret des terroristes de la Convention ?

— Non !

— Depuis hier on ne peut plus vendre librement nos produits : ils ont institué un maximum légal pour un certain nombre de denrées.

— Je croyais que cela ne concernait que la farine et le pain.

— Pas du tout, tous les produits de première nécessité ont désormais un prix maximum ! On ne pourra plus gagner notre vie ! Et ce n'est pas fini, ils vont appliquer leur satanique loi du Maximum à tous les salaires. Du côté des ouvriers du faubourg Saint-Antoine on entend gronder très fort !

— Ah ! Benoît, dans quelle galère nous sommes financièrement ! Non seulement ces ordures nous font crever de faim et nous empêchent de gagner notre vie, mais ils nous ont tout pris, jusqu'aux représentants de Dieu, pour nous imposer des prêtres jureurs qui se sont parjurés à la face du Seigneur !

Elle sanglote.

— Ne pleure pas, la mère, dit le petit Jean, on va les crever tous.

— Excuse-moi, Benoît, dit-elle en se mouchant, merci pour tout. Allez, on continue, adieu Benoît, n'oublie pas de remercier la mère pour le pâté.

— Préviens-moi, Catherine, dès que tu as des nouvelles d'Elisabeth.

— Bien sûr, allez, salut mon ami.

Catherine s'adresse à son fils :

— Allons boire maintenant la goutte chez Polisse pour nous remonter le moral, tu verras, il a un vin fameux.

Après dix minutes de marche dans la rue Saint-Jacques-La Boucherie, ils pénètrent au 215 dans la boutique d'un marchand de vin. Elle appartient au jeune Polisse qui est tout acquis à la Reine, mais dont la femme “a des principes douteux”.

— Salut, “monsieur le palefrenier du Roi”, dit l'aveugle en riant, Dieu que j'aime l'odeur de ta baraque !

Elle fait déposer par Jean *Le Courrier français* sur le comptoir.

— Salut Catherine, dit l'autre, en m'appelant ainsi, tu remues en moi de sacrés souvenirs, tu sais ?

— Nous avons tous des souvenirs à remuer. J'ai une bonne nouvelle pour toi : on va bientôt être débarrassés de ces scélérats de montagnards !

— Quand, Seigneur ?

— Jean-Baptiste cherche un local pour réunir tous ses hommes, nous n'avons plus un instant à perdre pour sauver la pauvre Reine... Et ta femme, toujours aussi républicaine ?

— Toujours, dit l'autre en soupirant.

— Heureusement que son père est royaliste, ça compense ! A propos, il va toujours aux halles travailler les esprits à la bonne cause ?

— Tous les soirs.

— Pour quelles raisons ne me tient-il plus informé ? Grâce à lui, j'avais le thermomètre de l'opinion et je pouvais voir que cela prenait bien !

— Je vais lui dire de recommencer à t'instruire... Tu bois une goutte ?

— Je veux, mon ami ! Je peux m'asseoir ?

— Je t'en prie.

Elle rallume sa pipe.

— Et toi, mon petit Jean, que veux-tu boire ?

— Une goutte comme la mère.

— Allez, goûtez-moi ce petit vin de noix...

Une femme s'apprête à entrer dans la boutique.

— Attention, Catherine, voilà la blanchisseuse, tiens surtout ta langue, celle-là je ne la sens pas ! dit-il en lui mettant un verre de vin dans la main.

— C'est qui ?

— Rose Broux, la mère délation, on voit souvent des gendarmes rôder chez elle !

— La garce... Sa vieille et elle, je les déteste ! Attends, je vais l'emm... un tantinet !

Une femme maigre aux cheveux noirs et aux petits yeux pénètre dans la boutique.

— Tiens, bonjour Rose, comment va la mère ? demande Catherine d'un air inquiet.

— Pas bien ! Toujours son échauffement des humeurs ! Elle fait maintenant de l'hydropisie.

— Diable ! Tout cela ne s'arrange pas avec les années... Ça lui fait quel âge maintenant ?

— Quatre-vingt-huit !

— Je sais qu'avec l'hydropisie les choses vont toujours de mal en pis… Père en est mort… Dis, connais-tu les dernières nouvelles de Vendée ?

— Lesquelles ?

— Kléber a été battu et grièvement blessé à Torfou.

— Kléber ? Impossible !

— Catherine a raison, dit Polisse, il a été battu par Charrette et Elbée réunis !

— Deux mille prisonniers, ma fille ! renchérit l'aveugle. C'est une catastrophe, les républicains reculent partout.

— Tu es sûre ? Quand Kléber a-t-il été battu ? Je n'en ai jamais entendu parler.

— C'est normal que tu ne le saches pas encore, il a été battu le 19. Il est dans un état grave.

— Comment cela est-il possible ?

— Attends, Rose, ce n'est pas tout ! Charrette est en train de lever tout l'Ouest contre nous, Noirmoutier est tombé aux mains des royalistes, c'est très inquiétant tout cela !

Le jeune Polisse s'éloigne pour rire.

— Heureusement qu'au nord ça va mieux ! dit la Broux.

— Ça va mieux ? Que dis-tu là, ma fille ? Mais pas du tout ! Là, ça va encore plus mal ! Valenciennes et Mayence sont tombés depuis longtemps, on dit que les Autrichiens arrivent pour libérer la Reine… Sais-tu comment ils appellent notre armée de Mayence ?

— Non.

— Ils l'appellent l'"armée de faïence" – elle rit.

— Je ne trouve pas ça drôle, dit l'autre en prenant un air grave.

— Toute plaisanterie mise à part, je suis vraiment inquiète ! On dit aussi que sitôt arrivés à Paris, ils fusilleront tous les montagnards !

— Qui ?

— Les Autrichiens, pardi !

— Ça ne m'étonnerait guère de la part de ces barbares !

— On dit encore que dans notre quartier, les royalistes leur ont transmis la liste des gens à fusiller, j'ai bien peur que toi et moi nous en faisions partie !

L'autre blêmit.

— Tu es sûre de cela ? Pourtant, personne n'en parle.

— Plus que sûre, tu devras prendre des garanties dès qu'ils seront là.

— Quelles garanties ?

— Je sais pas, moi... Leur dire par exemple quels sont les montagnards à supprimer... Ce serait le seul moyen de sauver ta vie.

— Supprimer des patriotes ? Tu es folle !

— Tant pis, je t'aurai prévenue, ma fille ! C'est pour ton bien que je te dis tout cela. Allez, bonne santé pour la mère, salut Polisse, et merci pour la goutte.

Elle s'apprête à sortir.

— Attends, Catherine, dit ce dernier, garde la bouteille pour faire goûter ce vin à Jean[1].

— Je ne peux accepter, c'est tous les jours pareil !

— Tu sais bien que cela nous fait tellement plaisir !

Au moment où elles sortent de l'échoppe, une averse inonde la rue Saint-Jacques-La Boucherie. Le jeune Jean hésite à marcher sous la pluie.

— Que t'arrive-t-il, mon petit, aurais-tu peur de l'eau maintenant ? Allons, donne-moi le bras, conduis-moi chez Boudin, le charcutier.

Le garçon éclate de rire.

— Boudin, le charcutier ! Il a vraiment un drôle de nom !

— C'est vrai qu'il ne pouvait trouver plus approprié, dit la vieille en riant, je vais lui acheter quelques saucisses pour le souper. Mais il faut qu'on passe d'abord chez la ravaudeuse de la rue Mazarine déposer son journal.

— Chez Delphine Pagès ?

— Oui.

1. Son mari, comme son fils, s'appelle Jean.

Dans une boutique de blanchisserie, deux femmes repassent sur un comptoir en chêne. Devant elles, une pile de linge s'amoncelle, quatre fers à repasser en fonte noire chauffent sur des braises. Delphine Pagès et sa mère, deux Auvergnates, ne portent pas la vieille Fournier dans leur cœur.

— Tiens, voilà c'te bougre de bossue qui t'amène ton journal, dit Delphine à sa mère en mettant son fer sur les braises pour en saisir un autre brûlant.

Catherine Fournier fait irruption en tapotant le sol de sa canne :

— Bonjour les Auvergnates ! Je vous apporte des nouvelles du pays.

— Ah oui ? dit l'autre en se forçant à être aimable.

— J'ai reçu une lettre de Quinette, elle me charge de vous embrasser.

— Merci, et quoi d'autre ?

La vieille sort une lettre de sa poche, qu'elle lui tend.

— Non, dit l'autre, raconte ce qu'elle te dit.

— Elle me dit qu'il y a des coups à monter !

— Des coups à monter ? Quel genre de coups ?

— Mais des coups pour libérer la Reine. La femme écrasera la Montagne, qu'elle m'a dit, si vous vous associez à moi, vous ne manquerez de rien !

— Merci, mais cela ne nous intéresse pas, dit la veuve Pagès. Tout le monde sait au pays que Quinette est folle, elle m'a écrit une lettre dans le même sens la semaine dernière, qui m'a fait dresser les cheveux sur la tête. Nous n'avons pas envie de passer au rasoir national.

— Sais-tu que lorsque nous ferons notre coup, la section des Lombards marchera avec nous !

— On s'en fout !

— Je te promets que cela empêche Robespierre de dormir !

— Justement, nous, on veut qu'il dorme, ainsi il nous foutra la paix !

— Tant pis, si vous voulez continuer à crever de faim, c'est votre droit ! Allez, mon petit, donne-leur le journal, nous partons ! Adieu, les républicaines.

Elle sort appuyée sur son fils.

— Maman, dit le petit Jean, il n'y a plus qu'un journal à distribuer.

— C'est celui de la mère Fournolles, la limonadière, allez, entrons.

— Bonjour, ma mie, voilà ton journal.

— Merci, Catherine, es-tu au courant ?

— De quoi ?

— On dit que la Reine va être traduite devant le Tribunal révolutionnaire et qu'elle sera condamnée.

— Impossible ! De toutes les façons, si elle est condamnée, cela ne se passera pas comme à la mort du Roi.

— Pourquoi ?

— Parce que nous veillons ! Allez, adieu, mon amie.

Elle se retrouve dans la rue, tenant toujours le bras de son fils. Un inconnu les accoste.

— Bonjour, citoyenne, j'ai appris que nous étions du même pays, je me présente : Juilhe Laroche.

Il lui prend la main, l'aveugle est surprise :

— Salut ! De quel pays es-tu ?

— D'Anterroches.

— Pas possible, moi je suis de Murat… Lui, c'est mon fils Jean.

Ils se serrent la main.

— Que je suis content de rencontrer des gens de notre belle Auvergne ! dit Laroche.

— Tu travailles dans le secteur des Arcis ?

— Non, je suis écrivain.

— Vis-tu bien de ta plume ? demande Catherine en riant.

— Plus ou moins bien… enfin moins que plus !

— C'est dur, Paris, dit-elle. Nos gouvernants nous font crever de faim. On ne trouve plus de travail.

— Je t'offre une goutte ? dit l'autre.

— On vient d'en boire une, mais c'est avec plaisir.

— Où veux-tu aller ?

— Tiens, allons chez Christine Mathieu, c'est la petite amie d'un autre Muratais que je te présenterai. Elle a une brasserie à l'angle de la rue de la Calandre.

— Comment s'appelle ton ami ?

— Jean-Baptiste Basset, il est perruquier chez Carteron et Thénon. C'est un garçon beaucoup trop sérieux pour son âge.

— Eh bien, allons-y, je serai ravi de le connaître !

La brasserie, à deux pas de la Conciergerie, est le rendez-vous des Auvergnats du quartier, mais aussi de pas mal de comploteurs. Christine Mathieu est une jolie brune appétissante qui porte allégrement la quarantaine. Un peu ronde, les yeux rieurs et la poitrine bien fournie, elle est l'amie de Jean-Baptiste.

Basset travaille à une table tout au fond du local face à une pile de lettres.

— Salut l'Auvergne, dit la vieille Fournier en entrant, je vous amène un nouveau.

— Bonjour, Catherine, dit l'hôtelière en souriant, vous voulez vous asseoir ? Tiens, prenez donc cette table.

— Je me présente : Juilhe Laroche, dit l'autre, écrivain à ses heures, j'offre la limonade à tout le monde !

Jean-Baptiste lève les yeux. Il découvre un homme très brun, la peau mate, petit de taille, le visage constellé de cicatrices et les cheveux coupés à la jacobine.

— Bonjour, Jean-Baptiste, dit la vieille, je t'amène un pays.

— D'où es-tu ? lui demande Christine Mathieu.

— D'Anterroches.

Basset se lève et se dirige vers lui la main tendue.

— Mon nom est Basset. Enchanté ! Tu es donc d'Anterroches ? dit-il en s'installant sur une chaise à l'envers.

— J'y suis né.

— Tu connais alors La Rochelambert[1] ? demande insidieusement Basset.

1. Seigneur d'Anterroches dont les terres jouxtaient les portes de Murat. Il fut un royaliste convaincu.

— Bien sûr !

Il scrute le visage de l'homme.

— Tu as été en rapport avec lui ?

— Très souvent. On chassait ensemble. C'est un homme que j'apprécie beaucoup. On s'est battus tous les deux pour nos idées.

— Ah bon ? dit Basset en l'observant avec attention. C'était quoi vos idées ?

— Je ne pense pas qu'on puisse en avoir autrement... répond l'autre en riant.

— Autrement que quoi ?

— Que royalistes !

La vieille lui demande aussitôt :

— Que penses-tu de la situation catastrophique où se trouve la Reine en ce moment ?

Jean-Baptiste enrage qu'elle puisse se dévoiler avec une telle précipitation devant un nouveau venu. Laroche a remarqué une certaine contrariété sur le visage de Basset, il veut le rassurer :

— Je pense la même chose que vous, mes amis, ce sont des barbares qui gardent notre Reine !

Ils remplissent leur verre. Laroche cogne le sien contre celui de Jean-Baptiste.

— Allez, l'ami, à la santé de Sa Majesté.

Basset ne répond pas.

— A sa santé ! dit Catherine Fournier plus confiante.

— Je suis obligé de me sauver, dit Laroche en se levant.

Il paye les boissons puis ajoute :

— J'ai un groupe d'amis qui sont prêts à passer à l'action pour sauver la Reine, si vous voulez vous joindre à nous, j'habite au 1551, rue Mazarine.

— Qui sont tes amis ? demande Basset.

— Peut-être les connaîtriez-vous ? L'horloger Perrin, rue Mazarine.

— Non, je ne le connais pas.

— C'est chez lui que nous nous réunissons avec le voiturier Guirard et le serrurier Copie. Pourquoi n'assisteriez-vous pas à notre prochaine réunion qui a lieu le 6 octobre ?

— Nous viendrons sûrement, affirme Catherine Fournier.

— Rappelez-vous, Michel Perrin, 1554, rue Mazarine. Il ajoute en auvergnat : Que Dieu protège la Reine !

— Que Dieu protège la Reine ! répond Catherine Fournier dans la même langue.

L'autre sort tandis que Basset reste songeur.

— Il est bien, ce bougre, dit la vieille femme.

— Ne t'emballe pas si vite, tu ne le connais que depuis une heure !

Elle se lève et demande au petit :

— Allez, Jean, passe-moi ma canne, avant de rentrer nous devons passer chez Boudin pour acheter des saucisses.

— Inutile de vous déranger, les voilà ! dit Christine Mathieu, j'en ai acheté beaucoup trop !

— Combien te dois-je ?

— Je ne sais pas, c'est Jean-Baptiste qui les a payées. Allez, adieu Catherine, à demain.

Elle la pousse doucement vers la sortie.

Dimanche 6 octobre, soixante-sixième jour de détention,
chez Michel Perrin, huit heures du soir

8

L'ami auvergnat

Jean-Baptiste Basset longe la rue Mazarine d'un pas vif. Il a décidé de se rendre seul à la réunion dont lui a parlé Juilhe Laroche, afin de découvrir les intentions de ces nouveaux comploteurs. Il a demandé à Catherine Fournier de ne pas assister à ce premier contact, il la connaît beaucoup trop pour la laisser se dévoiler devant des inconnus. Quand la conversation tombe sur la Reine de France, elle devient bavarde et imprudente... Qui est ce Juilhe Laroche ? se demande-t-il. Un Auvergnat ami du marquis de La Rochelambert ne peut être fondamentalement mauvais. Le vieux marquis est un royaliste convaincu qui complote depuis longtemps avec le baron de Batz. En revanche, il sait que les derniers numéros de la rue Mazarine hébergent de nombreux jacobins affiliés à la section des Arcis. Il est étonnant, songe-t-il, qu'un prétendu royaliste comme l'horloger Perrin vive au milieu de tels révolutionnaires sans en être inquiété. Il lui faudra être extrêmement méfiant !

— L'horloger Michel Perrin, s'il te plaît, citoyenne, demande Basset à une grosse marchande qui tient son étalage à côté d'un portail portant le numéro 1554.

— Troisième étage droite !

— Tu connais tous les gens qui habitent l'immeuble, citoyenne ?

— Tous, Perrin est un radin qui n'achète jamais mes pommes !

— Est-ce que c'est un bon patriote au moins ?

— J'en ai rien à foutre !

Au palier, dans une demi-obscurité, c'est une vieille femme courbée, d'une maigreur impressionnante, qui lui ouvre la porte. Il remarque qu'elle porte une cocarde tricolore sur son châle noir. Une odeur d'air confiné et de vieilles pantoufles s'est emparée des lieux. L'horloger Perrin vit seul avec sa mère.

— Bonjour, citoyenne, je suis Jean-Baptiste Basset…

— Entre, ami, entre ! crie une voix au fond du couloir.

C'est Juilhe Laroche qui se précipite aussitôt au-devant de lui :

— Tu es seul ?

— Oui, Catherine est fatiguée, elle te demande de l'excuser.

Perrin les rejoint dans l'entrée.

— Jean-Baptiste, dit Laroche, je te présente mon meilleur ami, Michel Perrin.

L'homme est la réplique de sa mère. Cheveux noirs, voûté et d'une maigreur aussi prononcée.

— Bonjour l'ami, dit l'autre en tendant une main froide et moite.

— J'ai deux autres compagnons que je veux te présenter, dit Laroche à voix basse, ce sont des hommes sûrs, on peut leur faire confiance, je les ai mis à l'épreuve.

Ils pénètrent dans ce qui doit tenir lieu de salle à manger. A la table sont assis deux hommes qui se lèvent en souriant.

— Jean-Baptiste, je te présente Guirard et Copie. Deux bons compères qui m'aident efficacement dans la lutte contre les terroristes. Mes amis, voilà Jean-Baptiste Basset, le meilleur perruquier de chez Carteron et Thénon.

Guirard est un petit gros jovial et chauve, portant besicles, et Copie un grand échalas blafard aux cheveux graisseux et aux ongles en deuil.

— Salut, citoyens, dit Basset en leur serrant la main.

Tout le monde s'assoit.

— Limonade ou eau-de-vie ? demande Laroche.

— Je vois que vous êtes tous à l'eau-de-vie, remarque Basset, donc je prendrai une eau-de-vie.

— Je suis content que tu sois venu, dit l'autre en remplissant son verre, car nous avons besoin de combattants pour sauver la Reine.

— Parce que vous avez l'intention de sauver la Reine ? dit Jean-Baptiste.

— Mais bien sûr !

— Vous êtes sacrément audacieux. Moi qui croyais la chose impossible…

— Après l'histoire de l'Œillet, lance le petit gros, tous les espoirs sont permis, nous ne sommes pas plus bêtes que Rougeville qui, lui, est entré dans son cachot.

— Nous effectuerons une opération éclair de dix hommes bien décidés, précise Perrin. Il faudra opérer de nuit déguisés en gardes nationaux.

— C'est une bonne idée, réplique Basset sans rire, comment avez-vous l'intention de procéder ?

— Nous trouverons une excuse quelconque pour entrer à la Conciergerie et nous nous emparons de la Reine.

— Tout simplement ? Avec seulement dix hommes ?

— Nous devons encore y réfléchir, mais c'est dans cet esprit que nous agirons. Serais-tu des nôtres ?

— Je ne vous dis pas non, mais je ne vous dis pas oui non plus.

— Aurais-tu des amis pour nous prêter main-forte ?

— Peut-être – Basset se lève. Maintenant, je sais ce que vous attendez de moi… Messieurs, je suis obligé de vous quitter.

— Alors, pouvons-nous compter sur toi ? lui demande Laroche en auvergnat.

— Nous verrons, répond Basset dans le même dialecte.

Ils se saluent, seul Laroche l'accompagne à la porte, s'exprimant toujours en auvergnat, il lui dit :

— Jean-Baptiste, je te sens encore réticent, il faut que tu aies confiance en moi. Nous partageons le même idéal, mon ami.

Basset lui répond dans son patois :

— Je te promets de te tenir informé de ma décision, c'est tout ce que je peux te dire pour le moment.

Il s'apprête à sortir, mais Laroche le retient :

— Attends ! Nous avons le 11 octobre une nouvelle réunion avec l'ensemble de nos amis, pourquoi n'y assisterais-tu pas, nous comptons jeter les grandes lignes de notre action…

— A quelle heure vous réunissez-vous ?

— A huit heures du soir, ici même. Tu viendras ?

— Peut-être. Salut.

Vendredi 11 octobre, soixante et onzième jour de détention,
le Comité de salut public, dix heures du matin

9

Etat de siège

Robespierre, inquiet de la tournure que prend l'affaire des perruquiers, a décidé de provoquer une réunion restreinte des Comités de salut public et de sûreté générale en présence de Nicolas Pache, le maire de Paris, de l'accusateur public Fouquier-Tinville et des responsables de la police de Paris.

Autour de lui, on trouve Amar et Barère, et les principaux représentants de la sécurité intérieure, le commandant Aigron de la force armée de Paris, le colonel Botot Du Mesnil, commandant les deux compagnies de gendarmerie de la Conciergerie, le commissaire de police François Couvreur de la section du Muséum, enfin les administrateurs de police Baudrais et Froidure.

— Où en sommes-nous ? demande Robespierre.

— C'est un nouveau complot mené par des agitateurs cette fois issus du peuple, dit Barère.

— En apparence seulement, tranche l'Incorruptible. Vous n'allez pas me faire croire que vous êtes naïfs au point de penser qu'il n'y a pas une organisation aristocratique derrière eux ?

— A qui faites-vous allusion ? demande le maire de Paris.

— A ceux qui nous combattent depuis le début.

— Batz ?

— Bien évidemment Batz ! Baudrais, s'il vous plaît, résumez la situation à ce jour. Combien sont-ils exactement ?

— Très nombreux, citoyen président, autour de mille cinq cents !

— Comment ?

— Si nous comptons les conscrits des casernes de Vanves, de Courbevoie et de Vincennes, oui, président, cela fait bien mille cinq cents hommes !

— Armés ?

— Bien sûr !

— Mais c'est considérable !

— Qu'attendez-vous pour les arrêter ? demande Pache.

— C'est cela ! réplique ironiquement Robespierre en se tournant vers ce dernier. Nous allons arrêter mille cinq cents enfants du peuple pour nous retrouver avec mille cinq cents familles sur le dos, qui sont peut-être issues de mille cinq cents villages différents de France ! Voulez-vous absolument apporter du sang frais aux rebelles vendéens ? Baudrais, comment sont-ils organisés ?

— Leur chef semble être un jeune perruquier de vingt-deux ans du nom de Basset. Il complote avec une dentellière aveugle et bossue du nom de Catherine Fournier et toute une clique d'Auvergnats qui habitent entre la rue Mazarine et la rue de la Vannerie. Ce qui me trouble, c'est que des gens si pauvres arrivent à recruter un nombre si élevé de complices dépourvus de ressources.

Robespierre reste songeur, puis affirme :

— Mais, mon ami, c'est Batz qui paie ! En revanche, si le peuple commence à s'apitoyer sur la veuve Capet, c'est la fin de la République. Ne vous faites aucune illusion, quelqu'un finance ces criminels, c'est certain ! Baudrais, comment avez-vous recueilli tous ces renseignements ?

— Le plus aisément du monde, président, l'un d'entre eux a porté plainte ce matin contre Basset et la mère Fournier.

— Et comment s'appelle-t-il ?

— Permettez-moi, président, de ne pas divulguer son nom, ils le tueraient… et je perdrais un précieux indicateur.

— Vous avez raison. Savez-vous comment ils comptent opérer ?

— Oui. Il m'a tout raconté. S'ils trouvent un local suffisamment grand pour se regrouper, ils interviendront immédiatement.

— Quand ils seront tous regroupés, il y a un merveilleux coup de filet à opérer.

— Et que comptent-ils faire ?

— Ils veulent mener quatre actions simultanément, l'une visant à libérer la veuve Capet en attaquant la Conciergerie, la deuxième contre la Convention et le Club des jacobins, où ils comptent abattre tous les députés de la Montagne…

— Mais quelle horreur ! dit Robespierre.

— … Et la dernière à l'Arsenal pour s'emparer des armes.

— Baudrais, dit Amar, vous devez impérativement trouver des excuses pour retarder leur intervention jusqu'à la fin du procès.

— C'est précisément ce que nous comptons faire.

— Et dans le cas où l'Autrichienne serait condamnée, connaîtriez-vous le plan qu'ils projettent pour la sauver ?

— Oui, président, ils attaqueront le cortège quand elle passera à hauteur du palais Egalité ou plus loin place de la Révolution. Ils se jetteront sur le convoi et l'enlèveront.

— Et si elle n'était pas condamnée ?

— Il n'y a aucun plan de prévu. Ils auront le temps d'en bâtir un.

— Serez-vous informé de l'instant où ils passeront à l'acte ?

— Oui, citoyen président.

— Avec quelle précision ?

— Je serai prévenu douze heures avant.

Robespierre se tourne vers Barère.

— C'est à ce moment précis que vous frapperez, pas avant, il nous les faut tous sans exception. Barère, notez bien que les conscrits qui ont plongé dans le complot doivent être relâchés et ignorés, on ne frappe qu'à la tête ! Il faut neutraliser les meneurs avant qu'ils n'interviennent, rien ne serait plus terrible que d'être obligé de tirer sur les conscrits, le choc sur le peuple serait irréparable et c'est tout le patriotisme de nos soldats qui serait remis en cause !

— L'instruction de la veuve Capet, dit Fouquier-Tinville, débute demain matin 12 octobre, ses avocats occuperont la journée du 13 à préparer sa défense. Comme le procès se déroulera le 14 et le 15, si les conjurés interviennent, ce sera donc le 15 au soir ou le 16 dans la nuit si le verdict tombe plus tard. Nous avons quatre jours pour nous préparer à les neutraliser.

— Si elle est condamnée, exige Robespierre, je ne veux aucune manifestation d'allégeance à la veuve Capet sur le trajet de l'échafaud, comme je ne veux aucun affrontement entre le peuple et l'armée.

— Soyez rassuré, président, la foule sera contrôlée par nos fidèles sections et nous arrêterons sur-le-champ quiconque applaudira ou versera des larmes !

— Pour cela, insiste l'Incorruptible, il faut décourager toute velléité de la libérer par une manifestation militaire sans précédent.

Il se tourne vers le commandant Aigron.

— Qu'avez-vous prévu ?

— Une démonstration de force exceptionnelle, citoyen président. Une partie de Paris sera en état de siège : trente mille hommes seront déployés en un cordon ininterrompu sur deux rangs depuis la Conciergerie jusqu'à la place de la Révolution.

— J'ajoute, dit Botot Du Mesnil, que c'est la gendarmerie à cheval qui précédera l'accusée.

— Des canons de la garde nationale, poursuit Aigron, seront postés à l'entrée du pont au Change, et deux batteries seront placées à l'entrée du quai de la Mégisserie. Trois canons de campagne prendront en enfilade la rue Saint-Honoré, trois autres seront dirigés contre les quatre coins de la place Egalité et les trois derniers seront à la jonction de l'ancienne rue Royale avec la place de la Révolution. Le quartier sera en outre entièrement ceinturé par la garde nationale.

— Quant à moi, ajoute le maire, le 16 à cinq heures du matin, je ferai battre le rappel dans toutes les sections de Paris. Je veux que chacune participe au cortège. J'ai demandé à l'acteur Grammont de le conduire, l'épée à la main, dans une tenue rutilante de la garde.

— C'est tout ce que vous avez trouvé ? demande Robespierre en riant, c'est un piètre acteur !

— Pour la veuve Capet, il fera l'affaire, tranche Barère.

— Il faut éviter, insiste de nouveau Robespierre, que le peuple soit attendri, il faudra créer tout au long du trajet des groupes qui invectivent la condamnée. Je veux qu'on crie "Vive la République !" sur son passage.

— C'est prévu, président, dit Barère, des femmes dirigées par la citoyenne Lacombe l'attendront sur le parvis de l'église Saint-Roch. Les marches de cette église sont en surplomb sur le faubourg Saint-Honoré, elles pourront l'interpeller et l'insulter aisément. J'installerai un autre groupe de tricoteuses un peu plus loin devant le porche des Jacobins, puis un autre sur la place Egalité.

— Et sur la place de la Révolution ? s'enquiert Robespierre.

— Là aussi on criera "Vive la République !".

— C'est bien. Il s'adresse ensuite au commissaire de police François Couvreur : Mettez deux agents supplémentaires sur la piste de ces comploteurs afin qu'ils renforcent l'action de votre mouton, ils ne seront pas trop de trois – il se lève. Avez-vous des questions à poser ?

Personne ne répond.

— Citoyens, je vous remercie.

Il sort.

Vendredi 11 octobre, soixante et onzième jour de détention, chez Michel Perrin, huit heures du soir

10

Deux nouveaux partisans

Jean-Baptiste Basset est soucieux lorsqu'il décide de se rendre à la fameuse réunion organisée par Perrin. Il n'est pas persuadé de sa loyauté. En revanche, l'Auvergnat Juilhe Laroche lui paraît bien décidé à libérer la Reine. C'est le seul auquel il accorderait éventuellement sa confiance. Or, le temps presse et il faut regrouper tous les conjurés à l'abri des regards indiscrets pour lancer l'opération le plus rapidement possible. Il a appris par Constant Labussière que le procès de la Reine est imminent puisqu'elle doit subir dès le lendemain un premier interrogatoire.

C'est Laroche qui le reçoit sur le seuil.

— Jean-Baptiste, j'ai une très bonne nouvelle : deux de nos amis ont trouvé un local immense, on va pouvoir passer à l'action. Ton amie Catherine et son fils Jean sont déjà là.

Quand il pénètre dans la salle à manger, il se sent défaillir : ces fameux amis sont en fait des policiers bien connus des royalistes.

— Je te présente Arbeltrier et Niquille, dit Laroche.

Les deux autres se lèvent la main tendue.

— Bonjour, Basset, dit le premier, nous avons entendu parler de toi par nos amis royalistes, ce que tu entreprends est admirable.

— Merci, répond Basset livide.

Il constate encore avec stupeur que la dentellière est en train de dicter à Michel Perrin la liste de tous leurs partisans.

— Mais, Catherine, que fais-tu là ?

— Je donne à Jean les noms et adresses de nos amis afin de coordonner notre action avec la leur ! Nous devons frapper le coup. Il est temps d'agir et de se réunir, si nous restons dans l'inaction, la Reine périra !

C'est une catastrophe, songe Basset.

— Que veux-tu boire ? propose Perrin.

— Un verre d'eau, merci.

— Nous avons trouvé, précise aussitôt le dénommé Niquille, une immense brasserie désaffectée rue de la Roquette, qui peut contenir dix mille personnes. Nous voudrions te la montrer afin de savoir si elle te convient pour regrouper tes amis et les nôtres.

— On a perdu assez de temps, dit Catherine Fournier, il faut monter le coup le plus tôt possible.

— Le local est loué, précise Arbeltrier, il ne manque plus que de s'y réunir. Acceptes-tu de le visiter ? Il ne sera libéré que le 13 octobre, plus que deux jours à attendre.

— Pourquoi ne pas le visiter tout de suite ? demande la vieille femme.

— Parce que l'ancien locataire a encore du matériel dedans.

— D'accord pour le visiter, dit Basset. Le 13, c'est dans deux jours, où nous retrouvons-nous ?

— Rue de la Licorne, à trois heures de l'après-midi, précise Arbeltrier.

— Viendras-tu avec nous ? demande Basset à Laroche.

— J'y serai.

Basset se lève.

— Tu pars déjà ? dit Perrin.

— Oui, je me lève tôt demain. Allez, Catherine et Jean, on rentre à la maison, je vous ramène. Bonsoir, les amis.

Troisième partie

LE PROCÈS

"La grande infamie"

Je ne crois pas qu'il puisse exister de monument d'une stupidité plus atroce, plus ignominieuse pour notre espèce que le procès de Marie-Antoinette. La plupart des réponses qu'elle fit aux accusations sont tronquées ou supprimées ; mais, comme en tout procès inique, le texte seul des inculpations dépose contre les assassins. Quand on pense qu'un siècle dit de lumières et de la plus raffinée civilisation aboutit à des actes publics de cette barbarie, on se prend à douter de la nature humaine et à s'épouvanter de la bête féroce, aussi bête que féroce, qu'elle contient toujours en elle-même, et qui ne demande qu'à sortir.

SAINTE-BEUVE,
Causeries du lundi, tome IV.

Samedi 12 octobre, soixante-douzième jour de détention,
la Conciergerie, dix heures du soir

1

Une instruction truquée

Quand dix heures moins le quart sonnent au carillon, la Reine dort depuis deux heures. Brouhaha dans le couloir, bruits de bottes sur les dalles, grincement des nombreux verrous puis cliquetis des serrures. Aboiements de Baps. Les portes s'ouvrent violemment :

— Levez-vous, on vous attend !

La Reine se réveille en sursaut : le cachot est plein de soldats. Au pied du lit, un homme la regarde sans complaisance. C'est Simonet, un des huissiers du Tribunal révolutionnaire. Il est accompagné du lieutenant de Bûne, de quatre gendarmes et du guichetier qui tient un quinquet fumant.

— Habillez-vous ! Afin d'instruire votre procès, vous allez être interrogée par l'accusateur public et le président du Tribunal révolutionnaire des affaires criminelles de la ville de Paris !

La Reine, bravant le froid glacial, se cache derrière le paravent en grelottant, passe sa robe noire par-dessus sa camisole de nuit, enfile ses chaussures sur ses bas de filoselle, étale sur ses épaules son fichu noir, met son bonnet de veuve, puis entourée par les quatre gendarmes et le guichetier qui éclaire la marche, elle sort du cachot. La petite troupe tourne à droite dans le couloir des prisonniers, franchit les deux grilles du parloir, inoccupé à cette heure, puis tourne à gauche pour atteindre le petit perron desservi par trois marches humides qui accèdent au sinistre préau des hommes.

— Prenez garde à vous, Madame, ces dalles sont glissantes ! prévient le lieutenant de Bûne.

— Merci, monsieur, répond simplement la Reine.

Seul dans la cour déserte, le chien Ravage est couché dans un coin. Il se lève, les oreilles droites, en grognant.

— Couché, Ravage ! crie le lieutenant de Bûne.

Une pluie fine accompagnée d'un vent vif d'automne fouette les visages. La Reine respire à pleins poumons cet air frais auquel elle n'a plus eu droit depuis soixante-dix jours, et malgré le vent, elle trouve qu'il fait moins froid ici que dans son cachot. Elle traverse la cour, le visage arrosé avec bonheur. Soudain, elle perçoit des sons de harpe accompagnés de cette jolie voix cristalline qu'elle a déjà entendue au début de son incarcération et qui semble toujours provenir des étages supérieurs : "Il pleut, il pleut, bergère..." Encore cette chanson... Elle revoit aussitôt les visages souriants de Louise et de Charlotte de Hesse, ses deux amies d'enfance qui l'accompagnaient à la harpe lorsqu'elles étaient enfants à Schönbrunn...

— Il faudrait tout de même qu'elle change de registre de temps en temps ! dit en riant le lieutenant de Bûne, cela fait deux mois qu'elle nous sert le même air !

Le groupe arrive au pied de la tour Bonbec. L'huissier ouvre la lourde grille supportée par un étroit encadrement en pierre. Ils commencent l'ascension de l'escalier en colimaçon aux marches raides et glissantes. Il n'y a pas de main courante pour s'y tenir. La Reine a un moment d'hésitation, le guichetier qui éclairait le groupe avec son quinquet a disparu dans le premier tournant, l'abandonnant à une obscurité totale.

— Lefebvre ! hurle le lieutenant de Bûne, tu vas trop vite, on ne distingue plus notre chemin, redescends avec ton quinquet, imbécile !

On entend se rapprocher les lourds souliers ferrés du guichetier qui frappent les dalles de pierre avec un son à la fois sourd et métallique. Manifestement, le brave garçon a fait demi-tour. Puis soudain on perçoit une succession de bruits assourdis, mêlés au tintement d'un trousseau de clefs et à un cliquetis de ferraille : c'est le guichetier qui en tombant lourdement a été précédé dans sa chute par son mousquet. Le quinquet a roulé sur les marches et vient choir au pied de la Reine. Par bonheur, il a gardé sa flamme. Un des gendarmes s'en empare promptement et la petite troupe se précipite au secours du porte-clefs.

— Lefebvre ! crie le lieutenant de Bûne. Lefebvre ?

— Ça va, ça va ! mon lieutenant, répond une voix, en haut dans l'obscurité.

— Peux-tu poursuivre ?

— Oui, mon lieutenant !

— Alors dépêchons ! dit l'huissier.

Le groupe reprend sa progression. La Reine gravit ces marches inégales et glissantes d'un pas mal assuré. Durant son ascension, les dalles sont si hautes que son nez est presque à hauteur des bottes du gendarme qui la précède, elle en perçoit même l'odeur du cirage. Ça monte et ça tourne. Ça monte et ça tourne… Le souffle lui manque, elle éprouve soudain un vertige associé à un haut-le-cœur. Elle se retient aux parois rugueuses en écartant les bras pour ne pas tomber. Le lieutenant de Bûne la soutient. Elle se tourne vers lui.

— Je m'excuse, monsieur… j'ai bien cru perdre l'équilibre ! dit-elle entre deux inspirations.

— Soyez rassurée, je me tiens derrière vous, Madame, vous ne tomberez pas !

— Merci, monsieur…

— Pressons, pressons, grogne Simonet.

Enfin le premier palier. La Reine reprend son souffle. Mais elle est épuisée par l'effort. L'huissier ouvre la porte palière qui donne dans la galerie des Peintres. Ils franchissent le seuil de la salle des gardes. Quand ceux-ci voient passer le lieutenant de Bûne, ils rectifient la position. La Reine s'engage dans la galerie régulièrement dallée, qui dessert les deux salles du Tribunal révolutionnaire appelées salle "Liberté" et salle "Egalité". C'est là que seront prononcées pratiquement sans jugement plus de deux mille huit cents condamnations à mort.

A cette heure-ci, la galerie des Peintres est éclairée par un flambeau situé au-dessus d'une porte en chêne massif.

L'huissier dit au lieutenant de Bûne :

— Veuillez attendre ici !

Il disparaît. Au bout de quelques instants, il revient et ordonne :

— Faites entrer sous bonne garde la veuve Capet !

La Reine, accompagnée par les gendarmes, pénètre dans l'immense prétoire éclairé seulement par deux bougies posées sur un unique bureau. Le reste de la salle est dans une obscurité presque totale. La Reine lève les yeux, mais le plafond est si haut qu'elle n'en perçoit pas les contours. Il fait un froid glacial. Informée par la résonance des pas des hommes qui l'accompagnent, elle pressent qu'elle est dans un lieu immense. Face aux bougies est assis un homme au visage triangulaire, qui tient une plume à la main et la regarde fixement. C'est le seul visage que la Reine distinguera, les autres demeureront dans l'ombre. L'homme à la plume est le greffier en chef. C'est lui qui porte le nom d'emprunt de Fabricius ridiculisé par Robespierre. On fait asseoir la Reine sur une banquette, face au greffier, encadrée par deux gendarmes. Les bougies font ressortir la pâleur extrême de son visage. Inquiète et mal à l'aise, elle regarde autour d'elle. Elle éprouve la sensation pénible d'être observée. Elle perçoit des murmures sur sa gauche, en provenance des tribunes. Elle essaye de discerner des visages, mais sa myopie ajoutée à l'obscurité ne lui permet pas de découvrir ces hommes qui l'épient en dialoguant à voix basse. A l'extrémité gauche du bureau qui lui fait face, quelqu'un est assis dans l'ombre, les mains croisées sur la table. Elle n'en distingue que le contour et discerne vaguement la forme d'un chapeau. Sous la très faible luminosité, elle a quand même entrevu les plumes noires scintillantes qu'elle a déjà vues dans son cachot. Cette forme humaine qui l'observe comme un tigre guette sa proie est certainement Fouquier-Tinville.

Dans les tribunes ont pris place quelques membres du Comité de salut public invités par Fouquier. Ce sont bien sûr Robespierre et son inséparable Saint-Just, mais aussi Barère et Collot d'Herbois. Le fringant Hérault de Séchelles est assis aux côtés du cynique Robert Lindet. On retrouve aussi deux membres du Comité de sûreté générale : Amar, qui a instruit l'affaire des Œillets, et le peintre Louis David.

Robespierre observe la Reine à travers des jumelles de théâtre :

— On dirait qu'elle est en cire ! chuchote-t-il. Souberbielle voyait juste quand il affirmait que ses hémorragies étaient graves !

— Fais voir ! dit Saint-Just en s'emparant des jumelles. C'est vrai qu'elle est pâle !

Ils se les passent à tour de rôle.

— Mais elle est squelettique, quel âge a-t-elle ? demande Lindet.

— Moins de quarante ans, répond Robespierre, mais on lui en donnerait volontiers soixante ! Cette femme est très malade, Souberbielle m'a assuré qu'elle n'avait plus que trois mois à vivre : il est impossible de vivre en perdant chaque jour autant de sang…

Ces hommes demeurent subitement silencieux, il semblerait qu'une once de compassion les ait atteints durant quelques secondes. D'ailleurs, l'interrogatoire de la Reine a commencé. On entend la voix nasillarde du président Herman lire l'interminable préambule juridique de l'instruction.

— Nous Martial-Armand-Joseph Herman, président du Tribunal criminel révolutionnaire… décisions sans recours au Tribunal de cassation… assisté de Nicolas Joseph Fabricius, greffier… en présence de

Jean-Baptiste Quentin Fouquier-Tinville, accusateur public...

Enfin commence l'interrogatoire proprement dit :

— Déclinez vos nom, âge, profession, pays et demeure...

— Tu aurais dû demander à Herman d'éviter de lui poser une question aussi absurde ! dit Hérault de Séchelles à Robespierre. N'oublie pas que Fabricius transcrit la totalité des questions et des réponses et qu'elles seront archivées dès demain. J'entends d'ici les sarcasmes d'Hébert se déchaîner dans *Le Père Duchesne*. Il va gloser sur la question relative à la "demeure" et surtout à la "profession" d'Antoinette !

Les autres rient. Robespierre, qui déteste Hérault, ne répond pas et continue d'observer la Reine avec ses jumelles. David, toujours servile, répond pour lui :

— Je ne trouve rien de choquant dans ces questions, Herman ne fait qu'appliquer le règlement judiciaire.

— C'est moi qui ai exigé qu'on maintienne cette formalité, renchérit Saint-Just, nous avons offert ce procès au peuple, il verra que nous traitons Antoinette comme n'importe quelle criminelle de ce pays.

On entend à cet instant la voix faible de la Reine :

— Je m'appelais Marie-Antoinette de Lorraine d'Autriche, âgée de trente-huit ans, veuve du Roi de France...

La Reine, qui s'exprime déjà au passé, entend mais ne voit pas l'homme qui l'interroge. Il parle du haut d'une estrade plongée dans la pénombre qui surplombe le bureau du greffier. Elle le devine à peine, mais pendant une fraction de seconde, quelque chose qui ressemble à des plumes a réfléchi un scintillement noir.

Herman parle de sa voix nasillarde et affecte une extrême sensiblerie dans sa façon de s'exprimer.

— Quelle était votre demeure au moment de votre arrestation ?

Rires étouffés dans les tribunes.

— Encore sa "demeure" ? Nous sombrons dans le ridicule ! insiste Hérault de Séchelles. On jurerait qu'Herman joue *Les Plaideurs* !...

Robespierre et Saint-Just n'apprécient pas.

— Je n'ai point été arrêtée, répond la Reine d'une voix éteinte, on est venu nous prendre à l'Assemblée nationale pour être conduits au Temple.

Elle perçoit de nouveau des chuchotements dans les tribunes, elle se retourne mais ne distingue rien.

Ces questions inadaptées à la situation rendent la voix d'Herman mal assurée. Il lance aussitôt le chef d'accusation majeur de cette instruction, le seul auquel il croit, celui de collusion avec l'ennemi :

— Vous avez eu avant la Révolution des rapports politiques avec le Roi de Bohème et de Hongrie, dit-il d'une voix plus ferme, ces rapports étaient contraires aux intérêts de la France qui vous comblait de biens !

— Malheureusement, nous n'avons trouvé à ce jour aucun document qui le prouve ! intervient Robespierre tout bas. Pourtant, tout le monde savait qu'elle suivait à la lettre les instructions de l'ambassadeur d'Autriche, ce filou de Mercy...

— Le Roi de Bohème et de Hongrie était mon frère, s'indigne la Reine, et je n'entretenais avec lui que des rapports d'amitié et point de politique, et si j'avais fait de la politique, mes rapports n'eussent été qu'à l'avantage de la France à laquelle je tiens par la famille que j'ai épousée !

Elle perçoit ricanements et murmures sur les gradins. Instinctivement, elle se retourne encore. Herman revient à la charge :

— Non contente de dilapider d'une manière effroyable les finances de la France, fruits des sueurs du peuple, pour vos plaisirs et vos intrigues, de concert avec d'infâmes ministres, vous avez fait passer à l'Empereur des millions, pour servir contre le peuple qui vous nourrissait.

— Jamais ! Je sais que trop souvent on s'est servi de ce moyen contre moi. J'aimais trop mon époux pour dilapider l'argent de mon pays !

— “J’aimais trop mon époux”… et plus encore Fersen ! La garce ! dit Collot d’Herbois. Si on savait tout ce qu’elle a dépensé au jeu… Au fait, pourquoi n’avons-nous pas tenté de retrouver les partenaires avec lesquels elle a dépensé des fortunes au pharaon ?

— Tu peux être sûr, ajoute Lindet en riant, qu’ils sont tous à Coblence à dépenser tes sous !

— … Mon frère n’avait pas besoin de l’argent de la France, poursuit la Reine, et par les mêmes principes qui m’attachaient à la France, je ne le lui aurais pas donné !

Robespierre sourit.

— Quelle menteuse ! Il existe quand même de terribles présomptions de cette accusation. Notre ambassadeur à Constantinople racontait que le grand vizir se plaignait que nous donnions beaucoup trop d’argent à l’Autriche pour lui faire la guerre !

Herman aborde le deuxième sujet délicat : l’atteinte à la liberté.

— Depuis la Révolution, vous n’avez cessé de manœuvrer un instant chez les puissances étrangères et dans l’intérieur contre la liberté.

— Depuis la Révolution, je me suis interdit personnellement toute correspondance au-dehors, et je ne me suis jamais mêlée de l’intérieur, dit-elle en frissonnant dans cette immense salle dépourvue de chauffage.

Elle sent comme de la glace sous ses pieds. Elle resserre son fichu sur ses épaules. Herman insiste :

— N’avez-vous employé aucun agent secret pour correspondre avec les puissances étrangères, notamment avec votre frère ? Dellessart n’était-il pas votre agent secret ?

— Jamais de la vie ! répond la Reine avec véhémence.

Fouquier-Tinville s’agite sur son siège.

— Elle ment comme elle respire, dit Hérault de Séchelles. Lorsque j’ai négocié avec les Autrichiens, j’ai aperçu dans leur dossier une lettre signée de Dellessart !

— Votre réponse ne nous paraît pas exacte, insiste Herman, car il est constaté qu'il existait au Tuileries des conciliabules secrets et nocturnes que vous présidiez, dans lesquels on décidait des réponses à faire aux puissances étrangères et aux Assemblées nationales !

— Le bruit de ces comités a existé toutes les fois qu'on a voulu tromper le peuple et l'amuser. Je n'ai jamais connu de comité, il n'en a point existé.

— C'est vous qui avez appris à Louis Capet cet art d'une profonde dissimulation avec laquelle il a trompé trop longtemps le bon peuple français !

— Oui, le peuple a été trompé, il l'a été cruellement, mais ce n'est ni par mon mari ni par moi.

Saint-Just fait sourire Robespierre en lui disant tout bas :

— Quand elle pense que le peuple a été trompé, pour une fois je la crois sincère : elle est intimement persuadée que c'est tromper le peuple que de lui octroyer la liberté !

— … Et surtout de retirer aux rois leur pouvoir absolu ! conclut Robespierre en riant.

— La stratégie d'Herman paraîtrait un peu simplette, dit Lindet, si elle consistait à attribuer à Antoinette les charges déjà utilisées contre Capet !

— On est bien obligés de mener l'accusation de cette façon, dit Cambon, nous n'avons rien trouvé contre elle aux archives !

— Parce que nous n'avons pas eu le temps de chercher, dit Saint-Just avec humeur, il est scandaleux que nos archives soient dans un tel état de désorganisation…

Herman exploite sa stratégie à fond :

— Vous avez été l'instigatrice principale de la trahison de Louis Capet et c'est par vos conseils qu'il a voulu fuir la France !

— Mon époux n'a jamais voulu fuir la France. Mais s'il avait voulu sortir de son pays, j'aurais employé tous les moyens possibles pour l'en dissuader ! Mais ce n'était pas son intention.

— Quel était donc le but de ce voyage connu sous le nom de Varennes ?

— De se donner la liberté qu'il ne pouvait avoir ici aux yeux de personne. Et concilier tous les partis pour le bonheur de la France.

— Vous avez ouvert les portes et fait sortir tout le monde, il ne reste aucun doute que c'est vous qui dirigiez Louis Capet dans ses actions et qui l'avez déterminé à fuir !

— Je ne pense pas qu'une porte ouverte prouve que l'on dirige en général les actions de quelqu'un, répond la Reine avec une pointe d'ironie.

— Je dois reconnaître que ses répliques sont très habiles, dit Robespierre sombre, et qu'est-ce que c'est que cette stupide histoire de porte ?

— Une idée fixe de Fouquier, dit Lindet.

La réponse de la Reine a rendu Herman plus agressif :

— Vous n'avez jamais cessé un moment de vouloir détruire la liberté ! Vous vouliez régner à quelque prix que ce fût ! Et remonter au trône sur le cadavre des patriotes !

— Nous n'avions pas besoin de remonter sur le trône, nous y étions... dit la Reine d'une voix douce en souriant.

— Comme Herman est maladroit ! dit Hérault de Séchelles. Il lui donne des verges pour se faire fouetter !

— Ce n'est point de sa faute, dit Cambon, il charge Antoinette avec des chefs d'accusation dépourvus de preuves. Toutes ses accusations sont des on-dit : le débat ne peut donc être que polémique et anecdotique... Et dans ce débat sans preuve, elle est plus fine que lui !

Pour chasser l'impression néfaste d'avoir désarçonné Herman par son ironie, la Reine ajoute sur un ton grave :

— Nous n'avons jamais désiré que le bonheur de la France, qu'elle fût heureuse. Mais qu'elle le soit, nous serons toujours contents.

Herman ne s'attendait pas à cet assaut de patriotisme. Il hésite quelques instants avant de poser la question suivante qui semble pourtant encore inadaptée. Manifestement il doit modifier sa stratégie.

— Je suis vraiment inquiet de la tournure que prend cette instruction, nous sommes en train d'en faire une victime, chuchote Barère qui était resté silencieux jusqu'à présent. Sommes-nous vraiment tenus d'enregistrer intégralement les réponses si inopportunes d'Antoinette ? Ne pourrions-nous pas, par exemple, faire un compte rendu global de toutes ses réponses en éliminant les plus scabreuses ? N'oublions pas que tout cela est censé demeurer confidentiel !

— Vous n'y pensez pas ! dit Robespierre, Herman ne permettrait pas qu'on sabote son instruction. En plus, il est profondément sincère dans ses questions, c'est un homme éclairé et probe, capable des plus hauts emplois. Il serait choqué de la moindre amputation des débats. Fouquier et lui ont choisi Fabricius pour sa grande efficacité à retranscrire la totalité des débats[1]. C'est le procès de leur vie. Mais dites, mes amis, il fait un froid de gueux !

Herman a choisi maintenant de faire endosser à la Reine la responsabilité de la guerre.

— Si vous aviez les sentiments que vous prétendez pour la France, vous auriez influencé votre frère à ne pas constituer une coalition avec la Prusse contre la France !

— Je n'ai eu connaissance de cette alliance qu'après qu'elle eut été faite, répond doucement la Reine, on doit remarquer que ce ne sont pas les puissances étrangères qui ont attaqué la France.

— Il est vrai que les puissances étrangères n'ont pas déclaré la guerre, mais l'accusée ne doit pas ignorer que cette déclaration de guerre a eu lieu par les intrigues d'une fraction liberticide !

1. Il semblerait, d'après Sainte-Beuve, que Fabricius ne notait que partiellement les réponses de la Reine.

— Je ne sais pas de qui on veut parler, dit la Reine sur un ton dubitatif, mais je sais que l'Assemblée législative a réitéré la demande de déclaration de guerre, et que mon mari n'y a accédé qu'après l'aveu unanime du Conseil. En outre, chacun sait que la cour était opposée à la guerre.

Barère montre des signes d'impatience.

— Franchement, la tournure de cet interrogatoire m'inquiète de plus en plus, Antoinette ne cesse de marquer des points ! Je me demande sur quels critères Fouquier-Tinville va pouvoir bâtir son réquisitoire…

— Nous n'avons ni le choix ni le temps, dit Collot d'Herbois, il faudra reprendre purement et simplement les charges que nous avons émises contre Capet et les lui attribuer. Un point, c'est tout !

— Sans aucun document justificatif à l'appui ! réplique sèchement Robespierre déçu.

— Citoyen huissier, s'il vous plaît, intervient brusquement le greffier Fabricius, la lumière des bougies baisse, je ne saurais continuer à transcrire les débats, pouvez-vous remédier à leur rapide remplacement ?

L'huissier se précipite avec deux chandelles neuves et les allume l'une après l'autre tout en laissant quelques secondes encore les anciennes allumées. La lumière devient alors suffisante, durant un court instant, pour permettre à la Reine de découvrir le visage étonnement juvénile et harmonieux de l'homme qui l'interroge dans l'ombre. Avant que la lumière ne baisse, elle lance un regard furtif en direction de Fouquier-Tinville : c'est bien le même regard haineux qu'il avait lors de son inspection.

De sa voix nasillarde, Herman reprend les débats en abordant un nouvel angle d'attaque : le fameux banquet des gardes du corps.

— Vous avez dit que vous étiez enchantée de cette journée du 1er octobre 1789, lors du banquet que les gardes du corps offrirent au régiment de Flandre. Dans l'ivresse, ces hommes ont exprimé leur dévouement au trône et leur aversion pour le peuple, que répondez-vous à cette accusation ?

— Je ne me rappelle pas avoir dit pareille chose, mais il est possible que j'aie été touchée du premier sentiment qui animait cette fête. Quant au reste de la question, il ne fallait pas de l'ivresse pour que les gardes du corps témoignassent du dévouement et de l'attachement pour nous.

— Et un point supplémentaire pour Antoinette, un ! dit Robert Lindet en riant.

Herman devient alors plus offensif :

— A ce banquet que vous vantiez, on a foulé au sol la cocarde tricolore pour la remplacer par la cocarde blanche ! Comment justifiez-vous une attitude aussi criminelle ?

— A l'égard de la cocarde, si elle a existé, ce ne pouvait être que l'erreur de quelques-uns, mais nous ne l'avons pas su, et nous l'aurions désapprouvé dans le moment. Mais je ne peux croire que des êtres aussi dévoués foulassent aux pieds et voulussent changer la marque que leur Roi portait lui-même.

— C'est bien répondu ! La gueuse ! dit Robespierre avec humeur. Décidément elle a réponse à tout ! Je prévois que lors de son procès, elle va nous donner du fil à retordre... Mais pourquoi n'a-t-on pas chauffé cette salle, franchement ce froid est intenable !

— Mais enfin, toute l'habileté d'Antoinette ne changera rien à l'affaire ! Cessons de nous alarmer inutilement ! dit Saint-Just excédé.

— J'espérais que nous ferions le procès d'une Agrippine, avec preuves à l'appui, dit Robespierre songeur. Or, nous sommes en train hélas de faire celui d'une Andromaque avec des accusations gratuites... Quelle déconvenue !

Herman tente maintenant d'invoquer sa connivence avec l'ennemi :

— Quels intérêts mettez-vous aux armes de la République ?

— Le bonheur de la France est celui que je désire par-dessus tout !

— Pensez-vous que les rois soient nécessaires au bonheur du peuple ?

— Un seul individu ne peut décider de cette chose.

— Vous regrettez sans doute que votre fils ait perdu un trône ?

— Je ne regretterai jamais rien pour mon fils si mon pays est heureux !

La réponse dilatoire mais habile de la Reine pousse Herman dans d'autres retranchements :

— Quelle est votre opinion sur la journée du 10 août, où les Suisses par ordre du Roi ont tiré sur le peuple ?

— C'est encore une question piège qui va se retourner contre Herman, dit Barère, chacun sait que Capet n'a jamais pu donner l'ordre de tirer, il a quitté le château à huit heures du matin.

La Reine répond d'une voix indignée :

— Nous étions hors du château quand on a commencé à tirer ! Je ne sais pas comment cela s'est passé, je sais seulement que jamais l'ordre n'a été donné de tirer.

— Et voilà ! dit ironiquement Lindet, M. Herman est servi !

Herman essaie de nouveau de lui tendre une question ambiguë :

— Pendant votre séjour au Temple, vous avez entretenu des correspondances avec les ennemis de la République par l'entremise d'officiers municipaux ?

— Depuis quatorze mois où nous étions enfermés, on avait ôté de chez nous plumes, encre, papier et crayons et nous ne nous sommes jamais adressés a aucun officier municipal !

— Votre réponse est contradictoire avec les déclarations des personnes qui habitaient avec vous au Temple !

— Mais il n'y avait pas beaucoup de personnes qui habitaient le Temple ! Il n'y avait que nous ! dit la Reine étonnée, puis élevant le ton : Que celles qui le déclarent osent le prouver, car cela n'est pas vrai.

Ses accents de sincérité sont si flagrants que Lindet se penche vers Robespierre pour lui dire :

— Dis donc, si cela continue ainsi, ce n'est plus Andromaque que l'on jugera, mais sainte Blandine !

Tous rient malgré eux. Herman va tenter sa chance avec le complot des Œillets, ce qui déplaît à Robespierre :

— A la Conciergerie, n'a-t-il pas été introduit une personne porteuse d'un œillet dans lequel était un écrit ?

— Encore ! dit Robespierre en s'adressant à Amar qui se fait tout petit sur son banc. Je ne voulais pas qu'on évoque ici l'histoire des Œillets ! Cet entêtement à évoquer sans cesse cette stupide affaire est insupportable ! Mais qu'avons-nous à gagner à être ridiculisés ?

— Président, répond Amar, ce n'est pas nous qui avons pris la décision d'intégrer les Œillets dans ce procès !

Robespierre reste alors silencieux. La Reine répond à Herman avec des arguments qu'elle a déjà développés :

— Il est entré différentes personnes avec les administrateurs de police. Il y en a que j'ai cru reconnaître. Il est vrai qu'on a laissé tomber un œillet, comme je l'ai déjà déclaré, mais j'y ai pris si peu d'attention que sans les signes que me faisait mon visiteur, je ne l'aurais pas ramassé, je l'ai relevé dans la crainte qu'il ne soit reconnu.

— Ce visiteur n'était-il pas cette personne qui vous a secouru le 20 juin ?

— Oui.

— N'était-il pas au château le 10 août ?

— Non.

— Savez-vous son nom ?

— Non, je ne me le rappelle pas, si je l'ai su.

— J'ai l'impression qu'elle nous prend pour des imbéciles, dit Amar, elle connaît parfaitement le nom de cet homme pour l'avoir protégé par ses mensonges quand nous l'avons interrogée !

Herman saute sur l'occasion :

— Il est difficile de croire que vous ne sachiez pas son nom, ce visiteur s'est vanté que vous lui ayez rendu de grands services, et on ne rend pas service aux gens que l'on ne connaît pas !

— Il est possible que ceux qui rendent un service oublient et que ceux qui l'ont reçu s'en souviennent, répond habilement la Reine, mais je ne lui ai jamais rendu de service, je ne le connaissais pas assez !

— Avez-vous répondu au billet trouvé dans l'œillet ?

— J'ai essayé avec une épingle non pas de lui répondre, mais de l'engager à n'y pas revenir, au cas qu'il se présentât encore.

— N'avez-vous pas fait un mouvement au moment où cette personne s'est présentée à vous ?

— Je n'avais vu aucun visage depuis treize mois ! Il est assez simple que j'aie été saisie dans le premier moment, ne fût-ce que par l'idée du danger qu'on pourrait courir en venant dans la chambre que j'habitais. Puis j'ai cru qu'il était employé quelque part et je fus rassuré.

— "Employé quelque part et rassurée", qu'entendez-vous par là ?

— Comme il était arrivé plusieurs personnes chez moi en compagnie des administrateurs, j'ai cru que le visiteur pouvait être employé dans une de leurs sections et qu'alors il ne courait plus aucun danger.

— Les administrateurs vous ont-ils souvent amené du monde ?

— Ils étaient presque toujours accompagnés d'une, deux ou trois personnes inconnues.

— Quels sont les noms des administrateurs qui venaient le plus souvent vous voir ?

— C'étaient Michonis, Michel, Jobert et Marino qui venaient le plus souvent.

— Et ces quatre administrateurs vous ont toujours amené des personnes inconnues ?

— Je le crois, mais je ne m'en rappelle pas !

Robespierre fulmine sur son banc en s'adressant à Collot d'Herbois :

— Mais comment avons-nous pu laisser s'accomplir l'infamie de louer les prisonniers de la République ?

— D'autant que ces visites se monnayaient cher ! renchérit Saint-Just.

— Ces pratiques ignobles dénaturent le sens de notre combat, dit Robespierre, puis s'adressant de nouveau à Collot d'Herbois, chargé de l'intérieur : Faites-moi vite tomber le glaive de la justice sur ces fripons qui salissent la Nation !

— Avez-vous quelque chose à ajouter à vos différentes réponses ? demande Herman à la Reine.

— Non.

— Avez-vous un conseil pour vous défendre ?

— Que non, attendu que je ne connais personne !

— Voulez-vous que le Tribunal vous en donne un ou deux d'office ?

— Je le veux bien, répond simplement la Reine.

— Nous vous nommons d'office, pour conseils et défenseurs officieux, les citoyens Tronçon-Ducoudray et Chauveau-Lagarde.

Puis Herman relit intégralement son interrogatoire. Dans les tribunes, les conventionnels sont frigorifiés.

— Veuillez signer vos réponses, lui demande Fabricius.

La Reine se lève, ivre de fatigue et transie de froid, et signe "Marie-Antoinette" après Herman, Fouquier-Tinville et Fabricius.

Puis elle sort, toujours encadrée des deux gendarmes, et regagne son cachot accompagnée du lieutenant de Bûne. Robespierre, entouré des membres des Comités de salut public et de sûreté générale, descend alors des gradins. Fouquier et Herman se précipitent au-devant de lui. Le peintre David, toujours obséquieux, dit à Herman :

— Président, vous avez parfaitement rendu la dignité nationale.

— Merci, répond simplement Herman.

— Vous n'avez toujours rien trouvé aux archives pour étayer votre accusation, n'est-ce pas ? demande Robespierre à Fouquier.

— Rien, citoyen président, même les papiers qui étaient dans l'armoire de fer demeurent introuvables, c'est à croire qu'on a volontairement dissimulé ces documents par un éparpillement criminel…

Robespierre est soucieux. Après quelques secondes de réflexion, il demande à Herman et à Fouquier :

— J'aimerais que vous mettiez le plus grand soin à la rédaction de ce réquisitoire, car hélas Antoinette a réfuté très habilement toutes vos accusations. Si nous nous en tenions à ses réponses, il serait impossible d'établir un acte d'accusation crédible ! Puis il s'adresse à Fouquier : Comme il vous est impossible de l'étayer sur des preuves patentes… dont vous êtes hélas démuni… vous devrez argumenter votre réquisitoire essentiellement sur des faits que la rumeur publique condamne afin que vos attaques recueillent l'adhésion du peuple…

— Même des faits non prouvés ? demande Herman froissé.

— Même des faits non prouvés ! confirme Collot d'Herbois. Nous n'avons pas le choix. Ce qui compte dans vos accusations, ce n'est pas leur authenticité, dont on se moque, mais leur crédibilité aux yeux du peuple !

— Comme elle a pratiquement rejeté toutes nos accusations, et puisque nous accusons sans preuve, ce sera donc sa parole contre la nôtre, réplique Herman préoccupé.

— Mais peu importe, dit Saint-Just, notre parole est celle du peuple, l'autre ne compte pas. Cessez de vous embarrasser de toutes ces arguties juridiques. On la juge et on la condamne, et c'est fini. Maintenant, rentrons, il est deux heures et je suis frigorifié !

DIMANCHE 13 OCTOBRE, SOIXANTE-TREIZIÈME JOUR DE DÉTENTION, LE BUREAU DE FOUQUIER-TINVILLE, DEUX HEURES DU MATIN

2

La culture limitée de l'accusateur public

Tout en marchant pour rejoindre son bureau dont les portes restent toujours ouvertes, au premier étage de la tour César, Fouquier-Tinville sait qu'une tâche énorme l'attend : après avoir transcrit l'acte d'accusation, il faut maintenant rédiger le réquisitoire de la veuve Capet. Il regarde sa montre, il est deux heures un quart.

J'ai exactement six heures pour le rédiger, se dit-il. Je dois le remettre aux deux avocats demain matin à huit heures et au plus tard à Herman à midi ! Pourvu que mes bougres tiennent le coup !

On ne lui a fourni aucune pièce pour mener sa tâche à bien. Aux archives, il n'a pu mettre la main sur le moindre document qui lui aurait permis d'étayer une quelconque accusation contre la Reine. Les preuves à charge, si jamais elles ont existé, ont été dissoutes par Constant Labussière dans des milliers de documents eux-mêmes savamment mêlés à des milliers d'autres. Il sait maintenant qu'il ne peut compter sur personne pour bâtir son réquisitoire. En outre, la Reine, qui n'est tombée dans aucun des pièges qu'on lui a tendus lors de son interrogatoire, a su au contraire les tourner à son avantage. La seule voie possible, qu'il a d'ailleurs largement utilisée, a été de reprendre l'acte dressé contre Louis Capet.

Arrivé essoufflé au premier étage, il croise quelques greffiers attardés dans la galerie des Peintres, qui s'effacent devant lui avec déférence. Chacun salue avec crainte le grand inquisiteur de la République une et indivisible.

— Bonne nuit, citoyen accusateur !

Il leur répond agacé :

— Bonne nuit, bonne nuit... Avec ce qui m'attend, me souhaiter bonne nuit à moi ! Quels idiots !

Dans le corridor qui relie la tour Bonbec à la tour César, un homme installé sur une échelle de bois verse de l'huile dans des lampes fixées au mur.

— Salut, Lenfumé, es-tu suffisamment pourvu en huile ? demande-t-il.

— Oui, citoyen accusateur, les subsistances m'en ont livré mille litres.

— Combien de temps tiens-tu avec mille litres ?

— Six jours, citoyen accusateur.

— Seulement ?

— J'alimente deux cent vingt becs, citoyen accusateur ! Comme vous ne m'avez autorisé d'en éteindre que vingt, deux cents brûlent toute la nuit !

— Tant que dure le procès de l'Autrichienne, tu les laisseras brûler jour et nuit ! As-tu compris, Lenfumé ?

— A vos ordres, citoyen accusateur !

— Salut !

— Bonne nuit, citoyen accusateur !

Fouquier gravit péniblement la dernière marche du palier qui le conduit à son bureau. Toutes les chandelles sont allumées et tous les commis sont au travail. Il jette son chapeau et son manteau sur une chaise et se laisse tomber fourbu de fatigue derrière son bureau :

— Lelièvre ! dit-il en reprenant son souffle.

Le premier secrétaire-greffier qui contrôlait un rapport dans la pièce voisine se précipite.

— Lelièvre, envoie immédiatement deux courriers à bride abattue chez Chauveau-Lagarde et chez Tronçon-Ducoudray. Ils sont commis d'office pour défendre l'Autrichienne. Il faut qu'ils soient là demain matin à la première heure. Ensuite, envoie un de tes bougres chez le concierge et demande-lui de préparer deux litres de café pour moi et quatre pour vous. Nous travaillons toute la nuit. Je te préviens, je ne tolérerai aucune défaillance !

— A vos ordres, citoyen accusateur !

— Prends deux commis-greffiers, les plus rapides que nous ayons, et installe-les près de moi avec encre, papier et crayons, je vais dicter toute la nuit !

Il déroule l'interrogatoire de la Reine sur son bureau. Les trois hommes s'installent aussitôt, Lelièvre se tient debout derrière eux afin de veiller à la rédaction. Sentant sa fatigue s'atténuer, Fouquier se lève et marche de long en large dans la pièce, les mains derrière le dos, tout en jetant de temps en temps un coup d'œil au papier déroulé sur la table. Il marche, il réfléchit... Puis, au bout d'un moment, il demande à son premier secrétaire :

— Lelièvre, apporte-moi une copie des chefs d'accusation de Louis Capet que nous avons corrigés avant-hier, je ne peux exploiter l'interrogatoire d'Herman ! Il est vide.

L'autre ramène un volumineux dossier.

— Donne-moi la page dix-sept !

Lelièvre défait la liasse et lui tend le feuillet. Fouquier reprend sa marche, en tenant la feuille de la main droite tandis que sa main gauche reste derrière son dos. Il va et vient silencieusement quelques instants tout en lisant, puis commence sa dictée sur un ton emphatique dans un style ampoulé. Les commis écrivent avec empressement sous la surveillance attentive de Lelièvre planté derrière eux :

— Examen fait de toutes les pièces transmises par l'accusateur public, il en résulte qu'à l'instar des Messaline, Brunehaut, Frédégonde, Médicis, que l'on qualifiait autrefois de reines de France...

Le premier commis-greffier l'interrompt :

— Je m'excuse, citoyen accusateur, de vous interrompre...

— Quoi ? Qu'y a-t-il ? dit Fouquier en le foudroyant du regard.

— Je m'excuse, citoyen accusateur, mais du temps de Messaline, de Frédégonde et de Brunehaut, le royaume de France n'existait pas ! Ne croyez-vous pas, citoyen accusateur, qu'il serait préjudiciable à l'accusation de comparer l'Autrichienne à de simples courtisanes ?

Fouquier, vexé, l'apostrophe :

— Qu'en sais-tu, imbécile ?

Le premier commis-greffier répond timidement :

— J'enseignais l'histoire à la Sorbonne comme hospes, citoyen accusateur !

Les commissures des lèvres de Fouquier plongent vers le bas.

— Comme quoi ?

— Comme hospes, citoyen accusateur. Quand on était hospes à la Sorbonne, on était nourri et logé ; quand elle a fermé, je n'ai plus eu de quoi vivre.

Fouquier l'observe déconcerté, son faciès de poisson carnivore s'accentue. Il ajoute après un temps de réflexion :

— Dis donc, tu as oublié d'être bête, toi ! Quel âge as-tu ?

— Vingt-huit ans, citoyen accusateur. Dois-je supprimer avec votre autorisation Messaline, Frédégonde et Brunehaut, citoyen accusateur ?

Fouquier perplexe réfléchit encore quelques secondes :

— Non, garde Messaline, Frédégonde et Brunehaut, personne ne les connaît ! Il reprend sa dictée : … que l'on qualifiait autrefois…

Le deuxième commis-greffier l'interrompt à son tour :

— Pardon, citoyen accusateur !

— Quoi encore ?

— Je m'excuse, citoyen accusateur, mais comment écrivez-vous Brunehaut ?

Fouquier, embarrassé, se récrie :

— Mais comme cela se prononce, imbécile ! Il épelle : B. R. U. N. E. A. U.

Le premier commis-greffier revient à la charge :

— Je m'excuse, citoyen accusateur, avec votre permission, ne pourrions-nous pas l'orthographier plus correctement, afin de respecter l'écriture originale que l'on retrouve dans les manuscrits de l'époque ?

— C'est sans importance, imbécile ! dit Fouquier vexé. Laquelle des trois pourrait bien sortir de sa tombe pour vérifier si son orthographe a été respectée ? Bon, puisque cela semble te faire plaisir, j'épelle de nouveau : B. R. U. N. E. C. H. A. U. T. Voilà, es-tu content ?

Le premier commis-greffier, les yeux baissés, ne répond pas.

— Foutre alors ! Ce n'est pas exact ?

L'autre, les yeux toujours baissés, se tait. Un silence pesant s'installe. Intrigué, Fouquier réfléchit tout en fixant l'ancien petit professeur à la Sorbonne. Il finit par lui demander :

— Dis donc, monsieur le professeur, comment t'appelles-tu ?

— Le Heurteur, citoyen accusateur.

— Mais tu es un malin, toi ! Hein, Le Heurteur ? Ce rapport, tout le monde va le lire, hein, Le Heurteur ?

— Pour sûr, citoyen accusateur, répond l'autre le regard toujours baissé.

— Et toi tu as tout de suite compris ce que l'on dira en le lisant, hein, Le Heurteur ?

— Pour sûr, citoyen accusateur !

— On dira : Fouquier est un ignorant. Hein, Le Heurteur ?

— Pour sûr, citoyen accusateur !

— Eh bien, pour que l'on ne dise pas cela, que faudrait-il faire, hein, Le Heurteur ?

— Je ne sais pas, citoyen accusateur !

— Mais bien sûr que tu le sais ! Allez, ne sois pas hypocrite : épelle le nom toi-même ! Dépêche-toi, on a perdu assez de temps comme cela !

Le premier commis-greffier épelle :

— B. R. U. N. E. H. A. U. T.

— Eh bien, voilà ! Allez, je reprends depuis le début, écrivez ! Examen fait de toutes les pièces transmises par l'accusateur public, il en résulte qu'à l'instar des Messaline, Brunehaut, Frédégonde, Médicis, que l'on qualifiait autrefois de reines de France… j'en étais là, n'est-ce pas ?

— Oui, citoyen accusateur.

Il répète à voix basse :

— … qu'on qualifiait autrefois de reines de France… Puis il élève le ton : … et dont les noms à jamais odieux ne s'effaceront pas des fastes de l'histoire, Marie-Antoinette, veuve de Louis Capet, a été depuis son séjour en France la sangsue des Français…

Il s'arrête de dicter, réfléchit quelques instants, puis s'adresse à son premier secrétaire :

— Dis donc, Lelièvre, n'avons-nous pas reçu des archives la correspondance de la veuve Capet qu'on avait découverte aux Tuileries ?

— Pas encore, citoyen accusateur.

— Mais qu'est-ce qu'ils foutent, nom de Dieu ! J'en ai besoin pour rédiger mon acte. Il va falloir que j'aille moi-même cet après-midi à ces maudites archives.

— Ce serait le meilleur moyen d'obtenir quelque chose, citoyen accusateur.

— Nous n'avons pas défini le classement par ordre de gravité des chefs d'accusation que nous avons utilisés contre Louis Capet ?

— Pas encore, citoyen accusateur !

— Commence par classer ceux de politique intérieure en les reprenant un par un et compare-les avec ceux que j'ai attribués à l'Autrichienne.

L'autre s'empare de l'énorme liasse et en extrait une feuille.

— Voilà, citoyen accusateur.

— Lis !

— Premier grief retenu contre Louis Capet énoncé par le président de la Convention en janvier : "Louis, vous avez, le 20 juin 1789, attenté à la souveraineté du peuple, en suspendant les assemblées de ses représentants, et en les repoussant par la violence du lieu de leurs séances qui était la salle du Jeu de Paume à Versailles..."

— Arrête, cet article est inapplicable à Antoinette... Cette histoire est trop connue du peuple, nous serions ridicules. C'est le jour où Mirabeau a envoyé paître Dreux-Brézé...

— Qui est Dreux-Brézé, citoyen accusateur ?

— C'était le valet de Louis XVI, chargé de chasser les députés de la salle du Jeu de Paume.

— N'est-ce pas le jour où Mirabeau a lancé : "Nous sommes ici par la volonté du peuple et..."

— C'est ça, c'est ça ! "... et nous n'en sortirons que par la force des baïonnettes"... Nous connaissons tous ! Une belle fripouille, ce Mirabeau ! Passe à l'article suivant.

Ainsi l'accusateur va fouiller toute la nuit dans le procès de Louis XVI pour découvrir des griefs applicables à Marie-Antoinette et tenter de bâtir ainsi un acte d'accusation qui lui sera totalement étranger.

Dimanche 13 octobre, soixante-treizième jour de détention, la maison de Chauveau-Lagarde a Chartres, six heures du matin

3

Deux avocats dans la tourmente révolutionnaire

Claude François Chauveau-Lagarde est dans sa maison de campagne. Il dort profondément quand la femme qui sommeille à ses côtés perçoit des bruits de sabots dans l'allée. Comme chaque Français, ils vivent dans l'angoisse d'une imprévisible arrestation. L'homme avec lequel elle partage sa couche est un avocat de renom. Agé de vingt-huit ans à peine, il s'est spécialisé avec talent dans les procès politiques où sa marge de manœuvre reste très étroite. Il doit naviguer entre le "patriotisme" qu'il faut afficher sans cesse et la défense de ses clients, qui requiert des arguments qui peuvent parfois blesser la susceptibilité républicaine du tribunal.

La jeune femme prête l'oreille. Elle perçoit des bruits de bottes et des coups violents sur la porte.

— Ouvrez !

En bas, la servante se précipite pour ouvrir.

— Chauveau-Lagarde ! C'est ici ?

— Oui, c'est pourquoi ?

En haut, dans la chambre, notre jeune avocat dort toujours.

— Claude, réveille-toi, on te demande.

Il émerge, les yeux baignés de sommeil.

— Qui ?

— Je n'en sais rien. Descends vite, ça semble sérieux.

Il enfile sa robe de chambre et se précipite pieds nus dans les escaliers. Il sent aussitôt son sang descendre dans ses jambes : il a reconnu un huissier du Tribunal révolutionnaire accompagné de deux gendarmes. A une heure pareille, c'est sûrement pour l'arrêter.

— Salut, Simonet, dit-il d'une voix mal assurée, que se passe-t-il ?

— Citoyen, le greffier vous prie de vous rendre de toute urgence à la Conciergerie. Il faut partir sans délai, vous êtes nommé d'office pour défendre la veuve Capet. Son procès commence demain matin à huit heures. Voici l'ordre signé de l'accusateur public.

— Demain à huit heures ? Je suis donc seul à la défendre ?

— Non, vous êtes assisté du citoyen Tronçon-Ducoudray.

— Mais je ne possède aucun élément.

— En arrivant à la Conciergerie, Fabricius vous remettra l'acte d'accusation. Vous serez même autorisé à préparer la défense de la veuve Capet dans son cachot.

— Je pars immédiatement.

— Nous avons conduit une berline à cet effet.

— Non merci, Simonet, elle serait trop lente, je perdrai trop de temps, je vais galoper sans arrêt jusqu'à Paris.

— Comme vous voulez, citoyen. Le concierge Bault vous attend. Salut et fraternité !

Il est quatorze heures quand Chauveau-Lagarde arrive rue de la Barillerie. Il confie son cheval au palefrenier et franchit rapidement la cour du Mai. Il reconnaît le lieutenant Lebrasse qui assure la garde de la grille qui sépare les deux cours.

— Salut, Maurice.

— Vous êtes attendu, citoyen… Ainsi c'est vous qui la défendez ? Pas trop, j'espère, car je témoigne contre elle !

— Lieutenant, la République doit garantir les droits de la défense même aux pires criminels.

— C'est bien le cas, ajoute l'autre en riant, le concierge vous attend.

— Merci, Maurice.

Quand il pénètre dans l'avant-greffe, Bault l'accueille la main tendue.

— Bonjour, citoyen, je suis le nouveau concierge, mon nom est Bault. Je vous accompagne chez la veuve Capet. Si vous voulez bien me suivre.

Chauveau connaît bien la Conciergerie. Il a déjà défendu de nombreux prisonniers dont Charlotte Corday, mais ce matin il emprunte avec émotion le couloir des prisonniers. Il franchit le cœur battant toutes les grilles du parloir pour se retrouver enfin devant une porte épaisse aux énormes verrous. Ce sont les gendarmes Prudhomme et Lamarche qui le reçoivent en souriant :

— Bonjour, citoyen, puis-je viser votre ordre, s'il vous plaît ?

Quand les gendarmes tournent les verrous, Chauveau entend aboyer derrière la porte.

— A qui est ce chien ? demande-t-il.

— C'est Baps, répond Lamarche. En se rapprochant de lui, il ajoute tout bas à son oreille : C'est le chien de Sa Majesté !

De plus en plus ému, Chauveau pénètre dans le cachot. Dans la pénombre, il se trouve face à un officier qui le salue.

— Bonjour, citoyen Chauveau-Lagarde.

Ce dernier, les jambes tremblantes d'émotion, reconnaît le lieutenant de Bûne qu'il croise souvent dans les couloirs du palais.

— Bonjour, François.

Un pas de plus et il franchit le paravent : Marie-Antoinette est là, debout devant lui. Il constate qu'elle est vêtue de blanc avec la plus extrême simplicité, sa pâleur est impressionnante. Chauveau-Lagarde, les mains moites, salue à l'ancienne par une profonde révérence.

— Bonjour, monsieur Chauveau-Lagarde, lui dit-elle avec une grande douceur.

Au même instant, un fiacre quitte le 57 de la rue Sainte-Croix-de-La-Bretonnerie dans le Marais, domicile du citoyen Tronçon-Ducoudray. Il franchit le pont Neuf, tourne à droite dans le quai des Morfondus qui se prolonge par le quai de l'Horloge pour atteindre enfin la Conciergerie par la rue de la Barillerie.

Dans cette voiture, deux hommes devisent gravement. L'un est Guillaume Tronçon-Ducoudray, le second avocat nommé d'office, l'autre est son ami Berryer.

— Lis-moi la convocation que tu as reçue, dit ce dernier, je n'en reviens pas qu'on ait fait appel à toi.

L'autre déplie un feuillet et lit :

— "Citoyen, vous êtes prévenu que le tribunal vient de vous nommer d'office pour défenseur officieux de la veuve de Louis Capet et qu'avec la présente, vous pourrez communiquer avec elle dès demain matin, son affaire venant lundi 14 octobre."

— Quand l'as-tu reçue ?

— Hier.

— Tu n'as donc que vingt-quatre heures pour préparer sa défense ?

— C'est une façon de rendre la chose impossible.

— Quelle ironie du sort ! Tu as bataillé en vain pour être l'avocat de Louis XVI et tu es commis d'office pour défendre la Reine.

— J'aurai préféré que ce soit l'inverse, dit Tronçon en riant. J'avoue que je suis assez désappointé. Je n'avais pas envie de la défendre.

— Alors pourquoi as-tu accepté ?

L'autre sourit.

— On ne dit pas non à Fouquier-Tinville, c'est une question de survie. Je dois avouer que j'ai toujours éprouvé une inimitié tenace pour Marie-Antoinette, mais la savoir enterrée vivante me révolte. Elle a perdu dans mon imagination cette image altière, pour n'être qu'une femme abandonnée qu'on assassine lentement au fond d'un trou. Cette idée m'est insupportable. Il ajoute en riant : J'ai décidé de passer outre à mes a priori.

— Décidément tu ne changeras jamais ! D'où provenait ton animosité ?

— Franchement je n'en sais rien, je crois qu'elle vient de loin.

— A-t-elle eu un jour une attitude hostile à ton égard ?

— Même pas ! Je ne l'ai vue qu'une fois dans ma vie, j'avais dix-huit ans, j'étais à Reims avec mon frère au sacre du Roi, elle était adorable !

— Alors ?

— Je crois que cela date de l'affaire du collier. A cette époque, Target, que j'aime beaucoup, défendait l'adversaire de Marie-Antoinette devant le Parlement.

— Rohan ?

— Oui, le "cardinal-collier" comme on l'appelait alors. Quand Target a gagné son procès, la Reine ne lui a pas pardonné et sa rancœur fut tenace, je crois que la mienne vient de là, j'avais épousé la cause de mon ami.

— Pour si peu… Un peu simpliste, ta rancune !

— Je te l'accorde… Ah ! nous arrivons.

Le fiacre pénètre dans la cour du Mai, s'arrête sous l'arche au niveau de la grille qui la sépare de la petite cour. Tronçon descend précipitamment tandis que le lieutenant Lebrasse ouvre la porte :

— Salut et fraternité, citoyen, votre collègue Chauveau-Lagarde est déjà là. Il vous attend chez la veuve Capet.

— Merci, Maurice – il se tourne vers Berryer –, merci mon ami, à bientôt.

Le fiacre repart.

La Reine observe Chauveau-Lagarde, et bien qu'il paraisse ému, elle se méfie d'un avocat désigné par ses pires ennemis. Pourtant, il a trouvé les mots qui touchent.

— Madame, bien qu'ayant été commis d'office pour défendre Votre Majesté, je vous prie de croire que rien ne répondait plus à mes désirs que d'avoir été désigné et je sollicite toute la confiance de la Reine pour mener ma tâche à bien.

La Reine acquiesce d'un hochement de tête accompagné d'un battement de paupières.

— Si vous voulez bien vous asseoir, monsieur, dit-elle en désignant une des deux chaises en paille tandis qu'elle s'assoit sur l'autre.

Ils sont maintenant face à face. Chauveau, toujours troublé, est saisi par le froid du cachot.

— Madame, le temps nous est cruellement compté pour conduire votre défense, je n'ai pas encore pris connaissance de l'acte d'accusation...

Il n'a pas le temps de terminer sa phrase que les verrous grincent et Baps aboie : le lieutenant de Bûne introduit un visiteur d'une quarantaine d'années. L'homme a les traits fins, l'expression du visage est douce, le regard triste, comme son collègue il est coiffé les cheveux courts à la jacobine. Il s'incline simplement devant la Reine qui se lève pour le recevoir :

— Mon nom est Tronçon-Ducoudray, Madame, je suis chargé de votre défense... Bonjour, Claude.

— Bonjour, monsieur, prenez donc cette chaise, je m'assoirai sur le lit.

Elle observe attentivement l'homme qui a défendu naguère son pire ennemi, ce détestable cardinal de Rohan.

— Etes-vous informés, messieurs, dit-elle sans transition, que j'ai subi hier les premiers griefs de l'instruction ?

— Vous nous l'apprenez, Madame, dit Chauveau.

— Si ce n'était pour mes enfants, je n'aurais rien répondu, je me suis donc soumise à leur interrogatoire...

Chauveau dépose plume et encrier sur le sol et s'apprête à écrire sur ses genoux tandis que Tronçon ouvre sa sacoche, en sort du papier et un crayon. La Reine poursuit :

— N'ayant rien découvert de répréhensible contre moi, ils ont repris les accusations qu'ils avaient formulées contre le Roi.

— Il fallait s'y attendre ! dit Chauveau. Votre Majesté peut-elle en résumer les grandes lignes ?

— J'ai écouté attentivement ce tissu de mensonges, on retrouve tous les griefs qu'on reprochait à mon mari.

— Madame, précise Tronçon, devant la lourdeur de la tâche qui nous incombe, nous serons obligés, M. Chauveau-Lagarde et moi-même, de nous partager la besogne… Claude, si tu le veux bien, tu réfuteras les accusations de politique extérieure, moi celles de politique intérieure. Qu'en pensez-vous, Madame ?

— Mais je trouve cela très bien.

— Claude, si nous commencions par toi.

— Volontiers, répond Chauveau en plongeant sa plume dans l'encrier. Madame, quels sont les griefs qui vous paraissent les plus importants concernant la politique extérieure ?

— D'avoir fait parvenir des millions à mon frère l'Empereur d'Autriche.

— En ont-ils précisé le montant ?

— Il m'a semblé que c'était de l'ordre de deux cents millions.

Chauveau note en abrégé. Il se sent surveillé par le lieutenant de Bûne tandis que la Reine ne semble pas le moins du monde affectée par la présence du gendarme. Cette attitude le tranquillise.

— On me reproche d'avoir dilapidé les finances de la France…

— Cela, Madame, remarque Tronçon, concerne la politique intérieure. J'en prends note, nous y reviendrons.

— … d'avoir distribué aux étrangers des millions le 10 août.

— Le 10 août ? s'étonne ce dernier. Pourquoi spécialement le 10 août ?

— Je ne sais pas.

— Vous auriez distribué de l'argent ce jour-là.

— Mais non, monsieur.

— Nous savons bien, intervient Chauveau, que ce jour-là la famille royale n'était plus aux Tuileries !

— A quelle heure a-t-elle quitté le château ? demande Tronçon.

— A huit heures du matin, précise la Reine.

Les deux notent.

— On me reproche aussi d'avoir fait parvenir à nos ennemis les plans de campagne.

— De quelle manière ces plans, Madame, ont-ils été arrêtés ? demande Tronçon.

— Pendant le Conseil.

— Vous n'êtes donc pas la seule, Madame, à avoir eu connaissance de ces plans ?

— Effectivement, monsieur, les résultats du Conseil sont publics. On me reproche d'être responsable de la déclaration de guerre au Roi de Bohême et de Hongrie et d'avoir ordonné l'évacuation de la Belgique.

Chauveau note en haussant les épaules.

— Absurde ! ajoute-t-il. Avez-vous retenu d'autres griefs, Madame ?

La Reine réfléchit quelques secondes.

— J'aurais communiqué l'état de nos armées à l'ennemi.

— Cette accusation ne tient pas, intervient Tronçon, ces états sont publics, chacun peut y avoir accès.

— D'autres accusations de politique extérieure vous viennent-elles à l'esprit, Madame ?

— Non, monsieur, je pense vous avoir signalé les principales.

— Passons à la politique intérieure, lance Tronçon. Madame, quelles sont les charges qui vous semblent les plus iniques ?

La Reine sourit.

— Elles le sont toutes, monsieur ! J'aurais du mal à en trouver de fondées.

— Celles qui vous ont le plus choquée.

— Le banquet d'octobre.

— Vous faites allusion à la cocarde tricolore foulée aux pieds ?

— Oui, monsieur, toute cette affaire a été montée artificiellement par Lecointre. C'est lui qui est responsable de ces terribles journées qui ont vu le départ du Roi pour Paris. C'est le souvenir le plus horrible de ma vie que de voir la tête de nos infortunés gardes au bout d'une pique.

Ses yeux se remplissent de larmes.

— Tous les Français dignes de ce nom, lance Tronçon, reconnaissent que c'est une tache indélébile.

— Si seulement, c'était la seule… Je suis hantée la nuit par la mort de mon amie.

Des larmes coulent.

— Votre Majesté veut-elle parler de la princesse de Lamballe ? demande Chauveau.

— Oui, monsieur, mais j'ai appris récemment qu'elle avait reçu l'absolution avant de mourir… Ce fut hélas une bien faible consolation. Et tous ces chrétiens assassinés en septembre de l'année dernière… ajoute-t-elle bouleversée.

Après un silence, Tronçon demande doucement :

— Avez-vous retenu d'autres chefs d'accusation ?

— Il y en a tellement, monsieur, que je ne saurais lesquels vous dire !

— Enumérez, Madame, les principaux.

— On me reproche d'avoir rédigé des libelles me visant personnellement afin de pouvoir crier ensuite à la calomnie. Notez bien, monsieur, que ce fut encore le duc d'Orléans qui les diffusa dans tout Paris.

— Il est à cette heure-ci au fond d'un cachot, Madame, réplique Tronçon.

— Je l'ai appris, croyez que cela ne me réjouit nullement.

— Avez-vous d'autres accusations de politique intérieure ? insiste ce dernier.

— Oui. La disette de 89 !

La Reine se dresse alors indignée sur son siège.

— Cette brioche, que soi-disant je recommandais de donner au peuple en remplacement du pain… Quelle monstrueuse calomnie ! Comment a-t-on pu croire un seul instant que je méprisais mon peuple à ce point ?

— Qui a prononcé cette phrase dévastatrice ?

— C'est une des filles de Louis XV, mais vous admettrez, monsieur Tronçon-Ducoudray, que ce n'est pas à moi de vous révéler laquelle. En revanche, c'est encore le duc d'Orléans qui me l'attribua.

— En voyez-vous d'autres, Madame ?

— Ceux-là, je pense, comme la fuite à Varennes, vous sont bien connus,

— Effectivement, Madame.

— … Ou la fusillade du Champ-de-Mars.

— Egalement…

— … Ou le veto du Roi contre les décrets relatifs à ses frères et aux prêtres réfractaires,

— Oui, Madame. je connais bien cette affaire

— … Ou encore la stupide déclaration de guerre au Roi de Bohême et de Hongrie.

— Cette question est pour moi, Madame ! dit Chauveau. Nous savons tous que la paternité en revient à l'Assemblée qui a voté la guerre.

— J'oubliais l'affaire du collier, dit-elle en fixant Tronçon.

— Oh, Madame, de celle-là je connais hélas tous les aboutissants, dit-il en baissant les yeux.

La Reine s'échauffe pour répondre :

— Vous ne pouvez ignorer, monsieur, à quel point cette machination nous a nui et combien le peuple a été trompé.

— Certainement, Madame. Avez-vous d'autres griefs à me signaler ?

— Aussi importants ? Non.

— Madame, intervient Chauveau, nous devons nous absenter quelques instants pour prendre possession au greffe de l'acte d'accusation.

Ils se lèvent. Le lieutenant de Bûne, qui a suivi l'entretien, intervient alors :

— Je vais vous faire accompagner, citoyens.

Il ouvre la porte, Chauveau-Lagarde et Tronçon-Ducoudray saluent la Reine et sortent. Accompagnés du gendarme Lamarche, ils traversent le préau des hommes au milieu de la faune habituelle, montent l'escalier à vis de la tour Bonbec, empruntent au premier étage la galerie des Peintres, jusqu'à la salle des pas perdus et pénètrent dans le greffe.

— Salut et fraternité, citoyens ! leur lance Nicolas Fabricius en les voyant. J'ai un exemplaire tout frais de l'acte d'accusation pour chacun de vous. Bon courage, il y en a huit pages !

Il distribue un rouleau à chacun d'eux.

— Merci, pouvons-nous consulter le dossier de l'accusée ? demande Chauveau.

— Le dossier de l'accusée ? Mais il est devant vous, mes amis ! Le Comité de salut public vient tout juste de le livrer.

Il désigne une énorme caisse remplie d'une montagne de papiers jetés pêle-mêle.

— Vous plaisantez... Ça le dossier de la veuve Capet ?

— Eh oui, dit l'autre en riant.

— Mais il est impossible de connaître toutes ces pièces en si peu de temps ! intervient Tronçon.

— Demandez un délai à la Convention.

— Croyez-vous qu'elle nous l'accordera ?

— Si c'est la veuve Capet qui le demande avec humilité, peut-être...

Ils retournent à la Conciergerie en empruntant le même chemin.

Les deux avocats et la Reine relisent ensemble les huit pages de l'acte. A la fin, Chauveau paraît découragé.

— C'est monstrueux, dit-il, nous n'aurons jamais le temps de préparer une défense effective !

La Reine au contraire les encourage :

— Etes-vous sûr qu'on n'a rien découvert au greffe contre moi ?

— Non, Madame, précise Chauveau, rien n'a été découvert contre vous. Les documents sont si mêlés qu'il faudrait des semaines pour les lire.

— Il nous faut demander des délais, réplique Tronçon.

— Ils ne nous les accorderont jamais, répond l'autre.

— Demandons au moins trois jours, Que risquons-nous ?

— A qui faut-il s'adresser pour cela ? s'enquiert la Reine.

— Si ce sont vos défenseurs qui présentent cette requête, remarque Tronçon, elle sera rejetée. En revanche, si c'est vous, Madame, qui en faites la demande, nous avons une chance qu'elle soit acceptée.

— Très bien, à qui dois-je l'adresser ?

Chauveau n'ose lui révéler l'organisme auquel elle doit avoir recours, elle en serait offusquée. Tronçon garde un visage fermé. Un silence s'installe. La Reine, étonnée de leur mutisme, leur sourit et répète avec douceur :

— Y a-t-il quelqu'un pour cela, messieurs ?

Chauveau se décide à répondre :

— Oui, Madame, nous hésitions par notre réponse à blesser Votre Majesté.

— Je suis habituée à la douleur, monsieur, parlez sans crainte.

— Bien, Madame... Vous devez vous adresser à la Convention nationale !

La Reine détourne son visage pour cacher des larmes qui jaillissent aussitôt.

— Non ! Non ! Jamais !

— Madame, nous sommes en face d'un vice de forme, insiste Tronçon. Une plainte contre la précipitation de ce procès qui, au terme de la loi, constitue un déni de justice a une chance d'être prise en considération par l'Assemblée...

Le regard perdu dans ses larmes, le visage tourné par pudeur, la Reine hoche négativement la tête. Elle refuse. Chauveau-Lagarde revient à la charge :

— Madame, dans votre personne nous devons non seulement défendre la Reine de France, mais encore les enfants du Roi accusés avec vous...

La Reine sursaute et fixe Chauveau droit dans les yeux. Elle n'avait manifestement pas pensé que son refus mettait ses enfants en danger. Sans dire un mot, avec un profond soupir, elle saisit la plume qu'il lui tend puis s'arrête :

— Je ne saurais rédiger une telle requête...

— Me permettrai-je de vous la dicter ? demande Tronçon.

— Bien sûr, monsieur, mais j'insiste sur deux points : d'abord préciser que c'est au nom de mes enfants que j'interviens auprès de l'Assemblée, et que ma requête soit formulée à la demande de mes avocats. Je ne veux rien solliciter pour moi.

— Bien sûr, Madame, la demande sera formulée au nom de vos avocats.

— Je vous écoute, monsieur.

Tronçon commence à dicter :

— Citoyen président, les citoyens Tronçon et Chauveau, que le Tribunal m'a donnés pour défenseurs, m'observent qu'ils n'ont été instruits qu'aujourd'hui de leur mission ; je dois être jugée demain et il leur est impossible de s'instruire dans un si court délai des pièces du procès...

— ... Et même d'en prendre lecture, ajoute la Reine.

— ... Et même d'en prendre lecture. Je dois à mes enfants de n'omettre aucun moyen nécessaire pour la justification de leur mère...

— ... Pour l'entière justification de leur mère, précise la Reine.

— ... Pour l'entière justification de leur mère. Je demande trois jours de délai...

— ... Mes défenseurs demandent trois jours de délai... Messieurs, souvenez-vous que je ne veux rien solliciter pour moi !

Tronçon hoche la tête en signe d'acquiescement. Il poursuit :

— ... Mes défenseurs demandent trois jours de délai. J'espère que la Convention les leur accordera. Comment signons-nous, Madame ?

— Tout simplement par mon nom : Marie-Antoinette de Lorraine d'Autriche.

— J'attire respectueusement votre attention, Madame, que cela risque de les indisposer. Ne pourrions-nous pas signer seulement : Marie-Antoinette ?

— Si vous voulez, monsieur.

Elle signe le document puis ajoute en souriant :

— Espérons que cela réussira.

Chauveau-Lagarde et Tronçon-Ducoudray prennent congé. Ils se précipitent chez Fouquier-Tinville.

Quand ils parviennent au bureau de l'accusateur, c'est le premier secrétaire qui les reçoit.

— Salut, Lelièvre, dit Tronçon, pouvons-nous voir l'accusateur ?

— Il s'est rendu aux archives, citoyen, il ne va pas tarder à revenir.

— Où en êtes-vous avec l'acte d'accusation ?

— Avant de lui donner la touche finale, l'accusateur voudrait récupérer les lettres de la veuve Capet découvertes aux Tuileries.

— Parce que l'acte que Fabricius nous a remis serait incomplet ?

— Si nous avons des preuves supplémentaires de sa complicité, nous le compléterons.

A cet instant, arrive Fouquier-Tinville.

— Salut et fraternité, citoyens, vous a-t-on remis l'acte d'accusation ?

— Bien sûr, citoyen accusateur.

— Je reviens des archives, la pagaille y est indescriptible. Ils ont confié des postes d'archivistes à des gens incompétents !

— Il faut peut-être leur donner le temps de s'adapter, suggère hypocritement Chauveau.

— Pensez donc ! L'archiviste étant absent, savez-vous quel était le métier de l'imbécile qui m'a reçu ? Ramoneur ! Quant aux papiers de la veuve Capet, ce sont des commérages sans intérêt. J'ai perdu mon temps. Que puis-je faire pour vous, citoyens ?

— Vous ne pouvez ignorer que le temps qui nous est imparti pour défendre la femme Capet est incompatible avec sa défense. La masse énorme de documents qui composent son dossier nécessiterait des jours entiers pour les lire.

— Je vous l'accorde et j'ai été moi-même étonné qu'on vous concède si peu de temps. Malheureusement, les ordres viennent des Comités et je dois m'y conformer. Croyez bien que si j'avais eu toute latitude pour agir, je vous aurais accordé au moins huit jours pour préparer votre défense.

— Nous vous remercions, citoyen accusateur, nous allons suggérer à la femme Capet de solliciter trois jours de délai supplémentaires.

Le visage de Fouquier prend aussitôt le masque du poisson carnivore. Reculer de trois jours le procès de sa vie va à l'encontre de tous ses projets.

— A qui comptez-vous adresser votre requête ?

— A la Convention nationale.

Chauveau lui tend la feuille.

— Pouvez-vous vous en charger ?

Le sourire revient aussitôt sur les lèvres de l'accusateur public :

— Donnez-la-moi, je vais la faire porter immédiatement à l'Assemblée. Il est évident que vous ne pouvez assurer la défense de la veuve Capet en moins de vingt-quatre heures !

— Merci, citoyen accusateur, ces trois jours vont nous permettre de respirer.

Fouquier leur tend chaleureusement la main.

— Vous pouvez compter sur moi. Salut et fraternité !

— Salut et fraternité.

Ils redescendent tout joyeux pour annoncer la bonne nouvelle à la Reine. Quand ils sont sortis, Chauveau murmure à Tronçon :

— Dis donc, Guillaume, cet acte d'accusation est la copie conforme de celui du Roi… J'ai pensé que nous n'avions qu'à reprendre les arguments des défenseurs de Louis XVI…

— C'est une très bonne idée, il faut se procurer leur plaidoirie.

Il lui tend un rouleau de papier.

— Tiens, voilà celle de de Sèze qui a défendu le Roi. Cet exemplaire est pour toi.

Ils s'enfoncent dans le couloir des prisonniers.

Au premier étage de la tour César, l'accusateur tend la requête de la Reine à son secrétaire :

— Lelièvre, fais-moi une copie de ce torchon. Ensuite archive-le dans le dossier de l'Autrichienne, mais auparavant envoie l'original au Comité de salut public en l'adressant personnellement à Robespierre, avec ce mot d'accompagnement – il lui tend une autre feuille –, il collectionne tous les écrits de la veuve Capet[1].

1. Après la mort de Robespierre, on retrouva la requête de la Reine sous son matelas.

DIMANCHE 13 OCTOBRE, SOIXANTE-TREIZIÈME JOUR DE DÉTENTION, CHEZ MICHEL PERRIN, TROIS HEURES DE L'APRÈS-MIDI

4

La brasserie de la rue de la Roquette

Jean-Baptiste Basset effectue une troisième visite chez Perrin. Les hommes qu'il a rencontrés jusqu'à présent n'avaient pas l'air très franc. Il trouve suspect ce désir pressant de sauver la Reine. Si ce n'était le cas, que chercheraient-ils exactement ? Seul Laroche paraît sincère, c'est un Auvergnat comme lui, un ami du marquis de La Rochelambert, donc un partisan au-dessus de tout soupçon.

C'est encore la vieille Perrin qui lui ouvre la porte. Aujourd'hui il n'aime pas son regard, il y découvre une pointe d'ironie…

Laroche, toujours chaleureux, se précipite pour l'embrasser. Il lui annonce :

— Le propriétaire du local nous attend à trois heures.

— L'avez-vous loué ferme ? demande Basset.

— Oui, dit Perrin, mais avec une condition suspensive.

— Laquelle ?

— Mais… qu'il te convienne !

Le local est une ancienne brasserie située rue de la Roquette. Un homme d'une soixantaine d'années aux cheveux blancs tombant sur les épaules et au teint olivâtre les attend.

— Bonjour, dit-il, je suis le citoyen Carré, propriétaire des lieux.

— Bonjour l'ami, dit Laroche, nous venons visiter les locaux avec notre ami.

— Que faisiez vous dans cette caserne ? demande Basset en riant.

— J'étais brasseur, ma brasserie était la première de Paris. Hélas, ma santé m'a obligé à tout vendre… Je vous laisse visiter.

Il s'éloigne. La salle principale est gigantesque. Elle peut effectivement contenir des milliers d'hommes. Basset arpente l'immense pièce en tous sens, relève par écrit la moindre disposition des lieux, notamment le nombre de sorties pour s'enfuir en cas de danger.

— Combien d'hommes comptes-tu faire entrer ? demande Perrin.

— Suffisamment, répond Basset toujours aussi méfiant.

— C'est quoi suffisamment ? Mille, deux mille, dix mille ? insiste l'autre.

— Reste évasif, lui recommande Laroche en auvergnat.

— Disons que cela se compte par quelques dizaines, répond Basset.

— Mais alors, ce local est trop grand ?

— Non je le retiens, il me convient.

— Eh bien, il est à toi ! dit Laroche en auvergnat. Voilà les clefs ! Quand comptes-tu rassembler tes hommes ?

— Je commence ma tournée ce soir même.

Ils remontent tous en voiture. Basset demeure silencieux. Quand la voiture arrive place Baudoyer, il demande :

— Arrêtez-moi ici. Merci.

Il descend, mais avant de refermer la portière, il dit en auvergnat à Laroche :

— Je serai absent pendant deux jours, je te ferai signe dès mon retour.

LUNDI 14 OCTOBRE, SOIXANTE-QUATORZIÈME JOUR DE DÉTENTION, LA CASERNE DE VANVES, DEUX HEURES DU MATIN

5

Les deux fils de Lazare Carnot

Deux berlines se dirigent vers la caserne de Vanves réservée aux nouveaux conscrits. Dans la voiture de tête se trouvent Jean-Baptiste Basset, déguisé en lieutenant de gendarmerie, et le gendarme Antoine Maingot. La berline traîne derrière elle une remorque qui porte deux cercueils recouverts du drapeau tricolore. Dans l'autre voiture, le marquis de Villequier, vêtu d'une tenue de colonel de gendarmerie, est assis aux côtés d'Elisabeth Lemille en grand deuil, dont le visage disparaît sous un voile noir. Colas le râpeur de tabac, travesti en curé constitutionnel, tient à la main un livre de prières. La pluie résonne si fortement sur le toit des voitures que les passagers sont obligés d'élever la voix pour se faire entendre.

— Combien de mousquets comptes-tu mettre dans les cercueils ? demande Basset à Maingot.

— Cent cinquante et dix arquebuses.

— Cent de plus, est-ce possible ?

— Trop lourd ! Les chevaux ne pourraient plus tirer !

Dans la berline suivante, le marquis de Villequier demande à Colas en riant :

— Tu connais au moins la prière que tu vas réciter ?

— Oui, monsieur le marquis, je connais celle des morts par cœur, jadis j'ai été enfant de chœur.

— N'oublie pas la formule consacrée, ajoute Elisabeth. Tu dois dire “mon fils” ou “ma fille” quand tu t'adresses à un homme ou à une femme, et “mon père" quand tu t'adresses à un prêtre plus âgé que toi.

— N'ayez crainte, je vous dis que je connais tout cela par cœur.

La caserne des conscrits est un immense bâtiment grisâtre, clôturé de tous côtés par un mur crénelé de huit mètres de hauteur en pierre de taille. Elle possède sa propre chapelle qui jouxte l'arsenal. L'entrée est gardée par un peloton de conscrits.

Les voitures se présentent devant l'immense grille. La tête ruisselante du planton apparaît à la portière.

— Salut et fraternité, mon lieutenant, où allez-vous ?

— A la chapelle, répond Basset.

— A cette heure-ci ? Mais il n'y a aucun office de prévu.

— Nous venons faire une veillée funèbre pour célébrer la mémoire de deux conscrits. La pauvre mère suit dans l'autre voiture pour assister à une dernière messe dans la chapelle de la caserne. Le Comité de sûreté générale est représenté par le colonel Rovere. Un prêtre constitutionnel les accompagne.

— Je ne savais pas que nous avions perdu deux de nos camarades !

— Il est normal que tu l'ignores, lance Maingot, ce sont deux conscrits de la caserne de Courbevoie !

— De quoi sont-ils morts, mon lieutenant, les nouveaux conscrits ne sont jamais allés au feu ?

Pris de court, Basset ne trouve aucune réponse, c'est Maingot qui affirme :

— D'une fièvre putride !

Le jeune planton sursaute.

— D'une fièvre putride ? Mais nous allons tous y passer ! C'est très contagieux, je n'ai pas le droit de vous laisser entrer.

— C'est malin ! marmonne Basset à Maingot entre ses dents, tu aurais pu trouver autre chose !

La tête du marquis de Villequier apparaît à cet instant à la portière de l'autre voiture en hurlant.

— C'est long ! C'est long, toutes ces palabres ! Que fais-tu, caporal, à discuter de la sorte ?

Le soldat se précipite vers lui, se met au garde-à-vous sous l'averse, l'eau coulant le long de son nez, il ressemble à ces têtes en pierre qui alimentent les fontaines.

— Caporal Laurent, 1er régiment d'artillerie, à vos ordres, mon colonel !

— Ça va, repos ! Pourquoi nous retardes-tu ?

— A cause de la fièvre putride dont sont morts les deux conscrits que vous amenez, mon colonel.

— Une fièvre putride ? s'écrie Elisabeth. Comment ? Tu oses insulter la mémoire de mes fils, caporal, eux qui sont morts pour la patrie ?

— Loin de là ma pensée, citoyenne, mais ce sont les ordres, je dois interdire l'entrée à tout malade porteur de la fièvre putride.

— Mais, crétin, lui dit Villequier, respecte au moins la souffrance d'une mère. Il se tourne vers Elisabeth et lui dit : Veuillez nous excuser, citoyenne Carnot, de la grossièreté du caporal Laurent, je lui appliquerai une sanction exemplaire.

— Surtout n'en faites rien, colonel, supplie Elisabeth, ma grande douleur me pousse à la clémence !

— Ils ne sont pas morts d'une fièvre putride, abruti, ajoute Villequier, mais d'une fièvre "éruptive" ! Il répète en scandant : E-ru-ptive ! As-tu compris ? S'adressant à Colas : N'est-ce pas, mon père, qu'ils ne sont pas contagieux ?

— Absolument pas, mon père, répond Colas, la fièvre putride n'est absolument pas contagieuse.

Villequier manque avaler sa langue. Il lui murmure à voix basse en lui donnant un violent coup de coude dans les côtes :

— Idiot, je viens de dire que ce n'était pas une fièvre putride… Et puis ne m'appelle pas mon père ! Il poursuit à haute voix : Pas putride mais éruptive, caporal ! Une simple petite fièvre éruptive de rien du tout !

— Une fièvre quand même, mon colonel, pas si petite que cela puisqu'elle les a tout de même tués !

— C'est vrai, caporal, c'est vrai ! Mais ce ne fut certainement pas la cause de leur mort.

— Ah bon ? Mais alors, mon colonel, de quoi sont-ils morts, nos pauvres gars ?

— Hélas, d'un jambonneau avarié ! précise Elisabeth toujours invisible sous son voile noir.

— Décidément, caporal, s'écrie Villequier, je te trouve de plus en plus désobligeant envers une mère déchirée, je crois que je vais sévir !

— Surtout pas, colonel, s'écrie Elisabeth, pardonnez-lui ! Pardonnez-lui, c'est un enfant !

— Soit, je pardonne ! Dépêche-toi alors d'ouvrir cette grille et accompagne-nous avec dix hommes pour déposer les corps à la chapelle.

L'autre s'exécute sous la pluie battante.

— Mais, monsieur le marquis, murmure Elisabeth, en les soulevant, ils vont constater que les cercueils sont vides…

— Ils sont remplis de caillasse. L'ennui, c'est qu'il faudra que nous les vidions nous-mêmes avant d'y mettre les armes, c'est assommant !

Les deux voitures et les cercueils, suivis du caporal et de ses dix plantons, pénètrent dans l'immense cour pavée pour s'arrêter devant la chapelle. La pluie a cessé. Basset demande à Maingot :

— As-tu obtenu une autorisation pour entrer dans la chapelle ?

— Non !

— Tu plaisantes ? Nom de Dieu, voilà le commandant de la caserne, il vient vers nous ! Descends vite !

Un tout petit homme joufflu au teint écarlate et au nez bourgeonnant arrive, Basset et Maingot se mettent au garde-à-vous.

— Repos, dit-il d'une voix éraillée par l'alcool, c'est quoi ces cercueils ? Et qui a mobilisé ces dix hommes ?

— Ce sont les enfants morts d'un grand patriote qui désire que ses fils passent la nuit dans cette chapelle, mon commandant !

— Pourquoi ici ?

— Parce que c'est ici qu'ils furent conçus !

— Comment ?

— La nuit de noces a eu lieu ici, il y a vingt ans, mon commandant.

— Tu te fous de moi ? dit l'autre en ricanant.

— Je ne me le permettrais pas, mon commandant, ces deux hommes ont été conçus durant la nuit de noces de leurs parents.

Le commandant ricane de plus belle :

— Pas avec les mêmes parents tout de même !

— Si !

— Comment auraient-ils fait, ils sont deux ?

— C'étaient des jumeaux, mon commandant !

— Hein ?

— Mais oui… Quand le grand Lazare Carnot était en poste ici…

— Que viens-tu de dire, le grand quoi ?

— Le grand Lazare Carnot, celui que l'on nomme "l'organisateur de la victoire"… il fit en un seul coup deux enfants à la fille du commandant de la caserne !

— Ce sont donc les enfants de Carnot qui sont dans ces cercueils ?

— Bien sûr ! Leur mère est dans l'autre voiture, vous devriez aller la saluer, mon commandant !

— Pourquoi Carnot n'est-il pas là ?

— Le devoir, mon commandant, il est aux armées !

— Cette histoire est invraisemblable…

A cet instant, Villequier, Elisabeth et Colas s'approchent, ils s'arrêtent à deux mètres du commandant de la caserne et simulent à haute voix une conversation :

— … A ce propos, dit Villequier, Maximilien me disait : Je te prie de présenter à la citoyenne Carnot toutes mes condoléances et ma compassion pour l'immense malheur qui la frappe…

— Chaque membre du Comité de salut public, ajoute Elisabeth à haute voix, m'a envoyé une lettre de soutien, vous remercierez Robespierre et son frère qui m'ont aidée dans cette terrible épreuve…

— Je dois vous transmettre aussi les meilleurs vœux de l'archevêque de Paris ! rajoute Colas.

— Tais-toi, crétin, lui lance Villequier à voix basse, et savez-vous, chère amie, ce que Saint-Just m'a dit en apprenant la mort de vos deux fils ?

— Non, mais j'ai hâte de le savoir.

— Saint-Just m'a dit : La citoyenne Carnot a la chance d'avoir donné ses deux enfants à la patrie, ce qu'elle va être enviée désormais !

— N'oubliez surtout pas de le remercier pour ces nobles paroles qui me vont droit au cœur !

Le petit commandant au teint rouge brique ne sait plus à quel saint se vouer. Villequier, de toute sa hauteur, passe devant lui en l'ignorant. Il s'adresse à Basset comme si l'autre n'existait pas :

— Lieutenant, faites descendre les corps dans la chapelle.

Le commandant s'approche de lui. Il est si petit qu'il est obligé de lever les yeux vers Villequier.

— Commandant Petitjean, mes respects, mon colonel !

— Merci, mon ami, mais savez-vous où je puis trouver le commandant de cette caserne dans laquelle on pénètre comme dans un moulin ?

— C'est moi, mon colonel !

— Ah bon ? Alors qu'attendez-vous, citoyen Petitjean, pour faire descendre les corps ?

— Je n'ai pas reçu d'ordre dans ce sens, mon colonel !

— Vraiment ? Il demande à Basset : Lieutenant, avez-vous préparé le rapport que nous comptons adresser aux Comités sur l'invraisemblable laxité de cette caserne ?

— Oui, mon colonel.

— Avez-vous bien noté que nous avons pénétré ici le plus aisément du monde ?

— Je l'ai déjà mentionné dans mon rapport, mon colonel.

— J'attire votre attention, mon colonel, dit le petit homme, sur le fait que je m'efforce toujours de maintenir la discipline à un haut niveau !

Villequier est obligé de se plier en deux pour lui répondre :

— J'espère que vous raillez, citoyen, je suis entré dans cette caserne par une absence totale de discipline et vous osez invoquer cette même discipline pour refuser à deux âmes de reposer en paix ?

— Si vous m'en donnez l'ordre, mon colonel, je m'exécuterai immédiatement !

— Mais je vous en donne l'ordre !

— A vos ordres ! Il se tourne vers le petit groupe de soldats et commande : Caporal, menez les cercueils dans la chapelle.

Les deux bières, toujours recouvertes du drapeau tricolore, sont installées devant la chaire où un Colas pas très sûr de lui, a pris place. Au premier rang, Elisabeth plus invisible que jamais sous son voile noir est encadrée à droite par le commandant Petitjean, et à sa gauche par Villequier, Basset et Maingot.

Tout le monde attend, Colas est obnubilé par son livre de prières qu'il ne quitte pas des yeux. Au bout de quelques minutes de silence, Villequier s'impatiente :

— Mon père, vous pouvez commencer !

L'autre semble sortir de sa rêverie en sursautant.

— Ah ! oui, bien sûr, dit-il en se raclant la gorge, puis se concentrant sur son livre, il lance : Mes chers frères et sœurs, en ce jour de bonheur, je suis heureux d'unir devant Dieu ces deux êtres pour la vie...

Villequier se penche à l'oreille d'Elisabeth :

— Quelle catastrophe, il est en train de lire une messe de mariage !

Elisabeth, qui est secouée par un fou rire, le communique aux autres, à l'exception du commandant qui se demande ce qui se passe. Colas poursuit :

— ... Oui, mes frères... cette union dans laquelle nous fondons tant de joie et tant d'espoir, nous la devons à la Gloire de Dieu.

— Mon colonel, s'inquiète le petit homme, ne pensez-vous pas que ce sermon ne soit pas adapté à la situation ?

— Pourquoi, vous êtes agnostique ?

— Pas du tout, mon colonel, mais parler d'union pour la vie devant deux morts, cela me semble inadapté.

— Parce que vous n'avez rien senti. C'est l'union de deux frères dans la vie éternelle que rien ne pourra plus séparer.

— Ah bon ? Même si on évoque pour des morts "tant de joie et tant d'espoir" ?

Elisabeth a entendu, elle réplique :

— Oui, commandant, je suis heureuse de les savoir unis dans la vie éternelle, parce qu'elle est pleine d'espoir et de joie.

— Je suis rassuré de vous l'entendre dire, citoyenne, répond l'autre.

Villequier souffle à l'oreille d'Elisabeth :

— Faites quelque chose, cela ne peut durer.

Elle se lève et lance à Colas :

— Merci, mon père, maintenant je désire cette nuit être seule avec mes fils.

— Nous comprenons, citoyenne Carnot, dit Villequier. Allons, mes amis, sortons, et surtout, commandant, veillez à ne pas déranger la femme du général Carnot. En passant près d'Elisabeth, il lui souffle : Commencez à vider les cercueils en mettant les pierres derrière la chaire, nous vous rejoignons dans quelques minutes, juste le temps de me débarrasser de cet imbécile...

De retour dans la cour, Villequier, accompagné de Basset et Maingot, dit au commandant Petitjean :

— J'ai constaté dans votre cantonnement de graves lacunes dans l'application du règlement militaire.

— Pourtant, je fais tout ce que je peux, mon colonel !

— C'est vrai ! Vous me donnez effectivement cette impression. Avant de faire mon rapport, je désirerais inspecter votre arsenal.

— Mais volontiers, mon colonel, vous constaterez que les armes sont bien entretenues.

— Si j'en suis satisfait, j'annulerai mon rapport.

L'armurerie est mitoyenne de la chapelle. Le commandant sort une clef de sa poche et ouvre le lourd portail de chêne. Une longue rangée de mousquets est alignée sur une étagère qui court d'un bout à l'autre du local. Il y a bien cinq cents fusils et une trentaine d'arquebuses.

— Lieutenant, dit Villequier à Basset, je veux une inspection approfondie, arme par arme.

— Cela va prendre beaucoup de temps, mon colonel, dit le commandant.

— Ne vous préoccupez pas de cela, allez vous coucher, il est très tard, de toute façon je dois attendre que la citoyenne Carnot ait fini son recueillement. Libérez également vos hommes, nous partirons discrètement quand notre inspection sera terminée.

— Pensez-vous toujours faire un rapport sur moi, mon colonel ?

— A première vue, cette armurerie me semble bien tenue, nous verrons. Allez, bonne nuit, commandant.

— Bonne nuit, mon colonel.

Il s'éloigne accompagné par la petite troupe.

— Dépêchons-nous !

Quand ils pénètrent dans la chapelle, Elisabeth finit de vider les cercueils de leur contenu.

— Vite, amenez les cercueils devant la porte de l'armurerie, dit Villequier, nous allons charger. Maingot et

Elisabeth, prenez dix arquebuses et leurs munitions. Basset, aidez-moi à charger les fusils. Dépêchons-nous !

En dix minutes, les cercueils sont pleins.

— Replacez le drapeau tricolore, on s'en va ! Nous avons maintenant de quoi armer cinq cents hommes.

Les deux voitures sortent en cahotant sur les pavés de la cour. Lorsqu'elles franchissent la lourde grille, la sentinelle présente les armes à Villequier.

LUNDI 14 OCTOBRE, SOIXANTE-QUATORZIÈME JOUR DE DÉTENTION, LA CONCIERGERIE, HUIT HEURES DU MATIN

6

Une ménagerie de corbeaux, de tigres et de singes

Quelques instants avant huit heures du matin.

La Reine s'est habillée de bonne heure pour se rendre à son procès. Rosalie Lamorlière a repassé sa robe noire rapiécée, amidonné son bonnet de veuve qu'elle a agrémenté de "barbes de deuil" pour ajuster un voile de crêpe noir qui descend jusqu'à la taille. Marie-Antoinette porte également un fichu de dentelle que les bons soins de la petite servante ont transformé en un châle d'un blanc immaculé. Celle-ci a apporté à sept heures le chocolat et le petit pain, mais la Reine y a à peine touché. Elle ne prendra aucun aliment de toute la journée.

On entend des bruits de pas et des éclats de voix dans le corridor, suivis du cliquetis des serrures et des aboiements de Baps. La Reine a compris : on vient la chercher. Elle se lève pour faire face à ceux qui entrent. Le lieutenant de Bûne l'imite. C'est Simonet, l'huissier du Tribunal révolutionnaire, suivi de quatre gendarmes, qui fait irruption dans le cachot. Comme à l'accoutumée, aucun d'eux ne se découvre.

— Citoyenne, veuillez nous suivre afin de comparaître devant le Tribunal des affaires criminelles de la ville de Paris…

Sans un mot, la Reine s'exécute. Elle sort, de Bûne la suit. Le jour se lève à peine. Elle emprunte le même chemin que l'avant-veille. Elle franchit les grilles du parloir, cette véritable cage de fauves, descend les trois marches glissantes du perron qui débouchent sur le préau ruisselant sous la pluie. Arrivée au pied de la tour Bonbec, elle gravit avec peine l'escalier à vis. De Bûne, vigilant, se tient derrière elle pour l'empêcher de tomber. Parvenue à bout de souffle au premier étage, elle entend un bourdonnement à travers la porte palière. Ils sont là, toujours les mêmes, ceux du 5 octobre 1789 qui ont décapité ses gardes du corps à Versailles, ceux qui l'ont insultée pendant sept heures le 20 juin 1793 aux Tuileries, et ceux qui l'ont chassée du trône le 10 août… Simonet ouvre la porte et fait passer la Reine. La galerie des Peintres est noire de monde. Cette foule faite de poissardes, d'ouvrières, de tricoteuses toutes impatientes de découvrir leur victime se tait soudain. Le silence se propage de proche en proche dans toute la galerie. Ce calme a une signification : pourquoi invectiver la Reine puisqu'ils tiennent enfin leur vengeance ?

Huit heures.

Pour atteindre la porte de la salle Liberté ou Grand-Chambre où elle a été interrogée l'avant-veille, les gendarmes doivent lui frayer un chemin par la force. Comme la chambre d'audience est comble, on se serre les uns contre les autres en se bousculant dans la galerie des Peintres. Certains voient passer la Reine à quelques centimètres d'eux, ils pourraient s'ils le voulaient la toucher. Elle perçoit même l'haleine avinée d'un sans-culotte.

Elle découvre enfin cette Grand-Chambre qu'on avait pris soin de laisser dans l'obscurité lors de son dernier interrogatoire. Au moment où elle en franchit le seuil, elle reçoit un air chaud en plein visage. C'est le souffle de la foule qui remplit les tribunes. La fumée des quinquets rend l'atmosphère bleutée. Dès qu'elle paraît, le silence s'installe. Sur les gradins, les femmes cessent de tricoter. Le président Herman, les juges, les jurés et l'accusateur public Fouquier-Tinville se penchent en avant pour la voir entrer. Elle pénètre dans l'arène, avec cette démarche inoubliable qui la faisait reconnaître immédiatement parmi toutes les femmes de la cour. Elle a conservé ce port de tête majestueux que d'aucuns tenaient à tort pour du mépris. Tous ces hommes qui vont faire semblant de la juger et qui ont déjà décidé de leur verdict prendront cette démarche empreinte d'une grande dignité pour du défi. Rien n'y fera : malgré toutes leurs vilenies, leur cruauté, leurs tourments, leurs brimades, leur torture, Marie-Antoinette restera inaccessible. Elle sera toujours la Reine de France. Impuissants à la vaincre, ils verront leur rage décupler. Tout sera fait pour la salir, pour lui faire baisser la tête et la faire plier. Peine perdue, ils auront alors recours à la "grande infamie[1]". Ils vont souiller en elle ce que chaque femme porte de plus sacré, l'image immaculée de la mère, mais là encore ils échoueront. En revanche, les stigmates de son combat sont bien visibles : la foule est stupéfaite de la découvrir si maigre, si pâle et surtout si vieille !

On l'installe au pied de la tribune dans un fauteuil placé sur une estrade surélevée pour qu'on puisse mieux la voir. Debout, entourée des deux gendarmes et du lieutenant de Bûne, elle découvre les détails de cette salle immense. Elle est frappée par la présence de trois bustes en plâtre fixés au mur en surplomb. Elle ignore qu'il s'agit de Marat, qui appelle sans cesse au meurtre, de Le Peletier de Saint-Fargeau, le noble qui a voté la mort du Roi, et enfin de Lucius Junius Brutus, le père "valeureux" qui a assassiné ses propres enfants parce qu'ils s'étaient détournés de la République ! Quels symboles pour une chambre de justice que de prôner un illuminé, un renégat et un parricide.

Quand elle lève les yeux, face à elle et à mi-hauteur de la tribune, elle découvre une nuée de corbeaux

1. Stefan Zweig.

à plumes noires déguisés en juges. Parmi eux, entouré de ses six assesseurs, trône l'homme qui l'a interrogée l'avant-veille : le président Martial Armand Herman, grand maître de l'ordre souverain de la peine de mort. Elle découvre son visage agréable qui tranche avec un regard glacé frappé d'un léger strabisme. Elle constate que les cinq autres ont la mine grave, peut-être pour se donner une apparence d'équité. A droite du président, c'est Donzé-Verteuil, le plus âgé avec sa cinquantaine grisonnante, l'air patelin avec son visage rond sans menton et une petite bouche au milieu ; à sa gauche, Coffinhal, un géant à tête de sanglier et à la voix de basse lugubre ; contre lui, Etienne Foucault, secoué de tics, dont le nez énorme émerge d'un visage vérolé ; son voisin, Antoine Maire, est un petit gringalet qui serait un fils de Louis XV né au parc au Cerf ; plus à gauche encore, Marie-Joseph Lane et Deliège.

Son regard se dirige vers le haut de l'estrade ; tout à droite, elle découvre les jurés : douze singes bien dressés qui guettent un signe d'Herman pour exécuter leurs grimaces juridiques. La présence de l'un d'eux l'émeut, elle reconnaît parmi ces hommes son propre médecin, le docteur Souberbielle, qui évite son regard, et Antonelle, un ancien marquis. Les autres sont de simples figurants.

Tout près d'elle à sa droite, un homme au visage triangulaire et au regard sans profondeur est assis, la plume à la main : c'est Nicolas Fabricius, le besogneux greffier du Tribunal révolutionnaire. Elle le reconnaît aisément puisque l'avant-veille, c'était le seul dont la figure était éclairée par les bougies. Il est assis devant une batterie de papier, d'encriers et de plumes. Cet homme est une machine. C'est lui qui va avoir la lourde tâche de transcrire l'interrogatoire en prenant soin de ne garder que ce qui sera défavorable à la Reine. Il s'attachera à tronquer ses réponses avec le plus grand soin afin de ne laisser à la postérité qu'une copie falsifiée des débats.

Plus à droite encore, ce sont ses deux avocats qui lui sourient, Claude Chauveau-Lagarde et Guillaume Tronçon-Ducoudray[1].

Chauveau a gardé un visage d'adolescent, de grands yeux bleus, un nez fin, un menton pointu. C'est un homme chaleureux. Tronçon paraît fragile. Le teint est pâle, le nez légèrement aquilin, la bouche finement dessinée. Tout en lui respire la rectitude et l'intransigeance. Ils ont tous deux abandonné la perruque poudrée trop compromettante, pour adopter la coiffure à la jacobine, avec cheveux courts et légèrement bouclés.

A deux mètres à peine d'elle, un tigre est prêt à bondir ! C'est Jean-Baptiste Quentin Fouquier-Tinville, l'accusateur public qui la fixe. L'expression de ses yeux n'a pas varié, songe-t-elle, elle est toujours aussi cruelle.

Derrière l'accusateur, elle remarque quatre hommes dont elle reconnaît l'un d'eux. Elle se souvient de ce visage, c'est celui de l'homme qui l'avait interrogée dans l'affaire de l'Œillet, Jean-Pierre Amar, entouré de sa clique du Comité de sûreté générale, Vadier, Vouland et Moyse Bayle.

Elle détourne son regard de ces fauves pour observer derrière elle le public entassé dans des tribunes qui montent jusqu'au plafond. Au premier rang juste derrière la balustrade, les tricoteuses la fixent d'un regard ardent avec un sourire de satisfaction. Certaines l'observent avec haine en faisant passer leur index sur le cou pour simuler la guillotine, d'autres lui sourient discrètement. Au milieu des tricoteuses, la Reine découvre soudain deux visages amis. Trônant au premier rang, la mère Larivière, dont la tête dépasse toutes les autres. Elle est accompagnée de l'infirmière-chef Guyot. Les deux femmes sont là, se

1. Les deux hommes, qui se nommaient Chauveau de La Garde et Tronçon Du Coudray, ont dû supprimer la particule de leur nom.

tenant droites, le visage grave. Elles lui sourient très discrètement, car Fouquier observe le public. Elle découvre encore avec émotion, tout en haut de l'estrade, trois visages familiers qui l'ont protégée le 20 juin aux Tuileries. Le baron de Batz a envoyé au procès trois chevaliers du Poignard déguisés en ouvriers, le marquis de Belbœuf et le comte de La Bourdonnaye, accompagnés du comte Dubois de La Motte. Ils doivent être vigilants, car Ducâtel aussi est là. Ducâtel, l'assassin de la princesse de Lamballe, le septembriseur qui tue ses victimes à coups de marteau, surveille les tribunes pour débusquer la présence éventuelle de royalistes.

Un silence absolu règne sur le Tribunal.

— Connais-tu les six juges qui sont autour d'Herman ? demande à voix basse La Bourdonnaye à Belbœuf, qui est-ce géant qui est à sa droite ?

— Coffinhal, une brute ! A sa gauche, c'est Etienne Foucault, un agronome très médiocre mais d'une férocité exemplaire. Tu veux connaître son programme ? "Il nous faut du sang ! Le peuple veut du sang[1] !"

— C'est effrayant de constater la médiocrité de tels hommes !

Il est interrompu par la voix du président :

— Amenez les jurés à la barre !

Les douze hommes descendent de leur estrade et se rangent devant le président, en se répartissant en demi-cercle derrière le fauteuil de la Reine.

Le décor est en place, le spectacle peut commencer. Herman se lève et lance de sa voix nasillarde :

— Citoyens, vous jurez et promettez d'examiner avec l'attention la plus scrupuleuse les charges portées contre Marie-Antoinette, veuve de Louis Capet, et de ne communiquer avec personne jusqu'après votre

1. Stefan Zweig.

déclaration, de n'écouter ni la haine ni la méchanceté…

— Ni haine ni méchanceté… murmure La Bourdonnaye. Quel cynisme ! Ils ne sont pétris que de cela !

— … de n'écouter ni la crainte ni l'affection, de vous décider uniquement d'après les charges et les moyens de défense…

— Les charges ? Quel cynique ! Là nous pouvons leur faire confiance, s'indigne Belbœuf, ce ne seront pas les charges qui manqueront, ils auront l'embarras du choix…

— … et suivant votre confiance et votre intime conviction, avec l'impartialité de la fermeté qui convient à un homme libre.

— S'il faut qu'ils soient libres pour appliquer leur impartialité, murmure Belbœuf, alors n'y comptons pas trop !

Herman procède ensuite à l'appel des quarante témoins et leur demande de sortir de la salle afin qu'ils n'entendent pas l'acte d'accusation.

— L'accusée peut s'asseoir ! lance-t-il à la Reine. Vos nom, surnom, âge, qualités, lieu de naissance et demeure ?

— Je m'appelais Marie-Antoinette de Lorraine d'Autriche, âgée d'environ trente-huit ans, veuve du Roi de France, née à Vienne. Je me trouvais au moment de mon arrestation dans le lieu des séances de l'Assemblée nationale.

— Je m'appelais Marie-Antoinette… souligne Dubois avec tristesse, elle parle déjà d'elle au passé !

— Soyez attentive, ordonne le président, vous allez entendre la lecture de l'acte d'accusation. Voilà de quoi vous êtes accusée, vous allez entendre les charges qui vont être produites contre vous. Citoyen greffier, veuillez lire l'acte d'accusation.

Le greffier Fabricius se lève et entame avec son accent provençal sa longue incantation. Chauveau-Lagarde et Tronçon-Ducoudray, qui la connaissent par cœur pour l'avoir étudiée toute la nuit, appréhendent cette interminable lecture :

— On en a pour plus d'une heure ! dit Chauveau à l'oreille de l'autre.

— Si seulement on pouvait dormir, je tombe de sommeil !

Fabricius fait la lecture de cet acte, concocté par Fouquier-Tinville, un monument de mensonges et de calomnies.

— Il a été procédé par l'un des juges du Tribunal à l'interrogatoire de la veuve Capet, qu'examen fait de toutes les pièces transmises par l'accusateur public…

— Quelles pièces a-t-il transmises ? murmure Tronçon à Chauveau à voix basse. Ils n'ont rien trouvé aux archives !

Fabricius poursuit :

— … il en résulte qu'à l'instar des Messaline, Brunehaut, Frédégonde et Médicis, que l'on qualifiait autrefois de reines de France et dont les noms à jamais odieux ne s'effaceront pas des fastes de l'histoire…

— Quel style pompeux ! chuchote Dubois à l'oreille de Belbœuf, dis-moi qui est l'auteur de ce chef-d'œuvre du mauvais goût ?

— Fouquier lui-même.

— Faire de Messaline, Brunehaut et Frédégonde des reines de France, dit Dubois en riant, quel ignare ! Elles n'ont jamais été reines.

— Des putes, oui ! dit l'autre.

Fabricius poursuit son interminable invective.

— … Marie-Antoinette, veuve de Louis Capet, a été depuis son séjour en France le fléau et la sangsue des Français…

Neuf heures trente.

Cela fait un bon moment que la voix monocorde de Fabricius a endormi plusieurs visiteurs dans les tribunes. Tronçon-Ducoudray épuisé s'est assoupi quelques instants sur l'épaule de son collègue. La

Reine, qui doit surmonter sa fatigue et son ennui, a l'esprit ailleurs. Elle tapote les bras de son fauteuil comme si elle jouait du piano.

Ses mains sont osseuses, menues et pâles, et ses doigts sont grêles, fins, blanc et rouge au bout. Ces petites mains tourmentées signent son martyre. Elle fait face avec calme à cette avalanche d'animosité et de calomnies que déverse le greffier sur un ton uni. Fabricius termine enfin sa longue péroraison en citant ce premier jour du procès comme un jour mémorable, mais quand il la formule, sa remarque paraît incompréhensible. Le nouveau calendrier révolutionnaire, en fonction depuis le 22 septembre, est si complexe qu'il rend son énoncé inintelligible.

— ... Fait au cabinet de l'accusateur public, le premier jour de la troisième décade du premier mois de l'an second de la République française une et indivisible...

Bien entendu, personne ici-bas n'a fait le rapprochement avec le 14 octobre 1793. En revanche, Fouquier exulte : cet acte d'accusation, c'est l'œuvre de sa vie. Ce matin, il savoure son triomphe, il est persuadé qu'il est entré glorieusement dans l'Histoire. S'il savait...

Fabricius se rassoit, range ses papiers, l'attention se relâche dans la salle, les conversations reprennent pendant quelques instants. Seule la Reine, silencieuse, attend, l'esprit perdu dans ses pensées. Herman s'adresse soudain à elle :

— Voilà ce dont on vous accuse. Prêtez une oreille attentive, vous allez entendre les charges qui vont être portées contre vous !

La Reine n'a même pas daigné lever les yeux.

Le carillon de la Sainte-Chapelle sonne les coups de onze heures. La séance a déjà duré trois heures.

Lundi 14 octobre, soixante-quatorzième jour de détention,
la Grand-Chambre du Tribunal révolutionnaire,
onze heures du matin

7

"... J'en appelle à toutes les mères..."

— Faites entrer le premier témoin, ordonne Herman aux huissiers.

Se présente à la barre un petit homme coiffé à la jacobine. Il regarde furtivement tout autour de lui comme s'il était menacé.

— Qui est ce petit singe ? demande à voix basse Belbœuf à La Bourdonnaye.

— C'est cette canaille de Lecointre, il commandait en second la garde nationale à Versailles en 89. Il en veut à la Reine de ne pas avoir été invité au fameux banquet des gardes du corps.

— Est-il acheté par Jean ?

— Malheureusement pas ! Tu peux être sûr qu'il va cracher son venin.

La voix nasillarde d'Herman retentit :

— Vos nom, surnom, âge, état et adresse ?

— Lecointre Laurent, cinquante et un ans, ci-devant marchand de toiles, député à la Convention nationale, demeurant à Paris, 402, rue du Bacq.

— Etes-vous parent, allié ou serviteur ou domestique d'une des parties ou de l'accusateur public ?

— Non.

— Avez-vous connu l'accusée avant l'instruction ?

— Oui, puisque c'est d'elle que j'entends parler.

— Vous jurez et promettez de parler sans haine et sans crainte, de dire la vérité, toute la vérité, rien que la vérité ? Levez la main droite et dites : je le jure !

— Je le jure !

— Nous vous écoutons.

— J'ai connu l'accusée quand elle était la femme du ci-devant Roi de France, mais aussi celle qui fut transférée au Temple, et qui lui demanda d'intervenir auprès de la Convention pour obtenir ce qu'elle appelait son service : elle exigeait treize ou quatorze personnes.

— Je n'ai jamais sollicité au Temple le service de quatorze personnes, dit la Reine.

Tronçon se lève d'un bond.

— La déposition du citoyen est partiale ! Qui exigeait treize ou quatorze personnes ? La ci-devant Reine, quand elle résidait aux Tuileries, ou la prisonnière de la prison du Temple ?

— La prisonnière, puisque j'ai dit qu'il s'agissait de la Convention.

— Alors que vient faire dans votre déposition ce rapprochement avec la ci-devant Reine ? Quand on connaît les conditions de détention inhumaines imposées à la famille royale au Temple, prétendre qu'elle exigea quatorze domestiques paraît grotesque. Nous serions curieux de connaître la réponse de la Convention à ce chiffre ! Devant une telle exigence de la part d'une détenue, elle a dû en rire ou la prendre pour une provocation, et dans ce cas sa réponse a du être comminatoire, je suppose ?

— Euh ! non, elle considéra que c'était à la municipalité de décider et elle passa à l'ordre du jour.

— Comme c'est étrange ! L'Assemblée ne vous a pas suivi ? La vérité, c'est que la prisonnière n'a jamais formulé une telle exigence, et la Convention n'a jamais été saisie, vous vouliez par ce témoignage fournir aux jurés l'image d'une Reine condescendante et méprisante envers son peuple,

— Bravo, Tronçon ! murmure La Bourdonnaye entre ses dents.

— Continuez ! ordonne Herman au témoin.

— Je veux témoigner de toutes les orgies qui eurent lieu dans la ville de Versailles depuis l'année 1769 jusqu'à 1789, dont le résultat a été une dilapidation effroyable des finances de la France.

Tronçon l'interrompt :

— Mais l'accusée n'avait aucun pouvoir de décision dans le gouvernement. La défense demande à être informée par des faits précis assortis de preuves, sinon nous serions en droit de penser que la démarche du citoyen Lecointre tient plus de la calomnie que du témoignage !

— Avez-vous des preuves de ce que vous avancez, citoyen ? demande Herman.

— L'exemple le plus probant reste sans conteste les banquets offerts par les gardes du corps au régiment de Flandre, président.

— Le plus probant ? demande Tronçon. Dans quel sens l'entendez-vous ?

— Dans le sens d'une orgie !

— Une orgie ? Rien de moins ? Il y a eu quatre banquets, est-ce celui du 29 septembre, du 1er, du 3 ou du 4 octobre qui fut, comme vous dites, une orgie ?

— C'est celui du 1er octobre. Celui du 29 septembre fut correct, puisque c'était la garde nationale qui recevait.

— Comme par hasard ! A qui ce banquet du 29 était-il offert ?

— C'était uniquement la garde nationale qui invitait le régiment de Flandre et les chasseurs des Trois-Evêchés, tandis que le 1er, le 3 et le 4 octobre, c'étaient les gardes du corps qui invitaient.

— Et les trois derniers bien sûr furent des orgies, puisque c'étaient les gardes du corps qui recevaient ?

— Oui.

— Bien entendu, vous n'avez pas assisté aux trois derniers ?

— Non ! Je n'ai assisté qu'à celui du 29 comme commandant en second de la garde nationale.

— Etrange ! A ce titre, n'étiez-vous pas tenu d'assister aux trois autres ?

— Je n'ai pas été invité !

— Vous regrettez donc de n'avoir pu participer aux orgies des trois autres ?

Rires dans la salle.

— Je répète que je n'ai pas été invité !

— C'est pitoyable ! chuchote La Bourdonnaye.

— Vous avez dû en éprouver un certain ressentiment, ce qui trouble peut-être votre jugement. En revanche, ce que vous rapportez sur ces banquets n'est fondé que sur des tiers puisque vous n'y avez pas participé ?

— Citoyen Tronçon-Ducoudray, lance Herman, n'anticipez pas les réponses du témoin, laissez-le s'exprimer… Nous vous écoutons, citoyen Lecointre.

— Citoyen juge, ajoute l'autre, je voudrais vous parler d'abord de la venue du régiment de Flandre. Le 29 septembre, l'accusée fit venir chez elle les officiers de la garde nationale et leur fit don de deux drapeaux,

— C'était tout à son honneur ! lance Tronçon.

— Il en restait un troisième que la Reine disait réserver à un bataillon de gardes soldés.

— Qu'entendez-vous par bataillon de gardes soldés ? demande Tronçon.

— Je suppose qu'il s'agissait des gardes du corps ou des gardes suisses…

Murmures dans la salle.

— Ouh ! ouh ! ouh.

— Silence ! crie Herman. Continuez !

— Au soir du 29 septembre, conformément à la tradition, la garde nationale donne un repas à ses braves frères, les soldats du régiment de Flandre…

— C'est précisément celui où vous étiez présent, n'est-ce pas ? interroge Herman.

— Oui, président. Durant le repas, il ne se passa rien de contraire aux principes de Liberté, tandis que celui du 1er octobre suivant, donné par les gardes du corps, eut pour but de provoquer la garde nationale contre le régiment de Flandre.

— C'est bien un des trois banquets auquel vous n'avez pas assisté ? lance Tronçon.

— Effectivement !

— Mais alors, comment avez-vous eu connaissance de ces prétendues provocations ?

— Ce sont les journalistes qui me les ont apprises.

Sourires des juges.

— Vous prenez vos sources auprès des journalistes ? s'étonne Tronçon. Mais vous savez bien qu'ils sont le reflet d'une certaine tendance, ce qui ne garantit plus l'objectivité de vos accusations. Pouvez-vous dire au Tribunal par quel journal vous avez appris toutes ces nouvelles calamiteuses sur ces banquets ?

— Par *Le Courrier de Versailles.*

— N'est-ce pas Gorsas, un de vos amis, qui en est le rédacteur ?

— Si.

— Et n'écrivez-vous pas vous-même dans ce journal ?

— Quelquefois.

— Et n'était-ce pas vous qui avez décrit le déroulement des trois banquets des gardes du corps ?

— Si.

Tronçon sort une feuille de papier.

— Vous décrivez de scènes que vous n'avez même pas vues ! Quelle forfaiture !

— Citoyen Tronçon-Ducoudray, lance Herman, nous ne faisons pas ici le procès du témoin mais celui de l'accusée.

— J'attire l'attention du tribunal sur le fait que la partialité du témoin est évidente. Ses articles sont mensongers et tendancieux, il tente de convaincre le jury que l'accusée "était l'âme de la contre-révolution dès cette époque[1]" ! Le seul banquet où il ne s'est rien passé de contraire, comme l'affirme le témoin, "aux principes de Liberté", c'est justement celui auquel il a assisté. En revanche, c'est quand il est absent qu'on porte atteinte à cette Liberté. Quel dommage que ce

1. Evelyne Lever.

ne fût pas le contraire, la seule présence de ce grand patriote aurait peut-être empêché toutes ces vilenies !

— La ci-devant Reine était-elle présente ? demande Herman au témoin.

— Elle s'est présentée avec son mari et ils furent vivement applaudis. On joua l'air "O Richard ! ô mon roi !". On but à la santé du Roi, de la Reine et de son fils, mais quand on proposa de boire à la santé de la Nation, on refusa.

Tronçon bondit.

— Qui refusa ? Est-ce le Roi et la Reine qui refusèrent de boire à la santé de la Nation ?

— Je ne le crois pas.

— Tiens, en douteriez-vous, par hasard ? N'êtes-vous pas sûr de tout ce que vous avancez ?

— Je répète ce qu'on m'a dit.

— Quand on applaudit le Roi et la Reine, là vous en êtes assuré, puisque cela leur nuit. En revanche, quand il s'agit de démontrer qu'ils n'ont pas participé à cette beuverie, là vous doutez ! Et aux autres banquets des gardes du corps, qu'avez-vous vu ?

— Je vous l'ai dit, j'étais absent.

— Alors que vous a-t-on raconté ?

— Que la cocarde tricolore avait été foulée aux pieds et remplacée par la cocarde blanche.

— Et pourtant, les gardes du corps ont juré du contraire ! Et cette infamie se serait passée en présence de la famille royale ?

— Je ne sais pas, puisqu'ils n'ont fait que passer.

— De quelle couleur était la cocarde que le Roi portait à son chapeau ?

— Je ne sais pas.

— Vous auriez dû vous en inquiéter auprès de vos amis journalistes ! Un commandant en second de la garde nationale ne peut négliger un détail de cette importance, c'eût été le meilleur moyen de savoir si le Roi respectait la Constitution.

— Je n'y ai pas pensé.

— Je conçois aisément que la vérité vous embarrasse... Moi j'ai fait mon enquête à cette époque et je sais de quelle couleur était la cocarde sur le chapeau du Roi : elle était bleu, blanc et rouge !

Il se rassoit. Herman s'adresse à Lecointre :

— Avez-vous d'autres témoignages qui pourraient éclairer les jurés ?

— Le jour de cette orgie, un nommé Perceval, aide de camp de d'Estaing, entouré de ses complices...

Herman l'interrompt :

— Veuillez éclairer le peuple sur l'identité des citoyens d'Estaing et Perceval.

— D'Estaing, dit-il en se tournant vers les tribunes, était commandant de la garde nationale de Versailles, Perceval était son aide de camp, j'étais personnellement commandant en second... D'Estaing et ses complices se rendirent au château dans la cour de marbre. Perceval monta au balcon de la chambre du Roi, en escaladant le mur, suivi par un grenadier du régiment de Flandre et d'un dragon des Trois-Evêchés, mais comme ce dernier échoua dans son escalade, il voulut se suicider – éclats de rire dans la salle. En reconnaissance au grenadier qui l'avait suivi, Perceval lui donna la croix dont il était décoré.

— Je ne vois pas en quoi cette équipée concerne l'accusée ? s'écrie Tronçon.

— Continuez ! dit Herman

— Oui, président, je continue : le 6 octobre, le même d'Estaing apprenant que des mouvements populaires ont lieu dans Paris, il se rend à la municipalité de Versailles et propose d'éloigner le ci-devant Roi, qui était encore à la chasse, avec la promesse de le ramener lorsque la tranquillité serait rétablie.

Tronçon intervient :

— Le Roi était absent, et la Reine aussi ? On ne pouvait donc pas reprocher à la famille royale d'être à l'origine de ce déplacement à la campagne ? Je remercie le témoin de blanchir l'accusée. Quant à ses autres témoignages, ils ne sont qu'anecdotiques et n'ont rien à voir avec ce procès.

— Avez-vous des observations à faire sur la déposition du témoin, demande Herman à la Reine.

— Je n'ai aucune connaissance de la majeure partie des faits dont parle le témoin. Il est vrai que j'ai donné deux drapeaux à la garde nationale de Versailles ; il est vrai que nous avons fait le tour de la table le jour des repas des gardes du corps, mais voilà tout.

— Vous convenez, remarque Herman, avoir été dans la salle des ci-devant gardes du corps ? Y étiez-vous lorsque la musique a joué l'air "O Richard ! ô mon roi !" ?

— Je ne m'en souviens pas.

— Y étiez-vous quand on refusa de boire à la santé de la Nation ?

— Je ne le crois pas.

— Il est notoire que le bruit de la France entière, à cette époque, retentissait de vos visites aux trois corps d'armée qui se trouvaient à Versailles, pour les engager à défendre ce que vous appeliez les prérogatives du trône.

La Reine se dresse sur son siège.

— Je n'ai rien à répondre.

— Avant le 14 juillet 1789, insiste l'autre, ne teniez-vous pas des conciliabules nocturnes où siégeait la Polignac – murmures réprobateurs dans les tribunes – pour savoir comment passer des fonds à l'Empereur ?

— Je n'ai jamais assisté à aucun conciliabule !

— Lors de la réunion des Etats généraux, votre mari ne vous a-t-il pas lu le discours une demi-heure avant d'entrer dans la salle des représentants du peuple ? Et ne l'avez-vous pas engagé à le prononcer avec fermeté ?

— Mon mari avait beaucoup confiance en moi, et c'est cela qui l'a engagé à m'en faire la lecture, mais je ne me suis permis aucune observation, n'ayant aucune compétence dans ce domaine.

— Vos réponses ne sont pas exactes, car c'est dans vos appartements que le discours a été rédigé.

— C'est dans le Conseil où cette affaire a été arrêtée.

— Qui décida, ce jour-là, de faire entourer les représentants du peuple de baïonnettes et d'en assassiner la moitié si possible ?

La Reine ouvre de grands yeux et se tourne vers ses défenseurs.

— Je n'ai jamais entendu parler de pareilles choses !

Tronçon se lève.

— J'attire respectueusement l'attention du tribunal sur le fait qu'il y a confusion. La menace des baïonnettes sur les représentants du peuple n'est rien d'autre qu'un concept sorti de l'esprit du ci-devant Mirabeau, et qu'en aucun cas l'accusée conçut ce genre de menace à l'encontre des députés.

Herman poursuit :

— Au même moment, des régiments étrangers étaient stationnés au Champ-de-Mars, qui menaçaient le peuple, vous devriez connaître les raisons de ce rassemblement de troupes ?

— Oui, j'ai su qu'il y en avait, mais j'ignore absolument quel en était le motif.

— Mais vous ne pouviez en ignorer la cause, puisque vous aviez la confiance de votre époux.

— C'était sûrement pour rétablir la tranquillité publique.

— Mais, à cette époque, tout le monde était tranquille, il n'y avait qu'un seul cri, celui de Liberté... Avez-vous eu connaissance du projet du ci-devant comte d'Artois de faire sauter la salle de l'Assemblée nationale, et comme ce plan paraissait trop violent, on l'a prié de quitter la France, de peur que son étourderie et sa maladresse ne nuisent à la réalisation du projet ?

— Je n'ai jamais entendu parler que mon frère d'Artois eût le dessein dont vous parlez. Il est parti de son plein gré pour voyager.

— A quelle époque avez-vous reçu des sommes immenses que vous ont versées les différents contrôleurs des finances ?

— On ne m'a jamais remis de sommes immenses ; celles que l'on m'a remises ont été par moi employées pour payer les gens qui m'étaient attachés.

— Pourquoi la famille Polignac et plusieurs autres ont-elles été gorgées d'or ?

Murmures réprobateurs.

— Elles n'ont jamais été gorgées d'or, mais elles avaient des places à la cour qui leur procuraient des richesses.

— Revenons à ce banquet des gardes du corps, il n'a pu avoir lieu qu'avec la permission du Roi, vous deviez nécessairement en connaître le but ?

— On a dit que c'était pour opérer la réunion avec la garde nationale.

— Comment connaissez-vous ce Perceval qui a escaladé le balcon du ci-devant Roi ?

— Comme un aide de camp de M. d'Estaing.

— Quand il a offert sa médaille à un grenadier, savez-vous de quels ordres il était décoré ?

— Non !

Herman demande à Tronçon :

— Avez-vous encore des questions à poser au témoin ?

— Non, merci président, la défense est suffisamment éclairée sur la valeur de son témoignage.

— Citoyen Lecointre, vous pouvez rejoindre votre place. J'appelle le témoin suivant.

Un général d'une trentaine d'années, le visage fermé, la mine rougeaude, la tenue négligée, se présente à la barre :

— Vos nom, surnom, âge et état.

— Lapierre, Jean-Baptiste, trente-trois ans, adjudant général par intérim de la 4e division, demeurant à Paris.

— Etes-vous parent, allié ou serviteur ou domestique d'une des parties ou de l'accusateur public ?

— Non.

— Avez-vous connu l'accusée avant l'instruction ?

— Oui.

— Jurez-vous de parler sans haine et sans crainte et de dire la vérité, toute la vérité, rien que la vérité ? Levez la main droite et dites : je le jure !

— Je le jure !

On constate au moment où il tend le bras que sa main tremble fortement.

— Encore un candidat à l'eau de vie, dit Belbœuf.

— Nous vous écoutons.

— Je désire témoigner des événements auxquels j'ai assisté dans la nuit du 20 au 21 juin 1791 au château des Tuileries.

— C'est quoi le 21 juin 1791 ? crie une tricoteuse dans les tribunes.

— Citoyen général, demande Herman, afin d'informer le peuple, veuillez être plus précis dans vos déclarations.

Le témoin se tourne vers les tribunes et déclare :

— C'est la nuit où la famille Capet s'est enfuie à Varennes.

Vociférations et tumulte dans les tribunes.

— Les fuyards, ils ont trahi la confiance du peuple !... A la lanterne l'Autrichienne !

— La garce ! crie une femme, j'espère qu'elle aura le même sort que le gros cochon !

— Silence ! hurle Herman, je n'accepterai aucun débordement. Je ferai expulser ceux qui se permettent de troubler la sérénité du tribunal. Il s'adresse aux deux femmes des tribunes qui ont manifesté leur mécontentement : Vous, citoyennes, dehors !

— Ouh ! ouh ! ouh ! crie la salle.

— Silence ou je fais évacuer ! Gardes, faites-les sortir.

Deux gendarmes les expulsent. Quand elles passent derrière la Reine, l'une d'elles lance dans son dos :

— Sale grue ! Tu vas bientôt rejoindre ton cocu de mari !

La Reine regarde droit devant elle sans sourciller.

— Citoyen général, reprenez votre déposition.

— Dans la nuit du 20, j'ai vu de nombreux particuliers qui allaient du château vers les cours et des cours vers le château.

Tronçon se lève.

— Que faisiez-vous, général, ce soir-là ?

— J'étais de service.

— Où exactement ?

— A l'entrée de la cour des Feuillants.

— Etait-ce l'endroit idéal pour juger de l'identité des visiteurs qui allaient et venaient ?

— Non mais…

Il est interrompu par le président :

— Avez-vous vu des têtes connues ?

— Non, je n'ai reconnu que le poète Barré.

— Ce Barré dont vous parlez, demande Herman, n'était-ce pas celui qui se rendait après Varennes tous les jours au château et qui provoqua des troubles au théâtre de vaudeville ?

— Non, président, c'est son frère.

Tronçon se lève.

— J'attire respectueusement l'attention du tribunal sur l'aspect partial de ce témoignage : je ne saisis pas le rapport qui existe entre ces allées et venues et l'accusée. Il faudrait que le contenu de la déposition soit plus précis, à moins que le citoyen ne veuille sournoisement lui faire endosser l'entière responsabilité de la fuite à Varennes… Mais alors, qu'il le dise franchement, nous sommes là pour prouver le contraire.

— La défense est priée de ne pas anticiper les intentions du témoin ! lance Herman.

— Quel courage, ce Tronçon-Ducoudray, murmure Dubois à l'oreille de Belbœuf.

— Cette attitude peut lui coûter cher. Il ne cesse de provoquer le tribunal. Regarde la gueule que fait Fouquier quand Tronçon attaque ses chers témoins… Observe bien sur la deuxième estrade les quatre singes du Comité de sûreté générale.

Le président demande à la Reine :

— Lors de cette sortie, étiez-vous à pied ou en voiture ?

— C'était à pied.

— Par où êtes-vous sortie ?

— Par le Carrousel.

— Lafayette et Bailly étaient-ils au château au moment de votre départ ?

— Je ne le crois pas.

— N'êtes-vous pas descendue en passant par l'appartement d'une de vos femmes de chambre ?

— J'avais à la vérité sous mes appartements une femme de la garde-robe.

— Comment s'appelle-t-elle ?

— Je ne me le rappelle pas.

Fouquier-Tinville se lève.

— N'est-ce point vous qui avez ouvert les portes ?

— Oui.

— C'est bien ce que je pensais.

Il se rassoit satisfait. Herman se penche à l'oreille de Coffinhal en riant :

— Fouquier est quand même arrivé à placer son histoire de porte ! Il tient absolument à ce que cela fasse partie du réquisitoire.

— Je lui avais déconseillé de garder ce détail stupide, il a voulu le maintenir !

Herman revient à la charge :

— Au moment de votre départ, Lafayette est-il venu dans l'appartement de Louis Capet ?

— Non.

— A quelle heure êtes-vous partie ?

— A onze heures trois quarts.

— Avez-vous vu Bailly au château ce jour-là ?

— Non.

Herman s'adresse à Tronçon :

— Nous en avons terminé avec le témoin, avez-vous des questions à lui poser ?

— Oui, président, merci. Citoyen général, pardonnez-moi d'insister, mais je n'ai toujours pas compris le sens de votre témoignage : qu'essayez-vous de nous prouver ? Auriez-vous vu cette nuit-là l'accusée en train de comploter dans les cours ou dans les salons du château ?

— Non.

— L'avez-vous vue tenir des conciliabules ?

— Non, puisque je répète que je ne l'ai pas aperçue.

— C'est bien ce que je pensais. En fait, vous sous-entendez sans la moindre preuve que toutes ces allées et venues auxquelles vous faites allusion seraient imputables à l'accusée. Je remercie le tribunal, la défense est éclairée sur la valeur des assertions du témoin.

Il se rassoit.

— Citoyen général, dit Herman, vous pouvez rejoindre votre place. J'appelle le témoin suivant.

Dans les tribunes, La Bourdonnaye consulte sa liste et chuchote à ses voisins Belbœuf et Dubois :

— Le troisième témoin s'appelle Antoine Roussillon. C'est un de leurs compères, un ancien membre du Tribunal révolutionnaire.

C'est un homme trapu qui marche le cou et la tête en avant et les bras ballants. On l'entend à cet instant prêter serment.

— Quel est son état ? demande Dubois.

L'autre compulse ses notes avant de répondre :

— C'est un énergumène ! Il lit : "successivement naturaliste, chirurgien, canonnier, emprisonné en 1791, très sot et rêvant de fraternité universelle, orateur aux Jacobins, apologiste des massacres de Septembre, ancien juré au Tribunal révolutionnaire…" Nous n'avons rien à attendre de celui-là.

— Roussillon Antoine, âgé de quarante-quatre ans, médecin, demeurant à Paris, rue des Cordeliers, déclare connaître l'accusée.

— Citoyen, faites votre déposition, dit Herman.

— Le 10 août 1792, étant entré au château des Tuileries dans l'appartement de l'accusée qu'elle avait quitté quelques heures auparavant, j'ai découvert sous son lit…

Tronçon se lève aussitôt.

— Est-ce dans vos habitudes d'observer ce qui se passe sous les lits des gens que vous visitez ?

Rires dans l'assistance.

— Et qu'avez-vous découvert sous l'alcôve, qui puisse intéresser le tribunal ?

— Des bouteilles vides et des bouteilles pleines !

A nouveau, bonne humeur du public. Tronçon se lève blême.

— Par ce genre de déposition, le témoin rabaisse la dignité des débats. Je demande au président qu'il prononce un rappel à l'ordre !

— C'est au tribunal d'apprécier, lance Herman. Continuez !

— Nous avons pensé, poursuit Roussillon, qu'elle devait servir à boire soit aux officiers suisses soit aux chevaliers du Poignard qui remplissaient le château !

— La Reine servant à boire à la troupe dans sa chambre ? s'étonne Tronçon.

Rires de nouveau.

— Oui.

Herman, gêné par le ridicule de la déposition, demande :

— Je prie le témoin de fournir des preuves.

— Je proclame qu'elle a été l'instigatrice des massacres qui ont eu lieu dans divers endroits de la France, notamment à Nancy et au Champ-de-Mars.

— Vous n'avez pas répondu à la question du président, interrompt Tronçon, où sont les preuves de cette beuverie ?

— Je n'en n'ai pas.

— Merci de l'avouer.

— Mais les massacres eux, ils ont bien eu lieu !

— Parce que vous y étiez ? demande Tronçon.

— Non, mais d'autres l'ont vu.

— Décidément, vous n'assistez à aucun de vos témoignages. Citoyen président, je demande au moins qu'on cite les témoins de ces prétendus massacres !

— Impossible, répond Roussillon.

— Pourquoi ?

— Nous ne trouvons plus leurs adresses.

— Comme par hasard ? Dans ce cas, je propose que l'accusation du citoyen Roussillon soit retirée des débats puisqu'elle n'a pu être prouvée.

— Mon témoignage n'est pas terminé, lance l'autre, j'ai d'autres griefs.

— Exposez-les, ordonne Herman.

— Que va-t-il encore vomir ? chuchote Dubois.

— La veuve Capet a fait passer des sommes immenses à son frère, le ci-devant Roi de Bohême et de Hongrie, pour soutenir la guerre contre les Turcs et lui permettre de faire un jour la guerre à la France, une nation généreuse qui la nourrissait avec toute sa famille !

Cette fois, c'est Chauveau-Lagarde qui se lève :

— Devant la gravité de l'accusation, je demande au tribunal qu'il exige du témoin d'en produire les preuves matérielles !

— Je tiens le fait, répond Roussillon, d'une bonne citoyenne, excellente patriote, qui a servi à Versailles sous l'Ancien Régime.

— Quel est son nom ? interroge Herman.

— Reine Millot.

— Quel était son état ? questionne Chauveau-Lagarde.

— Lingère à Versailles.

— C'est tout ce que vous avez trouvé ? Une lingère qui comptabilise les sommes immenses qui partent vers l'étranger ?

Fouquier-Tinville se lève.

— Je demande qu'il soit à l'instant décerné contre elle un mandat d'amener.

Le greffier Fabricius rédige le mandat qu'il confie à un huissier.

— Quelle est son adresse ? demande ce dernier.

— Elle réside au café de la Couronne d'Or, rue des Bourdonnais.

L'huissier sort. Herman s'adresse à la Reine :

— Avez-vous des observations à faire sur le 10 août ?

— J'étais sortie du château, et j'ignore ce qui s'est passé.

— N'avez-vous point donné de l'argent pour faire boire les Suisses ?

— Non.

— N'avez-vous pas dit à un officier suisse : Buvez, mon ami, je me recommande à vous !

— Non.

— Où avez-vous passé la nuit du 9 au 10 août ?

— Je l'ai passée avec ma sœur Elisabeth dans mon appartement et je ne me suis point couchée.

— Pourquoi ?

— Parce que à minuit, nous avons entendu le tocsin sonner de toute part, et que l'on nous annonça que nous allions être attaqués[1].

— N'est-ce point chez vous que se sont assemblés les ci-devant nobles et les officiers suisses ?

— Personne n'est entré dans mon appartement.

— N'avez-vous pas rejoint le ci-devant Roi dans son appartement ?

— Je suis restée dans son appartement jusqu'à une heure du matin.

— Vous y avez vu sans doute tous les chevaliers du Poignard et l'état-major des Suisses qui y étaient ?

— J'y ai vu beaucoup de monde.

— Quelqu'un a-t-il écrit sur la table du ci-devant Roi ?

— Non.

— Etiez-vous avec le ci-devant Roi lors de la revue qu'il fit dans les jardins ?

— Non.

— Le témoin peut regagner sa place en attendant le témoignage de la citoyenne Reine Millot. J'appelle le témoin suivant.

— Qui est-il ? s'enquiert La Bourdonnaye.

Dubois consulte sa liste.

— Le pire ! Hébert…

L'expression du visage des trois hommes devient grave.

— L'ordure faite homme ! ajoute l'autre.

On entend Hébert décliner son identité :

— Hébert Jacques René, âgé de trente-cinq ans, substitut du procureur de la Commune, demeurant à

1. Voir tome 1, p. 50.

Paris rue Neuve-de-l'Egalité, je déclare connaître l'accusée…

L'allure d'Hébert est en contradiction avec ses écrits. Dans son journal, *Les Grandes Colères du père Duchesne*, il emploie des expressions d'une incroyable grossièreté pour désigner la Reine, alors que sa tenue dénote d'une certaine recherche. C'est un homme petit aux mains blanches et soignées. Sa voix est douce, son langage châtié.

— Grâce à Jean[1], dit Dubois, cette crapule a déjà encaissé un million pour libérer la Reine et il n'a rien fait.

— Il est en tête sur la liste des hommes que nous devons abattre, précise à voix basse La Bourdonnaye. Après les Girondins, ce sera son tour. Je m'en occuperai personnellement.

— Citoyen substitut, vous avez la parole, lui dit Herman.

— Je dépose en qualité de membre de la Commune du 10 août, où je fus chargé de missions importantes qui m'ont prouvé la conspiration d'Antoinette contre la République, notamment quand elle était enfermée à la prison du Temple. Nous avons découvert un livre d'église contenant des signes contre-révolutionnaires…

Une nouvelle fois, Tronçon se lève et l'interrompt :

— Le témoin peut-il préciser au tribunal, quand il fait allusion à des livres religieux, de quels signes contre-révolutionnaires il s'agit ?

— Nous avons découvert un cœur enflammé traversé par une flèche !

— C'est tout ?

— Non, on pouvait lire aussi : *Jesus miserere nobis*.

— Mais ce n'est qu'une incantation que l'on retrouve dans tous les livres de prières ! dit Tronçon. Je demande où est la contre-révolution dans cela ! Tous les prêtres constitutionnels possèdent les mêmes. J'en

1. Il s'agit du baron Jean de Batz.

conclus que ceux qui ont adhéré à la constitution civile du clergé sont également des contre-révolutionnaires parce qu'ils compatissent à la souffrance de Jésus ? Mais c'est absurde !

— Citoyen substitut, continuez ! tranche Herman.

— Une autre fois, j'ai découvert dans la chambre d'Elisabeth, la sœur de Louis Capet, un chapeau qui appartenait au ci-devant Roi !

— Président, demande Tronçon, faisons-nous en ce moment le procès d'Elisabeth ou celui de l'accusée ? En quoi ce chapeau signe-t-il la contre-révolution et concerne-t-il l'accusée. ?

— Citoyen substitut, soyez plus précis, demande Herman.

— Cette découverte du chapeau de Capet dans l'appartement d'Elisabeth prouve que parmi mes collègues, certains d'entre eux étaient prêts à servir la tyrannie.

— Le témoin persiste dans la même voie en attribuant à l'accusée des faits qui lui sont totalement étrangers, lance Tronçon.

— Que la défense se rassure, j'y viens, répond Hébert. Voilà les faits…

— Que va-t-il vomir encore ? dit Dubois à voix basse.

— Un jour, le cordonnier Simon, chargé de la garde du fils de Capet, me demanda de venir au Temple, parce qu'il avait quelque chose d'important à me communiquer. Je m'y rends accompagné du citoyen Chaumette, procureur de la Commune, de Pache, le maire de Paris, et de quelques autres, dont le peintre Louis David. Le jeune Capet, dont la constitution physique dépérissait chaque jour, fut surpris par Simon dans des pollutions indécentes et funestes pour son tempérament…

La Reine commence à s'agiter sur son siège.

— Mon Dieu, je redoute ce que ce rebut va encore inventer, dit Belbœuf.

L'autre poursuit :

— Quand Simon lui a demandé qui lui avait appris ce manège criminel, il répondit que c'était sa mère et sa tante qui lui apprirent ces habitudes funestes – murmures diffus dans la salle. Il disait que les deux femmes le faisaient coucher entre elles, et que là il se commettait la débauche la plus effrénée…

La Reine, le regard fixe devant elle, semble ne rien entendre tandis que des murmures de désapprobation commencent à poindre.

— C'est dégoûtant, ce que tu racontes là, Hébert ! lance une vieille.

L'autre poursuit.

— … Par les efforts qu'on lui fit faire, il a souffert d'une "descente" pour laquelle il a fallu mettre un bandage, et depuis que cet enfant n'est plus avec sa mère, il reprend un tempérament robuste et vigoureux !

La Reine, imperturbable, n'a pas réagi. Un premier silence succède aux murmures, comme si la foule était abasourdie par ces révélations, puis la rumeur renaît pour devenir des cris de franche réprobation qui se propagent sur tous les rangs.

— Tu n'as pas à sortir des saloperies pareilles pour prouver la culpabilité de l'Autrichienne ! lance une jeune femme, tu n'as aucun respect pour nous !

Tronçon et Chauveau se lèvent en même temps.

— Citoyen président, la défense se sent insultée par les propos outrageants du citoyen substitut. Notre mission est de plaider dans un procès politique et non de patauger dans la fange.

— Tu as raison, l'avocat, lui crie une tricoteuse, toi au moins tu nous respectes !

— Silence ! crie Herman. Où le témoin veut-il en venir ?

— Si je fais cette déposition, réplique Hébert, c'est précisément pour souligner son aspect hautement politique ; je ne décris pas seulement un acte incestueux entre la mère et le fils. Cette criminelle jouissance n'était pas dictée par le plaisir, mais bien par l'espoir politique d'énerver le physique de cet enfant destiné à occuper un trône pour s'assurer le droit de régner sur son moral.

Herman, mal à l'aise, lance un regard de reproche à Fouquier-Tinville. Coffinhal, juge adjoint, se penche vers son président pour lui souffler à l'oreille :

— Ce c... d'Hébert va nous faire perdre le procès d'Antoinette. Elle est en train de conquérir l'opinion publique, c'est une catastrophe ! Je m'attends à une colère terrible de la part de Maximilien.

— Ne t'inquiète pas, répond Herman, quand je parlerai de Fersen, tu peux être assuré que l'opinion basculera de nouveau.

— Dépêche-toi de passer au témoin suivant, chuchote le juge Foucault entre deux tics du visage.

De sa place, Herman fait comprendre au greffier Fabricius par un mouvement négatif de l'index de ne pas transcrire la déclaration d'Hébert. Par un autre signe négatif de la tête, le greffier l'informe que c'est trop tard, tout est déjà inscrit sur le registre.

— Qu'avez-vous à répondre à la déposition du témoin ? demande Herman embarrassé à la Reine.

— Je n'ai aucune connaissance des faits dont parle Hébert, je sais seulement que le cœur enflammé percé d'une flèche dont il parle a été donné à mon fils par sa sœur ; à l'égard du chapeau dont il a également parlé, c'est un présent fait à ma sœur Elisabeth par le Roi, son frère.

Belbœuf chuchote :

— Quelle femme généreuse ! Je sais que ce chapeau, c'est un certain Toulan, administrateur du Temple, qui le lui avait donné après la mort du Roi. Elle veut le protéger.

— Elle préserve toujours ceux qui l'aident, remarque Dubois, quelquefois même à son désavantage.

— Je voudrais rappeler au tribunal, s'écrie Hébert, un fait important qui mérite d'être mis sous les yeux des citoyens jurés, il fera connaître la morale de l'accusée et de sa belle-sœur.

Le juge Foucault revient discrètement à la charge à l'oreille du président :

— Qu'attends-tu, Armand, pour nous en débarrasser ? Voudrais-tu qu'on perde définitivement ce procès ?

— Je fais ce que je peux, je ne peux pas l'empêcher de parler, répond l'autre qui interpelle Hébert : Soyez bref !

— Après la mort de Capet, ces deux femmes traitaient le petit Capet avec la même déférence que s'il avait été roi. Il avait, lorsqu'il était à table, la préséance sur sa mère et sur sa tante. Il était toujours servi le premier et occupait le haut bout.

Sans la moindre animosité, la Reine lui demande simplement :

— L'avez-vous vu ?

— Je ne l'ai pas vu, hurle Hébert, mais toute la municipalité le certifiera !

Tronçon se lève.

— Indépendamment de son ignominie, toute la déposition du témoin est partisane et paradoxale. Il reproche à l'accusée une chose et son contraire : il critique l'attitude déférente qu'elle manifeste envers son fils, comme s'il avait été le roi, et quelques instants plus tôt, il la salit par une conduite dont je ne répéterai pas les termes par respect pour le tribunal, pour les femmes présentes dans le public et pour l'accusée. Seulement, il va bien falloir que le témoin choisisse laquelle de ses deux ignominies il maintient dans sa déposition !

— Dépêche-toi d'en finir avec Hébert, souffle Coffinhal à Herman.

— Je pose quelques questions à Antoinette sur l'affaire de l'Œillet et j'en aurai terminé avec lui.

— Est-ce bien utile ? murmure Foucault.

Herman demande à la Reine :

— N'avez-vous pas éprouvé un tressaillement de joie en voyant un particulier porteur d'un œillet entrer avec Michonis ?

— Etant depuis treize mois refermée sans voir personne, j'ai tressailli dans la crainte qu'il ne fût compromis par rapport à moi !

— N'était-il pas au château des Tuileries le 20 juin ?

— Oui.

— Et sans doute aussi dans la nuit du 9 au 10 août ?

— Je ne me rappelle pas l'y avoir vu.

— Elle a raison, chuchote La Bourdonnaye, Rougeville n'a pas participé au 10 août, et elle le sait. Elle devrait être plus ferme !

— N'avez-vous pas eu un entretien avec Michonis à propos de ce particulier à l'œillet ?

— Non.

— Comment nommez-vous ce particulier ?

— J'ignore son nom.

Le juré Antonelle se lève :

— Citoyen président, je vous invite à faire observer à l'accusée qu'elle n'a pas répondu sur le fait dont a parlé le citoyen Hébert, à l'égard de ce qui s'est passé entre elle et son fils...

— Et voilà la catastrophe annoncée, grogne Foucault à l'oreille d'Herman, tu as gagné, mon ami !

Le visage d'Herman se ferme, il lance de nouveau un regard de reproche à Fouquier-Tinville.

— Ce renégat d'Antonelle ose de nouveau se complaire dans cette tourbe ? s'insurge La Bourdonnaye. Herman est piégé.

— Veuve Capet, pouvez-vous répondre ? demande ce dernier à contrecœur.

La Reine se lève farouche. Le visage bouleversé et le regard enflammé, elle lance au public :

— Si je n'ai pas répondu, c'est que la nature se refuse à répondre à une pareille inculpation faite à une mère...

"Un courant magnétique passe dans l'assistance", qui la soutient par une clameur d'indignation. Outrés, Chauveau-Lagarde et Tronçon-Ducoudray se lèvent pour intervenir. Toujours face aux tribunes, elle poursuit par une phrase qui restera gravée dans les mémoires pendant des siècles :

— J'en appelle à toutes les mères qui peuvent se trouver ici !

C'est le tumulte, les femmes du peuple pleurent en poussant des cris. Elles se sentent toutes personnellement insultées dans leur sexe et dans leur dignité de mères, il s'en faut de peu qu'elles n'applaudissent.

— C'est ignoble, tu oublies, Hébert, que nous sommes aussi des femmes et des mères ! crie une ouvrière.

— Fous le camp, Hébert, tu salis la République ! lance une vieille tricoteuse.

— Silence ! hurle Herman, ou je fais évacuer !

— On nous insulte et tu veux qu'on se taise ? répond l'autre.

— Silence !

La vieille femme n'en démord pas :

— Dis donc, Herman, deviendrais-tu le président des insulteurs ? Fais attention, mon gars, ne nous aurais-tu fait venir ici que pour cela ?

— Le témoin peut rejoindre sa place, lance Herman à un Hébert pâle comme la mort.

Il quitte la barre le front bas et se rassoit sans dire un mot. L'agitation dans les tribunes ne cesse pas.

— C'est ignoble ! Des excuses aux mères ici présentes ! crie un sans-culotte. On veut des excuses pour nos femmes et nos mères !

Les coups de maillet pleuvent.

— Silence, ou je fais évacuer la salle !

— Essaye pour voir ! lui crie une tricoteuse.

— Des excuses ! Des excuses ! hurlent plusieurs femmes en même temps.

— Fais quelque chose, nous allons avoir une émeute, dit Coffinhal à Herman.

Ce dernier se lève :

— Citoyennes, le tribunal désavoue les propos du citoyen Hébert qu'il considère comme un outrage au peuple, par respect pour toutes les mères ici présentes, il ne retiendra pas ce chef d'accusation contre l'accusée. La séance est suspendue jusqu'à quatorze heures.

Quatorze heures.

— Hébert vient de faire un triomphe à la Reine, souffle Belbœuf, il a signé son arrêt de mort.

— Tant mieux ! Ainsi nous n'aurons plus besoin de l'éliminer, les terroristes vont s'en charger.

La Reine, surprise de son succès, fait signe à Chauveau-Lagarde de s'approcher. Sous le regard vigilant de Fouquier, elle lui demande :

— N'ai-je pas mis trop de dignité dans ma réponse ?

— Madame, répond Chauveau, soyez vous-même et vous serez toujours bien, mais pourquoi me posez-vous cette question ?

— C'est que j'ai entendu une femme du peuple dire à sa voisine : "Vois-tu comme elle est fière !"

Chauveau retourne s'asseoir auprès de Tronçon qui lui demande :

— Que voulait-elle ?

— Savoir si sa réponse n'était pas trop digne. Elle a entendu quelqu'un dire derrière elle : "Vois-tu comme elle est fière !"

— Cela prouve deux choses, remarque Tronçon. D'abord, quelle attend encore une certaine justice de ce tribunal, et ensuite, qu'elle reste maîtresse de ses mots comme de ses silences.

— Te rends-tu compte, ajoute l'autre, l'œil humide, nous siégeons déjà depuis six heures ! La force d'âme qu'il lui faut pour supporter les fatigues d'une aussi longue et horrible séance... Elle se donne en spectacle devant la lie du peuple, elle doit se défendre de tous les pièges qu'ils lui tendent, elle doit détruire toutes leurs objections tout en gardant la mesure et sans jamais rester au-dessous d'elle-même ! Je me demande où elle puise toute cette énergie.

— Ajoute à tout cela cette maladie qui la saigne à blanc.

— J'ai soif, dit la Reine.

Tous les huissiers sont en mission, personne ne répond. Elle jette un regard accablé au lieutenant de Bûne. Bien que ce ne soit pas son rôle, il se lève et sort. Il revient au bout d'un moment, un verre d'eau fraîche à la main, il le lui tend. Dès cet instant, ce simple geste le fera entrer dans l'immortalité. Elle boit d'un seul trait. Mais Fouquier a tout vu et de Bûne en payera les conséquences.

Au bout de quinze minutes, la séance reprend.

— J'appelle le témoin suivant.

— Qui est-ce ? demande Belbœuf.

— C'est un notaire du nom d'Abraham Silly.

On l'entend prêter serment.

— Il prétend qu'il était de service dans la nuit où la famille royale s'est enfuie à Varennes.

— Il n'y a donc rien à attendre de lui ?

— Non, rien !

— Abraham Justin Silly, notaire à Paris, y demeurant rue du Bouloy, âgé de quarante-trois ans, je déclare connaître l'accusée.

— Nous vous écoutons, dit Herman.

C'est un homme petit et chauve. Quand il parle, il se retourne sans arrêt vers le public pour juger de son approbation.

— Le 20 juin, vers six heures du soir, je vis venir près de moi l'accusée, en me disant qu'elle voulait se promener avec son fils, alors je désignais le sieur Delaroche pour l'accompagner. Je vis venir Lafayette cinq ou six fois dans la soirée chez un de ses collaborateurs. Vers dix heures, il donna l'ordre de fermer les portes, excepté celle donnant dans la cour des Princes.

Tronçon se lève.

— Quel rapport tous ces détails ont-ils avec l'accusée ?

— On m'a demandé de déposer, je dépose !

— Continuez ! ordonne Herman.

— Le lendemain matin, je vis entrer chez moi ce même collaborateur de Lafayette et me dire en se frottant les mains : “Ils sont partis !” Il me remit alors un paquet que je déposai sur le bureau de l'Assemblée constituante dont le citoyen Beauharnais, président, me donna décharge.

— Que contenait le paquet ? demande Herman.

— Je ne sais pas.
— A quelle heure Lafayette est-il sorti du château ?
— A minuit moins quelques minutes.
Herman se tourne vers la Reine.
— A quelle heure êtes-vous sortie ?
— Je l'ai déjà dit, à onze heures trois quarts.
— Etes-vous sortie avec Louis Capet ?
— Non, il est sorti avant moi.
— Comment est-il sorti ?
— A pied, par la grande porte.
— Et vos enfants ?
— Ils sont sortis une heure avant avec leur gouvernante : ils nous ont attendus sur la place du petit Carrousel.
— Comment nommez-vous cette gouvernante ?
— De Tourzel.
— Quelles étaient les personnes qui étaient avec vous ?
— Les trois gardes du corps qui nous ont accompagnés, et qui sont revenus avec nous à Paris
— Comment étaient-ils habillés ?
— De la même manière qu'ils l'étaient lors de leur retour.
— Et vous, comment étiez-vous vêtue ?
— J'avais la même robe qu'à mon retour.
— Combien y avait-il de personnes instruites de votre départ ?
— Il n'y avait que les trois gardes du corps à Paris qui en étaient instruits ; mais sur la route, Bouillé avait placé des troupes pour protéger notre départ.
— Vous dites que vos enfants sont sortis une heure avant vous et que le ci-devant Roi est sorti seul : qui vous a donc accompagnée ?
— Un des gardes du corps.
— N'avez-vous pas en sortant rencontré Lafayette ?
— J'ai vu en sortant sa voiture passer au Carrousel, mais je me suis bien gardée de lui parler.
— Qui vous a fourni ou fait fournir la fameuse voiture dans laquelle vous êtes partie avec votre famille ?

— C'est un étranger.
— De quelle nation ?
— Suédoise.
Murmures de réprobation dans la salle.
— N'est-ce point Fersen qui demeurait à Paris rue du Bacq ?
— Oui.
— Pourquoi avez-vous voyagé sous le nom d'une baronne russe ?
— Parce qu'il n'était pas possible de sortir de Paris autrement.
Une tricoteuse se lève et crie :
— Pourquoi ? N'étais-tu point heureuse chez nous ?
— Silence ! Qui vous a procuré le passeport ?
— C'est un ministre étranger qui l'avait demandé.
— Pourquoi avez-vous quitté Paris ?
— Parce que le Roi voulait s'en aller.
Herman s'adresse à la défense :
— Avez-vous des questions à poser au témoin ?
— Oui, je vous remercie, dit Chauveau-Lagarde. J'attire l'attention des jurés sur le fait que l'accusée est sortie un quart d'heure avant Lafayette, lorsque celui-ci a fait fermer les portes. J'en conclus qu'ils ne pouvaient pas être de connivence, car il pensait que la famille royale était toujours dans le château. Il désirait éviter leur évasion en ne laissant que la porte des Princes ouverte pour mieux les surveiller.
— La séance est suspendue, s'écrie Herman. Reprise des débats à dix-sept heures. Gardes, raccompagnez la prévenue chez elle.
Entourée de gendarmes et suivie de ses avocats, la Reine rejoint son cachot.
Herman se tourne vers Foucault et lui dit en riant :
— Tu vois bien que j'ai récupéré l'opinion.
— De justesse ! Nous l'avons échappé belle ! Il suffisait de peu que le public ne lui soit définitivement acquis.

Quand la double porte s'est refermée sur eux, le lieutenant de Bûne s'installe derrière le paravent, les deux défenseurs sur leur chaise et la prisonnière sur le bord du lit.

— Alors, messieurs, que pensez-vous des dépositions qu'on vient d'entendre ?

— De la bouillie pour les chats, Madame, dit Chauveau-Lagarde.

— Il n'existe pas le plus léger indice, confirme Tronçon-Ducoudray. Non seulement il n'y a aucune preuve de toutes ces ridicules calomnies, mais elles se détruisent par leur grossièreté même, ainsi que par la bassesse et l'abjection de leurs auteurs.

— Dans ce cas, répond la Reine, je ne crains que Manuel.

LUNDI 14 OCTOBRE, SOIXANTE-QUATORZIÈME JOUR DE DÉTENTION, LA GRAND-CHAMBRE DU TRIBUNAL RÉVOLUTIONNAIRE, DIX-SEPT HEURES

8

Bailly, seul témoin de bonne foi

Dix-sept heures. Reprise des débats.

Les tribunes ne se sont pas vidées, les occupants ayant eu peur de perdre leur place. Nos trois chevaliers du Poignard n'ont pas bougé. Les officiers du Tribunal révolutionnaire s'installent de nouveau. La Reine, encadrée par ses deux gendarmes et le lieutenant de Bûne, attend debout.

— La séance est ouverte, l'accusée peut s'asseoir. J'appelle le premier témoin.

Dubois consulte sa liste.

— C'est un certain Terrasson, employé au ministère de la Justice. Un illustre inconnu ?

— Ministère de la Justice, dis-tu ? demande Belbœuf, c'est sûrement un compère de Fouquier-Tinville.

Un petit homme au faciès rougeaud, trapu et court sur pattes, est lâché comme un taureau. Il porte carmagnole et sabots, et ressemble plus à un charpentier qu'à un fonctionnaire. Le bruit de ses pas dans ses sabots résonne dans tout le tribunal.

On l'entend prêter serment.

— Pierre-Joseph Terrasson, âgé de quarante-quatre ans, secrétaire de correspondance, demeurant à Paris rue de la Saussaie, je déclare avoir connu l'accusée.

— Nous vous écoutons.

— Je voudrais témoigner qu'au retour du voyage connu sous le nom de Varennes, me trouvant sur le perron du ci-devant château des Tuileries, j'ai vu l'accusée descendre de voiture et jeter sur les gardes nationaux qui l'avaient escortée le coup d'œil le plus vindicatif, ce qui me fit penser sur-le-champ qu'elle se vengerait !

Un silence attentif accompagne sa déclaration. On attend la suite, tout le monde retient son souffle. Comme le témoin reste muet et le silence pesant, Herman lui demande :

— Mais continuez, citoyen, continuez ! Nous vous écoutons.

— Mais j'ai fini.

Stupéfaction amusée sur les visages. Tronçon se lève.

— Président, pouvons-nous savoir quel est exactement le sens de ce témoignage ?

Herman, mal à l'aise, insiste :

— Citoyen, que témoignez-vous exactement ?

— Mais qu'elle se vengerait un jour.

— De qui l'accusée se vengerait-t-elle ? demande Tronçon.

— Mais du peuple. Rappelez-vous la fusillade du Champ-de-Mars ! C'est justement sa vengeance !

— Si je résume votre déposition, vous chargez l'accusée sur un simple regard et, ce qui est encore plus extravagant, vous concluez que parce qu'elle a eu un tel regard, elle est responsable de la fusillade du Champ-de-Mars ? De qui vous moquez-vous, citoyen ?

— Mais cela, tout le monde le dit !

— C'est donc sur une simple hypothèse que vous témoignez contre l'accusée ?

— Non, quand j'étais en fonction à Bordeaux, j'ai connu Duranthon qui exerçait la même profession que moi.

— Qui c'est Duranthon ? crie une tricoteuse.

— L'ancien ministre de la Justice. Il me disait que l'accusée s'opposait à ce que le ci-devant Roi sanctionne les différents décrets, mais quand il prenait le temps de lui expliquer que l'affaire était plus importante qu'elle ne le pensait et qu'il était urgent qu'ils fussent signés promptement, impressionnée, l'accusée les faisait sanctionner.

— Il est ridicule, ce petit Terrasson, dit Belbœuf.

— Il récite la leçon qu'on lui a apprise, remarque Dubois en riant, mais apparemment son texte est incomplet, il a dû oublier quelque chose, parce qu'il est en train de témoigner en faveur de la Reine.

— Je vous remercie de rapporter devant le tribunal ce témoignage de votre ancien ministre, il est en faveur de l'accusée puisqu'il prouve que lorsqu'on lui démontrait l'importance des décrets, l'accusée conseillait au Roi de les signer. C'est une attitude civique tout à fait louable et je vous remercie encore de l'avoir soulignée.

Fouquier-Tinville et Herman échangent de nouveau un regard affligé.

— Avez-vous quelques observations à faire sur la déposition du témoin ? demande ce dernier à la Reine.

— J'ai à dire que je n'ai jamais assisté au Conseil.

— Le témoin peut regagner sa place, j'appelle le témoin suivant.

— Bravo, mon ami ! dit à voix basse Chauveau-Lagarde à Tronçon, tu as exécuté tous les témoins à charge.

— Je n'ai aucun mérite, leur argumentation est nulle, et ils sont incapables de fournir la moindre preuve de ce qu'ils avancent ! En revanche, la Reine redoute le témoin suivant, le septembriseur Manuel, nous allons avoir probablement du fil à retordre avec lui.

— Ote-moi d'un doute, Pierre Manuel est bien ce terroriste repenti ?

— C'est l'ancien procureur de la Commune de Paris pendant les massacres de Septembre.

— … Pierre Manuel, âgé de quarante-deux ans, homme de loi, demeurant à Melun.

— Connaissez-vous l'accusée ? demande Herman.

— Oui, président, je connais l'accusée, mais je n'ai jamais eu avec elle, ni avec la famille Capet, aucun rapport sinon pendant mes fonctions de procureur de la Commune.

— Vous avez été administrateur de police ?

— Oui.

— Eh bien, en cette qualité, vous devez avoir eu des rapports avec la cour ?

— C'est le maire qui avait des relations avec la cour. Pas moi, pas à mon niveau !

— Sur la journée du 20 juin, avez-vous des détails à donner ?

— Je suis resté dans le jardin du château.

— Et dans la nuit du 9 au 10 août ?

— Je suis resté au parquet de la Commune.

— Vous étiez très lié avec le maire Pétion, il a dû vous informer de ce qui se passait aux Tuileries ?

— Il m'avait dit que les gens du château désiraient cette journée du 10 août pour restaurer l'autorité royale.

— Avez-vous eu connaissance que les maîtres du château avaient donné l'ordre de faire feu sur le peuple ?

— Non, mais en ma qualité de procureur de la Commune, je l'ai interdit expressément.

Tronçon se lève.

— J'attire respectueusement l'attention du tribunal sur le fait que le citoyen n'avait rien à témoigner, puisqu'il n'existait aucun ordre oral ou écrit du Roi prescrivant d'ouvrir le feu sur le peuple.

Il se rassoit.

— Pourquoi avez-vous abandonné l'honorable fonction de législateur à l'Assemblée ? lui demande Herman.

— Pour me consacrer à la république universelle de Thomas Payne.

— Comment ! Vous vous dites bon républicain et vous avez voulu rendre à Pétion quand il était président de l'Assemblée des honneurs équivalents à l'étiquette royale.

— Ce n'est point à Pétion que je voulais rendre les honneurs mais au président de la Convention nationale.

— Je ne suis pas au courant de cette histoire, dit Belbœuf, de quoi s'agit-il ?

— Manuel, précise Dubois, alors député, avait proposé à la Convention qu'on traite avec beaucoup d'égards le président de l'Assemblée.

— C'est-à-dire ?

— Il avait proposé qu'un huissier et un gendarme le précèdent et que les tribunes se lèvent à son entrée, c'est tout.

— Quel rapport avec le procès ?

— Aucun, mais c'est une occasion de mettre Manuel en mauvaise posture ! Je ne miserais même pas un sou d'assignat sur lui à l'avenir.

Herman poursuit :

— A la prison de la Force, pourquoi avez-vous marqué de la sollicitude pour les femmes Tourzel qui étaient les valets de l'accusée aux Tuileries ?

— La fille Tourzel croyait que sa mère était morte et la mère en pensait autant de sa fille. Guidé par un sentiment d'humanité, je les ai réunies. Où est le crime ?

Herman se tourne vers la Reine.

— N'avez-vous jamais eu, quand vous étiez prisonnière au Temple, des entretiens avec le témoin ?

— Non.

— Désirez-vous poser des questions au témoin ?

— Non.

— Le témoin peut regagner sa place. J'appelle le témoin suivant.

— C'est au tour de Bailly, l'ancien maire de Paris, dit Dubois en compulsant sa liste. C'est un homme courageux qui s'est battu pour la monarchie constitutionnelle. Malheureusement, je ne donnerais plus cher de sa peau…

— … Jean-Sylvain Bailly, âgé de cinquante-sept ans, ex-député, ex-maire de Paris, astronome, demeurant à Melun.

Bailly est un grand et vieux dignitaire aux cheveux blancs. Il a un long visage équin, avec un grand nez bourbon et des yeux rapprochés. La figure d'un homme de conviction peu enclin aux compromis.

— Aviez-vous eu des relations avec la famille ci-devant royale ?

— D'abord, je proteste, les faits contenus dans l'acte d'accusation sont totalement faux !

— Que contestez-vous ?

— Tout. La déclaration du fils de l'accusée mettant en cause plusieurs personnes est un faux !

— Quel courage ! Il joue sa tête, dit La Bourdonnaye.

Bailly poursuit :

— Le bruit courait dans les jours qui ont précédé la fuite à Varennes que Louis Capet aurait demandé à Lafayette de prendre les mesures nécessaires pour son évasion, je proclame que c'est également faux !

— Vous avez pourtant fondé avec lui un club appelé 1789 ?

— Je n'en suis pas le fondateur mais un simple membre, et je n'ai assisté qu'à deux dîners…

— Je me demande pourquoi ils ont choisi Bailly comme témoin, murmure Chauveau-Lagarde à son collègue, son témoignage les dessert bougrement.

— Ils utilisent ce procès pour le confondre, et faire ainsi la confusion avec la culpabilité de la Reine. C'est une façon de l'abattre.

Herman continue de s'acharner sur le témoin :

— N'avez-vous point aussi reçu les ordres d'Antoinette, pour l'exécution du massacre des meilleurs patriotes au Champ-de-Mars ?

— Certainement pas ! Je n'ai été au Champ-de-Mars que d'après un arrêté du Conseil de la Commune.

— Ils font encore l'amalgame entre la Reine et la fusillade du Champ-de-Mars, dit Belbœuf, c'est vraiment lamentable.

Tronçon se lève.

— La défense prie l'accusation de fournir les preuves de ce qu'elle avance.

Herman se déchaîne contre Bailly en lui reprochant les prêtres réfractaires qui résidaient aux Tuileries, sa participation à des conciliabules, son amitié avec Lafayette…

— Les vainqueurs de la Bastille, ajoute le président, et leurs frères d'armes les gardes françaises devaient être décorés à l'occasion de la Fête de la Fédération. Pourquoi êtes-vous allé pleurer auprès de leurs chefs pour faire reporter la gratification dont ils étaient honorés ?

— C'est encore faux, je ne suis allé nulle part, ce sont les chefs qui sont venus me chercher.

— Dans quel but ?

— Pour les réconcilier, et c'est un des leurs qui déplaça la manifestation, pas moi.

— Il n'empêche que tout le monde sait que vous receviez les ordres d'Antoinette !

— C'est encore faux comme le reste, la municipalité n'a jamais trahi le peuple !

— J'ai l'impression d'assister au procès de Bailly, souligne Belbœuf.

— Avez-vous des questions à poser au témoin ? demande Herman à la Reine.

— Non.

— Le témoin peut regagner sa place, j'appelle le témoin suivant.

Fouquier-Tinville se lève :

— Citoyen président, les deux témoins mis en cause ce matin, qui ont été l'objet d'un mandat d'amener, sont arrivés. Il s'agit du dénommé Perceval, mis en cause par le citoyen Lecointre, et de la citoyenne Reine Millot, mise en cause par le citoyen Roussillon.

— Introduisez d'abord le citoyen Perceval.

— … Jean-Baptiste Bégin, dit Perceval, demeurant à Paris, 1403, rue de Seine, aide de camp du ci-devant comte d'Estaing, commandant la garde nationale de Versailles. Je déclare connaître l'accusée.

— Avez-vous assisté au banquet des gardes du corps ?

— Oui.

— Ce banquet ne serait-il pas celui où la cocarde tricolore aurait été foulée aux pieds ?

— Effectivement.

— L'accusée était-elle présente ?

— Je ne m'en souviens pas parce que le couple Capet n'a fait que passer. Je me souviens que Louis revenait de la chasse et qu'il était encore tout crotté. En revanche, le 5 octobre, j'ai alerté le ci-devant comte d'Estaing qu'il y avait des mouvements dans Paris, mais celui-ci n'en tint pas compte. J'ai réitéré mon avertissement l'après-midi en le prévenant pour la seconde fois que la foule augmentait considérablement, il ne daigna même pas m'écouter.

— Ne portiez-vous pas à cette époque une décoration ? demande Fouquier-Tinville.

— Oui, citoyen accusateur, je portais le ruban de l'ordre de Limbourg dont j'avais acheté le brevet pour mille cinq cents livres.

— N'avez-vous point, après l'orgie des gardes du corps, été dans la cour de marbre pour escalader le balcon du ci-devant Roi ?

— Oui.

Herman rappelle Lecointre, le premier témoin du matin.

— Rendez compte au tribunal du comportement du présent témoin.

— Je sais que Perceval a escaladé le balcon, suivi d'un grenadier du régiment de Flandre, qui l'embrassa et déclara : "Il n'y a plus de régiment de Flandre, nous sommes tous gardes royales." Un dragon du régiment des Trois-Evêchés, ne pouvant réussir à les suivre, a voulu se détruire.

— Confirmez-vous les faits ? demande Herman à Perceval.

— Oui, c'est moi qui lui ai fait part de l'histoire du balcon le 5 et le 6 octobre quand je l'ai vu à la tête de la garde nationale, car d'Estaing avait disparu.

— Le témoin peut regagner sa place. Faites entrer la citoyenne Reine Millot.

C'est une petite femme rondelette volubile, couperosée, portant des lunettes rondes cerclées de fer.

— … Reine Millot, âgée de quarante-quatre ans, au service du citoyen Fourcroy, demeurant à Paris rue des Bourdonnais, je déclare connaître l'accusée.

— Citoyenne, vous avez été ce matin citée par le témoin Roussillon. Répétez devant le tribunal ce que vous savez.

— Ben voilà : en 1788, étant de service au grand commun à Versailles, j'apercevons le ci-devant comte de Coigny qui faisait bonne figure ce matin-là. J'ai pris sur moi et je me suis dit : Reine, il est de bonne humeur, n'hésite pas ! Va lui causer ! Sauf votre respect, monsieur le comte, que je lui dis : Est-ce que l'empereur d'Autriche continuera toujours de faire la guerre aux Turcs ?

Eclat de rire général dans l'assistance.

— Mais, ma bonne Reine, qu'il me dit, cela ruinera la France ! Ah bon, que je lui réponds tout étonnée, et pourquoi donc, monsieur le comte ? Par le grand nombre de fonds que la Reine envoie à son frère et qui en ce moment doivent au moins se monter à deux cents millions ! J'ai claqué dans mes mains et je lui dis : Monsieur le comte, je m'en doutais !

De nouveaux éclats de rire.

— Tu ne te trompes pas, Reine, qu'il me répond, il en coûte déjà deux cents millions, mais nous ne sommes pas au bout !

Chauveau-Lagarde se lève.

— J'attire respectueusement l'attention du tribunal sur la pittoresque déposition du témoin et l'invraisemblance qu'elle suscite. Tout d'abord, le ci-devant

Coigny n'était pas comte mais duc. On ne voit pas un courtisan de ce rang se rendre dans les communs pour parler politique étrangère avec une fille domestique. Quant à la somme extravagante de deux cents millions, la trace du transfert à l'étranger d'une somme aussi énorme sera facile à retrouver et je compte sur l'équité du tribunal pour en fournir les justificatifs s'il prend cette déposition en compte !

— Le témoin a-t-il quelque chose à ajouter ? demande Herman.

— Ben oui ! C'était après les événements de juin 1789, je me tenais tout contre des gardes d'Artois. J'entendons soudainement les gardes dire qu'il fallait massacrer les gardes françaises. Je me dis : Reine, tu n'as pas bien compris et qu'est-ce que j'entends de nouveau : Il faut que chacun soit à son poste et fasse son devoir ! Les gardes françaises ayant été instruites, elles ont crié : Aux armes ! Aux armes ! Alors, le projet découvert ne put avoir lieu !

— Avez-vous quelque chose à ajouter ?

— Et comment ! Plusieurs personnes m'ont causé pour me dire que l'accusée avait l'intention d'assassiner le duc d'Orléans. Le Roi, qui fut informé de cette vilaine chose, ordonna que la Reine fût incontinent fouillée. Par suite de cette opération, on la fouilla et qu'est-ce donc qu'on trouva ? Deux pistolets ! Alors, il la fit consigner dans son appartement pendant quinze jours !

Rires sous cape de tous les officiers du tribunal.

— Il se peut que j'aie reçu de mon époux l'ordre de rester quinze jours dans mon appartement, ajoute la Reine dédaigneusement ironique, mais ce n'est pas pour une cause pareille !

— Je rappelons aussi que des femmes de la cour ont distribué à différents particuliers de Versailles des cocardes blanches ! Qu'est-ce que vous dites de ça ?

— Je me rappelle avoir entendu dire, répond la Reine, que le lendemain ou le surlendemain du repas des gardes du corps, des femmes ont distribué de ces cocardes ; mais ni moi ni mon époux n'avons été les moteurs de pareils désordres.

— Quelles sont les démarches que vous avez faites pour les faire punir ?

— Aucune.

— Le témoin peut regagner sa place, j'appelle le témoin suivant.

— La farce continue, dit Dubois en consultant sa liste, avec un certain Labenette, encore une obscure recrue de Fouquier-Tinville. Il était rédacteur d'un journal intitulé *Le Journal du diable.*

— Avec un titre pareil, on peut se faire une idée des aptitudes d'un tel individu ! murmure Belbœuf.

— Décidément, le niveau des faux témoins du boucher culmine dans les sphères de la médiocrité, dit La Bourdonnaye dans sa barbe.

— … Jean-Baptiste Labenette, âgé de quarante-deux ans, chef de bureau des côtes à la maison de la guerre, demeurant à Paris rue des Poulies, je déclare connaître l'accusée.

C'est un petit homme fluet au teint blafard et à l'aspect maladif. On note sur ses mains des ongles jaunes d'une longueur inhabituelle, principalement sur l'auriculaire.

— Nous vous écoutons.

— Je proclame haut et fort que je suis parfaitement d'accord avec un grand nombre de faits contenus dans l'acte d'accusation. Représentant un certain danger pour l'accusée, trois particuliers sont venus pour m'assassiner en son nom !

Mouvements divers dans le public. Chauveau-Lagarde se lève.

— D'après vous, quels pouvaient bien être les motifs qui auraient poussé l'accusée à vous assassiner ? Vous paraissez un citoyen assez obscur et sans emploi marquant.

— Peut-être parce que je suis journaliste ?

— Pourtant, votre journal est aussi obscur que vous. Peu de gens le connaissent et comme vous êtes un honnête citoyen sans grande implication avec quiconque, on pourrait se demander qui voudrait vous tuer…

— Et pourtant, elle m'a envoyé trois tueurs !

— Par quel miracle avez-vous échappé à leurs coups ?

— Je les ai mis en fuite.

— Vous seul contre trois ?

— Oui.

— Je remercie le tribunal, dit Chauveau, la défense a cerné le témoin.

Herman s'adresse à la Reine :

— Lisiez-vous *L'Orateur du peuple* ?

— Jamais.

— Pourquoi cette question ? s'interroge La Bourdonnaye.

— Je n'en ai aucune idée, répond Belbœuf.

— Il lui a posé cette question, précise Dubois, parce que cet imbécile écrit de temps en temps dans ce journal qui appartient à un de ses amis.

— Ce dont je suis convaincu, répond La Bourdonnaye, c'est que le sieur Labenette est le plus bel exemple d'imbécile employé comme faux témoin.

— Le témoin peut se retirer, j'appelle le témoin suivant.

— C'est toute la bande de l'Œillet qui va défiler maintenant, dit Dubois, à l'exception de Michonis.

— Pour quelles raisons, s'étonne Belbœuf, Michonis n'est-il pas cité en même temps qu'eux ?

— On ne doit pas faire éclater au grand jour la collusion d'un membre distingué de la municipalité avec un royaliste comme Rougeville. Les ordres sont formels : le complot de l'Œillet doit apparaître comme une simple “intrigue de prison” et non comme une conjuration anti-républicaine dans laquelle seraient compromis d'éminents révolutionnaires. Les sans-culottes ne le tolèreraient pas et feraient vaciller le régime ! Il sera donc interrogé à part.

— Voila pourquoi Michonis est encore au secret… constate Belbœuf.

— Bien sûr, confirme La Bourdonnaye, il ne faut l'entendre dévoiler à aucun prix la collusion entre la commune de Paris et Jean de Batz !

— Il est paradoxal que l'artisan principal de ce complot soit entendu séparément des autres !

— En revanche, nous n'avons rien à craindre avec les autres.

— Pourquoi ?

— Parce qu'ils ont tous été achetés pour se taire !

— Qui sont les autres ? demande Belbœuf.

Dubois consulte sa liste.

— Les deux gendarmes Dufresne et Gilbert qu'on a fait revenir du front. On a acheté leur silence en les nommant officiers.

— Es-tu sûr que Gilbert soit cité ?

— Certain, pourquoi ?

— Deux chevaliers du Poignard sont partis sur le front pour l'exécuter.

— Qui donc ?

— Elisabeth et Guillaume Lemille.

— Ils en seront pour leurs frais, ils l'ont fait revenir du front pour témoigner.

— Il ne perd rien pour attendre, je m'occuperai personnellement de lui plus tard ! dit Belbœuf.

— Pour quel motif a-t-il été condamné à mort par les chevaliers ? demande La Bourdonnaye.

— Crime de lèse-majesté : il a osé toucher la Reine avec le canon de son fusil ! Qui sont les autres ?

— Marie et Toussaint Richard, précise Dubois, les deux concierges qui font un séjour symbolique en prison, ils sortiront au plus tard dans deux mois… Connais-tu le motif pour lequel ils ont été condamnés alors qu'ils méritaient mille fois l'échafaud ?

— Non.

— Pour l'achat des deux matelas destinés à la Reine !

— Qui d'autre encore ?

— La femme Harel...

Belbœuf sursaute.

— La femme Harel ? Mais je pensais que nous l'avions pendue !

— Eh bien, justement non ! dit Dubois.

— J'espère que tu plaisantes, s'écrie l'autre, c'est moi qui l'ai conduite à la frontière pour la faire juger par les chevaliers du Poignard !

— Jean a fait un marché avec elle. Apprenant qu'elle serait appelée à témoigner contre la Reine, il lui a proposé de la libérer tout en gardant son mari en otage.

— Si lors de ton témoignage, lui a-t-il dit, tu t'engages à ne pas charger la Reine, tu seras libre. Si tu nous trahis, on pend aussitôt ton vieux mari, et toi on te rattrape et on t'élimine !

— Et alors ?

— Elle a accepté sans hésitation : on va voir si elle tient ses engagements. En réalité, nous ne risquions pas grand-chose avec elle, elle se serait tue de toutes les façons.

— Pourquoi ?

— C'est un mouton de Fouquier-Tinville, elle a sûrement reçu l'ordre de se taire comme les autres. N'oublie pas : l'Œillet ne doit rester rien d'autre qu'"une intrigue de prison" ! Ménageons les patriotes qui trahissent, a dit Robespierre !

— Faites entrer le témoin...

— ... François Dufresne, maréchal des logis, demeurant à Paris rue de l'Egout, je déclare connaître l'accusée.

— N'avez-vous pas été promu lieutenant depuis peu ?

— Depuis huit jours, citoyen président, j'attends la confirmation pour porter le grade.

— Nous vous félicitons pour votre promotion, nous vous écoutons.

— Je me suis trouvé dans la chambre de l'accusée au moment où l'œillet lui fut remis. J'ai eu connaissance que sur ce billet il y avait écrit : "Que faites-vous ici ? Nous avons des bras et de l'argent à votre service."

— C'est faux ! dit Dubois, il dit n'importe quoi, le papier avait été rendu illisible par Michonis.

Chauveau-Lagarde se lève.

— Avez-vous vu remettre l'œillet à l'accusée ?

— Non, je ne l'ai pas vu !

— Avez-vous lu le message qu'il contenait ?

— Non plus.

— Il ne reste plus grand-chose de votre témoignage, je vous remercie.

Il se rassoit.

— Avez-vous quelque chose d'autre à ajouter ? demande Herman.

— Non.

— Témoin suivant !

— … Marie-Madeleine Barrassaint, épouse Richard, ci-devant concierge de la maison d'arrêt, dite la Conciergerie du palais, y demeurant, je déclare avoir connu l'accusée.

— Résumez ce que vous savez.

— Le gendarme Gilbert m'avait dit que l'accusée avait reçu la visite d'un particulier amené par Michonis, lequel lui a remis un œillet dans lequel était un billet ; pensant que ce billet pouvait me compromettre, je le remis aussitôt à Michonis, ce dernier me répondit qu'il n'amènerait plus personne auprès de la veuve Capet.

— Avez-vous quelque chose d'autre à ajouter ?

— Non, citoyen président.

— Vous pouvez regagner votre place.

— Je trouve qu'il pourrait la questionner davantage ! dit La Bourdonnaye.

— Ce serait contraire aux ordres, moins on parle de l'Œillet, plus Robespierre est content !

— Témoin suivant.

— ... Toussaint Richard, âgé de quarante-huit ans, concierge de la maison d'arrêt dite la Conciergerie du palais, y demeurant. Je déclare avoir connu l'accusée.

— Nous vous écoutons.

— Je connais l'accusée pour avoir été mise sous ma garde depuis le 2 août dernier.

— Avez-vous une précision particulière à fournir au tribunal durant son séjour ?

— Non.

— Vous pouvez regagner votre place.

— Tu vois, précise Dubois, ils sont là pour faire de la figuration.

— Témoin suivant !

— ... Marie Devaux femme Harel, servante à la maison d'arrêt de la Conciergerie, âgée de trente-six ans, demeurant à la mairie. Je déclare avoir connu l'accusée.

— Nous vous écoutons.

— Je suis restée quarante et un jours auprès de l'accusée.

— Qu'avez-vous constaté pendant tout ce temps ?

— Rien ! Je n'ai rien vu et je n'ai rien entendu ! Sinon qu'un particulier est venu avec Michonis et lui a remis un billet plié dans un œillet.

— Vous l'avez vu remettre ce billet ? demande Chauveau-Lagarde.

— Non, j'étais à travailler. Je l'ai vu revenir une seconde fois dans la journée.

La Reine intervient :

— Il est venu deux fois dans l'espace d'un quart d'heure.

— Qui vous a placée auprès de la veuve Capet ? demande Herman.

— Ce sont Michonis et Jobert.
— Avez-vous une précision particulière à fournir au tribunal ?
— Non.

— Vous pouvez regagner votre place… Témoin suivant !
— … Jean-Guillaume Gilbert, âgé de trente ans, gendarme près des tribunaux, demeurant à Paris rue des Prestres-Saint-Paul, Je déclare avoir connu l'accusée.
— Ne deviez-vous pas être nommé également officier ?
— Oui, citoyen président, j'attends ma confirmation.
— Nous vous félicitons, nous vous écoutons.
— Si jamais il charge la Reine, chuchote la mère Larivière à l'infirmière Guyot en serrant les dents, je le crève !
— C'est votre gendre, n'est-ce pas ?
— Pas pour longtemps encore, j'espère.
Gilbert poursuit son témoignage :
— … L'accusée se plaignait à nous de la nourriture qu'on lui donnait. A cet égard j'appelai Michonis qui se trouvait dans la cour des femmes avec le chevalier porteur de l'œillet. Quand il est remonté, l'accusée lui a dit : "Je ne vous verrai donc plus ? – Oh ! pardonnez-moi, répondit-il, je serai toujours au moins municipal, et en cette qualité j'aurai le droit de vous revoir !"
— Avez-vous quelque chose à ajouter ? demande Herman.
— L'accusée m'avait dit qu'elle avait des obligations envers le chevalier.
— Je ne lui ai d'autres obligations, s'écrie la Reine, que celle de s'être trouvé près de moi le 20 juin !
— Et le 10 août ! réplique Herman.
— J'avais dit que je pensais qu'il n'était peut-être pas là le 10 août, mais réflexion faite, j'en suis certaine.
— C'est bon, le témoin peut regagner sa place.

Il est onze heures du soir.

Herman descend de son estrade et s'assoit aux côtés de Fouquier Tinville. Ils parlementent durant un moment en compulsant divers documents avec les membres du Comité de sûreté générale, puis il remonte sur son estrade et donne un violent coup de maillet :

— La séance est suspendue ! Reprise des débats demain matin à neuf heures.

Tandis que la salle se vide, Dubois, Belbœuf et La Bourdonnaye se pressent devant l'entrée de la Grand-Chambre sur le passage de la Reine. Au moment où celle-ci descend de son estrade, elle aperçoit juste en face, dans les tribunes, l'immense mère Larivière qui lui sourit. Encadrée des deux gendarmes et précédée du lieutenant de Bûne, elle passe ensuite devant les trois chevaliers. Son regard croise celui de La Bourdonnaye qu'elle reconnaît comme un des chevaliers du Poignard qui l'a protégée le 20 juin et le 10 août, elle reste impassible, mais elle est trahie par la soudaine couleur rosée de ses joues. Par leur présence, les chevaliers lui ont envoyé un signal : elle espère qu'ils vont encore tenter de la sauver.

Quand la mère Larivière, accompagnée de l'infirmière Guyot, franchit le pas de la porte, elle est interpellée par Ducâtel.

— S'il te plaît, citoyenne, j'aurais une question à te poser.

— Je t'écoute, Ducâtel.

— Tu connais donc mon nom ?

— Qui ne connaît le héros de septembre qui nous a débarrassés de cette grue de Lamballe à coups de marteau ! Merci Ducâtel !

— Mais c'est qu'elle a mis du temps à crever, la garce !

— Nous savons, nous savons que cela te fut très difficile, aussi notre reconnaissance n'en est pas moindre !

Au fait, Ducâtel, quelle est la question que tu avais à me poser ?

— Je t'ai vue sourire à l'Autrichienne.

— Tu plaisantes, j'espère, Ducâtel, tu réalises que tu es en train de m'insulter !

— Ah ! non, citoyenne, là n'est pas mon intention, mais je t'ai vue quand même lui sourire !

— Mais je souriais à mon ami Amar qui était juste derrière elle. Que c'est drôle ! Quand je vais raconter cela à Jean-Pierre…

— Jean-Pierre ?

— Mais justement Jean-Pierre Amar !

L'autre commence à pâlir.

— Parce que tu le connais bien ?

— Je l'aime comme un frère ! Lorsque je vais lui raconter cette histoire, il va beaucoup rire !

— Tant mieux !

— Oui mais, connaissant son terrible caractère, il peut aussi très mal le prendre.

— Ah bon ? dit Ducâtel en pâlissant un peu plus.

— Eh oui, ses colères sont imprévisibles. Si je lui dis qu'il a été confondu avec l'Autrichienne, il peut se vexer et me demander quel est l'imbécile qui m'a dit cela.

— Tu n'as pas besoin de lui dire que c'est moi !

— Tu me demandes de mentir aux représentants du peuple ? Ducâtel, je suis déçue, tu n'es pas l'homme que je croyais… Elle se tourne vers l'infirmière et lui lance : Allez, on s'en va. Adieu, Ducâtel !

— Mais attends, je ne connais même pas ton nom !

Les autres ne répondent pas et s'engouffrent dans la salle des pas perdus.

Lundi 14 octobre, soixante-quatorzième jour de détention, retour chez Michel Perrin, huit heures du soir

9

Un mystérieux inconnu

Les perruquiers sont réunis autour d'une table dans la brasserie de Christine Mathieu. Jean-Baptiste Basset paraît soucieux. Toute l'équipe de la rue Mazarine est présente. Le procès de la Reine est avancé et les conjurés ne sont toujours pas réunis.

Assise au milieu des Auvergnats, Catherine Fournier ne décolère pas, elle ne comprend pas pourquoi l'opération visant à libérer la Reine n'a pas débuté.

— La Reine est perdue d'avance ainsi que la France entière[1], s'écrie-t-elle, abandonnez votre local de la rue de la Roquette, il nous a fait perdre trop de temps ! Dépêche-toi, Basset, de réunir tes hommes sur les quais pour enlever la Reine !

— Il faut les regrouper auparavant en un lieu unique pour donner ensuite à chacun une mission précise, dit Arbeltrier.

Guidée par le son de sa voix, elle tourne vers lui son regard vitreux :

— Nous n'avons pas besoin de gens à paroles ! lui lance-t-elle. Il faut des gens qui sachent frapper, enfin tous des Corday[2] !

Basset assis dans son coin ne réagit pas, Catherine ajoute en le désignant :

— Prenez exemple sur lui ! Il se donne plus de mal que tous les autres, hier il a encore fait vingt

1. Paroles historiques.
2. *Idem.*

lieues pour chercher des matelas sur lesquels est inscrit “Vive Louis XVII !”[1].

— Agissons ! insiste Arbeltrier. Le local de la rue de la Roquette est prêt à nous recevoir,

— Partez donc, s’écrie la vieille, qu’attendez-vous ? Partez[2] !

— Je suis d’accord, ajoute l’autre, qu’attends-tu, Jean-Baptiste, pour nous regrouper ?

— Veux-tu qu’on s’en charge ? demande son ami Niquille.

— Ils sont convoqués demain, lâche Basset.

— Demain, c’est le dernier jour du procès de la Reine, s’écrie la vieille, avez-vous imaginé qu’elle puisse être condamnée ? Que ferez-vous alors ?

— On l’enlèvera lors de son déplacement.

— Où ? demande Arbeltrier.

— Tu le sauras en temps voulu ! répond Basset méfiant.

Il s’apprête à partir quand Juilhe Laroche lui dit en auvergnat :

— Rendez-vous demain comme convenu ?

— Oui, à demain !

Il descend l’escalier en bois quand le jeune Jean Fournier, le fils de l’aveugle, monte vers lui tout essoufflé :

— Jean-Baptiste ! Un grand gars du nom de Maingot m’a chargé de te dire qu’il t’a attendu devant la porte pendant deux heures ! Il avait une communication très importante à te faire.

— Laquelle ?

— Il n’a rien voulu me dire !

— Tu es sûr ?

— Sûr !

— Pourquoi s’est-il enfui ?

1. Paroles historiques.

2. *Idem.*

— Il était guetté par la police, je l'ai aidé à s'échapper !

— Comment sais-tu que la police l'attendait ?

— J'ai reconnu les commissaires Froidure et Baudrais, ils ont lancé leurs gendarmes à ses trousses. J'ai fait diversion pour lui permettre de fuir.

— Tu as bien fait ! Crois-tu qu'ils l'aient reconnu ?

— Impossible dans la nuit. Il portait un grand chapeau et un cache-col qui cachaient son visage.

Ils sont rejoints à cet instant par Arbeltrier et Niquille qui descendent de l'appartement de Perrin.

— Mon petit Jean, dit Jean-Baptiste au gamin, rentre maintenant chez toi, il est tard !

— Maman est-elle encore en haut ?

— Oui, ne l'attends pas, tu sais bien qu'elle aime parler !

— Je le raccompagne, dit Arbeltrier, il habite rue de la Vannerie, c'est sur mon chemin.

— C'est parfait, dit Basset, bonne nuit.

Il s'éloigne. Arbeltrier tout en marchant demande à l'enfant :

— Alors, Jean, es-tu content ?

— De quoi ?

— Mais de ce que font Jean-Baptiste et ta maman !

— Très ! Bientôt les Jacobins ne seront plus ! Leur règne sera détruit[1] !

1. Paroles historiques.

Mardi 15 octobre, soixante-quinzième jour de détention,
la Grand-Chambre du Tribunal révolutionnaire,
neuf heures du matin

10

Les dernières reliques

Quand la Reine traverse le préau, pour se rendre de nouveau au tribunal, il pleut et le vent souffle fort. Parvenue dans la salle d'audience, elle constate que la même foule attend dans les tribunes dans un silence d'église. Elle reprend sa place sur l'estrade, encadrée par ses gendarmes. Elle salue ses deux avocats qui lui sourient.

— Faites entrer le premier témoin, lance Herman.

— C'est le fameux d'Estaing, précise Dubois, il commandait la garde nationale de Versailles. Je le connais bien, la Reine ne l'aimait guère, comme tous ceux qui entretenaient des rapports avec Lafayette et les constitutionnels.

— On doit lui être reconnaissant d'avoir tenté d'aider le Roi à s'enfuir le 5 octobre, souligne La Bourdonnaye.

— Oui, peut-être…

— Vos nom, surnom, âge, état et demeure ?

— Charles Henri d'Estaing, soldat et matelot, ancien militaire de terre et de mer au service de la France, amiral et lieutenant général, âgé de soixante-quatre ans.

— Etes-vous parent, allié ou serviteur ou domestique d'une des parties ou de l'accusateur public ?

— Non.

— Avez-vous connu l'accusée avant l'instruction ?

— Je déclare connaître l'accusée depuis qu'elle est en France, que j'ai eu même à me plaindre d'elle, ce qui ne m'empêchera pas de dire la vérité.

— Vous jurez et promettez de parler sans haine et sans crainte, de dire la vérité, toute la vérité, rien que la vérité ? Levez la main droite et dites : je le jure.

— Je le jure !

— Quel est votre jugement sur l'acte d'accusation ?

— Je n'ai rien à dire !

— Saviez-vous que Louis Capet et sa famille devaient fuir de Versailles le 5 octobre ?

— Non.

— Saviez-vous aussi que des chevaux avaient été préparés à cet effet, mis et ôtés plusieurs fois ?

— Oui, suivant les conseils fluctuants de la cour, mais je signale que la garde nationale n'aurait point souffert ce départ.

— Pourtant, il semblerait que ce soit bien vous qui ayez fait sortir les chevaux pour faire fuir la famille royale…

— Non.

— Saviez-vous aussi que des voitures ont été arrêtées à la porte de l'Orangerie ?

— Oui.

— Etiez-vous au château ce jour-là ?

— Oui.

— Y avez-vous vu l'accusée ?

— Oui.

— Qu'avez-vous entendu au château ce jour-là ?

— J'ai entendu des conseillers de cour dire à l'accusée que le peuple de Paris allait arriver pour massacrer la ci-devant Reine et qu'il fallait qu'elle quitte Versailles…

— Ouh ! ouh ! ouh ! crie la salle.

Herman donne un violent coup de maillet.

— Silence ! Le témoin peut poursuivre : qu'a répondu l'accusée quand elle apprit que le peuple marchait sur Versailles ?

— Elle a répondu avec un grand caractère : "Si les Parisiens viennent ici pour m'assassiner, c'est au pied de mon mari que je le serai, mais je ne fuirai pas !"

— Ça c'est très bien, veuve Capet ! crie une tricoteuse en riant, tu aurais dû toujours parler ainsi !

— Silence ! hurle Herman, puis s'adressant à la Reine : Confirmez-vous les dires du témoin ?

— Cela est exact. On voulait m'engager à partir seule, parce que, disait-on, il n'y avait que moi qui courais des dangers…

— Pour sûr, Antoinette, s'écrie un sans-culotte en ricanant, s'ils t'avaient attrapée, tu serais montée à la lanterne !

— Expulsez cet homme ! crie Herman. Si j'entends encore des remarques du public qui peuvent influencer les jurés, je fais évacuer la salle. Accusée, terminez votre déposition.

— … Je fis la réponse dont parle le témoin, ajoute la Reine.

Herman demande au témoin :

— Avez-vous connaissance du repas donné par les ci-devant gardes du corps ?

— Oui.

— Avez-vous su que l'on y a crié "Vive le Roi !" et "Vive la famille royale !" ?

Chauveau-Lagarde se lève.

— J'attire respectueusement l'attention du tribunal sur le fait que cela ne pouvait en aucun cas constituer un délit puisque l'Assemblée élue avait voté la monarchie constitutionnelle, et applaudir son représentant en la personne du Roi, c'était applaudir la Nation.

Le visage d'Herman se fige.

— C'est au témoin de répondre, lance-t-il.

— Oui, ils ont été ovationnés, je sais même que l'accusée a fait le tour de la table en tenant son fils par la main.

— N'avez-vous pas donné des fusils à la garde nationale de Versailles, à son retour de Ville-Parisis ?

— Oui.

— Etiez-vous, le 5 octobre, en votre qualité de commandant général, à la tête de la garde nationale ?

— Le matin ou l'après-midi ?

— Entre midi et deux heures.

— J'étais à la municipalité de Versailles.

— N'était-ce point pour obtenir l'autorisation d'accompagner Louis Capet dans sa fuite, pour le ramener ensuite ?

— Non. Quand j'ai vu que l'accusée s'était présentée sur le balcon de l'appartement du Roi pour annoncer au peuple que la famille royale partait pour Paris, je suis allé à la municipalité de Versailles, c'était pour demander la permission d'accompagner le Roi.

— C'est exact, dit la Reine, je me suis rendue au balcon pour annoncer au peuple que nous partions pour Paris.

— Vous avez soutenu n'avoir point mené votre fils par la main lors du repas des gardes du corps.

— Je n'ai pas dit cela, mais seulement que je ne croyais pas avoir entendu l'air "O Richard ! ô mon roi !".

Herman s'adresse à Lecointre, premier témoin de la veille :

— Citoyen, n'avez-vous pas dit hier que le citoyen d'Estaing ne s'était pas trouvé à la tête de la garde nationale le 5 octobre où son devoir l'appelait ?

— J'affirme, réplique Lecointre, que non seulement d'Estaing était absent entre midi et deux heures, à l'assemblée de la garde nationale, mais qu'il n'a pas paru de la journée. Il était en réalité à la municipalité au sein des officiers municipaux vendus à la cour pour obtenir l'autorisation d'accompagner le Roi dans sa retraite

— De quelle retraite voulez-vous parler, demande Tronçon, celle de Paris exigée par le peuple ?

— Non ! D'Estaing voulait protéger le Roi en l'emmenant à Rambouillet sous la promesse de le ramener le plus tôt possible.

— Je fais observer au citoyen Lecointre qu'il se trompe, il n'est pas question de Rambouillet, l'autorisation en question est datée du lendemain 6, et que ce n'est qu'en vertu d'elle que j'ai accompagné le Roi à Paris.

— Je persiste à soutenir que je ne suis pas dans l'erreur, répond l'autre, j'invite l'accusateur public à lire la lettre que j'ai déposée hier.

Fouquier-Tinville se lève et lit :

— "L'instruction que notre municipalité m'a donnée le 5 de ce mois à quatre heures de l'après-midi me prescrit de ne rien négliger pour ramener le Roi à Versailles le plus tôt possible."

Tronçon se lève.

— Je réitère la question que j'ai posée hier au citoyen Lecointre : si le Roi était à la chasse entre midi et deux heures, l'accusée était-elle alors au courant du projet de déplacement de la famille royale à Rambouillet ?

— Non, bien sûr, affirme d'Estaing.

— Alors la défense, considérant toute cette affaire hors des débats, ne se sent pas concernée par les témoignages des citoyens d'Estaing et Lecointre qui sont étrangers à ce procès…

Il se rassoit. Herman s'adresse au témoin :

— Persistez-vous à dire que cette permission d'éloigner le Roi de Versailles ne vous a pas été délivrée le 5 octobre ?

— Les faits remontent à quatre ans, je me suis probablement trompé dans la date, j'avais pensé qu'elle était du 6.

— Vous ne pouvez nier dès lors, puisqu'elle est inscrite ici en toutes lettres, que cette permission d'éloigner la famille royale à Rambouillet vous autorisait à repousser la force par la force, donc à tirer sur le peuple ?

— A la condition d'avoir épuisé toutes les voies de la conciliation, comme il y est mentionné.

— Le témoin peut regagner sa place. J'appelle le témoin suivant.

— Simon Antoine, âgé de cinquante-huit ans, demeurant rue des Cordeliers à Paris et actuellement au Temple, cordonnier et gouverneur du fils Capet.

Les cheveux longs, gris et sales, le regard atone et le teint verdâtre, c'est le précepteur de son fils que la Reine observe avec angoisse. Il est d'une saleté repoussante ; par l'odeur qu'il exhale, elle a un mouvement de recul quand il se présente à la barre, car il ne se trouve alors qu'à quelques centimètres d'elle.

— Etes-vous parent, allié ou serviteur ou domestique d'une des parties ou de l'accusateur public ?

— Non.

— Avez-vous connu l'accusée avant l'instruction ?

— Oui, puisque je connais Antoinette depuis le 30 août de l'année dernière, lors de la garde au Temple.

— Vous jurez et promettez de parler sans haine et sans crainte, de dire la vérité, toute la vérité, rien que la vérité ? Levez la main droite et dites : je le jure.

— Je le jure !

— Faites votre déposition.

— Quand Louis Capet et sa famille avaient la liberté de se promener dans les jardins du Temple, ils étaient instruits de tout ce qui se passait tant à Paris que dans l'intérieur de la République.

Chauveau-Lagarde se lève.

— Par qui étaient-ils instruits ?

— Par divers colporteurs.

— A la solde de l'accusée ?

— Non.

— Alors pourquoi citez-vous des faits qui n'ont aucun rapport avec les débats ?

Herman vole au secours de Simon :

— Avez-vous eu connaissance des intrigues qui ont eu lieu au Temple pendant que l'accusée y était ?

— Oui.

— Qui sont les administrateurs qui étaient d'intelligence avec elle ?

— Ils étaient nombreux : c'est d'abord Toulan qui offrit le chapeau de Louis Capet à sa sœur Elisabeth, mais aussi Lepitre, Pétion, Lafayette, Michonis, Manuel et Dangé, et bien d'autres.

Une voix s'élève sur le banc des témoins :

— Je proteste, je n'ai jamais eu d'intelligence avec la veuve Capet !

— Citoyen Lepitre, lance Herman, vous aurez le temps de vous justifier tout à l'heure quand vous témoignerez à la barre.

Tronçon se lève à son tour.

— Le témoin Simon peut-il révéler au tribunal comment il a eu connaissance de toutes ces complicités ?

— C'est le petit Capet qui me l'a révélé – la Reine tressaille –, il m'a dit que c'étaient ceux-là que sa mère voyait le plus souvent et que même Dangé l'avait pris dans ses bras en lui disant : "Je voudrais bien que tu sois un jour à la place de ton père."

La Reine s'écrie :

— J'ai vu mon fils jouer au petit palet dans le jardin avec Dangé, mais je ne l'ai jamais vu le prendre entre ses bras.

Tronçon revient à la charge :

— Vous précisez que c'est le petit Capet qui est votre source de renseignements, au fait connaissez-vous son âge ?

— Huit ans.

Murmures réprobateurs dans la salle. Tronçon s'adresse à Herman :

— Je remercie le tribunal, la défense est éclairée sur la valeur du témoignage d'un enfant de huit ans.

— Savez-vous, demande Herman à Simon, si le petit Capet était traité en roi, principalement quand il était à table ?

— Je sais que sa mère et sa tante, à table, lui donnaient le pas.

Herman demande à la Reine :

— Depuis votre détention, avez-vous écrit à la Polignac ?

— Non.

Tronçon se lève.

— J'attire respectueusement l'attention du tribunal sur le fait que, démunie de papier, d'encre, de crayon, et sous la vigilance quasi permanente de ses gardiens, il fut impossible à l'accusée d'écrire un seul mot.

— N'avez-vous pas signé des bons pour toucher des fonds chez le trésorier de la liste civile ?

— Non.

Fouquier-Tinville se lève.

— Je vous ferai observer que votre dénégation sera inutile dans un moment. On a retrouvé dans les papiers d'un certain Septeuil deux bons à signer de vous.

Chauveau-Lagarde se lève :

— La défense aimerait savoir qui est le dénommé Septeuil et comment ces bons sont tombés entre ses mains.

Fouquier répond en fixant l'avocat :

— Septeuil était le trésorier de la liste civile du ci-devant Roi, c'est une commission appelée Commission des vingt-quatre qui a découvert ces bons.

— Citoyen président, la défense demande une communication des pièces.

Herman, de plus en plus mal à l'aise, demande :

— Pouvons-nous les communiquer ?

— Non, elles ont été égarées !

Murmures ironiques.

— Dans ce cas, dit Chauveau-Lagarde, convoquons cette Commission des vingt-quatre pour lui demander si elle les détient encore.

— Impossible, tranche l'autre, elle a été dissoute.

Rires dans l'assistance.

— Devant les carences répétées de l'accusation, je demande au tribunal de retirer les griefs démunis de preuves.

— Nous allons entendre les témoins qui ont vu ces deux bons, réplique Fouquier-Tinville.

— Faites entrer le premier témoin cité par l'accusateur public, dit Herman, Vos nom, surnom, âge, état et demeure ?

— François-Barnabé Tisset, âgé de trente-six ans, marchand et employé au comité de surveillance du département de Paris, demeurant à Paris rue de la Barillerie.

C'est un petit roux frisé et binoclard, le visage entièrement vérolé.

— Etes-vous parent, allié ou serviteur ou domestique d'une des parties ou de l'accusateur public ?

— Non.

— Nous vous écoutons.

— A l'époque du 10 août, je faisais partie du comité de surveillance de la municipalité. Je fus chargé d'inspecter le dénommé Septeuil, trésorier de la liste civile du ci-devant Roi. Je découvris alors deux bons formant la somme de quatre-vingt mille livres signés Marie-Antoinette ainsi qu'une lettre de caution de deux millions signée Louis.

— Je désirerais que le témoin précise de quelle date étaient les bons dont il parle, demande la Reine.

— L'un était daté du 10 août 1792, quant à la lettre je ne m'en rappelle pas.

— Je n'ai jamais fait aucun bon, insiste la Reine, et surtout, comment aurais-je pu en faire, le 10 août, puisque nous nous sommes rendus vers les huit heures du matin à l'Assemblée nationale.

— Etant parvenue à l'Assemblée dans la loge du moniteur, interroge Herman, n'avez-vous pas reçu de l'argent de ceux qui vous entouraient ?

Chauveau-Lagarde se lève.

— Je me permets d'attirer l'attention du tribunal sur son erreur : l'accusée et sa famille n'ont pas attendu dans la loge du moniteur, mais dans la loge du logographe, sous le regard permanent des six cents députés en séance. Devant la menace qui mettait en danger la vie de ses enfants, l'accusée avait certainement d'autres soucis que de mener des affaires financières.

La Reine reprend :

— Pendant les trois jours que nous avons demeuré prisonniers aux Feuillants, nous trouvant sans argent, attendu que nous n'en avions pas emporté, nous avons accepté celui qui nous a été offert.

— Combien avez-vous reçu ? demande Herman.

— Vingt-cinq louis d'or simples ; ce sont les mêmes qui ont été découverts dans mes poches, lorsque j'ai été conduite du Temple à la Conciergerie : regardant cette dette comme sacrée, je les avais conservés intacts, afin de les redonner à la personne qui me les avait remis, si je l'avais revue.

— Comment nommez-vous cette personne ?

— C'est la femme Auguié[1].

— Avez-vous des questions à poser au témoin ?

— Non.

— Le témoin peut regagner sa place, j'appelle le témoin suivant.

— Jean François Lepitre, âgé de trente ans, instituteur notable de la municipalité provisoire, demeurant à Paris rue Saint-Jacques…

— Il a été arrêté il y a huit jours à peine, dit Belbœuf.

— Pourquoi ?

— On le soupçonne d'être le complice de Michonis dans l'affaire de l'Œillet…

— Nous vous écoutons.

— J'ai vu l'accusée au Temple, lorsque je faisais mon service en tant que commissaire de la municipalité. Je n'ai jamais eu d'entretien particulier avec l'accusée, ne lui ayant jamais parlé qu'en présence de mes collègues.

— Ne lui avez-vous pas quelquefois parlé politique ?

— Jamais.

Le greffier Fabricius se lève.

— Citoyen président, dit-il avec son accent provençal, pourrais-je demander au témoin de parler un tout petit peu plus lentement, s'il vous plaît ?

1. La femme Auguié, femme de chambre de la Reine, qui lui donna vingt-cinq louis d'or, eut une fille prénommée Aglaé qui épousa le maréchal Ney ; ainsi la femme de chambre de la Reine devint la mère de la princesse de la Moskova.

— Citoyen, dit Herman, parlez plus lentement pour permettre au greffe de transcrire votre déposition. Il poursuit : Ne lui avez-vous pas envoyé tous les jours un colporteur crier le journal du soir près de la tour du Temple pour lui procurer des nouvelles ?

— Non.

Herman demande à la Reine :

— Avez-vous des observations à faire sur la déclaration du témoin ?

— Je n'ai jamais eu de conversations avec le témoin : d'un autre côté, je n'avais pas besoin qu'on engageât les colporteurs à venir près de la tour, je les entendais assez tous les jours, lorsqu'ils passaient rue de la Corderie.

Le greffier Fabricius se lève de nouveau.

— Citoyen président, le tribunal doit examiner les affaires personnelles que la veuve Capet a emmenées avec elle lors de son transfert à la Conciergerie et qui ont été saisies conformément à la loi.

— En a-t-elle donné quittance ?

— Oui président, il n'y peut y avoir aucune contestation possible.

Fabricius dépose le petit balluchon que la Reine portait en arrivant à la Conciergerie sur la table du greffe. Il fait sauter le cachet de cire. Un ensemble d'objets émouvants apparaissent.

— Les vautours ! murmure entre ses dents Belbœuf qui sent monter ses larmes. Ils lui ont tout pris, jusqu'à son âme !

— Sois tranquille, souffle La Bourdonnaye les mâchoires serrées, ils paieront pour cette ignominie jusqu'à leur dernière goutte de sang.

— Procédez maintenant à l'inventaire, ordonne Herman. L'accusée est priée de justifier par ses réponses de l'existence de chaque objet énoncé par le greffier.

Fabricius commence une pénible énumération :

— Un paquet de cheveux de diverses couleurs.

Il lève les yeux vers la Reine dans l'attente d'une réponse. Elle se lève bouleversée.

— Ils viennent, dit-elle d'une voix éteinte, de mes enfants morts et vivants, et de mon époux.

On entend des "oh !" de commisération dans les tribunes.

— Seigneur, murmure La Bourdonnaye, quelle barbarie !

— ... Un autre paquet de cheveux.

— Ils viennent des mêmes individus.

— ... Un papier sur lequel sont des chiffres.

— C'est une table pour apprendre à compter à mon fils.

— ... Des papiers de peu d'importance, tels que mémoires de blanchisseuses, passons... Voici un petit portefeuille en parchemin et en papier, sur lequel je lis les noms de diverses personnes : Qui est la femme Salentin ?

— C'est celle qui était depuis longtemps chargée de toutes mes affaires.

— Qui est la demoiselle Vion ?

— C'était celle qui était chargée du soin des hardes de mes enfants.

— Et la dame Chaumette ?

— C'est celle qui a succédé à la demoiselle Vion.

— Quel est le nom de la femme qui prenait soin de vos dentelles ?

Chauveau-Lagarde bondit.

— La défense ne saisit pas quel est l'intérêt du tribunal a être informé sur la dentellière de l'accusée. Qu'en retirera-t-il quand il en sera instruit ?

La Reine répond :

— Je ne sais pas son nom, c'étaient les femmes Salentin et Chaumette qui l'employaient.

— Quel est le Bernier dont le nom se trouve écrit ici ?

— C'est le médecin qui avait soin de mes enfants.

L'accusateur public se lève mu par un ressort.

— Je requiers qu'il soit à l'instant délivré des mandats d'amener contre les femmes Salentin, Vion et Chaumette, et qu'à l'égard du médecin Bernier, il soit simplement assigné.

— Le tribunal fait droit sur le réquisitoire, lance Herman. Greffier, poursuivez l'analyse de l'inventaire des effets de l'accusée.

— Un petit portefeuille, garni de ciseaux, aiguilles, soie et fil, un petit miroir, une bague en or où sont des cheveux, un papier sur lequel sont deux cœurs en or avec des lettres initiales… Un autre papier sur lequel est écrit : "Prière au sacré-cœur de Jésus, prière à l'Immaculée Conception", un portrait de femme…

— De qui est ce portrait ? demande Herman.

— De Mme de Lamballe.

Un grand silence fait suite à cette réponse, comme si la salle avait honte de ce qu'elle a subi.

— … Deux autres portraits de femme…

— Et qui sont ?

— Ce sont deux dames avec qui j'ai été élevée à Vienne.

— Quels sont leurs noms ?

— Les dames de Mecklembourg et de Hesse.

— … Un rouleau de vingt-cinq louis d'or simples…

— Ce sont ceux qui m'ont été prêtés pendant que nous étions aux Feuillants.

— … Un petit morceau de toile, sur lequel se trouve un cœur enflammé traversé d'une flèche…

L'accusateur public se lève.

— J'invite le témoin Hébert – murmures réprobateurs – à examiner ce cœur, et à déclarer s'il le connaît pour être celui qu'il a déclaré avoir trouvé au Temple.

Le juge Coffinhal murmure à l'oreille d'Herman :

— Pour quelles raisons Fouquier fait-il du zèle en rappelant Hébert, ne trouve-t-il pas qu'il nous a suffisamment emm… ?

Il n'a pas le temps de répondre qu'Hébert se lève, examine la pièce et déclare :

— Ce cœur n'est pas celui que j'ai trouvé, mais il lui ressemble à peu de chose près.

Tronçon se lève.

— La défense n'a toujours pas saisi l'utilité de cet inventaire dans la recherche de la vérité, si ce n'est d'affecter cruellement l'accusée. La défense demande au tribunal en quoi le port d'un scapulaire est-il condamnable ?

Fouquier se lève pour répondre :

— Parmi les accusés qui ont été traduits devant ce tribunal, comme conspirateurs et dont la loi a fait justice en les frappant de son glaive, on a remarqué que la plupart portaient ce signe contre-révolutionnaire[1] !

— Je remercie le témoin, ajoute Herman.

— Je terminerai, insiste Hébert, en disant qu'il n'est point à ma connaissance que les femmes Salentin, Vion et Chaumette aient été employées au Temple pour le service des prisonniers.

— Si, elles l'ont été dans les premiers temps, réplique la Reine.

— J'appelle le témoin suivant.

— Qui est-ce ? demande Belbœuf à Dubois perplexe.

— J'avoue ne pas connaître ce Latour Du Pin Gouvernet, répond l'autre. En revanche, j'ai connu un Latour Du Pin qui fut ministre.

Le témoin est un petit vieillard sec portant perruque, à la peau parcheminée. Il décline son identité :

— Philippe François Gabriel Latour Du Pin Gouvernet, âgé de soixante-dix ans, ancien militaire au service de la France, lieutenant général, et actuellement prisonnier à la Tuilerie près d'Auteuil, dépose connaître l'accusée depuis qu'elle est en France.

— Que pensez-vous des faits rapportés dans l'acte d'accusation ?

— Je suis mal placé pour répondre, car je ne connais aucun des faits contenus dans cet acte.

1. De nombreuses années plus tard, la fille de Fouquier-Tinville révélera que lors du procès de Marie-Antoinette, son père portait sous sa chemise un emblème similaire.

Dubois pointe sur sa liste la réponse du vingt et unième témoin.

— Bravo ! Un de plus qui ne reconnaît pas l'accusation, c'est très encourageant !

— N'avez-vous point assisté aux fêtes du château ? demande Herman.

— Jamais, pour ainsi dire, je n'ai fréquenté la cour.

— Ne vous êtes-vous pas trouvé au repas des ci-devant gardes du corps ?

— Je ne pouvais y assister, puisqu'à cette époque, j'étais commandant en Bourgogne !

— Comment ? éructe Herman, est-ce que vous n'étiez pas alors ministre ?

— Je ne l'ai jamais été, dit l'autre en riant, et n'aurais point voulu l'être !

On note un flottement parmi les juges. Herman vérifie ses papiers avec humeur :

— Qu'est-ce que c'est que cette histoire ? demande-t-il à Coffinhal. Quel nom as-tu sur ta liste en face du vingt et unième témoin ?

— Face au chiffre vingt et un, j'ai Latour Du Pin !

— C'est bien cela, c'est à n'y rien comprendre !

Il se tourne alors vers Fouquier-Tinville, le regard interrogateur. L'autre lui fait signe de ne pas s'en inquiéter, puis se lève et appelle un témoin :

— J'appelle à la barre le citoyen Lecointre, dit l'accusateur.

— As-tu remarqué, chuchote La Bourdonnaye, qu'ils appellent toujours les mêmes pour étayer l'accusation quand ils sont dépourvus d'arguments ?

— C'est la clique du boucher, remarque Dubois.

— Reconnaissez-vous dans le témoin celui qui aurait été en 1789 ministre de la Guerre ? demande Fouquier.

— Non, je ne connais pas le témoin pour avoir été ministre…

— Alors, qui est-ce qui comparaît en ce moment devant le tribunal ? s'écrie Herman avec humeur en direction du greffier.

Fabricius se lève.

— Citoyen président, c'est une erreur ! Il y a deux Latour Du Pin, celui-là n'est pas le bon !

Rires dans les tribunes.

— La pagaille révolutionnaire ! dit Dubois. Quand je pense qu'ils veulent nous donner des leçons !

— Celui qui était ministre à cette époque, poursuit Fabricius, est prié de venir à la barre.

Un homme de grande taille portant un habit soigné et coiffé d'une perruque poudrée à deux marteaux s'incline cérémonieusement devant le tribunal, puis se tournant vers la Reine, il la gratifie d'un profond salut de cour sous les hurlements et les vociférations des tribunes. L'autre imperturbable décline son identité.

— Jean Frédéric La Tour Du Pin, âgé de soixante-six ans, militaire, ancien lieutenant général et ministre de la Guerre, prisonnier à la Tuilerie près d'Auteuil, a connu l'accusée.

— Reconnaissez-vous les griefs de l'acte d'accusation ?

— En vérité non, je ne connais aucun des faits portés dans cet acte !

— Le vingt-deuxième témoin est à nous ! dit joyeusement Belbœuf. Décidément Fouquier est cocu avec ses témoins !

— Ne parle pas si fort, lui dit La Bourdonnaye en chuchotant, on peut entendre ce que tu dis !

— Etiez-vous ministre le 1er octobre 1789 ? demande Herman.

— Oui.

— Vous avez sans doute entendu parler du repas des ci-devant gardes du corps ?

— Oui.

— N'étiez-vous pas ministre à l'époque où les troupes étrangères sont arrivées à Versailles en juin 1789 ?

— Non, j'étais alors député à l'Assemblée.

— La cour devait avoir des obligations envers vous, pour vous avoir fait ministre de la Guerre, dit Herman en ricanant.

— Je ne crois pas qu'elle m'en eût une seule !

— Avez-vous assisté au Conseil du ci-devant Roi, le 5 octobre 1789, quand Louis Capet a quitté définitivement Versailles ?

— Oui.

— D'Estaing y était-il ?

— Je ne l'ai pas vu !

— Eh bien ! s'écrie d'Estaing de sa place, j'avais donc ce jour-là une vue meilleure que vous, car je me rappelle très bien vous y avoir vu !

— Saviez-vous que le 5 octobre, la famille royale devait partir pour Rambouillet pour se rendre ensuite à Metz ?

— Je sais que ce jour-là le Conseil fut agité pour savoir si le Roi partirait ou pas.

— Savez-vous les noms de ceux qui préconisaient son départ ?

— Je ne les connais pas.

— Sur quel motif fondaient-ils ce départ ?

— Sur l'affluence qui venait de Paris et ceux qu'on attendait encore, que l'on disait en vouloir à la vie de l'accusée.

— Quel a été le résultat de la délibération ?

— Qu'on resterait.

— Où proposait-on d'aller ?

— A Rambouillet.

— Avez-vous aperçu à ce moment-là l'accusée ?

— Oui.

— A-t-elle assisté au Conseil ?

— Non, je ne l'ai pas vue au Conseil, je l'ai vue entrer dans le cabinet de Louis XVI.

— Plutôt qu'à Rambouillet, ne fut-ce pas plutôt à Metz que la cour désirait aller ?

— Non.

— N'avez-vous pas fait préparer des voitures et commander des troupes pour protéger Louis Capet ?

— Non.

— Pourtant, à Metz, des appartements étaient prêts pour recevoir Capet.

— Je n'ai aucune connaissance de ce fait.

— Est-ce par ordre d'Antoinette que vous avez envoyé votre fils à Nancy pour diriger le massacre de braves soldats ?

— Mon fils à Nancy n'a fait que respecter les décrets de l'Assemblée nationale et non de la cour. Même les Jacobins ont applaudi à son action.

Chauveau-Lagarde se lève.

— La défense constate qu'on attribue sans l'ombre d'une preuve à l'accusée des faits qui lui sont totalement étrangers. A en croire l'accusation, ce sont maintenant les décisions de l'Assemblée que l'on discute ? Faisons-nous le procès de la veuve Capet ou de la représentation nationale ? Et quel rapport y a-t-il entre les deux pour que ce problème soit évoqué ici ?

Herman ne tient aucun compte des arguments de la défense, il poursuit sa diatribe. Chauveau se rassoit déçu.

— Est-ce par les ordres d'Antoinette que vous avez laissé l'armée dans l'état où elle s'est trouvée ?

— Je n'ai rien à me reprocher à cet égard, attendu qu'à l'époque où j'ai quitté le ministère, l'armée française était dans un état respectable.

— L'accusée ne vous a-t-elle pas engagé à lui remettre l'état exact de l'armée française ?

— Oui.

— Vous a-t-elle dit quel usage elle désirait en faire ?

— Non.

— Où est votre fils ?

— Dans le Bordelais.

Herman se tourne vers la Reine.

— Ainsi vous vouliez faire passer l'état de l'armée française au Roi de Bohême et de Hongrie ?

— Comme cet état était public, répond la Reine, il n'était pas utile que je lui en fisse passer un, les papiers publics auraient pu assez l'en instruire.

— Pour quelles raisons avez-vous alors demandé cet état de nos armées ?

— Comme le bruit courait que l'Assemblée voulait qu'il y eût des changements dans l'armée, je désirais savoir l'état des régimes qui seraient supprimés.

Murmures réprobateurs.

— C'est la seule excuse qu'elle ait à nous opposer ? dit Coffinhal en ricanant.

— N'avez-vous pas abusé de l'influence que vous aviez sur votre époux pour en tirer les bons sur le trésor public ?

— Jamais.

Chauveau se lève.

— Ce sont des supputations ! La défense demande sur quels critères l'accusation se fonde, puisqu'elle est incapable de produire ces fameux bons.

Herman imperturbable poursuit :

— Où avez-vous pris l'argent avec lequel vous avez fait construire et meubler le Petit Trianon, dans lequel vous donniez des fêtes dont vous étiez toujours la déesse ?

— C'était un fonds qu'on avait destiné à cet effet.

— Il fallait que ce fonds fût conséquent, car le Petit Trianon doit avoir coûté des sommes énormes…

Condamnations dans le public.

— Il est possible que le Petit Trianon ait coûté des sommes immenses, peut-être plus que je n'aurais désiré, on avait été entraîné dans des dépenses peu à peu, du reste, je désire plus que personne que l'on soit instruit de ce qui s'est passé.

Tronçon se lève.

— J'attire respectueusement l'attention du tribunal sur une erreur communément commise qui attribue à l'accusée la construction du Petit Trianon. Chacun sait pourtant qu'il a été construit par la Pompadour et financé par Louis XV. Les sommes dépensées par l'accusée pour meubler Trianon sont sans commune mesure avec celles qu'a nécessitées la construction du bâtiment. Il fallait apporter cette précision pour éviter un regrettable amalgame.

Le juge Foucault se penche vers Herman et prononce quelques mots à son oreille. L'autre répond à voix basse :

— Entendu…

Il demande alors à l'accusée :

— N'est-ce pas au Petit Trianon que vous avez connu la femme Lamotte ?

— Je ne l'ai jamais vue.

— Qui est la femme Lamotte ? demande Belbœuf.

— Je vois, dit Dubois, que tu n'as pas suivi à l'époque l'affaire du collier de diamants… La femme Lamotte a volé le collier et s'est enfuie en Angleterre.

— N'a-t-elle pas été votre victime dans l'affaire du fameux collier ? insiste Herman.

— Elle n'a pu l'être, puisque je ne la connaissais pas !

— Vous persistez à nier que vous l'ayez connue ?

— Mon plan n'est pas la dénégation. C'est la vérité que j'ai dite, et que je persisterai à dire.

Tronçon intervient.

— J'attire l'attention sur le fait que l'accusation est dans l'erreur puisque cette affaire a été jugée et a prouvé l'innocence de l'accusée. Une règle imprescriptible en droit stipule qu'on ne peut juger deux fois la même affaire ; quand la première a émis un jugement, celui-ci demeure définitif. Je demande qu'on retire ce grief des débats.

Herman répond :

— Le jury appréciera… Il poursuit : N'était-ce pas vous qui faisiez nommer les ministres et autres postes civils et militaires ?

— Non.

— N'aviez-vous pas une liste de personnes que vous désiriez placer, avec des notes encadrées sous verre ?

— Non.

— N'avez-vous pas forcé différents ministres à accepter pour les places vacantes les personnes que vous leur désigniez ?

— Non.

— N'avez-vous pas forcé les ministres des Finances à vous délivrer des fonds, et comme certains s'y sont refusé, ne les avez-vous pas menacés de toute votre indignation ?

— Jamais.

— N'avez-vous pas sollicité Vergennes pour faire passer six millions au Roi de Bohême et de Hongrie ?

— Non.

Chauveau-Lagarde se lève.

— La forme prudente d'interrogation que choisit l'accusation prouve qu'elle n'est pas sûre de ce qu'elle accuse, et elle a raison puisque ce ne sont que des supputations !

— Bravo, Chauveau, dit Dubois de La Motte.

— Le témoin peut rejoindre sa place.

Avant de se retirer, La Tour Du Pin salue de nouveau profondément la Reine sous les hurlements des tribunes.

— J'appelle le témoin suivant.

— … Jean François Mathey, âgé de vingt-neuf ans, concierge de la tour du Temple, y demeurant, déclare connaître l'accusée.

C'est un individu grand, au visage épais et rouge, qui parle fort avec de grands gestes.

— Le vingt-quatrième témoin, précise Dubois, est un concierge de prison, un être stupide imbibé d'eau-de-vie.

— Nous vous écoutons, lui dit Herman.

L'autre tourne le dos au président pour être face aux tribunes et déclame :

— Citoyennes ! Citoyens ! Si je suis venu ici…

Le président l'interrompt aussitôt :

— Votre témoignage n'est pas une harangue, c'est aux jurés que vous vous adressez, pas au public ! Veuillez changer de ton, s'il vous plaît, et tournez-vous pour faire face au tribunal !

— Président, là je n'étais pas en mauvaise intention, il faut que vous m'excusassiez !

C'est bon ! dit Herman avec humeur. Faites votre déposition, mais auparavant approuvez-vous l'acte d'accusation ?

— Oh la la ! Si je l'approuve ! Comme je chantais avec le jeune Louis-Charles Capet...

La Reine émue tourne aussitôt son regard vers le témoin.

— ... Je chantais, dis-je, le refrain “Ah ! il t'en souviendra du retour de Varennes” – rires –, je demande fortuitement au petit, notez sans mauvaise pensée : Petit, dis-je, alors t'en souviendrais-tu par hasard du retour de Varennes ? – Ah oui ! qu'il me dit, je m'en souviens bien ! – Comment on s'y est pris pour t'emmener là-bas, mon petit ? que je lui demande subrepticement... On m'a emmené de mon lit où je dormais et on m'a habillé en fille – rires –, on m'a dit : Il faut aller à Montmédy, qu'il me répond alors...

Herman l'interrompt :

— N'avez-vous pas remarqué, pendant votre séjour au Temple, si une certaine familiarité existait entre les membres de la Commune et les détenus ?

— Oh ! que si. J'ai même entendu le citoyen Toulan causer à l'accusée à propos de l'élection à laquelle il a été battu : Madame, je ne suis pas renommé pour la raison que je suis gascon !

— Quel rapport avec l'accusation ? demande Herman.

— Ah ! ça, je ne sais pas ! dit l'autre.

— Qu'avez-vous d'autre à déclarer ? demande le président en soupirant.

— Que Lepitre et Toulan venaient souvent ensemble...

— C'est faux, s'écrie Lepitre de sa place.

— Et comment que c'est pas faux ! Et même qu'ils montaient tout de suite chez les Capet, en disant : Montons toujours, nous attendrons nos collègues là-haut !

— Et qu'est-ce que ça prouve ? lance de nouveau Lepitre.

— Un autre jour, reprend l'autre, j'ai vu Jobert offrir à la Capet des médaillons de cire à sa fille et que même qu'il y en a eu un qu'elle laissa tomber et qui cassa. Une autre fois, j'ai vu Toulan donner le chapeau de Capet à la belle-sœur Elisabeth, par contre c'est un sacré beau chapeau qu'il lui a donné.

— Qui est Jobert ? demande Belbœuf à Dubois.

— Un administrateur de la Commune, chargé de gérer la prison du Temple, un collègue peu fiable de Michonis.

Fouquier-Tinville se lève.

— Il serait judicieux que le tribunal sache ce que représentaient ces figurines de cire.

— J'observe, dit la Reine, que les médaillons dont parle le témoin étaient au nombre de trois, que celui qui tomba et fut cassé était le portrait de Voltaire...

— Tant mieux, murmure en riant La Bourdonnaye, un franc-maçon ! Le sort fait bien les choses !

— ... et les deux autres représentaient l'un Médée, l'autre des fleurs.

— N'avez-vous pas donné une boîte d'or à Toulan ? demande Herman à la Reine.

— Non. Ni à Toulan ni à d'autres !

Hébert lance de son siège :

— A propos de cette histoire de boîte en or, un officier de paix a apporté au parquet de la Commune une dénonciation dans ce sens.

— Soyez plus précis, lance Herman, et puis venez témoigner à la barre, s'il vous plaît.

— C'étaient deux commis qui travaillaient dans le service des impositions dont Toulan était le chef. Ils rapportaient que le même Toulan se vantait d'avoir reçu de l'accusée une boîte en or. Nous avons, Chaumette et moi, déposé une plainte auprès de l'administration de police, qui resta sans suite.

Chauveau-Lagarde intervient :

— Je laisse à l'appréciation du tribunal la qualité de la déposition du concierge Mathey et ses pittoresques accusations qui prêteraient plus à rire qu'autre chose, si elles n'étaient comme d'habitude truffées de calomnies à l'encontre de l'accusée et comme toujours accompagnées de griefs dénués de la moindre preuve.

— Le témoin peut regagner sa place, j'appelle le témoin suivant.

Dubois de La Motte consulte sa liste :

— C'est Garnerin le vingt-quatrième témoin ? Il était le secrétaire de la Commission des vingt-quatre. Malheureusement, il va sûrement charger la Reine.

— On parle beaucoup dans ce procès de cette Commission des vingt-quatre, demande Belbœuf, quel fut exactement son rôle ?

— D'enquêter sur les fonds de la liste civile du Roi. Ils sont allés fouiller chez son secrétaire, le dénommé Septeuil…

— Vos nom, surnom et état…

— Jean-Baptiste Olivier Garnerin, âgé de vingt-six ans, demeurant à Paris rue Pelletier, ci-devant secrétaire de la Commission des vingt-quatre, déclare connaître l'accusée.

— Nous écoutons votre déposition.

— Je fus chargé de faire le dépouillement des papiers trouvés chez Septeuil qui gérait la liste civile du tyran. J'ai découvert un bon d'environ quatre-vingt mille livres, signé Antoinette, au profit de la ci-devant Polignac…

Vociférations immédiates dans la salle :

— La garce ! A la lanterne !

— Silence ! hurle Herman, ou je fais évacuer ! Continuez.

— Une autre pièce attestait que l'accusée avait vendu ses diamants, pour faire passer des fonds aux émigrés français.

— Ouh ! ouh ! ouh !

Chauveau-Lagarde se lève.

— Avez-vous des pièces justificatives de toutes ces ventes et transactions ?

— Je les avais remises l'année dernière à Valazé, également membre de la Commission des vingt-quatre. C'était l'époque où il rédigeait l'acte d'accusation du procès de Louis XVI. Quel fut notre étonnement de constater que Valazé avait ôté de son rapport tous les bons signés Marie-Antoinette.

— Mais Valazé est actuellement en prison avec les girondins ? interroge Belbœuf.

— Ils l'ont fait sortir pour témoigner. C'est lui qui est assis au banc des témoins, avec une tête de cheval, le quatrième à partir de la gauche.

— Avez-vous des observations à faire sur la déposition du témoin ? demande Herman à la Reine.

— Je persiste à dire que je n'ai jamais signé de bons.

Chauveau revient à la charge :

— La défense demande de nouveau la présentation des pièces.

— Elles ont été transportées au Comité de sûreté générale où elles doivent être en ce moment.

Fouquier-Tinville se tourne vers Amar, le regard interrogateur, l'autre acquiesce de la tête.

— C'est exact, dit Fouquier, ces pièces sont détenues au Comité de sûreté générale.

— Peut-on les produire ? demande Chauveau.

Amar souffle quelques mots à l'oreille de Fouquier. Ce dernier se lève.

— Malheureusement, ces pièces ont disparu.

Le témoin Tisset se lève à son tour.

— J'invite le président à demander au citoyen Garnerin s'il se rappelle avoir vu des titres d'acquisition en sucre, café, blé pour un montant de deux millions et que quelques jours après ces titres avaient également disparu.

— Citoyen, dit Herman, vous venez d'entendre l'interpellation, voudriez-vous y répondre ?

— Je n'ai aucune connaissance de ce fait. Je sais seulement que des agents pratiquaient dans toute la France des accaparements immenses de denrées.

— Dans quel but ? demande Chauveau-Lagarde.

— Les denrées, une fois accaparées, étaient revendues surévaluées, et ainsi on dégoûtait le peuple de la vie chère et par là de la Révolution.

— Avez-vous connaissance des accaparements immenses de denrées de première nécessité, demande Herman, qui se faisaient par ordre de la cour, pour affamer le peuple, et le contraindre à redemander l'ancien ordre des choses, si favorable aux tyrans et à leurs infâmes agents, qui l'ont tenu sous le joug pendant quatorze cents ans ?

— Je n'ai aucune connaissance qu'il ait été fait des accaparements, répond la Reine.

— C'est bon, le témoin peut rejoindre sa place. J'appelle le témoin suivant.

— Qui est-il ? demande Belbœuf.

— C'est justement le girondin Valazé détenu ici. Pour sauver sa tête, il va sûrement charger la Reine avec son histoire de bons. Nous n'avons rien à attendre de lui.

— ... Charles-Eléonore Dufriche-Valazé, propriétaire à Alençon où il demeure ordinairement, et à Paris rue d'Orléans-Saint-Honoré, député à la Convention nationale...

— Nous vous écoutons.

— Comme membre de la Société des vingt-quatre, j'avais à dresser l'acte d'accusation de Louis Capet. J'ai découvert dans les papiers de Septeuil...

— Précisez au peuple qui vous écoute qui était Septeuil.

— C'était le secrétaire de la liste civile de Louis XVI.

Une tricoteuse au premier rang l'interpelle :

— Qui c'est'y mon gars le lys civil de Louis XVI ?

— C'est la somme d'argent allouée tous les ans au ci-devant Roi, qui était nécessaire à son train de vie aux Tuileries.

— Eh ! pardi, réplique la vieille, fallait surtout que madame Veto et le gros cochon ne manquent de rien ! Tandis que nous on crevait de faim !

— Taisez-vous, citoyenne, ou je vous expulse ! Continuez.

— J'ai découvert une quittance signée de l'accusée pour une somme de quinze ou vingt mille livres.

— Tiens ! dit Tronçon, ce n'est plus quatre-vingt mille, mais quinze à vingt mille !

— Continuez ! ordonne Herman.

— L'autre document est une lettre dans laquelle le ministre prie le Roi de vouloir bien communiquer à Marie-Antoinette le plan de campagne qu'il avait eu l'honneur de lui présenter…

— Ouh ! ouh ! ouh !

— Silence ! Pourquoi n'avez-vous point parlé de ces pièces dans votre rapport à la Convention ?

— Parce que je n'ai pas cru utile de citer une quittance d'Antoinette dans le procès de Capet.

— Savez-vous ce que ces deux pièces sont devenues ?

— Elles ont été réclamées par la Commune de Paris.

— Elles contenaient probablement des charges contre plusieurs membres de la Convention favorables à Louis Capet, précise Dubois.

— Je reconnais la patte de Jean dans cette histoire, dit La Bourdonnaye en riant. Quand il s'agit de compromettre des membres de la Convention ou de la Commune, tu peux être assuré qu'il n'est pas loin.

— Bien évidemment, conclut Belbœuf, l'étau se resserre sur certains conventionnels, dont Chabot. Tu peux être sûr qu'on ne retrouvera jamais ces bons, ils sont trop compromettants !

Chauveau-Lagarde se lève.

— En quoi la Commune de Paris est-elle mêlée à cette histoire de bons ? Et pourquoi l'accusation utilise-t-elle la même stratégie depuis le début du procès, qui consiste à charger l'accusée de toutes sortes de faits qui lui sont étrangers et lorsque nous demandons des preuves, elles sont la plupart du temps introuvables ? Je serai très favorablement surpris si l'accusation pouvait un jour produire la preuve de l'existence de ces bons, parce que la défense n'y croit pas. Citoyen Valazé, s'ils avaient réellement existé, où devraient ils être à cette heure ?

— Je crois qu'ils doivent être rétablis au Comité de sûreté générale de la Convention.

Fouquier-Tinville se tourne vers Amar qui fait un signe de dénégation de la tête.

— Ils n'y sont plus ! lance Fouquier-Tinville.

— La défense remercie l'accusateur public d'abonder dans son sens.

Herman s'adresse à la Reine :

— Qu'avez-vous à répondre à la déposition du témoin ?

— Je ne connais ni le bon ni la lettre dont il parle.

Fouquier se lève avec le masque du poisson carnivore.

— Il paraît prouvé, nonobstant les dénégations que vous faites, que par votre influence, vous faisiez faire au ci-devant Roi, votre époux, tout ce que vous désiriez !

— Nonobstant, nonobstant, dit La Bourdonnaye à voix basse, quel langage pompeux ! Ce pauvre Fouquier maltraite la langue !

— Il n'a qu'à la faire guillotiner ! répond Belbœuf en riant.

La Reine réplique à l'accusateur avec une certaine ironie :

— Il y a loin de conseiller de faire une chose à la faire exécuter.

— Voilà une réponse bien à propos, remarque La Bourdonnaye.

Fouquier libère sa vindicte contre la Reine

— Vous voyez qu'il résulte de la déclaration du témoin que les ministres connaissaient si bien l'influence que vous aviez sur Louis Capet, que l'un d'eux l'invite à vous faire part du plan de campagne qui lui avait été présenté quelques jours avant, d'où il s'ensuit que vous avez disposé de son caractère faible pour lui faire exécuter de bien mauvaises choses, car, en supposant que de vos avis il n'ait suivi que les meilleurs, vous avouerez qu'il n'était pas possible d'user du plus mauvais moyen pour conduire la France au bord de l'abîme qui a manqué de l'engloutir.

— Jamais je ne lui ai connu le caractère dont vous parlez.

— Qu'as-tu compris à ce verbiage ? demande Belbœuf.

— Peu de chose en vérité, répond La Bourdonnaye en riant, mais la Reine semble l'avoir saisi, c'est l'essentiel.

— Le témoin peut reprendre sa place, lance Herman.

Il est deux heures de l'après-midi, ce dernier donne un violent coup de maillet.

— L'audience est suspendue. Reprise des débats à quinze heures.

MARDI 15 OCTOBRE, SOIXANTE-QUINZIÈME JOUR DE DÉTENTION,
LA GRAND-CHAMBRE DU TRIBUNAL RÉVOLUTIONNAIRE,
QUINZE HEURES

11

La ronde des faux témoignages

— J'appelle le témoin suivant.

— Celui-là, il est à nous, dit Dubois, c'est un ancien du Temple qui a dû être acheté naguère par Jean.

— … Nicolas Lebœuf, âgé de cinquante-six ans, instituteur demeurant à Paris rue des Prouvaires, ci-devant officier municipal, je déclare connaître l'accusée.

— Reconnaissez-vous l'acte d'accusation ?

— Je ne connais aucun des faits relatifs à l'acte d'accusation. Si je m'étais aperçu de quelque chose, j'en aurais rendu compte.

— N'avez-vous jamais eu de conversations avec Louis Capet ?

— Non.

— N'avez-vous pas parlé politique avec vos collègues ou avec les détenus ?

— Avec mes collègues, on parlait de tout sauf de politique.

— Et avec le fils de l'accusée, Louis-Charles Capet ?

La Reine devient aussitôt attentive.

— Jamais.

— N'avez-vous pas proposé de lui donner à lire *Le Nouveau Télémaque* ?

— Non.

— N'avez-vous pas manifesté le désir d'être son instituteur ?

— Jamais.

— N'avez-vous pas témoigné votre désapprobation de voir cet enfant prisonnier ?

— L'ordure ! murmure Dubois de La Motte. Poser une telle question devant sa mère ! Ce sont des brutes sanguinaires !

— Nous n'arriverons jamais, quoi que nous fassions, ajoute Belbœuf, à leur faire payer tous leurs crimes !

— N'avez-vous pas eu des conversations particulières avec le témoin ? demande Herman à la Reine.

— Je ne lui ai jamais adressé la parole.

— Le témoin peut rejoindre sa place, j'appelle le témoin suivant.

— Voilà le fameux Jobert, dit Dubois, je crois qu'il a été acheté par Jean quand il était administrateur au Temple, en principe il est à nous.

— Augustin Germain Jobert, âgé de quarante-sept ans, officier municipal et administrateur de police, demeurant à Paris rue des Prescheurs, je déclare connaître l'accusée.

— Reconnaissez-vous les griefs de l'accusation ?

— Je ne connais aucun fait porté en l'acte d'accusation.

— Au Temple, avez-vous eu des conférences avec l'accusée ?

— Jamais.

— Ne lui avez-vous pas montré un jour quelque chose de curieux à elle et à sa fille ?

— J'ai, à la vérité, montré à la veuve Capet et à sa fille, des médaillons en cire, dits camées. C'étaient des allégories de la Révolution.

— Parmi ces médaillons, n'y avait-il pas un portrait d'homme ?

— Je ne crois pas.

— Par exemple, le portrait de Voltaire ?

— Oui, d'ailleurs j'ai chez moi quatre mille de ces ouvrages, et j'en fais commerce auprès des marchands.

— Pourquoi, parmi les figurines, se trouvait le portrait de Médée ? dit Herman en ricanant. Vouliez-vous en faire quelques allusions à l'accusée ?

Rires des juges, des jurés et des témoins.

— Non ! Le hasard seul l'a voulu.

— Observez bien l'ignominie de ces hommes, dit La Bourdonnaye à ses amis. Comparer avec cynisme une mère privée depuis un an de ses enfants à ce monstre de Médée, une femme qui a assassiné les enfants de son amant, je trouve là qu'ils ont franchi les limites de l'indécence pour plonger dans la bestialité.

— Avez-vous connaissance que de temps en temps, demande Herman au témoin, on enfermait le petit Capet, pendant que vous et d'autres administrateurs aviez des entretiens particuliers avec l'accusée ?

— Je n'ai aucune connaissance de ce fait. Il faut qu'on sache que je ne l'aurais jamais permis.

— Vous persistez donc à dire que vous n'avez point eu d'entretien particulier avec l'accusée ?

— Oui.

— Ni avec les deux derniers témoins ?

— Oui.

Herman s'adresse à la Reine :

— Soutenez-vous également que Bailly et Lafayette n'ont pas participé à votre fuite à Varennes ?

— Oui.

— Je vous ferai remarquer que sur ces faits vous vous trouvez en contradiction avec la déclaration de votre fils.

— Il est bien aisé de faire dire à un enfant de huit ans tout ce que l'on veut.

— Mais on ne s'est pas contenté d'une seule déclaration, on lui a fait répéter plusieurs fois et à diverses reprises, il a toujours dit la même chose.

— Eh bien, je nie le fait.

Chauveau-Lagarde intervient :

— Citoyen président, j'attire respectueusement l'attention du tribunal sur la fragilité des dénonciations d'un enfant de huit ans, et nous sommes inquiets que le tribunal puisse accorder un tel crédit à des fictions enfantines. En revanche, l'accusation serait bien en peine d'obtenir la confirmation de ces mensonges auprès de la sœur aînée du petit Capet, la ci-devant Madame Royale et de sa tante, la ci-devant Madame Elisabeth, qui ont vécu elles aussi la fuite à Varennes. Pour quelles raisons n'ont-elles pas été citées comme témoins ? L'accusation eût été bien embarrassée de leurs témoignages qui iraient certainement à l'encontre de ces charges mensongères. L'accusation ne craignait-elle pas aussi d'avoir la confirmation que l'accusée n'avait eu aucun contact avec Bailly et Lafayette ?

La réponse d'Herman est cinglante :

— Il n'appartient pas à la défense de choisir les témoins qui conviennent le mieux à l'accusée…

— C'est devant un exemple comme celui-là, précise Dubois qu'on réalise à quel point ce procès a été entièrement ordonné à l'avance par cette bande d'assassins !

— Depuis votre détention au Temple, ne vous êtes-vous pas fait peindre ? demande Herman.

— Oui, je l'ai été en pastel.

— Ne vous êtes-vous pas enfermée avec le peintre, afin de recevoir des nouvelles de ce qui se passait dans les Assemblées ?

— Non.

— Comment nommez-vous ce peintre ?

— C'est Coëstier, un peintre polonais, établi depuis plus de vingt ans à Paris.

— Où demeure-t-il ?

— Rue du Coq-Saint-Honoré.

— Le témoin peut regagner sa place, j'appelle le témoin suivant.

— Antoine François Moelle, âgé de trente-sept ans, ci-devant suppléant du procureur de la Commune demeurant à Paris, cloître Notre-Dame, je déclare connaître l'accusée.

— Il est à nous ? demande Belbœuf

— Il est entièrement dans les mains de Jean, répond Dubois.

— Avez-vous connaissance des faits contenus dans l'acte d'accusation ?

— Je n'ai aucune connaissance de ces actes.

— Nous vous écoutons.

— J'ai été trois fois de service au Temple, une fois auprès de Louis Capet, deux fois au service des femmes. Je n'ai rien remarqué, sinon l'attention habituelle que les femmes ont quand elles voient un inconnu pour la première fois en le fixant attentivement. Lors de ma deuxième visite au mois de mars dernier, on jouait à différents jeux et les détenues venaient quelquefois regarder jouer, mais elles ne parlaient pas. Je proteste de n'avoir jamais eu la moindre intimité avec l'accusée.

— Avez-vous quelques observations à faire sur la déposition du témoin ? demande Herman à la Reine.

— L'observation que j'ai à faire est que je n'ai jamais eu de conversation avec le déposant.

— Etant employé au Temple, j'aimerais donner quelques précisions sur l'interrogatoire du fils de Louis Capet par Hébert, David et Chaumette.

Pris de panique, Herman demande :

— Les témoignages ont été complets, quel genre de précisions désirez-vous apporter ?

— Sur la façon très particulière dont s'est déroulé cet interrogatoire.

La Reine le fixe avec attention. Toute la salle retient son souffle. Hébert se lève avec l'intention de protester avant même d'avoir entendu la suite de la déposition, quand Fouquier-Tinville vole à son secours en interrompant tout le monde de sa voix rocailleuse :

— On ne vous a pas convoqué pour exposer devant le tribunal vos sentiments et opinions, mais pour répondre par oui ou par non à la question suivante : avez-vous eu des connaissances avec l'accusée ?

— Absolument aucune !

Il accompagne sa réponse d'un geste de négation avec l'index. Herman se tourne de nouveau vers la Reine :

— Vous confirmez ?

— Je le répète, je n'ai eu aucune connivence avec le témoin, mais j'aurais voulu connaître la façon dont mon fils a été interrogé, et quelle valeur on peut attribuer aux paroles d'un enfant à qui on apprend à haïr ce qu'il est. Il eût fallu, pour connaître la vérité, qu'on laisse le témoin terminer sa déposition.

— De qui détenez-vous ce genre d'informations erronées ? lui demande Herman.

— De tous ceux qui l'ont approché.

— Donnez-nous des noms.

— Mon propos n'est pas la délation.

Par un violent coup de maillet, le président met fin à l'entretien.

— Le témoin peut regagner sa place. Appelez le témoin suivant.

Au moment où le témoin la croise, la Reine lui lance un regard plein de reconnaissance. Antoine François Moelle se souviendra de son sourire d'adieu toute sa vie.

Une femme d'une cinquantaine d'années, cheveux gris et yeux bleus, s'approche de la barre.

— Qui est-ce ? demande Belbœuf.

— Une brave femme, précise Dubois, qui s'occupait du linge de la Reine aux Tuileries.

— Mon nom est Renée Sevin, femme Chaumette, demeurant à Paris rue des Provaires.

— Depuis combien de temps connaissez-vous l'accusée ?

— Depuis six ans, comme sous-femme de chambre.

— Reconnaissez-vous les faits contenus dans l'accusation ?

— Je n'en connais strictement aucun.

— Qu'avez-vous alors à révéler au tribunal ?

— Rien si ce n'est que le 10 août, j'ai vu le Roi faire la revue des gardes suisses, c'est tout ce que je sais.

— Etiez-vous au château lors du départ pour Varennes ?

— Oui, mais je n'ai rien su.

— Dans quelle partie du château couchiez-vous ?

— A l'extrémité du pavillon de Flore[1].

— Avez-vous entendu le tocsin battre la générale dans la nuit du 9 au 10 août ?

— Non, je couchais sous les toits.

— Comment ! Vous couchiez sous les toits et vous n'avez point entendu le tocsin ?

— Non, j'étais malade dans la nuit, je n'ai rien entendu.

— Et par quel hasard vous êtes-vous trouvée présente à la revue royale ?

— J'étais sur pied depuis six heures du matin.

— Comment ! Vous étiez malade et vous vous leviez à six heures du matin ?

— Il fallait bien que je prenne mon service, et puis j'ai entendu du bruit et je suis allée voir ce qui se passait dans la cour.

— Au moment de la revue, avez-vous entendu crier “Vive le Roi, vive la Reine !” ?

— Jamais “Vive la Reine !”, j'ai entendu crier “Vive le Roi !” d'un côté et de l'autre “Vive la Nation !”.

— Cette ordure d'Herman, chuchote La Bourdonnaye, veut absolument que les gardes suisses aient crié “Vive la Reine !”. Tiens, regarde donc le greffier Fabricius, il ne recopie qu'une phrase de temps en temps.

— Toutes les déclarations de la défense de la Reine sont tronquées ! Il ne note jamais un argument qui lui est favorable, n'oublie pas qu'il pense écrire pour la postérité !

Herman demande au témoin :

— Aviez-vous vu la veille les rassemblements extraordinaires des gardes suisses et des scélérats qui en avaient pris l'habit ?

1. Voir le plan des Tuileries, p. 700.

— Non, je ne suis pas descendue ce jour-là dans la cour.

Herman s'énerve :

— Et pour prendre vos repas, il fallait bien que vous descendiez ?

— Je ne sortais pas, un domestique m'apportait à manger.

— Mais au moins ce domestique a dû vous faire part de ce qui se passait ?

— Je ne tenais jamais de conversation avec lui !

— Voilà le vrai peuple de Paris, dit La Bourdonnaye. En choisissant ce témoin, le boucher s'est piégé lui-même, il pensait qu'une servante chargerait obligatoirement la Reine, c'est le contraire qui s'est passé. Cela nous révèle les rapports humains que la Reine entretenait avec ceux qui la servaient.

Fouquier-Tinville se lève, masqué en poisson carnivore.

— Il paraît que vous avez passé votre vie à la cour, et que vous y avez appris l'art de dissimuler.

— Je n'ai pas passé ma vie à la cour, j'ai dit que je travaillais aux Tuileries depuis six ans.

Herman insiste :

— Comment nommez-vous la femme qui avait soin des dentelles de l'accusée ?

— Je ne la connais pas, j'ai seulement entendu parler d'une dame Couet qui raccommodait la dentelle et faisait aussi la toilette des enfants.

Fouquier-Tinville se lève.

— Quelle est la demeure de la femme Couet ?

— 38, rue des Cannettes.

— Je requiers qu'il soit à l'instant décerné un mandat d'amener contre la femme Couet !

— Le tribunal ordonne que la requête de l'accusateur public soit exécutée, lance Herman.

— Une nouvelle proie pour le boucher ! murmure La Bourdonnaye.

— Le témoin peut retourner à sa place, j'appelle le témoin suivant.

— Est-il à nous ?

— Non, mais je me demande ce qu'il pourrait bien dire… Encore un témoin galeux de Fouquier.

— Je m'appelle Jean-Baptiste Vincent, âgé de trente-cinq ans, entrepreneur maçon, demeurant à Paris rue des Tournelles, numéro 65, je déclare connaître l'accusée en tant que membre du Conseil général de la Commune.

— Reconnaissez-vous les accusations contre l'accusée ?

— Je regrette de ne pas les avoir connues, j'aurais tellement aimé les dénoncer à la barre.

Tronçon se lève.

— La défense est choquée d'entendre des paroles aussi partisanes, qui ne respectent plus la sérénité et l'objectivité de ce tribunal. Je demande un rappel à l'ordre du témoin.

— Bien que nous souscrivions aux élans patriotiques du témoin, dit Herman, le tribunal le presse d'éviter toute considération personnelle et de s'en tenir exclusivement aux faits… Le témoin a-t-il eu des conférences avec l'accusée ?

— Jamais.

— Avez-vous d'autres témoignages à apporter ?

— Non.

— C'est bon ! Le témoin peut rejoindre sa place, faites entrer le témoin suivant.

— Nicolas Marie Jean Beugnot, âgé de trente-neuf ans, architecte et membre de la Commune, demeurant à Paris rue Mouffetard, 412, je déclare connaître l'accusée. J'étais affecté à la surveillance des prisonniers du Temple…

— Et celui-là, demande Belbœuf, il est à nous ou pas ?

— Je ne crois pas qu'il nous nuise, répond Dubois.

— Reconnaissez-vous l'acte d'accusation ?

— Je ne connais pas les faits cités.

— Avez-vous eu des conférences avec l'accusée ?

— Je ne me suis jamais oublié au point d'avoir des conférences avec les détenus, encore moins avec l'accusée.

— N'avez-vous pas fait enfermer dans une tourelle le petit Capet et sa sœur, pendant que vous et quelques-uns de vos collègues teniez une conversation avec l'accusée ?

— Non.

Tronçon se lève.

— La question a déjà été posée à l'accusée qui a donné une réponse négative à ce sujet.

Il se rassoit.

— Je réitère que je ne l'aurais jamais permis, lance la Reine.

— Au Temple, n'avez-vous pas procuré à l'accusée des colporteurs afin de l'informer des dernières nouvelles ?

— Non !

— Avez-vous entendu dire que l'accusée avait gratifié Toulan d'une boîte en or ?

— Non.

— Avez-vous quelque chose à ajouter ? demande Herman à la Reine.

— Je n'ai jamais eu d'entretiens avec le déposant.

— Je vous remercie, vous pouvez rejoindre votre place, j'appelle le témoin suivant.

— C'est le fameux Dangé, dit Dubois.

— Va-t-il charger la Reine ? demande Belbœuf.

— J'en ai bien peur, il est très suspect aux yeux du boucher, il risque de faire de la surenchère.

— … François Dangé, marchand épicier, âgé de quarante-six ans, demeurant à Paris rue de la Roquette, administrateur de police.

— Vous avez été un grand nombre de fois au service du Temple, vous avez dû avoir quelques conférences avec l'accusée.

— Certainement pas, je n'ai jamais eu d'entretiens particuliers avec les détenus.

— N'avez-vous jamais tenu le jeune Capet sur vos genoux ?

— Non !

— Ne lui avez-vous pas dit : "Je voudrais vous voir à la place de votre père ?"

— Non.

— Depuis que l'accusée est détenue à la Conciergerie, n'avez-vous pas procuré à plusieurs de vos amis l'entrée de sa prison ?

— Non.

— Quelle est votre opinion sur l'accusée ?

Chauveau-Lagarde se lève.

— La défense s'interroge sur le sens et la portée de cette question. En quoi un témoin peut-il donner un jugement de valeur sur la personne de l'accusée ? Le tribunal juge sur des faits et non sur des opinions.

— Le tribunal est souverain dans la conduite des débats…

Herman se tourne vers le témoin :

— Répondez à la question.

Après quelques instants d'hésitation, il répond :

— Si elle est coupable, elle doit être jugée !

— La croyez-vous patriote ?

— Non !

— Croyez-vous qu'elle veuille la République ?

— Non.

Chauveau-Lagarde et Tronçon-Ducoudray se lèvent ensemble, c'est Tronçon qui s'exprime :

— Nous élevons une protestation solennelle auprès du tribunal sur le côté tendancieux des débats. On est en train d'influencer le jury non sur des faits, mais sur des impressions et des avis partisans émis par des témoins qui se retrouvent juge et partie.

— Nous conseillons vivement à la défense de s'aligner sur la ligne patriotique du tribunal, tranche Herman menaçant.

— Notre défense ne peut être que patriotique, lance Chauveau-Lagarde sans se démonter, puisqu'elle est juste et indépendante. Nous devons respectueusement faire remarquer au tribunal que certains témoignages tendancieux trouvent une oreille attentive auprès des officiers. L'honneur du tribunal étant notre premier souci, pour le préserver, nous plaiderons la présomption d'innocence, puisque aucun des témoins cités n'a pu apporter la preuve, par la matérialité des faits, de la culpabilité de l'accusée et…

Herman l'interrompt par un violent coup de maillet.

— Le témoin peut regagner sa place. La séance est suspendue. Reprise des débats à dix-sept heures.

Il est seize heures trente, la Reine est pratiquement à jeun.

Mardi 15 octobre, soixante-quinzième jour de détention,
la cuisine de Rosalie Lamorlière, seize heures trente

12

Le bon bouillon de Rosalie

Amédée, comme à l'accoutumée, cuve son eau-de-vie dans l'avant-greffe lorsque la porte s'ouvre brutalement devant l'huissier Simonet :

— Où le concierge se trouve-t-il ?

Bault arrive derrière lui au même moment.

— Je suis là, quel est ton problème ?

— Les débats ont pris plus de temps que prévu, ils ne reprendront qu'à cinq heures, nous n'avons droit qu'à trois quarts d'heures de suspension !

— Mais j'attends de Bûne pour raccompagner la veuve Capet.

— Elle ne descendra pas, ils la maintiennent sur place.

— Elle reste dans la salle des audiences ?

— Non, ils l'ont installée dans le bureau du juge Trinchard.

— Elle n'a rien pris depuis ce matin, s'inquiète Bault, et je crois même qu'elle est montée à jeun. Avez-vous prévu de faire descendre une collation de la buvette ?

— Non, j'ai demandé à Morisan de lui apporter une soupe, il m'a répondu qu'il n'avait aucun ordre dans ce sens.

— Remonte, dit Bault, je m'en occupe.

Quand le concierge se précipite aux cuisines, Rosalie est tout à ses fourneaux.

— Rosalie, la séance est suspendue pour trois quarts d'heure, l'accusée ne descend pas, montez vite, on demande un bouillon.

— Je m'en doutais. J'en ai un en réserve. Où est-elle ?

— Dans le bureau du juge Trinchard.

Rosalie remplit une bonne soupière qu'elle entoure d'un épais linge blanc pour préserver la chaleur, enveloppe une cuillère dans une serviette qu'elle dispose dans un petit sac en linon bien propre et se dirige vers le préau des hommes. La pluie a redoublé de force et le vent balaye la galerie déserte. Elle accélère le pas pour éviter à son bouillon de refroidir, emprunte l'escalier de la tour Bonbec pour parvenir au premier étage. Elle traverse avec précaution la galerie des Peintres encombrée du public de la salle d'audience. Le bureau du juge Trinchard est le plus proche de cette dernière.

Parvenue devant sa porte, elle s'apprête à entrer quand un homme petit et camard accompagné d'une jeune femme outrageusement fardée et vêtue l'arrête.

— Où vas-tu, citoyenne ?

— Je vais livrer un bouillon à la veuve Capet.

— Je suis le citoyen Labuzière, je suis administrateur de police. Donne-moi ton bouillon ! Cette jeune femme a grande envie de voir la veuve Capet, c'est une charmante occasion pour elle !

Il tente de le lui arracher violemment des mains ; mais Rosalie résiste, la moitié de la soupe est renversée.

— Je t'en supplie, citoyen, laisse-moi lui apporter moi-même !

— Veux-tu lâcher cette soupière à la fin !

— Si ce sont des mains inconnues qui lui apportent, elle ne boira pas, elle est à jeun depuis ce matin, je t'en supplie, citoyen commissaire, laisse-moi passer.

— Veux-tu lâcher cette soupière ou je te fais arrêter !

Rosalie, en larmes, abandonne ce bouillon qu'elle avait préparé avec tant de soin[1]. La jeune femme s'en empare et se dirige en ondulant vers le bureau du juge

1. Nul ne sait si la Reine l'a bu.

Trinchard où la Reine attend. Le lieutenant de Bûne croise alors Rosalie bouleversée qui court dans la galerie des Peintres.

— Que se passe-t-il, Rosalie ?

— Rien… Rien…

Elle disparaît en pleurs dans l'escalier de la tour Bonbec.

MARDI 15 OCTOBRE, SOIXANTE-QUINZIÈME JOUR DE DÉTENTION,
LA GRAND-CHAMBRE DU TRIBUNAL RÉVOLUTIONNAIRE,
CINQ HEURES DE L'APRÈS-MIDI

13

L'Assemblée constituante confirme l'inviolabilité de la Reine

— J'appelle le témoin suivant.

— C'est notre bon ami Michonis, dit Dubois. Il est dans une situation bien délicate.

— ... Jean-Baptiste Michonis, âgé de soixante-trois ans, limonadier, membre de la Commune du 10 août et administrateur de police, demeurant à Paris rue de la Grande-Friperie. Je connais l'accusée pour l'avoir transférée, le 2 août dernier, du Temple à la Conciergerie.

— N'avez-vous pas procuré à quelqu'un l'entrée de la chambre de l'accusée ?

— Pardonnez-moi, je l'ai procurée à plusieurs de mes amis, maître de pension, peintre ou administrateur des domaines...

— Vous l'avez sans doute procurée à d'autres personnes ? demande insidieusement Herman.

— Voici les faits, car je dois et veux dire ici toute la vérité. Le jour de la Saint-Pierre, j'étais invité chez Fontaine, en compagnie de trois ou quatre députés de la Convention. Je rencontrai une certaine Sophie Dutilleul. Celle-ci nous invita tous chez elle à faire la Madeleine à Vaugirard. – Le citoyen Michonis ne sera pas de trop, dit-elle. Je lui demandai comment elle me connaissait... – Je vous ai aperçu à la mairie, dit-elle. Je me rendis à Vaugirard, où je trouvai une nombreuse compagnie. Après le repas, la conversation tombe sur la Conciergerie. – On dit que la veuve Capet est bien changée, dit quelqu'un, que ses cheveux sont tout blancs. – Ses cheveux commencent à grisonner, dis-je, mais elle se porte bien…

— Pauvre Michonis, dit Dubois, toute sa déposition est un tissu de mensonges. C'est le concierge Bault, lorsqu'il était à la Force, qui a présenté son bon ami Michonis à la maîtresse de Rougeville, Sophie Dutilleul, et c'est chez elle à Vaugirard qu'a eu lieu la fameuse entrevue qui les a tous réunis, où il y avait même les Richard ! C'est ce jour-là qu'ils ont décidé tous ensemble de faire évader la Reine avec deux œillets.

— Comment le sais-tu ?

— Rougeville m'a tout raconté.

— Comment avez-vous été amené à introduire le ci-devant chevalier de Saint-Louis ? demande Herman.

— Un citoyen qui se trouvait là manifesta le désir de la voir, je lui promis de le contenter dès le lendemain. C'est alors que Marie Richard me dit : – Connaissez-vous la personne que vous avez amenée hier ? – Non dis-je, je l'ai connue chez des amis. – Eh bien, me dit-elle, on dit que c'est un chevalier de Saint-Louis. Et elle me remit en même temps un petit morceau de papier piqueté avec la pointe d'une épingle. – Alors, répondis-je, je vous jure que jamais je n'y mènerai personne !

— Comment avez-vous pu, vous administrateur de police, introduire un inconnu auprès de l'accusée !

— Ce n'est pas lui qui m'a demandé à voir la veuve Capet, c'est moi qui le lui ai offert.

— Combien de fois avez-vous dîné avec lui ?

— Deux fois.

— Quel est le nom de ce particulier ?

— Je l'ignore.

— Combien vous a-t-il promis ou donné pour avoir la satisfaction de voir Antoinette ?

— Je n'ai jamais reçu aucune rétribution.

— Ce que nous venons d'entendre, remarque Dubois, nous révèle le secret de l'Œillet : ils veulent donner à cette affaire un aspect crapuleux pour masquer l'aspect politique. Ils veulent faire passer Michonis pour un prévaricateur plutôt qu'un conspirateur.

— Pourquoi ? s'étonne Belbœuf.

— Parce qu'un administrateur de police comme Michonis, un révolutionnaire du 10 août, ne peut pas être vendu au baron de Batz, les sans-culottes ne le permettraient pas.

— Ne l'avez-vous point revu depuis ? demande Herman.

— Je ne l'ai vu qu'une seule fois !

— Pourquoi ne l'avez-vous point fait arrêter ?

— J'avoue que c'est une double faute que j'ai faite à cet égard.

— Citoyen président, dit le juré Antonelle, la femme Dutilleul vient d'être arrêtée comme suspecte et contre-révolutionnaire.

— Le témoin peut regagner sa place, j'appelle le témoin suivant.

C'est un homme grand et mince, au visage osseux et aux cheveux blancs.

— Pierre Edouard Bernier, médecin des enfants de Louis Capet, âgé de soixante-quatre ans, demeurant à Paris rue Sainte-Avoye.

La Reine le gratifie d'un gentil sourire.

— Depuis combien de temps connaissez-vous l'accusée ?

— Je suis depuis quinze ans le médecin des enfants de l'accusée.

— En 1789, avez-vous su quelle était la cause du rassemblement des troupes tant à Versailles qu'à Paris ?

— Non. Je ne m'intéresse pas à la politique.

— Comment ! Ils étaient là pour massacrer le peuple et vous vous en désintéressiez ?

Tronçon se lève.

— La défense désirerait savoir ce qu'un médecin connaît de l'art militaire et quel est le but de la question posée au témoin.

— Les avocats de l'accusée ne sont pas désignés pour assurer la défense des témoins, lance Herman.

— J'attire respectueusement l'attention du tribunal sur le fait que ma démarche n'est pas de défendre le témoin, mais de prévenir l'intention de l'accusation de charger systématiquement le citoyen Bernier parce qu'il a été le médecin des enfants de l'accusée.

Hébert demande la parole.

— Je crains le pire, dit Coffinhal à voix basse à Herman.

— Je désire éclairer le tribunal sur le témoin. Dans les premiers jours de la détention de la famille Capet, il venait fréquemment au Temple, à tel point que ses fréquentes visites l'avaient rendu suspect, surtout quand on s'aperçut qu'il approchait les enfants de l'accusée avec toutes les bassesses de l'Ancien Régime.

— Mais il ne faut pas voir de bassesses là où il n'y a que bienséance, répond le praticien.

— Si le médecin venait souvent au Temple, ajoute la Reine, c'est parce que le régime de notre détention avait perturbé la santé de mes enfants.

— Le témoin peut regagner sa place, j'appelle le témoin suivant.

— Claude Denis Tavernier, âgé de soixante ans, sous-lieutenant à la suite de l'état-major, demeurant à Paris rue des Marmousets, déclare avoir connu l'accusée.

— Nous vous écoutons,

— Etant de garde dans la nuit du 20 au 21 juin 1791, vers deux heures du matin, j'ai vu la voiture de Lafayette qui passait sur le pont dit Royal, ensuite j'ai vu ce dernier changer de couleur lorsqu'on apprit que la famille Capet avait été arrêtée à Varennes.

Tronçon se lève.

— La défense aimerait savoir si nous faisons le procès de Lafayette ou de l'accusée !

— Les deux causes sont intimement mêlées, ajoute le témoin.

— Ah oui ? Le témoin détient-il des preuves de cette collusion afin de les présenter au tribunal ?

— Non mais c'est de notoriété publique !

— C'est étrange de constater à quel point tous les témoignages qui sont exposés ici et qui prêtent tous à confusion sont toujours de notoriété publique ! Et la sainte vérité, pourquoi ne le serait-elle pas aussi dans cette enceinte, de notoriété publique ?

— Je rappelle à la défense, lance Fouquier-Tinville, qu'elle se doit de respecter les témoins que s'est donnés le tribunal du peuple.

C'est Chauveau-Lagarde qui réplique :

— Rien n'est plus cher à la défense que l'honneur et l'intégrité républicaine de ce tribunal, et l'accusateur devrait être rasséréné quand il constate qu'elle défend ces deux principes intangibles sans lesquels la justice qui se rendrait dans cette enceinte serait désignée à la vindicte du peuple !

— Bravo, Chauveau ! murmure La Bourdonnaye.

Herman donne un coup de maillet.

— Le témoin peut reprendre sa place, j'appelle le témoin suivant.

— Didier Jourdeuil, adjoint au ministre de la Guerre, âgé de trente-trois ans, demeurant rue de la Harpe, je déclare connaître l'accusée.

— Nous vous écoutons.

— Au mois de septembre 1792, j'ai trouvé une liasse de papiers chez d'Affry, contenant une lettre d'Antoinette demandant : "Peut-on compter sur vos Suisses, feront-ils bonne contenance lorsqu'il en sera temps ?"

— Je n'ai jamais écrit à d'Affry, affirme la Reine.

— Qui est d'Affry ? demande Belbœuf tout bas.

— C'était le chef des gardes suisses, lui répond Dubois, il n'a pas eu une conduite très claire !

Fouquier Tinville se lève.

— L'année dernière, je fus chargé de l'instruction du procès de d'Affry. Je me rappelle très bien avoir vu cette lettre dont parle le témoin.

Chauveau-Lagarde se lève à son tour.

— Mais qu'attend donc l'accusation pour la produire ?

— Hélas, elle a disparu, les girondins ont fait enlever tous les papiers.

Murmures réprobateurs.

— Encore ? s'exclame Chauveau. Décidément, depuis le début de ce procès, l'accusation a les plus grandes difficultés à produire la moindre preuve qui rendrait ses griefs crédibles.

— Le témoin a-t-il d'autres précisions à apporter au tribunal ?

— Non.

— Témoin suivant !

— Jean Maurice François Lebrasse, âgé de trente et un ans, lieutenant de gendarmerie près des tribunaux, demeurant à Paris rue Saint-Jacques, je connais l'accusée depuis quatre ans.

— C'est lui qui a accompagné Louis XVI à l'échafaud, précise Dubois de La Motte, c'est un fanatique ! Il ne perd rien pour attendre lui aussi, il est couché sur notre liste.

— Avez-vous eu connaissance des faits contenus dans l'acte d'accusation ?

— Non, en revanche, j'étais de service à la Conciergerie, quand un gendarme m'a fait part dans la nuit de la scène de l'œillet, je me suis empressé de demander une prompte instruction de cette affaire.

— Avez-vous d'autres révélations à faire au tribunal ?

— Non.

— Merci. J'appelle le témoin suivant.

— Jean Boze, âgé de quarante-huit ans, peintre demeurant au Louvre, déclare connaître l'accusée.

— Reconnaissez-vous le bien-fondé de l'accusation ?

— Hélas, je ne peux répondre à cette question, tous les faits cités me sont inconnus.

— Vous avez été le peintre du tyran ?

— C'est exact, pendant huit ans, mais je ne lui ai jamais parlé ; en revanche, j'avais un projet de réconciliation entre le peuple et le ci-devant Roi par l'intermédiaire de Thierry, son valet de chambre. Mais le temps m'a fait défaut pour concrétiser mon projet.

— Qu'avez-vous à ajouter ?

— Rien.

— Témoin suivant !

— Pierre Fontaine, âgé de quarante-huit ans, marchand de bois, rue de l'Oseille-aux-Marais…

— Reconnaissez-vous les faits contenus dans l'accusation ?

— Je ne connais aucun des faits portés dans cet acte, ne connaissant l'accusée que de réputation et n'ayant jamais eu aucun rapport avec la ci-devant cour.

— Depuis combien de temps connaissez-vous Michonis ?

— Depuis quatorze ans.

— Combien de fois a-t-il dîné chez vous ?

— Trois fois.

— Comment nommez-vous le particulier qui a dîné chez vous avec Michonis ?

— On l'appelait de Rougy[1].

— Ce n'est pas son nom.

— Je ne connais que celui-là, mais les manières et le ton de cet individu ne me revenaient pas.

— Comment avez-vous connu cette personne ?

— Il avait été amené par Sophie Dutilleul.

1. C'était le chevalier Alexandre de Rougeville.

— Comment l'avez-vous connue ?

— Je l'ai rencontrée un soir avec une autre femme sur le boulevard ; nous tînmes conversation et allâmes prendre une tasse de café. Depuis elle est venue chez moi plusieurs fois !

— Ne vous fit-elle pas quelque confidence ?

— Jamais !

— Savez-vous ce que peut être devenu ce Rougy ?

— Non.

— Le témoin peut rejoindre sa place, j'appelle le dernier témoin.

Dubois consulte sa liste.

— C'est Coindre, un employé au bureau de la Guerre. C'est la clique du boucher, nous n'avons rien à attendre de lui. Il y a quelques années, il avait manigancé contre la Reine devant l'Assemblée constituante en demandant qu'on lève son inviolabilité...

— ... Michel Coindre, je suis attaché au ministère de la Guerre...

L'homme est trapu, les cheveux crépus, le visage large, taillé à coups de serpe, les mains comme des battoirs.

— Reconnaissez-vous les délits de l'acte d'accusation ?

— Dans leur totalité ! Mais je suis étonné que l'on passe sous silence l'article qui relate la fabrication des faux assignats de Passy.

Tronçon se lève.

— Serait-ce vous qui avez instruit cette affaire ?

— Non.

— D'où puisez-vous vos sources ?

— Je l'ai appris comme tout le monde.

— Et qu'avez-vous appris comme tout le monde ?

— Qu'un certain Polverel...

Fouquier-Tinville l'interrompt :

— Le témoin dit la vérité, j'ai connu Polverel, il était accusateur public du 1er arrondissement de Paris, je connais bien cette affaire de fausse monnaie...

— L'accusateur public doit laisser témoigner le citoyen Coindre, lance Herman, vous pourrez faire vos remarques lorsque sa déposition sera terminée. Continuez.

— ... L'accusateur public Polverel, dis-je, était chargé d'instruire cette affaire de faux assignats. Il avait découvert que la Reine était à l'origine du projet.

Tronçon bondit.

— Détenez-vous l'acte d'accusation de l'accusateur Polverel ?

— Non, mais il se rendit à la barre de l'Assemblée constituante, pour rendre compte de l'état de la procédure et annonça qu'il lui était impossible d'aller plus loin, à moins que l'Assemblée décrétât que seul le Roi était inviolable !

— Sa démarche était anticonstitutionnelle ! lance Chauveau-Lagarde. Au stade de votre enquête, aviez-vous trouvé des faits patents qui mettaient l'accusée en cause ?

— Non, mais si j'avais eu la liberté de le faire, je suis sûr que je les aurais trouvés.

— Donc vous témoignez exclusivement sur une présomption de culpabilité ?

— Elle était évidente !

— Mais reconnaissez au moins que vos charges ne sont que des suppositions ?

— Peut-être !

— Vous le reconnaissez ?

— Oui !

— Alors je considère que non seulement votre témoignage n'a aucune valeur puisqu'il s'agit d'un procès d'intention, mais qu'en plus vous trahissez la confiance du tribunal qui vous écoute.

— Comment ? Mais je ne trahis personne !

— La défense est priée de ménager ses propos ! se récrie Herman.

— J'attire respectueusement l'attention des jurés, lance Tronçon, d'un manquement grave au respect des lois. Ce témoignage ignore la présomption d'innocence, cette sacro-sainte loi qui guide vos consciences et que le témoin ignore pour la manipuler devant vous pour en faire une présomption de culpabilité. Le témoin vous entraîne dans le mensonge. Je demande qu'on annule le témoignage infamant du citoyen Coindre.

— Elles existent ces preuves ! s'écrie l'autre.

— Vous pouvez les produire ?

— Non, mais j'affirme qu'elles existent, Polverel me l'a juré.

— Ce que vous dites est une contre-vérité, et la meilleure preuve est que toutes ces accusations fantaisistes présentées par votre complice ont été rejetées par l'Assemblée constituante. Elle a refusé d'entrer dans votre manège infernal parce que votre histoire d'assignats non seulement est fausse, mais si l'Assemblée l'avait prise en compte, elle privait la ci-devant Reine de son inviolabilité. Elle savait aussi qu'elle prenait alors une mesure anticonstitutionnelle ! Si le sieur Polverel avait apporté la preuve d'un crime aussi grave qu'est la fabrication de fausse monnaie, bien qu'elle soit inviolable, l'Assemblée aurait sur-le-champ appliqué à la Reine la sanction prévue par la Constitution qui est l'abdication immédiate.

— Qu'avez-vous à répondre aux accusations du témoin ? demande Herman à la Reine.

— Je ne connais vraiment pas les faits dont parle le témoin.

— Lors de votre mariage avec Louis Capet, n'avez-vous pas conçu le projet de réunir la Lorraine à l'Autriche ?

— Ce n'était pas mon premier souci, je n'avais que quatorze ans !

Chauveau-Lagarde se lève.

— J'attire respectueusement l'attention des jurés sur la dérive de l'accusation. Non seulement depuis le début des débats on charge l'accusée de griefs totalement dépourvus de preuves matérielles, mais on lui fait maintenant un procès d'intention ridicule en l'accusant de vouloir réunir la Lorraine à l'Autriche.

— Vous en portez pourtant le nom, insiste Herman.

— Parce qu'il faut porter le nom de son pays.

Chauveau-Lagarde se lève de nouveau.

— Je rappelle au tribunal que le père de l'accusée était duc de Lorraine et qu'elle avait déjà du sang français avant son mariage avec le Dauphin qui était en fait son lointain cousin.

— Pourquoi, vous qui aviez promis d'élever vos enfants dans les principes de la Révolution, demande Herman, vous traitiez votre fils avec des égards qui donnaient à penser qu'il serait un jour le successeur de son père ?

— Il était trop jeune pour lui parler de cela : je le faisais mettre au bout de la table, et lui donnais moi-même ce dont il avait besoin.

Herman se lève, le maillet levé, il s'adresse à l'accusée :

— Ne vous reste-t-il plus rien à ajouter pour votre défense ?

La Reine se lève.

— Hier je ne connaissais pas les témoins, j'ignorais ce qu'ils allaient déposer. Eh bien, personne n'a articulé contre moi un fait positif. Je finis en observant que je n'étais que la femme de Louis XVI et qu'il fallait bien que je me conformasse à ses volontés.

Herman s'entretient à mi-voix avec ses assesseurs, notamment avec Coffinhal et Foucault. On voit leurs plumes noires s'incliner sur celles du président pour parlementer. Ils hochent la tête en signe d'acquiescement. Le président tourne alors vers les jurés un regard interrogateur, pour leur demander s'ils ont quelque chose à ajouter. Tous font des signes de dénégation de la tête. Il frappe le socle de son maillet et annonce de sa voix nasillarde :

— La séance est suspendue durant quelques instants !

Il est vingt-deux heures.

Mardi 15 octobre, soixante-quinzième jour de détention,
chez Michel Perrin, six heures du soir

14

Trahi par l'Auvergne

Catherine Fournier, accompagnée d'Elisabeth Lemille, est encore en proie à une grande colère. Elle entre précipitamment chez Perrin, hors d'elle. Perrin fait une partie de cartes avec Arbeltrier et Niquille dans la salle à manger.

— Qu'est-ce que vous fichez, au lieu de sauver la Reine ? leur lance-t-elle.

— On devait se réunir hier, il ne s'est rien passé. Nous avons pourtant attendu que Basset nous rassemble, il n'en a rien fait !

— Vous êtes tous des lâches, le peu de courage que vous avez vous rend indignes d'être hommes, tout sera fini aujourd'hui, et demain il ne sera plus temps[1].

— Puisqu'on vous dit que Basset a annulé notre rassemblement rue de la Roquette ! s'écrie Arbeltrier.

— Il n'y a qu'à toujours commencer, réplique Elisabeth, vous trouverez bientôt du monde pour aller au secours des assaillants parce que le nombre de mécontents est considérable[2] !

— Rien n'est moins sûr, dit Perrin, je me méfie de leur lâcheté.

— Ce n'est pas vrai, s'exclame-t-elle, le prix des denrées de première nécessité a ruiné les différents marchands, mais aussi beaucoup d'autres, jusqu'aux

1. Paroles historiques.
2. *Idem.*

garçons cordonniers qui ont vu disparaître le fruit de leur travail, même ceux-là se joindront à vous pour l'attaque[1] !

— Attaquez ! Attaquez ! Bandes de lâches ! hurle la vieille femme. Si j'avais seulement encore mes yeux, je me battrais !

— Calme-toi, Catherine, dit Arbeltrier, si tu avais encore tes yeux, peut-être que tu te ferais tuer inutilement !

— Imbécile ! Parce que tu crois que j'ai peur de mourir ? J'ai déjà été condamnée à mort à Murat, mais j'ai été amnistiée : quand le bon Roi Louis XVI signa la Constitution, il me sauva la vie.

— Parlons d'autre chose, dit l'autre, J'ai réservé pour ce soir une bonne table chez le traiteur de la rue de la Calandre, vous êtes tous mes invités !

— Merci, mais on a d'autres soucis que de songer à festoyer, dit Catherine.

— Je ne serai pas des vôtres, moi aussi je suis pris ! ajoute Perrin.

Soudain, on entend un grand bruit dans la rue, comme une explosion.

— Dépêchons-nous de sortir d'ici ! dit Elisabeth en entraînant Catherine Fournier vers la sortie, les terroristes sont en train d'investir le secteur !

Les deux femmes pressent le pas dans la rue Mazarine envahie par la garde nationale. Une effervescence anormale s'étend sur le quartier.

— Je vous raccompagne, dit Elisabeth, j'irai ensuite rejoindre Guillaume dans le faubourg Saint-Honoré.

— Je suis désespérée, ma fille, tout est perdu !

— Non, tout n'est peut-être pas perdu. Les nôtres attendent place du Palais-Royal pour enlever la Reine.

1. Paroles historiques.

Jean-Baptiste Basset et son ami Leprince arrivent à la brasserie de Christine Mathieu. Ils la trouvent découragée, assise devant une des nombreuses tables vides de la limonaderie.

— Comment cela va-t-il ? demande-t-elle.

— Mal ! dit-il en s'asseyant. Peux-tu nous donner quelque chose à boire ?

Se fiant à son instinct, il a annulé la réunion des partisans qui devait avoir lieu rue de la Roquette.

— Tu ne regrettes pas d'avoir annulé le regroupement ? dit-elle en remplissant leurs verres.

— Non, cette réunion était sûrement un traquenard. Ils attendaient qu'on soit tous rassemblés pour faire un beau coup de filet. Le baron de Batz m'a interdit de la provoquer.

— Est-ce que tu penses qu'il a eu raison ?

— J'espère que non, mais je ne pouvais pas prendre le risque de faire tomber cinq cent quarante partisans dans les mains des terroristes...

— Même au risque d'abandonner la Reine ?

— Hélas oui !

Juilhe Laroche arrive à cet instant.

— Que s'est-il passé, Jean-Baptiste, je t'ai attendu au dépôt, personne n'est venu ?

— J'ai tout annulé.

— Pourquoi ?

— Parce que tes amis Perrin et Arbeltrier sont troubles ! réplique vivement Christine Mathieu.

— Mais vous êtes fous ? Comment pouvez-vous croire une chose pareille ?

— Question d'intuition, dit Basset en faisant un clin d'œil à son ami Leprince.

— Il paraît qu'un vol d'armes a eu lieu à Vanves, je parie que c'est toi ? dit Perrin en riant.

— Tu me surestimes, mon ami, comment veux-tu que je rentre dans une caserne de révolutionnaires !

— Petit cachottier, réplique l'autre, tu as disparu pendant deux jours, je suis sûr que tu as fait le coup, et tant mieux, nous avons besoin d'armes !

— Tu peux croire ce que tu veux ! répond Basset.

Le jeune Fournier arrive tout essoufflé.

— Jean-Baptiste !

— Quoi encore ?

— Jean-Baptiste, maman me charge de t'informer qu'Elisabeth vient de la quitter, elle est allée rejoindre Guillaume dans le faubourg.

— Mais il faut la prévenir de ne pas y aller !

— Pourquoi ? demande Laroche.

— J'ai appris qu'ils ont mobilisé trente mille hommes, on ne peut plus rien faire ! Mon petit Jean, file la prévenir. Dis-lui de rester tranquille.

Le jeune Fournier sort précipitamment. Surviennent Arbeltrier et Niquille tout joyeux, accompagnés d'une nouvelle tête.

— Bonsoir les Auvergnats ! Je vous amène un nouveau, mon ami Leclerc, qui est inspecteur de police.

— Salut ! répond froidement Basset.

Christine lui dit à l'oreille :

— Encore un policier qui complote ? Décidément, le pauvre Robespierre n'a pas de chance avec sa police ! Tous royalistes ? Quelle étrange coïncidence !

— Je vous invite à souper, lance Arbeltrier, j'ai réservé une table chez le traiteur d'à côté. On dit que c'est le meilleur pot-au-feu de Paris ! Au fait, Jean-Baptiste, il n'y avait personne à la Roquette, où sont passés tous nos amis ?

— Nous avons préféré nous abstenir, répond Laroche pour lui.

— Ah bon ? Peut-on savoir pourquoi ?

— Question d'intuition, dit ironiquement Basset.

— Et la Reine alors ? demande l'autre. Comme personne ne répond, il lance : Bon ! Allons souper, nous parlerons de tout cela à table !

Le souper qui touche à sa fin a été sinistre. Basset n'a pas touché à son plat. Il s'entretient en patois avec Laroche :

— Que comptes-tu faire maintenant ? demande ce dernier.

— Je n'ai rien décidé pour le moment.

— Et s'ils condamnent la Reine, que feras-tu ?

— Si elle est condamnée, elle est perdue... As-tu toujours confiance en Perrin ?

— C'est un frère pour moi !

— Alors demande-lui de venir me rejoindre ce soir chez moi, j'ai quelque chose à lui demander.

Laroche se lève.

— Merci pour ce délicieux souper.

Il sort.

— Je rentre aussi, dit Basset en se levant.

— Je t'accompagne jusqu'à la rue de la Calandre, dit Arbeltrier, je ne serai plus qu'à une minute de chez moi !

Tout en marchant, Arbeltrier lui demande :

— Alors que comptes-tu faire maintenant ?

— Mais il n'y a plus rien à faire. C'est fichu.

— Et tous tes amis qui attendent au Palais-Royal pour s'emparer de la Reine ?

— Ils ne pourront pas faire face à trente mille hommes, je vais les décommander.

— Tu en es sûr ?

Le jeune Fournier les rattrape en courant.

— Jean-Baptiste, crie-t-il tout essoufflé, te rappelles-tu du quidam qui t'a attendu durant deux heures en bas de chez Perrin ?

— Oui !

— Il m'a chargé d'une commission pour toi.

— Laquelle ?

— Il te demande de te méfier, tu es trahi, La Rochelambert n'a jamais chassé avec Juilhe Laroche, il ne le connaît pas, mais il sait que c'est un terroriste !

Il s'enfuit. Basset, livide, est abasourdi par la nouvelle. Il a été trahi par un Auvergnat, un frère, mais alors tous les autres ? Il observe Arbeltrier qui a tout entendu et qui regarde droit devant lui, sans prononcer un mot.

— Arrête ta comédie, Arbeltrier, lance Basset, je savais depuis le début que tu étais un esclave de Robespierre.

L'autre ne répond toujours pas. Ils arrivent à cet instant au bout de la rue de la Calandre, Arbeltrier s'arrête et lui tend une feuille de papier :

— Citoyen Basset, je t'arrête, prends connaissance du signe de la loi qui m'ordonne de t'emmener à l'administration de police la plus proche.

Basset lit la lettre et lui dit avec un sourire amer :

— Dès le début, je savais que vous étiez tous des terroristes, surtout toi ! Tu joues si mal la comédie ! J'avais parfaitement pressenti que tu m'as proposé le local de la rue de la Roquette pour nous capturer quand nous serions tous réunis. J'ai fait semblant de jouer votre jeu, mais les cinq cents conspirateurs et leurs armes sont à l'abri, tu n'es pas prêt de les avoir ! Ils sont libres et constituent maintenant cinq cents menaces contre vous. Ils vont t'empêcher de dormir la nuit et le jour : à chaque coin de rue, dans chaque embrasure de porte, l'un d'eux sera là pour te plonger son poignard dans le cœur. Tu n'auras à te mettre sous la dent que les pauvres artisans de la rue de la Vannerie, du menu fretin, mais les combattants, les vrais, tu ne les auras pas. Parmi les révolutionnaires, tu es une toute petite pointure, Arbeltrier, un sous-policier pitoyable ! Tu as raté ton coup !

A cet instant, une dizaine de gendarmes surgissent de tous côtés et entourent Basset.

— Espèce de c…, réplique Arbeltrier, si je comprends bien, tu t'es sacrifié pour sauver cinq cents comploteurs ?

— Ce ne sont pas des comploteurs, ce sont des patriotes !

— Les patriotes sont avec la République, les tiens sont des traîtres.

— Pauvre imbécile, parce que tu crois encore être en République ?

— Basset, tu joues ta tête, mais si tu me dis où est de Batz, je te libère sur-le-champ !

— De Batz ? demande innocemment Basset avec une pointe d'ironie. Qui est-ce ?

— Tu refuses ? Dommage ! Allez, emmenez-le au poste de police de la Conciergerie.

MARDI 15 OCTOBRE, SOIXANTE-QUINZIÈME JOUR DE DÉTENTION,
LA GRAND-CHAMBRE DU TRIBUNAL RÉVOLUTIONNAIRE,
VINGT-DEUX HEURES QUINZE

15

Le babil ampoulé de l'accusateur public

A la reprise, Herman se tourne vers Fouquier-Tinville.

— Citoyen accusateur public, vous avez la parole.

— Je me demande ce qu'il va nous servir, chuchote La Bourdonnaye.

— C'est le procès de sa vie, dit Dubois de La Motte, le boucher va nous chanter maintenant le grand air de la scène finale, le petit procureur du Châtelet chassé pour malversation va déclamer face à la Reine de France !

Fouquier se lève, un indicible sourire de satisfaction aux lèvres, il dispose avec soin ses papiers du bout des doigts afin qu'aucune feuille ne dépasse de la pile, jette un regard circulaire autour de lui, et quand ce dernier s'arrête sur la Reine, son sourire se fige et son regard se durcit. Elle, qui est toute proche, regarde droit devant elle, les yeux dans le vague et les mains appuyées sur les accoudoirs, elle attend.

Fouquier, les mains à plat sur le bureau, la tête inclinée, réfléchit. Il demeure ainsi silencieux quelques secondes. Il semble savourer ce moment tant attendu. Un silence de mort règne sur le tribunal. Il lève lentement les yeux, puis, de sa voix rocailleuse, commence à déverser sa diatribe.

— Cet homme aurait dû faire du théâtre, souffle Belbœuf.

— Marie-Antoinette, veuve de Louis Capet, a été depuis son séjour en France le fléau et la sangsue des

Français. Non contente, de concert avec les frères de Louis Capet, d'avoir dilapidé d'une manière effroyable les finances de la France pour satisfaire à des plaisirs désordonnés, il est notoire qu'elle a fait passer à l'Empereur des millions qui servent à soutenir la guerre contre la République. Que depuis la Révolution, la veuve Capet n'a cessé un seul instant d'entretenir des intelligences criminelles avec les puissances étrangères. Qu'elle organisa des réunions contre-révolutionnaires, comme celle qui a réuni les ci-devant gardes du corps et le régiment de Flandre en un repas le 1er octobre 1789, qui a dégénéré en une véritable orgie et où on a foulé aux pieds la cocarde tricolore. Elle organisa une disette qui a donné lieu à une insurrection à la suite de laquelle une foule innombrable de citoyens et de citoyennes se sont portés à Versailles le 5 du même mois pour ramener le Roi aux Tuileries…

— Cette ordure relance les mensonges, murmure Dubois, il ne tient aucun compte des remarques des avocats !

— … A peine arrivée à Paris, la veuve Capet, féconde en intrigues de tous genres, a formé aussitôt des conciliabules ténébreux dans son habitation souterraine de contre-révolutionnaires qui se tenaient dans les ténèbres de la nuit…

— Il aurait dû écrire des pièces de théâtre pour les Variétés, murmure Belbœuf, il aurait eu du succès !

— … on y a organisé la fuite de Louis Capet, que la veuve Capet qui a tout ménagé pour cette évasion en ouvrant et fermant la porte de l'appartement par où les fugitifs sont passés furtivement…

— Et voilà de nouveau l'histoire de la porte ! chuchote Coffinhal.

— … il est constant qu'à cet égard, d'après la déclaration de son fils et de la fille Capet…

— Quel mensonge ! dit Dubois, la fille de la Reine a contredit les accusations de son frère.

— … que Lafayette, favori sous tous rapports…

— Lafayette favori ? Que faut-il entendre ! La Reine le haïssait.

— … et Bailly, étaient présents au moment de cette évasion. Que c'est dans ces mêmes conciliabules infâmes qu'a été déterminé l'horrible massacre des plus zélés patriotes au Champ-de-Mars, et en différents points de la République. Que ces mouvements qui ont fait couler le sang d'une foule immense de patriotes ensanglantés ont été imaginés pour arriver plus tôt et plus sûrement à la révision des décrets fondés sur les droits de l'homme dont les démarches étaient d'anéantir la liberté et de faire rentrer les Français sous le joug tyrannique pour lequel ils n'ont langui que trop de siècles…

— As-tu compris ce qu'il voulait dire ? demande Belbœuf.

— Non ! C'est un infâme galimatias !

— … Que c'est la veuve Capet qui faisait nommer les ministres pervers par se agents aussi adroits que perfides…

— Je n'écoute plus, dit Belbœuf, cela n'est plus drôle, c'est même assommant !

— … Que par ses manœuvres funestes à la France, elle a fait déclarer la guerre au Roi de Bohême et de Hongrie et que s'est opérée la retraite de nos valeureux soldats du territoire de la Belgique ! Que c'est la veuve Capet, encore et toujours elle, qui a fait parvenir aux puissances étrangères les plans de campagne et d'attaque, de manière que par cette double trahison, les ennemis toujours instruits à l'avance des mouvements que devaient faire les armées de la République : d'où suit la conséquence que la veuve Capet est l'auteur des revers qu'ont éprouvés en différents temps les armées françaises…

— Au secours, Boileau ! dit Dubois en riant, c'est de plus en plus inextricable !

— Tant mieux, ainsi les jurés seront moins conquis, remarque La Bourdonnaye.

— Sur ce point, ne te fais pas trop d'illusions, ils ont été mis en condition depuis longtemps.

— … Que la veuve Capet a médité et combiné avec ses perfides agents, l'horrible conspiration qui a éclaté dans la journée du 9 août, laquelle n'a échoué que par les efforts courageux et incroyables des patriotes mortellement frappés, qu'à cette fin diabolique, elle a réuni dans son habitation des Tuileries, jusque dans les souterrains jusqu'aux combles, les Suisses qui, aux termes des décrets…

— Crois-tu que nos jurés vont y comprendre grand-chose ? demande Coffinhal à Herman.

— Ce n'est pas très important, répond le président.

— Dis donc, demande le juré Trinchard à son voisin Antonelle, j'suis p't-être pas très intelligent mais j'te parie deux poules et deux canards qu'y en a pas deux qui voient ce que le gars Fouquier veut nous faire avaler !

— C'est sans importance, tu sais très bien ce que tu as à faire, réplique l'autre.

— Ah ! mais c'est qu'j'aimerais bien comprendre, moi !

— Eh bien, tu comprendras plus tard.

— … Que le lendemain 10, il est notoire qu'elle a pressé et sollicité Louis Capet à aller dans les Tuileries, vers cinq heures et demie du matin, passer la revue des gardes suisses et d'autres scélérats qui en avaient pris l'habit et qu'à son retour elle lui a présenté un pistolet en disant : "Voilà le moment de vous montrer" et que sur son refus elle l'a traité de lâche…

— C'est pitoyable ! dit Dubois, je n'ai jamais assisté à un procès avec des soi-disant magistrats d'une telle médiocrité !

— Et d'une telle vulgarité !

La Reine regarde devant elle, l'esprit ailleurs. Elle tapote de nouveau sur les accoudoirs. D'ailleurs, depuis un bon moment, plus personne n'écoute. La moitié des jurés se sont assoupis. Coffinhal, les yeux mi-clos, lutte contre le sommeil, sa tête plonge doucement en avant puis se redresse brusquement. Le juge Maire s'amuse à dessiner les personnages qui l'entourent.

— … Que c'est aux intrigues de la veuve Capet que la France est redevable de cette guerre intestine qui la dévore depuis si longtemps et dont heureusement la fin n'est pas plus éloignée que celles de ses auteurs…

— Comment ? murmure Dubois, une fin des auteurs pas plus éloignée ? Cette crapule anticipe sur le verdict ?

Chauveau-Lagarde a aussi entendu, il interrompt Fouquier-Tinville en faisant sursauter les jurés qui somnolaient.

— Les paroles de l'accusateur public sont inacceptables. La défense est choquée d'entendre un magistrat du tribunal anticiper la décision des jurés en influençant leur verdict, principalement quand on s'approche de la clôture des débats !

Herman consulte ses assesseurs à voix basse, tous acquiescent.

— Le tribunal prend acte de la demande de la défense et prie les jurés de ne pas prendre en compte la dernière déclaration de l'accusateur public. L'accusation peut poursuivre.

— … Que, dans tous les temps, c'est la veuve Capet qui avait insinué cet art profond et dangereux de dissimuler et d'agir et tramait conjointement avec son époux dans les ténèbres…

— Encore des ténèbres ? dit Dubois, il faut croire que le Roi et la Reine vivaient aux Tuileries dans l'obscurité !

— … pour détruire cette liberté si chère aux Français et qu'ils sauront conserver…

— Oui, en coupant toutes les têtes ! lance à voix basse La Bourdonnaye.

— … Qu'enfin la veuve Capet, immorale sous tous les rapports, est si perverse et si familière avec tous ses crimes, a fait couler le sang d'un nombre incalculable de citoyens !

Il se rassoit. Herman donne un violent coup de maillet et déclare :

— Les débats prendront fin dans quinze minutes, les avocats peuvent se retirer pour user de ce temps afin d'organiser leur défense. Huissier, accompagnez-les dans la salle des commis-greffiers.

Chauveau Lagarde et Tronçon Ducoudray se retirent sous le regard bienveillant de la Reine.

Il est vingt-deux heures trente.

MARDI 15 OCTOBRE, SOIXANTE-QUINZIÈME JOUR DE DÉTENTION, LA GRAND-CHAMBRE DU TRIBUNAL RÉVOLUTIONNAIRE, VINGT-DEUX HEURES TRENTE

16

La Reine est effectivement inviolable

Chauveau-Lagarde et Tronçon-Ducoudray confèrent dans le bureau des commis-greffiers. Durant ces deux journées du procès, ils ont relevé toutes les contradictions des déclarations des témoins. Ils n'ont eu accès à aucun autre document et devront plaider sans aucun dossier. Il leur faudra tout improviser. La tâche est écrasante. En outre, ils n'auront pas le temps matériel d'harmoniser leur défense puisqu'ils n'ont que quinze minutes pour se concerter. Ils plaideront pourtant durant deux heures chacun, une plaidoirie fondée uniquement sur la mémoire et le raisonnement[1].

— Guillaume, demande Chauveau-Lagarde, es-tu toujours d'accord pour répondre aux accusations de politique intérieure ?

— Mais oui, tiens, échangeons nos notes.

— J'ai relevé trois grands chefs d'accusation.

— Je t'écoute.

— Premier chef : l'histoire financière des millions donnés à son frère l'Empereur et la dilapidation des finances… Ça, c'est de l'intérieur, c'est pour toi !

— A mon avis, ajoute Tronçon, c'est le sujet le plus brûlant, c'est le plus mal perçu par le peuple, il va falloir être convaincant.

— Deuxième chef d'accusation : l'intelligence avec l'Autriche et les plans de campagne transmis à l'ennemi… Ça, c'est pour moi !

1. Stefan Zweig.

— Acharne-toi surtout à prouver le contraire, car c'est une accusation de haute trahison.

— Je sais, j'ai des arguments contre. Enfin, troisième chef d'accusation, conclut Chauveau, tous les complots de ses soi-disant agents pour allumer la guerre civile, c'est pour nous deux !

— Il faudra scinder encore la défense en deux, je plaiderai les complots visant la sécurité intérieure, toi la sécurité extérieure.

— Comme ils ne détiennent aucune preuve matérielle contre la Reine, ils n'ont eu que des témoins qui n'ont pas hésité à produire des faux témoignages. Le plus bel exemple reste sans conteste l'histoire absurde de cette Reine Millot. A qui veulent-ils faire avaler qu'une domestique a eu les confidences du duc de Coigny dans les communs de Versailles ! Pitoyable !

— Pour combattre tous ces faux témoignages, précise Tronçon, il ne nous reste qu'une seule arme : le raisonnement. C'est lui qu'on doit utiliser pour démontrer l'inanité de l'accusation…

La porte s'ouvre, c'est Fouquier-Tinville empanaché de plumes noires. Il a entendu.

— Vous avez entièrement raison, citoyen Tronçon-Ducoudray, le langage de la raison est universel ! Alors, messieurs les avocats, dit-il en riant, avez-vous bien contré mon accusation ?

— Nous ne faisons que commencer, citoyen accusateur, répond Tronçon sur le même ton, nous faisons ce que nous pouvons.

— J'avoue que votre tâche est rude et que le temps qui vous a été imparti est trop court, mais nous sommes tenus de respecter les ordres du Comité de sûreté générale, je dois m'y conformer, hélas, je ne peux rien faire pour vous.

— Nous le savons, citoyen accusateur, et nous vous remercions.

Un huissier entre.

— Les citoyens avocats sont priés de rejoindre la Grand-Chambre, les débats reprennent dans deux minutes, dit-il.

— Déjà ? dit Chauveau.

— Eh bien, citoyens, dit Fouquier-Tinville, il ne me reste plus qu'à vous souhaiter bonne chance.

Il sort. Ils sont de nouveau seuls.

— L'ordure ! murmure Chauveau, tu as entendu ? "Je dois m'y conformer !" Quand on sait que c'est lui qui a tout manigancé ! Te rends-tu compte qu'il ne nous a accordé que quinze minutes !

Ils ramassent leurs papiers et sortent.

— La parole est à la défense, proclame Herman.

Chauveau-Lagarde se lève mais reste à sa place, toutes ses notes étalées devant lui. Il salue le tribunal à l'ancienne, en s'inclinant successivement devant le président et ses assesseurs qui lui rendent son salut par une simple inclinaison de la tête, devant les jurés, et enfin devant l'accusateur public.

— Citoyen président, citoyens juges, citoyen accusateur, citoyens jurés, citoyennes, citoyens, nous devons assumer une terrible tâche, mon collègue et moi, dans cette enceinte qui porte le nom de Liberté, mais pour la mission sacrée qu'elle assume, cette enceinte doit aussi porter le nom d'Impartialité. Nous assumons cette besogne terrible, sans préparation, sans examen du dossier dont les matériaux innombrables et enchevêtrés auraient nécessité plusieurs mois d'analyse et de méditations, alors que nous n'avons disposé que d'une seule journée. On nous force d'entreprendre à l'improviste une défense aussi importante. Cela est contraire aux lois de la justice. Nous n'avons même pas eu le temps de jeter un coup d'œil rapide sur les pièces à conviction qui en font la base. Quelle épouvantable tâche ! Quelle mission alarmante pour la conscience d'un homme de bien, si je n'étais rassuré par votre justice et par vos lumières[1]. Autant l'accusation est grave, autant ses bases sont

1. Inspiré de la plaidoirie de de Sèze.

légères surtout dans la partie que je suis chargé de défendre.

La femme que vous allez juger n'est plus qu'une simple citoyenne, une citoyenne accusée, sans couronne, sans souveraineté, sans pouvoir, livrée entièrement à votre équité, c'est dire si vous lui devez plus d'attention, plus de justice et je dirai même plus de faveur.

Marie-Antoinette ci-devant Reine de France est accusée devant vous d'avoir conspiré au-dehors et au-dedans. Mais vous l'aviez déjà condamnée et punie en abolissant la royauté. Voulez-vous la juger et la punir une seconde fois pour les mêmes motifs ? Ce serait illégal au regard du droit naturel.

On juge aujourd'hui Marie-Antoinette sur des actes antérieurs à l'abolition de la royauté. Vous savez qu'un des droits les plus sacrés de l'homme, c'est de n'être jugé que d'après des lois promulguées antérieurement aux délits. Certaines de vos accusations sont donc déjà frappées de nullité.

Je rappelle que la Constitution de 1791 prévoyait que le Roi était inviolable et ne pouvait être soumis à une législation postérieure aux événements qui servent aujourd'hui de prétexte à l'accusation de son épouse. Mais, me direz-vous, la Reine n'était pas inviolable ! Eh bien, si, elle l'était aussi. Une affaire de faux assignats avait été injustement reprochée à la Reine et ceux qui l'accusaient voulaient aller plus loin et avaient demandé à l'Assemblée constituante de décréter que seul le Roi était inviolable. L'Assemblée, bien entendu, refusa en confirmant l'esprit de sa loi qui associait la Reine dans l'inviolabilité. Sa décision qui leva toutes les ambiguïtés fait aujourd'hui jurisprudence.

En outre, comme je le précisais, la Convention ayant aboli la royauté, l'accusée était à cette époque prisonnière de la Nation, donc entièrement soumise à votre discrétion. Pourquoi n'avez-vous pas prononcé sur son sort à ce moment quand la Constitution de 1791 était encore appliquée ? Et quelle était la peine qu'imposait alors cette Constitution ? Une seule : l'abdication. C'est celle qui aurait dû lui être appliquée. Pourquoi n'avez-vous pas commencé par là ? Elle aurait profité de la loi constitutionnelle. Or, vous n'avez rien fait, vous avez attendu plus d'un an que la Constitution de 1791 soit détruite, pour la punir. Pourquoi l'avez-vous gardée emprisonnée sans jugement ? Vouliez-vous donc lui ôter le fruit de son droit que l'ancienne Constitution lui donnait ? Parce que vous ne trouvez plus de peines auxquelles elle avait droit à cette époque, vous en inventez des nouvelles auxquelles elle n'était pas soumise ? Citoyens, il n'y a pas aujourd'hui de puissance judiciaire égale à la vôtre, mais il y en a une que vous n'avez pas : c'est celle de ne pas être justes !

Vous pourriez me rétorquer que la Nation ne peut pas aliéner sa souveraineté, sans renoncer aux anciennes peines prévues par la Constitution. Quelle forfaiture ! Que penser d'une nation qui proclamerait : Je ne veux pas exécuter la loi que je me suis donnée à moi-même, malgré le serment solennel que j'ai fait de l'appliquer ? Lui prêter ce langage, c'est insulter la loyauté nationale, c'est vous salir, vous juges que le peuple a désignés pour exercer sa justice…

— Prétendument désignés par le peuple, remarque La Bourdonnaye.

— Il ne peut pas dire autre chose, précise Dubois.

— …Vous pourriez encore répliquer que les délits dont Marie-Antoinette est accusée ne sont pas dans la Constitution de 1791 et qu'en conséquence elle pouvait être jugée par les principes du droit naturel, ou du droit politique. Je répondrai que ce n'est pas vrai, tout ce dont on accuse Marie-Antoinette se trouvait dans les articles de la Constitution. Il serait bien étrange que la ci-devant Reine ne jouisse pas du droit que l'on accorde à tout citoyen qui est celui de n'être jugé que d'après la loi, uniquement d'après la loi et en aucune façon soumis à un jugement arbitraire. La sanction à vos accusations était inscrite dans les textes quand vous l'aviez arrêtée : c'était l'abdication, mais vous n'avez pas voulu l'appliquer. Pourquoi ? Vous la jugez maintenant par des lois postérieures aux faits que vous lui reprochez, vos accusations au regard du droit sont illégales. Prenez garde, vos décisions seront gravées à tout jamais dans l'Histoire.

Les délits sont trop graves, me répondrez-vous, pour être sanctionnés par une peine si légère comme la simple abdication, mais alors il fallait les inscrire à cette époque dans le droit constitutionnel. Que ne l'avez-vous fait ? Or, que répond le droit aux crimes dont vous accusez Marie-Antoinette ? Pour la peine prévue à cet effet, la loi était formelle : c'était l'abdication dans tous les cas. Je l'affirme de nouveau : toute autre peine serait entachée de nullité.

Quel est le reproche que vous lui faites ? D'avoir trahi la Nation en favorisant les entreprises visant à renverser la Constitution. En supposant que cela fût prouvé, ce qui n'est pas le cas, ce délit était déjà inscrit dans les textes constitutionnels lorsque vous l'avez arrêté : c'est le premier et le second chef de l'article VI. Et que dit cet article ? Que les délits dont vous l'accusez ne sont punis que d'une seule sanction : l'abdication. Cet article VI relève du délit le plus grave qui soit : "quand l'accusé fait une guerre à sa nation en se mettant à la tête d'une armée". Et quelle est la sanction de ce délit le plus grave ? L'abdication pure et simple. Avez-vous vu Marie-Antoinette à la tête d'une armée combattre la Nation et engendrer toutes les horreurs de la guerre ? Bien sûr que non. Eh bien, pour un délit extrême, la Constitution n'applique que l'abdication, et vous, vous voudriez lui appliquer une peine plus forte pour un délit moins grave ? Dans ce cas, vous êtes contraints de sortir de la légalité. En refusant d'appliquer les peines prévues par la loi de 1791 pour son délit, vous devez en inventer de nouvelles. Elle pourra vous dire alors : Vous voulez me punir, et comme vous ne trouvez pas de loi dans l'ancienne

Constitution que vous désirez m'appliquer, voulez-vous en inventer une pour moi toute seule ?

Pour conclure, la ci-devant Reine n'est passible au regard de la loi que d'une seule peine : l'abdication. La traduire de nouveau devant une juridiction pour des actes antérieurs à la Constitution de 1791, caractérise un renoncement des deux grandes règles fondamentales de l'ordre social et de l'ordre judiciaire et qui sont les seules règles qui peuvent lui être appliquées, l'inviolabilité des souverains et la non-rétroactivité des lois.

Analysons maintenant l'inanité des accusations prononcées dans ce tribunal. On lui reproche d'avoir envoyé des sommes très importantes à son frère l'Empereur d'Autriche. Très bien. Mais où sont les preuves ? Puiser des sommes dans le Trésor suppose l'établissement de bons et d'états ? Où sont-ils ? Si on prétend que des "sommes immenses" lui ont été envoyées, est-ce que la preuve en a été faite grâce à leur interception ? Non plus ! En outre, nous n'avons aucune trace de ces sommes puisées dans le Trésor. Quels sont les indices susceptibles d'étayer cette terrible accusation que vous avez établie ? Vous ne nous avez opposé que le pitoyable témoignage d'une certaine Reine Millot qui aurait rencontré un certain comte de Coigny dans les buanderies du château. A défaut de la galerie des Glaces, il est bien connu que la lingerie était le lieu de prédilection des rencontres des aristocrates de Versailles… (Rires.) Et de quoi cette brave servante se souciait-elle dans ses lavoirs entre deux blanchiments de draps de lit ? De s'informer auprès de ce comte de Coigny, en réalité duc, pour apaiser un tourment bien connu des blanchisseuses du château que sont la haute finance et la politique étrangère de la France ! (Rires.) Selon le duc de Coigny, deux cents millions, pas moins, auraient été transférés, sans aucune trace, au frère de l'accusée ! On pourrait donc sortir deux cents millions du Trésor sans qu'on s'en aperçoive ? En admettant que cette fable soit vraie, j'espère que les jurés dans leur bon sens de magistrats républicains ne prendront pas en compte cette grotesque accusation et n'y verront qu'une plaisanterie douteuse d'aristocrate. Pour conclure, cette accusation ne repose que sur la propre déclaration de l'accusateur public et sur l'absurde ouï-dire de la femme Millot.

Et que penser de ces fameux bons de quatre-vingt mille ou de soixante mille livres portant la signature de la Reine, qui deviennent ensuite vingt mille puis quinze mille, et que le tribunal a été incapable de présenter ? En réalité, tout cela n'est pas sérieux et prêterait à rire si ce n'était l'enjeu de ce témoignage qui met en jeu la vie d'une femme.

J'attire respectueusement votre attention sur le fait que la seule preuve de ce bon de quatre-vingt mille livres repose, d'une part, sur le témoignage du *citoyen* Fouquier-Tinville qui dit l'avoir vu lui-même et, d'autre part, sur la déclaration de *l'accusateur public* Fouquier-Tinville qui en fait une preuve à charge contre l'accusée ! Réalisez-vous, citoyens juges, de la gravité de cette situation ? Comment peut-on accepter que Fouquier-Tinville soit en même temps l'accusateur et le témoin ? Il deviendrait de fait l'assassin de l'accusée[1] !...

Nombreuses vociférations dans la salle. L'accusateur, qui a aussitôt pris le masque du poisson carnivore, foudroie l'avocat d'un regard de haine pour ses paroles qu'il va bientôt regretter d'avoir prononcées. Imperturbable, Chauveau poursuit :

— Deux témoins, le citoyen Tisset et le citoyen Garnerin, affirment avoir vu dans les papiers saisis chez Septeuil, cet ancien trésorier de la liste civile, des bons signés de Marie-Antoinette. Quand nous réclamons la présentation de ces bons, on nous répond qu'ils sont égarés et que la Commission des vingt-quatre qui les détenait a été dissoute. L'équité imposerait dans ce cas de retirer ces témoignages

1. Paroles historiques.

hypothétiques de l'accusation. L'autre déposition, celle du témoin Garnerin, paraît tout aussi douteuse quand il soutient que l'accusée a signé un bon de quatre-vingt mille livres au profit de la ci-devant duchesse de Polignac. Or, ce fait est repoussé d'une part par l'accusée et d'autre part contredit par le citoyen Valazé, membre de ladite Commission, qui ne se souvient que d'un bon de quinze mille ou de vingt mille livres.

Le même Tisset évoque une lettre signée de Marie-Antoinette en date du 10 août 1792. Impossible ! La famille royale a passé la journée à l'Assemblée nationale en quittant les Tuileries vers huit heures du matin.

Et les mensonges pleuvent : Marie-Antoinette aurait reçu, dit-on, des sommes immenses après le 10 août. En guise de sommes immenses, elle a reçu vingt-cinq louis qu'elle doit à l'une de ses femmes de chambre.

Et ces prétendues persécutions contre des ministres qui refusaient de lui donner de l'argent ? Où sont les preuves de cette accusation fantaisiste, si ce n'est dans l'imagination fertile du témoin ! Quant aux dépenses engendrées par le Petit Trianon, elles aussi ne reposent sur aucun fait positif puisque chacun sait que le château a été construit et aménagé sous la précédente monarchie.

Sur l'accusation de dilapidation des finances, nous savons que Marie-Antoinette a aujourd'hui l'opinion publique contre elle. Et c'est bien sûr là que compte jouer l'accusation qui en a fait un cheval de bataille. Mais au moment où ont eu lieu ces prétendues dilapidations, l'opinion publique n'avait pas encore de véritable existence. Je vais même plus loin en affirmant que l'opinion à elle seule ne constitue pas une preuve ; en revanche, une calomnie bien conduite peut être dévastatrice pendant des dizaines d'années, voire des siècles. En outre, toutes ces prétendues dépenses sont antérieures à la Révolution ; en admettant que le frère de l'accusée eût reçu "des sommes immenses", l'Empereur Joseph II, lui, est mort en

1790, il n'a donc pas pu nuire à l'opinion publique ; ces pseudo dilapidations ne sont contre-révolutionnaires ni dans l'intention puisqu'elles sont antérieures à la République, ni dans les faits puisqu'elles ne sont pas prouvées[1].

Que reste-t-il de ces prétendues intelligences et correspondances avec l'ennemi ? Je demande encore où sont les preuves. Que l'on nous montre des lettres, des bons, des correspondances avec l'étranger ! La réponse est toujours la même : les documents existent bien, mais ils sont perdus…

Et cette prétendue lettre adressée à d'Affry, le chef des gardes suisses, dans laquelle la Reine lui aurait demandé si elle pouvait compter sur ses hommes ? Où est-elle ? On serait bien en peine de la présenter ici puisqu'elle n'a jamais existé !

Venons-en maintenant à ces indices fallacieux qu'on lui a imputés comme la déclaration de guerre au Roi de Bohême et de Hongrie et l'évacuation de la Belgique. Je vous rappelle que la guerre a été arrêtée au Conseil du Roi et que c'est l'Assemblée législative qui l'a votée. Voilà une décision émise par deux organismes totalement étrangers à l'accusée. Elle n'assistait jamais au Conseil et n'exerçait aucune influence sur les députés qui d'ailleurs ne l'aimaient guère. En outre, je vous rappelle que la cour s'opposait farouchement à cette déclaration de guerre.

Quant à l'évacuation de la Belgique, elle n'est due qu'à ce traître de Dumouriez. Voyez-vous Marie-Antoinette occuper les fonctions d'un stratège et commander des opérations militaires ? Tout cela, je le répète, serait risible si l'enjeu de ce procès n'était si grave.

Il lui a été reproché aussi d'avoir communiqué les plans de campagne à l'ennemi. Faute de preuves, les seuls indices à cet égard sont les deux témoignages oraux que nous avons entendus. Le citoyen Valazé,

1. Paroles historiques de Chauveau-Lagarde.

qui affirme avoir vu une lettre où un ministre prie le Roi de communiquer les plans de campagne à la Reine. Qui prouve que ces derniers lui ont été réellement communiqués ? Quelle preuve avons-nous qu'ils lui aient été réellement transmis ? Et même si cela était, il n'y a point délit puisque ces plans n'ont rien de confidentiel. Prises en conseil, les décisions sont publiques, ces plans sont rendus alors à la connaissance de tous.

En conclusion, il n'y a aucune trace de la prétendue correspondance politique de la Reine et encore moins de la prétendue trahison d'avoir communiqué nos plans de campagne à l'ennemi.

L'autre témoignage, celui du citoyen La Tour Du Pin, qui affirme que la Reine lui aurait demandé un état de l'armée française. Comme pour le témoignage précédent, ces renseignements n'ont aucun caractère confidentiel, puisque les états de l'armée française sont publics. Un ennemi qui voudrait en prendre connaissance aurait aisément toutes les possibilités d'obtenir ces renseignements sans avoir besoin de passer par la Reine de France.

En conclusion, pour légitimer toutes ces accusations, nous ne disposons d'aucune preuve matérielle. Aucune lettre, aucun fait de communication, aucune intelligence, aucune trace, en un mot : rien ! En revanche, beaucoup de témoignages douteux.

S'il y avait pour le défenseur quelque chose de difficile, ce ne serait pas de trouver des réponses décisives à toutes ces fausses accusations mais d'y trouver une seule objection sérieuse.

L'ensemble de cette accusation est une forêt de charges dans un désert de preuves.

Quant à vous, citoyens jurés, je ne doute pas que vous ferez tous vos efforts pour vous défendre d'une prévention d'autant plus dangereuse pour l'innocence qu'elle est empreinte de votre républicanisme. Marie-Antoinette a eu le malheur d'être Reine et cette idée seule peut d'avance mettre des républicains en garde contre la défense de l'accusée et vous faire sortir ainsi malgré vous de l'impassibilité qui convient à votre saint caractère.

D'ailleurs, s'il est vrai que chez vous le sentiment de la justice mêlé à l'ardent amour de la liberté reste une passion, c'est principalement dans une cause comme celle-là que le sentiment de la justice peut vous égarer. Pour laisser à votre conscience toute la plénitude de sa liberté, vous devrez exercer sur elle tout l'empire dont vous pouvez être capable.

Je vous prie donc, citoyens d'écarter de vous tous ces préjugés et de vous renfermer avec moi dans l'acte d'accusation.

Chauveau en s'épongeant le front conclut :

— Je crois avoir tenu l'engagement de montrer jusqu'à l'évidence que rien ne pouvait égaler l'apparente gravité de l'accusation, si ce n'était peut-être la ridicule nullité des preuves.

Fouquier-Tinville et Herman reçoivent la conclusion de l'avocat comme une offense, ils échangent un regard qui en dit long.

Epuisé, Chauveau salue de nouveau à l'ancienne mode le tribunal puis se tourne vers la Reine pour juger de son effet. Elle lui dit :

— Combien vous devez être fatigué, monsieur Chauveau-Lagarde. Je suis bien sensible à toutes vos peines[1].

Fouquier qui a entendu se lève.

— Je demande l'attention du tribunal.

Le silence s'établit aussitôt.

— Je viens de recevoir la note suivante, je lis : "Pendant l'instruction du procès de la veuve Capet, les Comités de surveillance et de sûreté générale de la Convention décident que les défenseurs officieux de cette femme, seront, à l'expiration de leur ministère, arrêtés, conduits au Luxembourg, et interrogés séparément."

1. Paroles historiques.

Murmures réprobateurs dans l'assistance.

— De quoi serions-nous coupables ? s'insurge Chauveau-Lagarde.

— Nous devons savoir si l'accusée ne vous aurait pas confié des papiers ou révélé des faits qu'il importerait de connaître.

— Je n'ai confié aucun papier et n'avais aucun fait à révéler en dehors de ceux qui concernent ma défense, dit la Reine

— Citoyen Chauveau-Lagarde, insiste aimablement Herman, je vous prie de vous livrer de vous-même à la force publique.

— Et si nous contestions cette décision, que se passerait-il ?

— Vous nous mettriez dans l'embarras, compte tenu de la confiance que vous accorde encore le tribunal à tous deux.

— Parce que vous nous accordez toujours votre confiance, mais en revanche vous nous arrêtez ?

— C'est une décision du Comité de sûreté générale, pas la nôtre.

Derrière Fouquier, Amar acquiesce du chef.

— Pourrai-je exercer à mon tour mon ministère en assurant la défense de l'accusée ? demande Tronçon-Ducoudray.

— Oui, mais à son issue, vous devrez vous soumettre à la volonté du Comité de sûreté générale en vous mettant à la disposition de la force publique.

A nouveau, murmures réprobateurs.

— Lieutenant Lebrasse ! lance Herman.

— A vos ordres, citoyen président.

— Voulez-vous accompagner le citoyen Chauveau-Lagarde au greffe avec tous les égards dus à son rang de défenseur de l'accusée devant le Tribunal révolutionnaire de Paris.

L'avocat sort encadré de deux gendarmes et précédé de l'officier de gendarmerie.

Il est minuit et demi.

Mercredi 16 octobre, soixante-seizième et dernier jour de détention, la Grand-Chambre du Tribunal révolutionnaire, minuit et demi

17

Une forêt de charges dans un désert de preuves

— La parole est de nouveau à la défense, proclame Herman. Citoyen Tronçon-Ducoudray, c'est à vous.

C'est un homme froid, peu enclin aux compromissions, qui va s'exprimer.

— Citoyen président, citoyen accusateur, citoyens juges, citoyens jurés, citoyennes, citoyens, je reprendrai la défense de l'accusée là où mon collègue l'a commencée en revenant principalement sur l'aspect anticonstitutionnel d'une condamnation autre que celle prévue par la loi. Les délits étant antérieurs aux lois actuelles, ce n'est qu'en appliquant les lois de l'ancienne Constitution de 1791 que l'accusée peut être jugée. Tout jugement prononcé par application des lois postérieures aux délits est frappé de nullité en vertu de la sacro-sainte non-rétroactivité des lois. La Constitution de 1791, votée par les représentants du peuple, autorise une seule sanction au regard des délits de Marie-Antoinette : c'est l'abdication en fonction d'un principe essentiel sur lequel était fondée cette Constitution : l'inviolabilité des souverains[1].

Vous pourriez me répliquer : la royauté était un crime, parce que c'était une usurpation. Le crime serait ici celui d'une nation qui dit : Je t'offre la royauté, et ensuite se serait dit à elle-même : Je te punirai de l'avoir reçue !

1. Inspiré de la plaidoirie de de Sèze.

Vous pourriez encore m'opposer que Marie-Antoinette, ayant violé la loi constitutionnelle de 1791, elle ne peut prétendre à sa protection juridique. C'est encore faux. En supposant qu'elle l'ait violée, ce que l'accusation n'a pu démontrer par manque de preuve et dont je prouverai tout à l'heure le contraire, la Constitution de 1791, dis-je, a elle-même prévu sa violation et n'a prononcé qu'une peine : l'abdication. Toutes les autres condamnations sont illégales aux yeux de la loi.

Vous pourriez me dire que Marie-Antoinette doit être jugée en ennemi de la Nation et à ce titre on doit lui appliquer une procédure d'exception. Je vous répondrai encore que c'est illégal, puisque la Constitution a prévu ce cas et en a fixé la peine qui demeure toujours l'abdication.

Vous pourriez me dire que, s'il n'existait pas de loi qu'on pût lui appliquer, c'est à la décision du peuple de le faire. Je vous engage à lire notre maître Rousseau, dans l'article IV du *Contrat social* : "Là où je ne vois ni la loi qu'il faut suivre, ni le juge qui doit prononcer, je ne peux m'en rapporter à la volonté générale, elle ne peut prononcer ni sur un homme ni sur un fait."

Vous pourriez me dire, compte tenu du caractère exceptionnel de l'accusée, que la loi de 1791 ne peut être comprise dans l'absolu et que des interprétations différentes sont possibles, qu'une certaine flexibilité est concevable… Eh bien, non ! En 1789, quand l'Assemblée constituante conçut la loi, elle avait prévu ce cas. Elle envisagea tous les doutes, toutes les objections, toutes les difficultés que nous rencontrons aujourd'hui. Vous les retrouverez publiés dans tous les journaux d'alors : la loi constitutionnelle fut quand même adoptée. Vous ne pouvez aujourd'hui ni la changer ni la travestir : vous ne pouvez restreindre l'inviolabilité absolue de Marie-Antoinette en une inviolabilité relative ou modifiée.

Vous pourriez aussi me dire : Mais cette loi de l'inviolabilité est déraisonnable, absurde, funeste à la liberté nationale ! Je vous répondrai : Vous avez raison, mais vous l'appliquerez quand même parce qu'elle est antérieure au délit, et jusqu'à ce que d'autres élus du peuple l'aient révoquée. Vous l'appliquerez parce que des représentants de la Nation jadis l'ont acceptée et votée, et ainsi vous justifierez du rôle sacré de la représentation nationale même dans l'erreur, et vous respecterez le serment qu'ils ont sacralisé par leur vote, celui d'exécuter leur loi tant qu'elle existerait.

Vous pourriez me dire, et ce serait bien votre droit, ne plus vouloir de gouvernement monarchique puisqu'il est impossible que ce gouvernement subsiste sans l'inviolabilité de son chef. Vous pourrez renoncer à ce gouvernement à cause de cette inviolabilité, mais vous ne pourrez l'effacer tout le temps où Marie-Antoinette a partagé avec Louis XVI le trône constitutionnel. Les souverains étaient inviolables tant qu'ils l'occupaient, l'abolition de la royauté ne change rien à leur condition ; du fait de cette abolition, vous ne pouvez plus effectivement appliquer l'abdication prévue par la loi de 1791, mais vous ne pouvez plus lui en appliquer une autre.

Pour conclure, là où il n'y a pas de loi à appliquer à l'accusée, il ne peut y avoir de jugement, et là où il ne peut y avoir de jugement, il ne peut y avoir de condamnation prononcée.

Je ne veux pas défendre Marie-Antoinette seulement avec des principes, je veux combattre aussi les préventions que soulèvent tous les défauts retrouvés dans les déclarations des témoins.

Analysons d'abord ces "orgies versaillaises" rapportées par des témoins qui n'y ont pas assisté[1] et ces banquets que les gardes du corps ont offerts au régiment de Flandre… Ah ! Le régiment de Flandre… Voilà encore un gros mensonge qui proclame que c'était le Roi, sous l'influence de la Reine, qui l'aurait appelé

1. André Castelot.

à Versailles, alors que chacun sait que ce sont les officiers municipaux qui l'ont demandé.

Que penser de tous ces calomniateurs qui parlent de l'influence néfaste de l'accusée sur le Roi alors qu'ils n'ont jamais été admis dans leur intimité ? Et ces funestes banquets des gardes du corps ? Car on lui en reproche quatre ! Pourtant, l'accusée n'a assisté qu'à un seul. Lequel ? Celui du 29 septembre, celui du 1er, celui du 3, ou celui du 4 octobre ? Ce serait plutôt, dit-on, celui du 1er octobre. On critiqua le Roi et la Reine d'avoir été acclamés. Etait-ce un crime que de célébrer le chef de l'exécutif que la Nation, par sa Constitution, s'était donné ? Quant à la Reine, elle fit simplement le tour de la table du banquet en tenant son enfant par la main… Où est le crime ? Et ce conte fantastique de la cocarde foulée aux pieds, nié farouchement par les gardes du corps ? Personne n'a apporté un témoignage crédible à cette chimérique insulte faite à la cocarde nationale, une fable qui n'a existé que dans l'imagination nocive des journalistes du *Courrier de Versailles*, ce journal malfaisant qui répand sa haine dans tout Paris.

On aurait remplacé, dit-on, la cocarde tricolore par une cocarde blanche ou même noire ! Etait-elle blanche, était-elle noire ? Soyons honnêtes ! Cette fable de la cocarde foulée aux pieds en présence de la Reine et du Roi n'est qu'un plat réchauffé pour Marie-Antoinette, car il a déjà été servi à Louis XVI lors de son procès. Le Roi avait répondu que si ce fait odieux avait existé et qu'il ignorait comme tout un chacun, il ne s'était pas passé devant lui. On en conclut qu'il n'aurait pu se passer non plus devant la Reine puisqu'ils sont partis ensemble.

Etait-elle également responsable de l'action de quelques fanatiques de la cour qui distribuaient des cocardes blanches aux passants ?

Autre péché véniel : l'orchestre du régiment de Flandre aurait joué “O Richard ! ô mon roi !”. Est-ce un crime que de jouer l'air célèbre de l'opéra de Grétry ?

Quoi de plus normal que de chanter et de boire dans un banquet à la santé du Roi, de la Reine et du Dauphin ? Comment les officiers du régiment de Flandre auraient-ils perçu l'affront que leur aurait fait la famille royale, s'ils avaient refusé de trinquer avec eux ? Comment peut-on croire un seul instant que le Roi et la Reine auraient refusé de boire à la santé de la Nation en présence d'officiers de la garde nationale et de ceux du régiment de Flandre, ce corps issu du peuple et si attaché à la Nation ?

L'accusation a dénigré cette fraternisation en l'appelant "orgie", rien de moins. Verrions-nous les officiers du peuple pratiquant des orgies devant le Roi et la Reine ? Qui peut croire à de pareilles invraisemblances ? Les gardes du corps, l'armée, la garde nationale s'étaient trouvés réunis dans un parfait accord. Mais il y avait un homme à Versailles que cet accord gênait et qui n'avait rien négligé pour l'en empêcher : c'est Laurent Lecointre, lieutenant-colonel de la garde nationale du quartier Notre-Dame, notre premier témoin. Il a tenté sans succès d'utiliser la garde pour s'opposer à l'arrivée du régiment de Flandre. Non invité au banquet du 1er octobre, il en a ressenti un vif ressentiment, ce qui explique sa charge vengeresse contre Marie-Antoinette. Car tout ce qu'il a affirmé est faux. Il fallait empoisonner l'opinion publique. Il utilisa pour le faire ce journal très répandu à Paris, *Le Courrier de Versailles*, où son ami Gorsas avait une feuille. Et là, il se déchaîna en publiant le premier récit du festin, qui n'est qu'un long appel à la révolte, où les calomnies les plus odieuses représentèrent le banquet comme une "orgie complète", "des convives chancelants", "on foule au pied la cocarde tricolore", "les gardes du corps refusent de boire à la santé de la Nation", et bien sûr, "l'indignation du brave patriote Lecointre". Et c'était de cette orgie que la Reine "s'était déclarée enchantée". Voilà l'occasion unique de soulever contre "l'Autrichienne" les violences populaires !

Il est certain que la boisson aidant, dans l'ivresse de la joie du banquet, des soldats eurent des comportements ébrieux, notamment l'équipée de Perceval qui escalade le balcon de la chambre du Roi et la chimérique tentative de suicide de ce dragon du régiment des Trois-Evêchés qui voulait mourir parce qu'il n'arrivait pas à enjamber un balcon… Tous ces comportements sont ceux de braves soldats qui ont festoyé. Mais alors, pourquoi rapporter ces faits dans l'accusation ? En quoi l'accusée a-t-elle la moindre responsabilité dans cet événement picaresque du balcon, si ce n'est pour la dénigrer davantage ? Parce que le citoyen Lecointre dans son témoignage mensonger n'a qu'un projet : celui d'attribuer "cette orgie" à Marie-Antoinette. Et il a réussi dans son entreprise puisqu'on retrouve cette fable dans votre acte d'accusation.

Dans sa fureur, l'accusation lui attribue toutes les mauvaises intentions. On lui reproche même d'avoir fait "entourer les représentants du peuple de baïonnettes pour en assassiner la moitié". Quand on parle de la moitié assassinée, il ne s'agit bien sûr que du tiers état, l'autre moitié préservée étant obligatoirement la noblesse et le clergé. Jusqu'où peut aller la mauvaise foi, peut-on se demander, quand nous savons tous que l'intention "de faire sortir les députés par la force des baïonnettes" appartient à la réplique célèbre du ci-devant Mirabeau adressée au grand maître des cérémonies Dreux-Brézé ? En attribuant à Marie-Antoinette la paternité de cette citation, on en conclut que Mirabeau et elle se seraient donné le mot pour faire cette réponse aux représentants du Roi. Grotesque !

L'accusation lui attribue tous les péchés commis à cette époque. Il ne peut y avoir de mesure, Marie-Antoinette était responsable de tout !

C'est, dit-on, dans ses appartements qu'aurait été rédigé le discours du Roi pour l'ouverture des Etats généraux. Voyons-nous le Conseil du Roi se réunir dans la chambre à coucher de la Reine de France pour rédiger les différents articles de ce discours ?

On l'accuse aussi d'avoir fomenté l'évasion de Varennes. Sur quels critères ? On ne le dit pas. En revanche, on a constaté de nombreuses allées et venues ce soir-là entre les cours et le château ! On en conclut que toute personne entrant ou sortant des Tuileries complotait avec la Reine en vue de la fuite du Roi. En revanche, personne ne peut mettre un nom sur tous ces dangereux comploteurs qui vont et viennent, sauf un qui a pu être identifié, un dénommé Barré, dans lequel il est difficile de voir un dangereux factieux, figurez-vous qu'il était poète !

L'accusation tient beaucoup à ce que Bailly et Lafayette soient les complices de l'accusée dans cette fuite, alors qu'il est notoire qu'elle était indifférente au premier et détestait le second. Malgré les dénégations, leur complicité demeure un fait acquis.

On a découvert sous le lit de Marie-Antoinette des bouteilles vides et des bouteilles pleines. Quelle grotesque et vulgaire accusation, elle qui ne boit que de l'eau ! Malgré toutes les dénégations, c'est toujours elle qui aurait servi à boire à ses complices les gardes suisses et les chevaliers du Poignard. En admettant que cela soit vrai, la nombreuse domesticité des Tuileries n'aurait-elle pas pu débarrasser la chambre des bouteilles vides plutôt que de les laisser sous le lit ?

Elle serait aussi l'instigatrice de massacres au Champ-de-Mars et à Nancy. Avec quels moyens militaires ? Quels sont les officiers qui auraient subi ses ordres ? On ne le dit pas. Avons-nous des preuves ? Non, si ce n'est toujours la dénonciation calomnieuse des témoins.

Il en est de même de cette lettre à d'Affry, le chef des gardes suisses, à qui l'accusée aurait demandé de faire feu éventuellement sur le peuple. Devant son refus, l'accusée l'aurait menacé. Comme à l'accoutumée, aucune preuve ne vient étayer de telles accusations, et d'Affry lui-même, lors de son procès, fut dans l'impossibilité de prouver ces propos.

On accuse Marie-Antoinette de posséder des scapulaires, un chapeau du Roi, et on voit là la marque de la plus dangereuse des conspirations !

Je ne parlerai pas des innommables accusations du sieur Hébert. En écoutant sa déposition, le cœur se soulève. Je n'ai pas à défendre l'accusée d'une telle ignominie, les mères ici présentes s'en sont chargées en manifestant leur colère et leur dégoût. Le peuple a crié son indignation et ces délations se sont retournées bien heureusement contre leur auteur. Que le tribunal, qui vient de prendre dans ce procès une immense responsabilité devant l'Histoire, en autorisant le sieur Hébert d'exprimer une grande infamie, prenne soin de s'en laver le plus rapidement possible en excluant immédiatement cette immondice de l'acte d'accusation. A compter de ce jour, le nom d'Hébert sera pour l'éternité indissociable de cette abjection. Quel triste destinée pour un tel homme que de rentrer dans l'immortalité par la porte de l'ignominie !

On a reproché à Marie-Antoinette de traiter son fils en Roi. A la prison du Temple, selon le témoin Simon, il était toujours servi à table par le haut bout, alors qu'il ne s'agissait que de la conduite d'une mère attentive aux repas de son enfant. On lui a reproché d'enfermer ses deux enfants dans une tour du Temple pour s'entretenir avec les administrateurs. Quand on connaît le soin maternel avec lequel elle veillait sur eux, cette accusation perd son caractère cruel pour devenir grotesque !

Dans ce concert de calomnies, un témoin a crié son indignation, c'est le citoyen Bailly, ci-devant maire de Paris. Il a réfuté la déclaration du fils de l'accusée, le petit Louis-Charles Capet, qui le mettait en cause avec Lafayette dans la fuite à Varennes. Qui faut-il croire, un enfant de huit ans manipulé ou un savant de réputation internationale ?

Toujours sans la moindre justification, on accuse Marie-Antoinette d'avoir ordonné de tirer sur le peuple au Champ de Mars. Quand on réclame les preuves ou les témoignages de cette félonie, on ne retrouve que les fausses déclarations des témoins, alors que Bailly, qui était maire de Paris à cette époque, affirme le contraire.

Et puis nous arrivons au témoignage burlesque de la domestique Millot. Elle prétend que le duc de Coigny lui aurait révélé que la Reine aurait fait passer deux cents millions à son frère l'Empereur d'Autriche. Qui peut croire à la complicité d'une servante avec un aristocrate comme le ci-devant duc ? L'histoire absurde qu'elle relate prêterait à sourire, si elle ne s'insérait dans la gravité de ce procès. Qui peut croire encore aux divagations de cette brave femme ? Verrions-nous, sans rire, un duc s'entretenant avec une domestique dans les communs de Versailles sur un sujet de haute finance et de politique étrangère ? Et cet autre projet qu'elle fabule, de faire massacrer des gardes françaises par des soldats à la solde du ci-devant comte d'Artois ! Où sont les preuves ? Et que songer, sans en rire, d'une Reine de France qui porte des pistolets dans ses poches pour assassiner le duc d'Orléans et qu'en guise de punition, le Roi aurait consignée durant quinze jours dans ses appartements ? Cela ressemble tellement à une farce espagnole !

Et ce propos ridicule du témoin Labenette, qui proclame que l'accusée lui aurait envoyé trois tueurs ! Rien de moins ! Je me pose alors la question : qui voudrait tuer cet honnête mais obscur citoyen ? Trois tueurs, rien de moins, qu'il aurait lui seul mis en fuite ! J'ai trouvé que la constitution physique chétive du témoin permet de douter qu'il disposât de la force nécessaire pour s'opposer à trois hommes en même temps.

On reproche à l'accusée d'avoir soudoyé tous les administrateurs de la prison du Temple. Comment l'avons-nous su ? Grâce au propos du fils de l'accusée, un enfant de huit ans à peine. Pas un seul témoignage sérieux pour étayer ces propos fantaisistes. On jette l'anathème sur onze personnes sans procéder à une solide vérification et on attribue toutes ces manœuvres dilatoires, bien entendu, à l'accusée.

L'accusateur public déclare que deux bons signés de l'accusée portaient sur des sommes considérables. Malheureusement, ces bons sont égarés, mais nous sommes tenus de faire confiance aux deux témoins qui les ont vus. En fait de deux témoins, nous n'avons eu droit qu'à un seul, il se nomme Tisset. Et que témoigne-t-il, Tisset ? Il affirme qu'il a vu à la mairie deux bons. L'un portait sur une somme très importante, de quatre-vingt mille livres, signé de Marie-Antoinette. Et l'autre, signé de Louis, portait sur un cautionnement de deux millions ! Seulement voilà, Tisset a mal calculé son faux témoignage. Quand l'accusée lui demande à quelle date le bon porte sa signature, il répond malencontreusement qu'il était daté du 10 août ! Hélas pour Tisset, le 10 août, Marie-Antoinette a quitté le château à huit heures pour se réfugier à l'Assemblée législative. Quant au deuxième témoignage annoncé par l'accusateur public, nous l'attendons encore.

Quant aux "sommes immenses" remises par les contrôleurs des finances, impossible encore d'obtenir la moindre justification comptable. En revanche, l'accusée a reçu en tout et pour tout vingt-cinq louis d'une de ses servantes, la charitable citoyenne Auguié.

Je passerai rapidement sur la scène pénible que nous avons vécue avec le misérable inventaire des dernières reliques de l'accusée. Je suis sûr, citoyens jurés, que vous avez dû ressentir comme moi une indicible honte. Comment le tribunal a-t-il eu la suffisance, et je ne ménage pas mes mots, oui la suffisance de l'obliger à étaler devant vous tout ce qui la rattachait encore à ce monde, de participer à ce viol du cœur ? Pourquoi avons-nous manqué d'un minimum de tact en l'obligeant à citer devant nous des noms d'hommes, de femmes et d'enfants qui faisaient partie de son intimité et que nous avons violés ? Oui, citoyens jurés, votre républicanisme et votre amour de la fraternité ont souffert d'une telle violence. Oui ! Je dis bien : violence ! Mais quand on a eu la cruauté de ressortir devant une mère une mèche de cheveux de son enfant mort, je dis que c'est de l'inhumanité.

On veut à tout prix, lors des événements d'octobre, que Marie-Antoinette ait assisté au Conseil du Roi et soit responsable d'un projet de fuite à Metz. Le témoin d'Estaing affirme le contraire en précisant que ce n'est pas à Metz mais à Rambouillet qu'on devait se retirer. L'accusation n'en démord pas et prétend le contraire. Pour quelles raisons ? Pour attribuer encore une faute grave à l'accusée. Metz est plus près de la frontière autrichienne et sa responsabilité se trouve ainsi plus gravement engagée. Se sauver à Rambouillet n'est qu'une simple mesure de sauvegarde de la famille royale contre les violences populaires, tandis que rejoindre Metz est une trahison. Il faut donc à tout prix que ce soit Metz et non Rambouillet.

Tout l'esprit selon lequel l'accusation a été bâtie est de cette veine : lui attribuer toutes les fautes et tous les crimes des années 1989 à 1992. C'est toujours la même rhétorique qui apparaît dans les questions aux témoins : N'est-ce pas sur l'ordre d'Antoinette que vous avez fait ceci, n'est-ce pas sur l'ordre d'Antoinette que vous avez fait cela ! On tire au Champ-de-Mars : c'est sur ordre d'Antoinette ! On tire à Nancy : c'est encore sur ordre d'Antoinette ! L'armée est laissée dans un état pitoyable : c'est la faute d'Antoinette ! Quand elle demande l'état de l'armée, c'est nécessairement pour le transmettre à l'ennemi, alors que chacun peut y avoir accès, puisque ces états sont publics et non confidentiels. On lui reproche d'avoir dépensé des sommes immenses à la construction de Trianon. Nous savons pourtant qu'il a été bâti et payé par la Pompadour. On l'accuse d'être responsable de l'achat du fameux collier. C'est une femme Lamotte, qu'elle n'a jamais rencontrée, qui l'a volé. Peu importe, vous l'avez sûrement rencontrée à Trianon. – Mais non ! – Vous persistez à nier ? – Mon plan n'est pas la dénégation. C'est la vérité que j'ai dite, et que je persisterai à dire ! Tous les crimes lui sont attribués. Ne faisiez-vous pas nommer les ministres ? – Non ! – Ne les avez-vous pas forcés à attribuer les places vacantes pour vos amis ? – Non ! – A exiger des fonds du ministre des Finances ? – Non ! – A exiger de Vergennes de faire passer six millions à votre frère ? – Non ! – A accaparer les denrées de première nécessité pour les vendre à des prix élevés afin de dégoûter le peuple de la vie chère et par là du régime ? – Non ! Si un peintre fait son portrait en détention, c'est à coup sûr pour s'isoler avec lui afin d'espionner l'Assemblée législative, etc.

Je conclurai ma défense par un appel solennel à votre équité : Je vous demanderai, quand vous jugerez Marie-Antoinette, de prendre garde de ne pas lui ôter son inviolabilité de Reine sans lui rendre ses droits de citoyenne. Vous ne pouvez pas faire en sorte qu'elle cesse d'être Reine quand vous la jugerez, pour le redevenir au moment où le jugement est rendu. Si vous la jugez comme citoyenne, je vous demanderai où sont les formes juridiques d'appel qui garantissent la sécurité du citoyen qu'il a le droit imprescriptible de réclamer.

Je vous demanderai où sont les preuves matérielles de toutes vos accusations que nous réclamons en vain.

Je vous demanderai où vous situez la séparation des pouvoirs entre les différents tribunaux d'instance, d'appel et de cassation, sans laquelle il n'existe ni Constitution ni Liberté.

Je demanderai aux citoyens jurés de ne pas oublier leur rôle sacré : vous êtes les otages que la loi donne aux accusés pour garantir leur sûreté et leur innocence.

Je vous demanderai où sont ces précautions religieuses que la loi a prises pour que le citoyen même coupable ne fût jamais frappé que par elle et jamais par une autre postérieure à son délit.

Citoyens, je vous parlerai avec la franchise d'un homme libre : depuis deux jours, je cherche parmi vous des juges, je ne vois que des procureurs. Quand j'entends l'acte d'accusation et les déclarations des témoins, quelle inquiétante coïncidence que de retrouver de part et d'autre une longue énumération des faits décrits avec les mêmes critères, les mêmes phrases, les mêmes mots, comme si c'était la même main qui eût dicté les deux.

Vous voulez prononcer sur le sort de Marie-Antoinette. Mais alors vous devez être irréprochables. L'accusateur public, qui fut accusateur et témoin, nous a donné le bien triste exemple d'un magistrat juge et partie.

Vous voulez prononcer sur le sort de Marie-Antoinette, j'ai peur que vous ayez déjà émis vos vœux qui vont retentir dans toute l'Europe. Que votre jugement soit juste et équitable afin d'éviter de faire couler inutilement le sang ! Prenez garde de ne provoquer encore plus de haine contre nos enfants qui se battent pour l'amour sacré de la patrie.

Si vous n'appliquez pas la seule loi, votée en 1791, par laquelle elle peut être condamnée, Marie-Antoinette sera la seule Française pour laquelle il n'existera aucune loi ni aucune forme. Dans ce cas, elle n'aura ni le droit de citoyenne ni les prérogatives de Reine. Elle ne jouira ni de son ancienne condition ni de la nouvelle… Quelle étrange destinée !

Marie-Antoinette est-elle coupable ? Deux jours de débats n'ont pu le prouver, et quoi que vous fassiez, "juridiquement elle est innocente[1]".

Je remercie le tribunal de m'avoir écouté, ma défense est terminée.

Il salue Herman d'un simple mouvement de tête, puis ajoute :

— Je me soumets à votre justice.

1. André Castelot.

— Lieutenant Lebrasse, voulez-vous accompagner à son tour au greffe le citoyen Tronçon-Ducoudray avec tous les égards dus à son rang de défenseur de l'accusée ?

L'avocat est emmené. Il est deux heures quarante du matin.

Herman consulte de nouveau ses assesseurs. Les plumes noires se rapprochent, on parlemente à voix basse. Tandis que le président lui parle à l'oreille, les tics du juge Foucault s'aggravent. La tête de sanglier de Coffinhal bouge de haut en bas en signe d'acquiescement. Fabricius, la plume à la main, guette un geste du président. La Reine épuisée, la tête inclinée vers le sol, attend. Herman fixe Fouquier-Tinville d'un regard interrogateur, l'autre acquiesce d'un mouvement de tête sans qu'on sache de quoi il s'agit. Le président se lève alors et ordonne :

— Faites sortir la veuve Capet.

La Reine engourdie sursaute et se lève brusquement. Le lieutenant de Bûne s'approche d'elle :

— Veuillez me suivre, dit-il en mettant le plus de douceur possible dans sa voix.

Elle sort encadrée par deux gendarmes et précédée par de Bûne l'épée à la main, comme l'exige le règlement. On l'installe dans un cabinet de juge non chauffé, proche de la salle d'audience.

Dans les tribunes, le silence est absolu. Nos trois chevaliers retiennent leur souffle, ils redoutent la suite. Herman se lève et se tourne vers les jurés.

— Citoyens jurés, le peuple français, par le réquisitoire de l'accusateur public, a accusé, devant votre jury national, Marie-Antoinette d'Autriche d'avoir été la complice, ou plutôt l'instigatrice de la plupart des crimes dont s'est rendu coupable le dernier tyran de France ; d'avoir eu elle-même des intelligences avec les puissances étrangères, notamment avec le Roi de Bohême et de Hongrie, son frère, avec les ci-devant princes français émigrés et avec des généraux perfides ; d'avoir fourni à ces ennemis de la République des secours en argent, et d'avoir conspiré avec eux contre la sûreté extérieure et intérieure de l'Etat. Un grand exemple est donné en ce jour à l'univers. La nature et la raison si longtemps outragées sont enfin satisfaites, l'égalité triomphe...

— Un exemple donné à l'univers... gronde en sourdine Dubois de La Motte, plutôt un modèle de barbarie !

Le président poursuit :

— ... Cette affaire, citoyens jurés, n'est pas de celles où un seul fait, un seul défi est soumis à votre conscience et à vos lumières ; vous avez à juger toute la vie politique de l'accusée. S'il eut fallu de tous ces faits une preuve orale, il suffisait de faire comparaître l'accusée devant tout le peuple français. La preuve matérielle de ces crimes se trouve dans les papiers qui ont été saisis chez Louis Capet...

— Evidemment, remarque La Bourdonnaye, ils ont repris les papiers du Roi puisqu'ils n'en ont trouvé aucun contre elle.

— ... Il résulte que ces quelques faits décrits à l'instruction disparaissent devant l'accusation de haute trahison qui pèse essentiellement sur Antoinette d'Autriche. Ce sont donc les seuls que je soumettrai à votre conscience...

— En tout cas, ajoute Dubois, cela prouve qu'ils reconnaissent que tout ce qui a été dit jusqu'ici n'avait aucune valeur !

— ... Après la mort du tyran, Antoinette suivait au Temple à l'égard de son fils toute l'étiquette de l'ancienne cour. Le fils de Capet était traité en roi. Il avait la préséance sur sa mère...

— Mais il est en train de prononcer un nouveau réquisitoire ! constate Dubois de La Motte.

— D'autant plus que ce n'est pas son rôle, c'est celui du boucher, ajoute La Bourdonnaye.

— Il veut absolument avoir le mot de la fin.

— ... Je ne vous parlerai point, citoyens jurés, de l'incident de la Conciergerie, de l'entrevue du chevalier de Saint-Louis, de l'œillet laissé dans l'appartement de l'accusée. Cet incident n'est qu'une intrigue de prison qui ne peut figurer dans une accusation d'un si grand intérêt[1]...

— Alors, s'exclame Dubois de La Motte à voix basse, avais-je raison quand je vous affirmais qu'ils ont tout fait pour étouffer l'affaire de l'Œillet ? La voilà leur prétendue "intrigue de prison"... Il faut cacher à leurs ombrageux sans-culottes cette vilaine affaire où leurs chères idoles de la Commune se sont vendues aux royalistes de de Batz !

— ... Je finis par une réflexion générale que j'ai déjà eu l'occasion de vous présenter : c'est le peuple français qui accuse Antoinette...

— Parce que ces crapules s'assimilent au peuple français ? dit Belbœuf.

— ... Et voici les questions que le tribunal a arrêtées pour vous les soumettre.

Herman se tait alors, la tête baissée, il médite durant quelques secondes en fixant une feuille de papier posée sur la table, puis s'en empare, l'élève à hauteur des yeux en se tournant ostensiblement vers les jurés dans un geste théâtral et, de sa voix nasillarde, il lance enfin :

— Citoyens jurés, est-il constant qu'il ait existé des manœuvres et intelligences avec les puissances étrangères ennemies de la République, par des secours en argent, à faciliter l'entrée du territoire français, et faciliter le progrès de leurs armes ?

— Mais c'est une inculpation de haute trahison ! dit La Bourdonnaye. Sans la moindre preuve ! C'est monstrueux.

— ... Marie-Antoinette d'Autriche est-elle convaincue d'avoir coopéré à ces manœuvres et d'avoir entretenu ces intelligences ? Est-il constant qu'il ait existé un complot et une conspiration tendant à

1. Voir tome 1, "La légende de l'œillet ou la stratégie du mensonge", p. 641.

allumer la guerre civile dans l'intérieur de la République ?

— C'est eux qui ont allumé la guerre civile, s'indigne Dubois, avec l'arrestation des girondins et leur stupide loi du Maximum !

— C'est surtout leur conscription forcée qui a déclenché la guerre civile en Vendée, ajoute Belbœuf.

— Parle moins fort, lui recommande Dubois, tu vas nous faire repérer par Ducâtel.

— … Marie-Antoinette d'Autriche est-elle convaincue d'avoir participé à ce complot et à cette conspiration ?

Il repose lentement la feuille de papier qu'il lisait en jetant un regard d'ensemble sur les tribunes. Il ajoute, cette fois sans se tourner vers les jurés, en fixant le public pour y découvrir l'impression de son discours :

— J'invite maintenant les citoyens jurés à se retirer dans leur salle pour délibérer. La séance est suspendue jusqu'à nouvel ordre.

Il est trois heures du matin.

MERCREDI 16 OCTOBRE, SOIXANTE-SEIZIÈME ET DERNIER JOUR DE DÉTENTION, LA GRAND-CHAMBRE DU TRIBUNAL RÉVOLUTIONNAIRE, TROIS HEURES DU MATIN

18

Herman, grand maître dans l'Ordre souverain de la peine de mort

La Reine est seule avec le lieutenant de Bûne dans le bureau glacé du juge Trinchard. Deux gendarmes ont été placés devant la porte afin d'en interdire l'accès. Marie-Antoinette et l'officier attendent sur les deux seules chaises situées de part et d'autre d'une table de travail. L'officier, intimidé de se trouver face à la Reine, garde les yeux dans le vague et évite de croiser son regard. Cette dernière qui l'observe de profil désire le mettre à l'aise. Elle décide de rompre un silence devenu pesant :

— Monsieur de Bûne... dit-elle en ramenant son fichu sur ses épaules.

Il tourne aussitôt la tête vers elle.

— Oui, Madame !

— Je désirerais vous exprimer toute ma reconnaissance pour votre verre d'eau.

— Il ne faut pas en faire état, Madame, c'était bien normal puisque aucun huissier n'était disponible pour le faire.

— Vous avez été le seul à me donner à boire. Je voyais avec beaucoup de crainte la reprise des débats sans avoir étanché une soif insupportable.

— Avez-vous pu boire le bouillon préparé par Rosalie ?

— Mais ce n'était pas elle... J'ai été très étonnée de ne pas la voir, c'était une jeune fille étrangement vêtue qui me l'a apporté.

— Le bouillon a été saisi en chemin par l'administrateur de police Labuzière qui a exigé que ce soit sa jeune amie qui vous l'apporte. Je peux vous assurer que le chagrin de Rosalie fut profond ; je l'ai vue redescendre en larmes.

— J'en suis très peinée, Rosalie est une âme d'élite, elle ne méritait pas un tel chagrin… Avez-vous des enfants, monsieur de Bûne ?

— Oui, Madame, j'en ai trois.

— Est-ce que vous les élevez selon des préceptes chrétiens ?

— Oui, Madame.

— C'est bien. Saviez-vous que le Roi, mon époux, fut admis à se choisir un confesseur pour l'assister à sa dernière heure ?

— Oui, Madame, Lebrasse m'a tout raconté, c'était l'abbé de Firmont, n'est-ce pas ?

— Assurément. Croyez-vous, monsieur de Bûne, que cette faveur pourrait m'être accordée si je le réclamais ?

— Madame, je conserve l'espoir que nous n'en sommes pas encore réduits à chercher un pareil secours.

— Vous le pensez vraiment, monsieur de Bûne ?

— Mais oui, je le pense, et je ne suis pas le seul, rappelez-vous comme le citoyen Chauveau-Lagarde a été persuasif quand il a affirmé qu'il n'existait aucune preuve contre vous.

— Merci, monsieur, je garde l'espoir de vivre pour mes enfants. Pourtant, ne croyez-vous pas qu'il existât encore un prêtre comme l'abbé de Firmont ?

— A l'heure actuelle, Madame, il n'y a plus dans Paris que des prêtres qui ont juré fidélité à la constitution civile du clergé, tous les autres sont fugitifs ou cachés très secrètement, ou retenus sous les verrous.

Le brave officier ne sait pas qu'elle a reçu l'absolution par le successeur de l'abbé Magnin[1]. Constatant

1. L'abbé Magnin étant tombé gravement malade, c'était l'abbé Cholet.

qu'il l'ignore, elle abonde prudemment dans son sens afin de préserver comme toujours ceux qui l'ont aidé. Elle feint de se résigner à ne recevoir aucun secours.

— Cela étant, dit la Reine en soupirant, je ne dois plus m'occuper de cette idée.

Après quelques instants de silence, elle lui demande avec beaucoup d'émotion :

— Monsieur de Bûne, puis-je m'ouvrir à vous, j'ai quelque chose à vous révéler ?

Le lieutenant inquiet lui demande :

— J'espère, Madame, que ce que vous avez à me dire n'est pas contraire au règlement.

Elle sort une feuille pliée en quatre et la lui tend.

— Certainement pas, c'est une lettre adressée à mes enfants. Lisez-la, je vous prie.

— Mais, Madame, pourquoi devrais-je la lire ?

— Parce que cette missive ne contient rien de contraire à vos principes républicains, monsieur, et aussi parce que vous êtes un homme de cœur.

L'autre, visiblement contrarié, déplie quand même la feuille et la lit en silence. Une fois sa lecture terminée, il la replie et la lui rend.

— Ce sont de nobles paroles de chrétienne, mais pourquoi teniez-vous tellement à ce que je la lise ?

— Pour que vous la remettiez à mon fils et à ma fille si j'étais condamnée.

— En somme, Madame, vous me demandez de trahir.

— Non, monsieur, ce n'est pas trahir que de transmettre à mes enfants des recommandations qui s'inspirent de Dieu lui-même. Il n'y a rien de politique dans cette lettre. Je veux que mon fils et ma fille plus tard n'oublient pas les paroles de leur père avant de mourir... Seriez-vous opposé au pardon, monsieur de Bûne ?

— Non, bien sûr, Madame, mais...

— Vous êtes-vous déjà confessé à un prêtre constitutionnel, monsieur de Bûne ?

L'autre se tait. Après quelques instants d'hésitation, il dit :

— C'est bon, donnez moi cette lettre.

Une partie de la foule des tribunes s'est retirée dans la salle des pas perdus pour attendre la décision du jury. D'autres préfèrent garder leur place, bien qu'une grande partie du public soit parti.

Les juges et l'accusateur n'ont pas quitté la Grand-Chambre. Ils s'entretiennent autour des tables, certains sont même assis dessus.

Dans l'immense salle des pas perdus, les lampes à huile du brave Lenfumé sont insuffisantes pour éclairer le vaste hall qui reste plongé dans la pénombre. Il y règne un froid très vif, et les curieux se serrent en groupes comme pour se réchauffer. Dans une semi-obscurité se côtoient des royalistes, des jacobins, mais aussi tout simplement le peuple de Paris. On discute ferme sur le sort de l'accusée. Un groupe de maraîchères, amies de Louise Pitot, très attachées à la Reine, suivent les événements avec passion. Des agents de la police des prisons arpentent la salle. Ducâtel et ses sbires épient les conversations, à l'écoute des groupes, cherchant à débusquer des royalistes ou simplement ceux dont les propos ne sont pas conformes au goût du jour.

— Marie-Antoinette s'en tirera, dit une maraîchère, elle a répondu comme un ange, on ne fera que la déporter.

C'est en effet l'impression générale : la déportation est sur toutes les bouches, même chez les jacobins les plus farouches. Nos chevaliers du Poignard déambulent parmi les groupes, glanant çà et là des bribes de conversations.

— Les preuves sont insuffisantes, entendent-ils, elle sera sûrement déportée aux îles.

— Oui, mais ces preuves existent sûrement quelque part, répond un autre.

— Peut-être, mais aujourd'hui il n'y en a pas !

Nos trois royalistes se dirigent vers la sortie de la salle des pas perdus. Ils voient s'écouler les groupes qui rentrent chez eux transis de froid. Un homme habillé en sans-culotte, vêtu d'une carmagnole, s'approche d'eux le visage défait. Il s'adresse à voix basse à Dubois de La Motte.

— Je suis le vicomte Desfossés.

— Je vous avais reconnu, monsieur le comte, dit Dubois.

— Il faut que je vous parle.

— Suivez-moi.

Ils s'isolent derrière l'un des piliers géants de la salle des pas perdus, rejoints aussitôt par Belbœuf et La Bourdonnaye.

— Alors ?

— Jean-Baptiste Basset et Catherine Fournier ont été arrêtés.

La consternation se lit sur le visage des trois chevaliers.

— Quand est-ce arrivé ?

— Hier ! Ils ont été trahis par Perrin et Laroche et toute une clique de la basse police, c'étaient en réalité des agents d'Amar.

— Quoi ? Laroche l'Auvergnat, un traître ?

— Oui, depuis le début !

— C'est une tragédie… Jean est-il au courant ?

— Oui, il ne décolère pas ! La Rochelambert l'a prévenu trop tard que Juilhe Laroche était un imposteur, ils n'ont jamais chassé ensemble, il ne le connaît même pas !

— Et le groupe de perruquiers en poste au Palais-Royal ?

— Ils ne sont plus qu'une trentaine à attendre le passage de la Reine. Toute tentative serait un suicide !

— Et les conscrits ?

— Les casernes de Vanves et de Courbevoie ont été investies par la garde nationale, les nôtres ont été arrêtés. Les révolutionnaires ont brûlé tous les matelas de Basset.

— Et Le Bozcc ?

— Il a déserté, il a rejoint Charrette en Vendée.

— Avons-nous des nouvelles d'Elisabeth ?

— Elle s'est précipitée aussitôt au Palais-Royal pour leur prêter main-forte. Jean va lui intimer l'ordre de ne pas se battre. Ils ont mobilisé trente mille hommes entre la Conciergerie et la place de la Révolution… Comment se présente le procès de la Reine ?

— On parle de la déporter aux îles.

— Vous y croyez ?

— Nous l'espérons, ils n'ont pu fournir la moindre preuve de sa culpabilité.

— Avez-vous pu préparer un compte rendu des débats pour Jean ?

— Dites-lui qu'il l'aura à midi. Comment va-t-il ?

— Très affecté par l'arrestation de Jean-Baptiste.

On entend la sonnette du président qui retentit.

— Dépêchons-nous de regagner nos places, crie une maraîchère, les jurés vont entrer en séance !

Il est quatre heures du matin.

Marie-Antoinette, qui attend dans la chambre voisine de la salle des audiences en compagnie du lieutenant de Bûne, entend au loin la sonnette du président. Remplie d'espoir, elle compte toujours être déportée en Autriche avec ses enfants… Et elle le pense vraiment puisque personne, dit-elle, n'a articulé contre elle un fait positif. Elle entend vaguement la voix nasillarde d'Herman, mais ne peut distinguer ses paroles. Au bout de quelques minutes, elle demande :

— Monsieur de Bûne, est-ce bien la voix du président que nous entendons depuis un moment ?

— Oui, Madame.

— Ne pensez-vous pas que son discours est étrangement long ?

— Cela ne veut rien dire, Madame.

Un public clairsemé occupe les tribunes. Dans la Grand-Chambre de plus en plus enfumée par les quinquets, le froid engourdit les derniers occupants. Les officiers du tribunal rejoignent leur siège. Le silence est total lorsque le lieutenant Lebrasse, précédant les douze jurés, les raccompagne à leur place, le ci-devant marquis Antonelle en tête. Fouquier-Tinville, qui les suit des yeux, ne peut cacher une certaine satisfaction, car il connaît leur réponse.

— Je n'aime pas le sourire du boucher, chuchote Dubois de La Motte.

La mère Larivière, toujours au premier rang aux côtés des tricoteuses, le visage congestionné, se tient encore plus droite et paraît encore plus grande. On ne voit qu'elle dans les tribunes clairsemées.

Herman, se sentant de plus en plus investi, s'adresse à Antonelle sur un ton solennel :

— Citoyen, le jury est-il suffisamment éclairé ?

— Oui, citoyen président, répond l'autre en se levant, une feuille à la main.

— Nous attendons sa décision.

Antonelle prend son temps. Bien qu'intimidé par le rôle historique qui lui échoit, il éprouve une grande satisfaction quand tous les yeux restent braqués sur lui. Comme Fouquier, comme Herman, il sait qu'il vit le moment le plus important de sa vie : on va révéler le destin de Marie-Antoinette de Lorraine d'Autriche, la femme la plus célèbre d'Europe, et c'est lui, Antonelle, qui en est chargé. Il le payera plus tard d'une excommunication.

Après s'être éclairci la voix, il lit d'un ton sentencieux comme s'il incarnait à lui seul la justice et le droit :

— A la question "Est-il constant qu'il ait existé des manœuvres et des intelligences avec les puissances étrangères ?", la réponse est oui à l'unanimité. A la question : "Marie-Antoinette d'Autriche est-elle convaincue d'avoir coopéré à ces manœuvres et ces intelligences ?", la réponse est oui à l'unanimité.

— Seigneur ! murmure entre ses dents la mère Larivière.

A la question : “Est-il constant qu’il ait existé des complots et conspirations tendant à allumer la guerre civile ?”, la réponse est oui à l’unanimité. A la question : “Marie-Antoinette d’Autriche est-elle convaincue d’y avoir participé ?”, la réponse est oui à l’unanimité.

Un silence de plomb s’est abattu sur les tribunes. Nos trois chevaliers sont en état de choc. La mère Larivière, le visage empourpré, reste figée. Elle doit cacher son désarroi, car Ducâtel intrigué l’observe sans cesse. Il se méfie bien de quelque chose, mais la crainte que lui inspire Amar le pousse à la prudence. Les tricoteuses surprises ont arrêté leur ouvrage, ce verdict a outrepassé leur haine ; au fond, elles n’en demandaient pas tant.

— Elle est perdue ! murmure effondré Dubois de La Motte.

Herman, théâtral, se lève lentement et s’adresse au public avec emphase :

— Si ce n’étaient pas des hommes libres, et qui par conséquent sentent toute la dignité de leur être, qui remplissent l’auditoire, je devrais peut-être leur rappeler qu’au moment où la justice nationale va prononcer la loi, la raison, la moralité, leur commandent le plus grand calme ; que la loi leur défend tout signe d’approbation, et qu’une personne, de quelques crimes qu’elle soit couverte, une fois atteinte par la loi, n’appartient plus qu’au malheur et à l’humanité. Huissier, faites entrer l’accusée.

La Reine, dans la pièce voisine, n’entend plus le marmonnement lointain de la voix d’Herman. C’est de nouveau le silence absolu dans le palais. Au bout de quelques secondes, on entend des pas retentir dans le couloir, la porte s’ouvre, c’est l’huissier Simonet qui s’adresse à de Bûne :

— Vous êtes prié de ramener la veuve Capet à la barre.

Quand elle pénètre dans la Grand-Chambre, un autre silence encore plus pesant l'accueille. Elle remarque que ses deux avocats sont revenus. Elle monte sur l'estrade, mais la position debout lui est de plus en plus pénible. Elle se tient quand même droite, face au président qui l'apostrophe de sa voix nasillarde :

— Antoinette, soyez attentive, voici quelle est la déclaration du jury.

Accablée de fatigue, elle a les oreilles qui bourdonnent. Elle semble entendre dans son affaissement une avalanche de "oui" : "... Intelligences avec les puissances étrangères ? Oui. Convaincue d'avoir coopéré ? Oui. Allumer la guerre civile ? Oui. Convaincue d'y avoir participé ? Oui." Comme dans une hallucination, un mot revient sans cesse : convaincue... convaincue... convaincue... Puis s'élève la voix rocailleuse de Fouquier-Tinville qui martèle à son tour : "Conformément... conformément... conformément... intelligences avec l'ennemi... conspirations... complots... guerre civile..." Enfin, trois mots terribles s'abattent sur elle comme une masse : "... punis de mort."

Ne lâchant pas sa proie, Herman lui demande sur un ton détaché :

— Antoinette, avez-vous quelques réclamations à faire sur l'application des lois invoquées par l'accusateur public ?

C'est trop lui demander, elle n'a plus la force de répondre, elle secoue négativement la tête.

— Les ordures ! murmure Dubois révolté. Solliciter des réclamations à une condamnée à mort : non seulement ce sont des assassins, mais en plus ils sont idiots !

Le président s'adresse ensuite aux avocats et leur pose la même question :

— Citoyen Chauveau-Lagarde ?

L'autre livide fait non de la tête.

— Citoyen Tronçon-Ducoudray ?

Le visage fermé, poussé par un sentiment d'impuissance et d'indignation, celui-ci veut se dégager d'une une telle sentence :

— Citoyen président, la déclaration du jury étant précise, et la loi formelle à cet égard, j'annonce que mon ministère à l'égard de la veuve Capet est terminé.

Herman se penche vers ses collègues, la hure de Coffinhal s'agite de haut en bas en signe d'acquiescement, le président, une feuille à la main, se lève solennellement imité par l'ensemble du tribunal et énonce :

— Le tribunal, d'après la déclaration unanime du jury, faisant droit sur le réquisitoire de l'accusateur public, condamne ladite Marie-Antoinette, dite de Lorraine d'Autriche, veuve de Louis Capet, à la peine de mort. Le présent jugement sera exécuté sur la place de la Révolution, imprimé et affiché sur toute l'étendue de la République. Veuillez raccompagner la condamnée dans son logement.

Foudroyée, elle descend de l'estrade comme un automate, "la tête basse, sans rien voir, sans rien entendre[1]". Mais quand elle parvient au niveau de la barrière où le public médusé l'observe en silence, elle relève fièrement la tête en défiant l'assistance, puis mettant son courage au-dessus de toute espérance, elle quitte la Grand-Chambre de son immortelle démarche, avec la même majesté que lorsqu'elle est entrée.

Elle sort guidée par le lieutenant de Bûne chapeau bas, qui se tient près d'elle, tandis que deux gendarmes la suivent. Elle s'engage dans la galerie des Peintres, chancelante de fatigue, mais lorsqu'elle est face au gouffre obscur de l'escalier à vis de la tour Bonbec, elle chancelle.

— Je suis épuisée, dit-elle, je vois à peine à me conduire…

De Bûne lui offre le bras, et la soutient dans la pénible descente des degrés de la tour. Il sent son

1. Plaidoirie de Chauveau-Lagarde.

petit bras maigre et fragile qui s'agrippe au sien et c'est ainsi qu'ils atteignent le préau des hommes. L'air est vif, il fait à peine cinq degrés, mais le ciel est clair. Les prisonniers des chambres à la pistole voient passer la Reine de France trébuchante appuyée contre le lieutenant de Bûne. Quand il faut franchir les marches du perron, elle glisse et perd l'équilibre, mais l'autre la retient.

Dans le couloir des prisonniers, les attendent le concierge Bault et le lieutenant Lebrasse entouré de gendarmes.

— Je raccompagne la veuve Capet, dit Bault.

Il s'éloigne seul avec elle. Lebrasse, gêné, s'adresse à de Bûne :

— François, je suis désolé, mais je dois t'informer de quelque chose qui m'embarrasse beaucoup.

— Parle !

— J'ai reçu l'ordre de t'arrêter et de t'enfermer immédiatement dans une chambre à la pistole !

— Tu plaisantes ?

— Non. Un de tes gendarmes a fait un rapport contre toi.

— Un rapport contre moi ? Qui ?

— Jourdeuil !

— L'imbécile ! Et que me reproche-t-il ?

— D'avoir donné un verre d'eau à la veuve Capet. En plus, nous avons tous remarqué que tu avais gardé ton chapeau à la main. Je suis peiné d'être obligé de t'enfermer.

De Bûne est abasourdi.

— Qui me remplace chez la prisonnière ?

— Le lieutenant Barbillon.

— Aurais-je droit aux fers ? dit le lieutenant avec un sourire douloureux.

— Je t'en prie, François, ne plaisante pas, ma tâche est assez ingrate comme cela.

Ils s'éloignent dans le couloir des prisonniers.

MERCREDI 16 OCTOBRE, SOIXANTE-SEIZIÈME ET DERNIER JOUR DE DÉTENTION, LE CACHOT DE LA REINE, QUATRE HEURES ET DEMIE DU MATIN

19

Au-delà des larmes…

— Ouvrez ! ordonne Bault aux gendarmes qui gardent le cachot.

Quand la Reine pénètre dans sa cellule, deux bougies brûlent sur la petite table. C'est la première fois qu'on autorise une telle faveur. Un officier de gendarmerie somnole sur une chaise dans un coin.

— C'est vous, monsieur Bault, qui avez disposé ces chandelles ? demande la Reine étonnée.

— Oui, Madame, j'en ai été autorisé.

— Monsieur Bault, je désirerais de quoi écrire, pensez-vous que cela me sera accordé ?

— Oui, Madame, je le prends sur moi.

Il revient aussitôt avec du papier, une plume et de l'encre. Il dispose le tout sur la table et sort.

Elle s'assoit devant sa petite table de prison, et malgré l'épuisement d'une séance qui a duré vingt heures, le manque de sommeil et de nourriture, malgré des hémorragies qui l'épuisent, elle va écrire pratiquement d'une seule traite une dernière lettre qu'elle destine à sa belle-sœur Madame Elisabeth, la gardienne de ses enfants.

Cette lettre est bouleversante par sa vigueur, par la fulgurance des mots, révélée dans un verbe direct et assuré. Jamais la Reine ne s'était exprimée ainsi. Il semblerait que l'issue fatale et le peu de temps qui lui reste encore à vivre aient libéré en elle une force inattendue.

Marie-Antoinette écrit :

Ce 16 octobre, à quatre heures et demie du matin,
C'est à vous ma chère sœur que j'écris pour la dernière fois.

Je viens d'être condamnée non à une mort honteuse, elle ne l'est que pour les criminels, mais à aller rejoindre votre frère. Comme lui, innocente, j'espère montrer la même fermeté que lui dans ses derniers moments.

Je suis calme, comme on l'est quand la conscience ne reproche rien. J'ai un profond regret d'abandonner mes enfants. Vous savez que je n'existais que pour eux, et vous ma bonne et tendre sœur, vous qui avez sacrifié pour être avec nous, dans quelle position je vous laisse…

Dès qu'elle se remémore ses enfants, l'émotion la submerge, l'écriture se fait moins sûre, les larmes l'envahissent et tombent sur le papier[1].

J'ai appris par le plaidoyer même du procès, que ma fille était séparée de vous. Hélas la pauvre enfant, je n'ose pas lui écrire ; elle ne recevrait pas ma lettre ; je ne sais même pas si celle-ci vous parviendra.

Recevez pour eux deux ici ma bénédiction ; j'espère qu'un jour quand ils seront plus grands, ils pourront se réunir avec vous et jouir en entier de vos tendres soins. Qu'ils pensent tous deux à ce que je n'ai cessé de leur inspirer, que les principes et l'exécution exacte de ses devoirs sont la première base de la vie, que leur amitié et leur confiance mutuelle en fera le bonheur. Que ma fille sente qu'à l'âge qu'elle a, elle doit toujours aider son frère, par les conseils que l'expérience qu'elle aura de plus que lui et son amitié pourront lui inspirer.

1. On peut voir leurs traces encore aujourd'hui.

Que mon fils à son tour rende à sa sœur tous les soins, les services que l'amitié peut inspirer. Qu'ils sentent enfin tous deux, que dans quelques positions où ils pourront se trouver, ils ne seront vraiment heureux que par leur union.

Qu'ils prennent exemple de nous, combien dans nos malheurs, notre amitié nous a donné de consolation, et dans le bonheur, on jouit doublement, quand on peut le partager avec un ami, et où trouver de plus tendre et de plus vrai que dans sa propre famille ? Que mon fils n'oublie jamais les derniers mots de son père, que je lui répète expressément : "Qu'il ne cherche jamais à venger notre mort."

J'ai à vous parler d'une chose bien pénible à mon cœur. Je sais combien cet enfant a dû vous faire de la peine. Pardonnez-lui ma chère sœur ; pensez à l'âge qu'il a et combien il est facile de faire dire à un enfant ce qu'on veut et même ce qu'il ne comprend pas. Un jour viendra, j'espère, où il ne sentira que mieux tout le prix de vos bontés et de votre tendresse pour tous deux.

Il me reste encore à vous confier mes dernières pensées. J'aurais voulu les écrire dès le commencement du procès ; mais outre qu'on ne me laissait pas écrire, la marche était si rapide que je n'en aurais réellement pas eu le temps.

Je meurs dans la religion catholique, apostolique et romaine, dans celle de mes pères, dans celle où j'ai été élevée et que j'ai toujours professée : n'ayant aucune consolation spirituelle à attendre, ne sachant pas s'il existe encore ici des prêtres de cette religion, et même le lieu où je suis les exposerait trop s'ils y entraient une fois.

Je demande sincèrement pardon à Dieu de toutes les fautes que j'ai pu commettre, depuis que j'existe ; j'espère que dans sa bonté, il voudra bien recevoir mes derniers vœux, ainsi que ceux que je fais depuis longtemps pour qu'il veuille bien recevoir mon âme dans sa miséricorde et sa bonté. Je demande pardon à tous ceux que je connais, et à vous, ma sœur en particulier, de toutes les peines que sans le vouloir, j'aurais pu leur causer. Je pardonne à tous mes ennemis le mal qu'ils m'ont fait. Je dis adieu à mes tantes et à tous mes frères et sœurs.

J'avais des amis, l'idée d'en être séparée pour jamais et leurs peines sont un de mes plus grands regrets que j'emporte en mourant : qu'ils sachent du moins que jusqu'à mes derniers moments,

J'ai pensé à eux.

Adieu ma bonne et tendre sœur, puisse cette lettre vous arriver ! Pensez toujours à moi. Je vous embrasse de tout mon cœur ainsi que mes pauvres et chers enfants. Mon Dieu ! Qu'il est déchirant de les quitter pour toujours. Adieu ! Adieu ! Je ne vais plus m'occuper que de mes devoirs spirituels. Comme je ne suis pas libre dans mes actions, on m'amènera peut-être un prêtre ; mais je proteste ici que je ne lui dirai pas un mot, et que je le traiterai comme un être absolument étranger...

Epuisée, la Reine en larmes arrête là son message. Elle demande au jeune officier qui somnole :

— Monsieur, s'il vous plaît ?

L'autre émerge, le regard interrogateur.

— Monsieur, pouvez-vous faire appeler le concierge, s'il vous plaît ?

Il se lève sans dire un mot et lance un ordre aux gendarmes de garde. Au bout d'un moment, Bault se présente.

— Monsieur Bault, demande la Reine les yeux rougis, pourriez-vous remettre cette lettre à ma sœur Elisabeth ?

Emue de la voir dans une telle détresse, il s'empresse de la rassurer :

— Oui, Madame, ce sera fait.

Il s'en saisit et sort aussitôt. Marie-Antoinette, épuisée, se jette tout habillée sur son lit et tente de dormir.

Dès qu'il a franchi le seuil, des gardes nationaux, alertés par l'officier soupçonneux, attendent le concierge :

— Qu'as-tu à la main ?

— Une lettre de la veuve Capet que je dois remettre à sa belle-sœur.

— Donne ! Le citoyen Fouquier-Tinville doit en être saisi, il se chargera de la faire donner au destinataire.

L'infortunée Elisabeth n'eut jamais connaissance du testament moral de la Reine. La lettre finira sous le matelas de Robespierre qui collectionnait les objets appartenant à la famille royale. Après sa mort, la lettre fut saisie. Ce n'est que vingt-cinq ans plus tard que Madame Royale, la fille de Marie-Antoinette, devenue duchesse d'Angoulême, en prit connaissance. Quand elle la lut, elle s'évanouit.

MERCREDI 16 OCTOBRE, SOIXANTE-SEIZIÈME ET DERNIER JOUR DE DÉTENTION, LE CACHOT DE LA REINE, SIX HEURES DU MATIN

20

A la fin de la vie, des pensées jusqu'alors informes surgissent clairement dans l'esprit, elles sont comme d'heureux et brillants génies qui se posent sur les cimes du passé.

GOETHE

Il est six heures quand Rosalie Lamorlière pénètre doucement dans le cachot. Dehors c'est la nuit. Les chandelles qui brûlent encore l'éclairent à peine. Elle devine la présence de la Reine plutôt qu'elle ne la voit. Allongée sur son lit, encore vêtue de sa robe noire, le visage appuyé sur la main et le regard tourné vers la fenêtre, elle ne dort pas, "elle pleure doucement[1]". La petite servante n'ose pas parler. Elle attend dans la demi-obscurité que la Reine réagisse à sa présence ; mais non, elle reste silencieuse et immobile. Rosalie aperçoit, à gauche, l'ombre immobile de l'officier qui sommeille sur sa chaise. Les yeux noyés de larmes, elle se décide à murmurer d'une voix timide et tremblante :

— Madame...

La Reine ne répond pas.

— Madame... Vous n'avez rien pris hier au soir, et presque rien dans la journée, que désirez-vous prendre ce matin ?

1. Stefan Zweig.

— Ma fille, répond la Reine d'une voix sans timbre, je n'ai plus besoin de rien, tout est fini pour moi.

La jeune servante se fait implorante :

— Madame... J'ai conservé sur mes fourneaux un bouillon et un vermicelle, permettez-moi au moins de vous apporter quelque chose...

La Reine reste silencieuse, alors les pleurs de Rosalie redoublent. Elle s'apprête à sortir lorsque la Reine touchée la rappelle :

— Soit, apportez-moi votre bouillon !

Rosalie se précipite aussitôt vers les cuisines pour rapporter tout heureuse un bol de vermicelle.

A son retour, la Reine s'assoit sur le bord du lit mais n'en boit que quelques cuillères.

— Merci, ma fille ! Pouvez-vous revenir vers sept heures pour m'aider à m'habiller ? lui demande-t-elle.

— Oui, Madame.

Rosalie fait sa petite révérence et sort.

Marie-Antoinette s'allonge, la face tournée cette fois vers la cloison, elle médite dans ses larmes. Comme sa vie est perdue, elle peut encore sauver l'honneur[1].

Elle semble entendre les paroles sa mère :

— N'oublie jamais que tu es la fille des Césars, ne manifeste plus aucune faiblesse devant qui que ce soit ! Montre à ceux qui le désirent comment meurt une fille de Marie-Thérèse d'Autriche... Plus de larmes devant quiconque, désormais, tu n'appartiens plus à ce monde.

Habituée dès l'enfance à l'idée de la mort, le moment est donc venu d'affronter avec dignité ce dernier voyage. A bout de forces, elle s'endort quelques instants d'un sommeil lourd.

1. André Castelot.

Sept heures sonnent au carillon de la Sainte-Chapelle.

La porte s'ouvre, Rosalie est de retour. La Reine se lève aussitôt.

— Rosalie, il faut que je change ma camisole, mais je souhaite garder la robe noire.

— Hélas non, Madame, dit-elle, le concierge Bault a reçu des instructions, vous ne devez pas être vêtue de noir, cela pourrait déchaîner de l'hostilité contre vous.

— Je mettrais alors le déshabillé blanc.

Depuis la veille, la Reine a perdu beaucoup de sang et elle porte la même chemise depuis vingt-quatre heures. Pour en changer, il va falloir se dérober aux regards de l'officier. Elle s'accroupit dans la ruelle, cet espace compris entre le lit et le mur, ôte sa robe noire puis sa chemise et se retrouve dénudée. Rosalie se place devant elle de façon à la soustraire aux yeux du gendarme ; ne voyant plus la prisonnière, il se précipite sur le lit de sangles et jette un regard plongeant sur la Reine en s'appuyant sur l'oreiller. Rosalie voit s'empourprer le visage de la Reine qui met précipitamment son fichu sur ses épaules. Marie-Antoinette demande avec douceur :

— Au nom de l'honnêteté, monsieur, permettez que je change de linge sans témoin.

— Je ne saurais y consentir, répond l'autre avec brusquerie, mes ordres portent que je dois avoir l'œil sur tous vos mouvements[1].

La Reine lève les yeux au ciel en soupirant, puis avec mille précautions, en se protégeant de son fichu, elle endosse une autre camisole. Elle enfile ensuite deux jupons, un noir en dessous, un blanc par-dessus, revêt son déshabillé blanc du matin, et déploie son

1. Quarante-trois ans plus tard, Rosalie racontera cette anecdote à Mme Simon-Viennot venue lui rendre visite dans sa chambre à l'hospice des Incurables où elle vivait. Rosalie avait alors soixante-huit ans et était toujours aussi belle.

grand fichu de mousseline unie qu'elle croise au ras du menton. Elle se couvre d'un bonnet blanc sans barbes de deuil mais bordé d'une petite garniture plissée à deux volants. Elle garde ses bas de filoselle noire que lui ont offerts les sœurs de Saint-Roch pour la protéger du froid et chausse enfin des chaussures neuves de prunelle à haut talon à la Saint-Huberty. Elle noue ensuite un petit ruban de faveur noir à chaque poignet.

Ce n'est pas par coquetterie qu'elle apporte un certain soin à sa mise, elle a pris la mesure pour l'Histoire de l'exceptionnelle dimension de sa mort. Comme Louis XVI, son seul souci sera pour la postérité de mourir avec courage et dignité.

Mais auparavant, il faut se débarrasser de cette chemise ensanglantée. Sa pudeur de femme l'oblige à se soucier de ceux qui viendront bientôt prendre possession de son linge.

Angoissée, elle cherche autour d'elle un espace pour dissimuler le linge maculé. La voyant si inquiète, par délicatesse, Rosalie n'ose lui proposer de l'en débarrasser. Enfin, le visage de Marie-Antoinette s'apaise, elle a découvert une cachette. Elle roule la camisole, l'introduit dans une des manches comme dans un fourreau et l'insère entre le mur et un lambeau de toile à papier. Rosalie est émue d'un geste d'une telle grandeur d'âme. Sachant qu'elle n'a que quelques heures à vivre, voilà qu'elle se préoccupe encore de ménager ceux qui passeront ici dans quelques heures. La Reine lui tourne alors le dos pour s'agenouiller contre son lit de sangles et prier.

Rosalie Lamorlière a terminé sa mission. Elle s'efface discrètement sans révérence ni salut. Elle ne veut surtout pas troubler la Reine par un adieu. La mort dans l'âme, elle sort discrètement, les yeux noyés de larmes. La Reine, de dos, tout à ses dernières dévotions, ne l'a pas entendue sortir. La jeune fille rejoint sa chambre en courant pour pleurer.

Il est un peu plus de sept heures trente quand le concierge Bault surprend la Reine toujours en prière.

— Madame, dit-il, il y a là un curé de Paris qui demande si vous voulez vous confesser.

— Un curé de Paris ? dit-elle sans se lever. Il n'y en a guère.

Un homme de grande taille aux yeux clairs et aux cheveux gris, habillé d'un costume laïc, salue en s'inclinant :

— Madame, dit-il, je suis l'abbé Girard, curé de Saint-Landry dans la Cité. Je suis venu vous offrir les services de mon ministère.

La Reine, toujours à genoux, tourne la tête vers lui :

— Je vous remercie, je n'ai besoin de personne.

— Mais que dira-t-on, Madame, lorsqu'on saura que vous avez refusé le secours de la religion dans ces suprêmes moments ?

— Vous direz aux personnes qui vous en parleront que la miséricorde de Dieu y a pourvu.

— Ne voulez-vous pas que je vous accompagne ?

— Comme vous voudrez…

Et elle retourne à ses dévotions. Le curé sort.

A dix heures arrive le jeune Louis Larivière chargé de récupérer la vaisselle. A sa vue, la Reine est vivement émue.

— Larivière, vous savez qu'on va me faire mourir, dites à votre respectueuse grand-mère que je la remercie de ses soins et que je la charge de prier Dieu pour moi…

Le jeune homme en est si affecté qu'il ne peut prononcer un mot.

On entend des éclats de voix et des pas résonner dans le couloir. Les serrures cliquettent, Baps aboie. Trois oiseaux à plumes noires font irruption. Ce sont trois juges du Tribunal révolutionnaire, dont Herman, le grand ordonnateur de la peine de mort, accompagné de ses assesseurs le vieux Donzé-Verteuil et le stupide Foucault toujours secoué de tics, en compagnie du greffier Fabricius. Ce dernier tient une longue feuille de papier à la main. La Reine, qui était à genoux face à son lit, se lève pour les recevoir et se tient droite devant eux. Cette attitude si imposante va permettre au jeune Larivière d'assister à une scène qui "ne se passe jamais en pareil cas" : il voit les quatre révolutionnaires se découvrir devant la Reine.

— Soyez attentive, déclare Herman, on va vous lire votre sentence.

— Cette lecture est inutile, dit-elle d'une voix forte, je ne la connais que trop.

— Il n'importe, il faut qu'elle vous soit lue une seconde fois, s'écrie Foucault.

Fabricius, avec son accent marseillais, énumère pour la énième fois les décisions du jury. Sa lecture terminée, la porte s'ouvre sur un géant qui se plie en deux pour entrer. C'est Henri Sanson, le fils du bourreau Charles Henri Sanson qui a exécuté le Roi le 21 janvier précédent et qui, depuis, n'exerce plus sa charge.

— Présentez vos mains ! dit le géant.

La Reine paraît surprise.

— Est-ce qu'on va me lier les mains ?

Sanson fait oui de la tête.

— On ne les a point liées à Louis XVI…

L'autre qui hésite se tourne vers Herman.

— Fais ton devoir ! répond celui-ci pour se donner bonne conscience.

Louis Larivière bouleversé entend la Reine s'écrier :

— Oh ! mon Dieu[1] !

Il voit le colosse s'emparer brutalement des petites mains et les attacher derrière le dos. Il les serre si fort que Marie-Antoinette lève les yeux vers le ciel avec un soupir de douleur. Elle lutte pour ne pas

1. Près de quarante ans plus tard, devenu pâtissier à Saint-Mandé, Louis Larivière rapportera cette anecdote.

laisser couler ses larmes. Louis Larivière n'oubliera jamais cette scène. Il voit Sanson faire asseoir la Reine et arracher brutalement ce bonnet qu'elle a mis tant de soin à arranger. Le bourreau taille ensuite à grands coups de ciseaux dans la chevelure blanche parsemée encore de mèches de ce blond vénitien qui faisait l'admiration des femmes de Versailles et les enfouit dans sa poche pour les brûler plus tard. L'air égaré, Marie-Antoinette essaye de deviner les intentions du bourreau : elle est persuadée qu'elle va être exécutée à la hache dans son cachot.

— Allons, dit Herman en regardant sa montre, il est temps ! Avancez ! dit-il en s'écartant pour la laisser passer.

Dans le couloir des prisonniers, elle chemine en vacillant entre une double haie de gendarmes. Elle est suivie par Sanson qui tient la corde. Elle parvient ainsi au niveau du greffe quand soudain elle ressent une vive douleur au bas-ventre :

— Messieurs, dit-elle, je me sens incommodée.

Herman a compris.

— Déliez-la ! ordonne-t-il au bourreau.

— Par là ! dit Fabricius.

Elle se précipite dans un réduit obscur qui se trouve à l'angle gauche du greffe, que l'on appelle la Souricière, où elle s'accroupit… Ensuite elle tend docilement ses poignets au bourreau. Afin d'éviter de la faire souffrir, à partir de cet instant, ce dernier, regrettant d'avoir serré si fort les liens, veillera à ne jamais tendre la corde qui lui serre les coudes et restera découvert devant elle jusqu'au dernier moment…

MERCREDI 16 OCTOBRE, SOIXANTE-SEIZIÈME ET DERNIER JOUR DE DÉTENTION, LA COUR DU MAI, ONZE HEURES DU MATIN

21

L'envol vers l'immortalité

Le carillon de la Sainte-Chapelle sonne les onze coups de onze heures du matin, Elisabeth et Guillaume attendent devant la grille de la Conciergerie déguisés, lui en sans-culotte, elle en ouvrière avec tablier et bonnet blanc. Ils guettent la sortie de la Reine.

Botot Du Mesnil et ses cavaliers sortent les premiers. Une compagnie entière de gendarmes, fusil sur l'épaule, les suit. La magnifique grille dorée de la rue de la Barillerie grince sur ses gonds. Marie-Antoinette apparaît, suivie de Baps. Elisabeth, qui n'a pas revu la Reine, reste pétrifiée d'émoi. Celle-ci est méconnaissable. La foule reste également interdite en la découvrant :

— Quoi ? Cette vieille femme, c'est la Reine ? entend-on de toute part.

En revanche, quand elle franchit le seuil de la Conciergerie, Elisabeth retrouve sa démarche légendaire. Tenue en laisse par Sanson, elle tourne à gauche pour monter les marches qui accèdent à la cour du Mai. La Reine a un mouvement de recul : une charrette crottée jusqu'à l'essieu, attelée à un énorme cheval blanc conduit par un palefrenier en blouse grise “qui a la tête du cheval”, l'attend en haut des marches. C'est en carrosse que Louis XVI fut conduit à la mort ; pour elle, ce ne sera qu'une voiture à ridelles, encore souillée de purin, comme pour la plus vile des criminelles ou des prostituées.

— Rien ne lui sera épargné ! murmure Elisabeth la mâchoire serrée.

Pas de siège rembourré, mais une planche mal fixée, sans coussin, posée simplement en travers des montants. Le couple de perruquiers observe les visages autour d'eux. C'est leur peuple, c'est le même monde qu'eux. Qu'en pensent-ils ? Quelle sera leur réaction ? Vont-ils se réjouir d'un tel spectacle ? Non, les visages restent graves. Elisabeth et Guillaume assistent à une scène inaccoutumée : la foule des charognards qui hurlent habituellement dès qu'apparaît un condamné n'est pas là. Ce n'est pas la lie du peuple qui est présente, mais le grand peuple de Paris. La multitude qui est aujourd'hui silencieuse n'est pas achetée par les terroristes, c'est celle qui vit dans la terreur, celle qui a faim, celle qui est privée de pain… Pas un cri, pas une insulte. Dans la cour du Mai, la garde nationale a refoulé la foule à l'extérieur du palais de justice. Pourtant, autour de la prison, les quais et la rue de la Barillerie sont noirs de monde. Il y en a partout, sur les balcons, sur les toits, accrochés aux réverbères, aux tuiles et aux tuyaux des cheminées. Certains sont même suspendus aux écussons des grilles.

La Reine, suivie par le curé Girard, gravit les marches de la cour du Mai dans un silence d'église.

— Madame, murmure ce dernier, voilà le moment de vous armer de courage.

— Du courage ? Il y a si longtemps que j'en fais l'apprentissage qu'il n'est pas à craindre que j'en manque aujourd'hui[1] !

Sanson passe devant elle, lui tend la main pour l'aider à monter dans la charrette, mais elle néglige son aide. Elle escalade seule les quatre échelons de l'escabeau et enjambe la banquette pour s'asseoir face au cheval. Mais c'eût été encore trop beau, il fallait qu'elle soit plus aisément désignée à la vindicte de la populace.

1. Paroles historiques.

— Non, dit Sanson, tournez-vous, vous devez être assise le dos à la marche.

On l'installe ainsi afin que ceux qui la suivent puissent l'insulter en face. Elisabeth serre très fort le bras de son mari, elle sent des larmes de fureur monter.

— Ah ! Guillaume, dit-elle la voix cassée, je te jure que si je pouvais, je l'achèverai pour lui éviter l'échafaud et toutes ces bassesses.

— Parle doucement et calme-toi, lui dit-il à l'oreille. Surtout retiens tes larmes, tu vas nous faire repérer par les terroristes.

Le petit carlin de la Reine veut lui aussi monter dans la charrette. Sanson le chasse d'un coup de pied. Baps s'enfuit en hurlant. Le concierge Bault se précipite et le prend dans ses bras[1].

Le curé Girard monte à son tour sur la charrette et s'assoit à côté de la Reine. Il tient à la main un christ d'ivoire qu'il ne quittera plus des yeux, tandis que le bourreau et son aide, leur tricorne sous le bras, se tiennent debout, derrière elle.

Une foule de sans-culottes porteurs de piques, de haches et de faux se mêle à des détachements des sections de Paris et à la gendarmerie à cheval. Eux aussi restent silencieux. On n'entend que le vent dans les arbres et le grincement de la carriole sur les pavés.

Depuis la porte de la Conciergerie jusqu'à l'échafaud, trente mille hommes forment une haie ininterrompue de deux rangées de soldats.

— Regarde, dit Guillaume à sa femme, le polichinelle qu'ils ont mis en tête de cette mascarade.

— C'est tout ce qu'ils ont trouvé ? s'indigne Elisabeth.

Le comédien Grammont, un raté de la scène commandité par le pouvoir, grotesque dans son uniforme

1. Trois mois plus tard, le concierge Richard reprendra ses fonctions à la Conciergerie. Il prendra soin du petit chien de Marie-Antoinette comme d'une relique. Tous les matins, pendant deux ans, il revenait dans le cachot de la Reine, montait sur le lit de sangles et repartait. En 1795, le petit carlin se portait toujours bien.

clinquant de la garde nationale, se pavane, en tête du cortège, l'épée à la main.

Il est onze heures un quart. Marie-Antoinette se tient droite, flegmatique, impénétrable, le regard lointain, les cils immobiles. Désormais, elle ne verra rien, ne sera sensible à rien, n'entendra rien. On lui a remis sans grâce sur le sommet de la tête son bonnet d'où dépassent des mèches raides et blanches. Son visage creusé, couleur de cire, contraste avec ses pommettes rouges et ses yeux injectés de sang.

Elisabeth et Guillaume mêlés à la foule suivent la charrette. Les cahots dus aux pavés torturent la Reine qui souffre d'une grande sensibilité du bassin. Le pitoyable attelage progresse lentement, car il faut prendre le temps de contempler un spectacle aussi rare : dame, ce n'est pas tous les jours qu'on mène une Reine de France à l'échafaud !

Et pourtant les idolâtres de la peine de mort seront déçus. Ils comptaient que le public l'invectiverait, eh bien, cela ne sera pas : le peuple observe avec surprise et même avec une certaine commisération cette vieille femme méconnaissable, tenue en laisse comme un ours de foire. On n'entend pas un murmure, pas une insulte, pas un cri, seulement de temps en temps des exclamations étouffées de consternation...

En sortant de la Conciergerie, la carriole tourne à gauche dans la rue de la Barillerie. Ecrasées de chagrin, la mère Larivière et l'infirmière-chef Guyot sont là au premier rang pour faire un dernier adieu à la Reine. Malheureusement, bien que la charrette passe à moins d'un mètre d'elles, elle ne les voit pas. En revanche, les deux femmes qui la contemplent sont saisies par son attitude hiératique et son regard lointain.

— Elle n'est plus là, constate la mère Larivière, Dieu soit loué !

— Ils ont encore perdu ce combat contre elle, dit l'infirmière Guyot ne pouvant retenir ses larmes, Dieu en cet instant la protège en lui fermant les yeux, elle a gagné : Dieu soit loué, rien ne l'atteint, rien ne la touche, elle ne fait plus partie d'ici-bas.

Le sinistre cortège traverse le pont au Change au milieu d'une masse silencieuse. Elisabeth et Guillaume ont beaucoup de mal à se frayer un chemin. Fouquier-Tinville, du premier étage de la tour César, observe Marie-Antoinette derrière les carreaux de son bureau. Il peut savourer son triomphe, il a réalisé tout ce qu'il ambitionnait, il est celui qui a abattu la Reine de France. Il pense en tirer une gloire immortelle...

Parvenu sur la rive droite à la sortie du pont au Change, le cortège tourne dans le quai de la Mégisserie. Les quais de la Seine sont envahis par une foule toujours muette. Les barques des pêcheurs sont immobilisées au milieu du fleuve, les hommes debout, figés dans les embarcations. Ils se découvrent au passage de la Reine, d'autres se signent. Après avoir franchi la rue du Roule, au milieu d'une foule monolithique et recueillie, on tourne à droite pour déboucher enfin dans la rue Saint-Honoré, c'est là que fusent les premières insultes. Pour quelle raison ici et pas ailleurs ? Parce qu'elles ne sont pas spontanées, elles ont été commandées par Robespierre. Le comédien Grammont, chargé de susciter à cet endroit précis l'hostilité du peuple, caracole tout autour de la charrette en agitant son épée, puis se redresse sur ses étriers en hurlant :

— La voilà, l'infâme Antoinette ! Elle est f..., mes amis !

Cette insulte trouve peu d'échos. Elisabeth et Guillaume pressent le pas afin de devancer le cortège. Quand la charrette atteint l'Oratoire, Elisabeth remarque une mère qui tient la main d'un enfant de cinq ans. Celle-ci paraît très émue. Elle lui dit à voix basse tandis que la charrette approche :

— Sais-tu, citoyenne, que la veuve Capet a un fils du même âge que le tien qu'elle n'a pas vu depuis un an et qu'elle mourra sans l'avoir revu ?

— Je sais, citoyenne, dit la jeune femme bouleversée.

— Voudrais-tu lui donner une lueur d'espérance avant de mourir ?

— Moi ? Que devrais-je faire ?

— Comment s'appelle ton petit garçon ?

— Maximilien.

Elisabeth s'accroupit pour parler tendrement à l'enfant.

— Ecoute, Maximilien, tu vois la dame qui arrive, elle a beaucoup de chagrin.

— Pourquoi ? demande l'enfant.

— Parce qu'elle n'a pas pu embrasser son fils, voudrais-tu lui envoyer un baiser ?

— Oui.

Elisabeth hausse l'enfant à bout de bras.

— La voilà qui arrive, vite, Maximilien, envoie-lui un baiser !

L'enfant met sa petite main devant la bouche et lance son bras en avant. Le geste de l'enfant a retenu l'attention de la Reine. Elle rougit. Elle sent des larmes monter. Elle ferme les yeux pour les retenir… Pleurer ? Jamais ! Elle reprend un visage impassible. Mais voilà qu'elle reconnaît soudain le visage d'un homme dissimulé sous une porte cochère, c'est le remplaçant de l'abbé Magnin, l'abbé Cholet. Elle voit ses lèvres murmurer et comprend aussitôt qu'il prononce une prière ! En une fraction de seconde, avec son index il fait un signe de croix : il vient de lui donner une fois de plus l'absolution. Elle peut partir en paix.

La charrette arrive devant l'ancienne place du Palais-Royal, devenu la place du Palais-Egalité, l'antre de son plus impitoyable ennemi : le repaire du ci-devant duc d'Orléans, travesti en Philippe Egalité. C'est le lieu de rendez-vous des perruquiers. Ils doivent enlever la Reine au moment où la charrette traversera la place. Maingot est là, qui attend l'ordre de donner le signal de l'attaque. Elisabeth reconnaît des chevaliers du Poignard et des perruquiers mêlés à la foule aux quatre coins de la place. Les trois charrettes sont alignées dans la rue de Richelieu, prêtes à se mettre en travers de la voie. Dans la même rue, à vingt mètres, une berline attelée à quatre chevaux attend. C'est la voiture qui doit amener la Reine dans les carrières de plâtre de Montmartre. Elisabeth quitte la foule pour se diriger vers elle. La mine sombre, le baron de Batz et le marquis de Villequier l'attendaient.

— Tout est perdu, mon amie, dit le baron les yeux humides, nous avons été trahis. Jean-Baptiste et Catherine Fournier sont arrêtés. Les cent cinquante hommes que nous attendions ici ne viendront pas, ils ont été appréhendés ce matin.

— Par qui avons-nous été trahis, monsieur ?

— Je ne le sais pas encore, je pense que parmi les perruquiers s'étaient glissés des policiers de Fouquier-Tinville. Elisabeth, ma fidèle compagne, je vous charge d'une dernière tâche, lancez le signal avec un œillet et dispersez nos partisans. Ensuite, envoyez Maingot place de la Révolution prévenir le vicomte Desfossés que tout combat est inutile, les terroristes ont été informés de notre action, ils ont déployé une force armée considérable. Quant à Guillaume et vous, votre mission une fois remplie, surtout ne rentrez pas chez vous, ils ont perquisitionné. Cachez-vous dans les carrières de plâtre et attendez mes instructions.

On entend les grincements de la charrette qui se rapprochent. Elisabeth, les larmes aux yeux, lui dit :

— Et la Reine, monsieur ?

— Notre-Seigneur l'attend pour la recevoir, répond de Batz les larmes aux yeux.

— Et notre combat, qu'est-ce qu'il devient, monsieur ?

— Il continue, je vais tous les saigner jusqu'à la dernière goutte de sang. Allez, Elisabeth, j'ai besoin de vous, ma tendre amie, nous allons leur faire payer tout cela au centuple. A bientôt...

La berline s'éloigne discrètement. Elisabeth se précipite sur Maingot.

— Vite, Antoine, mets un seul œillet dans ta bouche et cours place de la Révolution prévenir nos amis qu'il n'y a plus rien à faire. Vite ! Vite ! Moi je suis la Reine, je ne peux me résoudre à l'abandonner.

Maingot, son œillet entre les dents, fend la foule vers la place de la Révolution. Les conjurés apercevant le signal se dispersent aussitôt. Il était temps : un groupe de gendarmes à cheval cernent la place ; seuls une dizaine de perruquiers ne peuvent s'échapper et tombent entre leurs mains. Elisabeth et Guillaume ont juste le temps de fuir.

La carriole dépasse la place et arrive à hauteur de l'église Saint-Roch. Grammont fait immobiliser la charrette, car "il faut qu'elle boive lentement la mort", il hurle :

— Place à l'Autrichienne ! Place à la veuve Capet ! Vive la République !

Sur les marches de l'église, qui domine la rue Saint-Honoré, un groupe de femmes à piques, commandées par la citoyenne Lacombe et soudoyées par le pouvoir, applaudissent et répondent par des vociférations – situation artificielle en vérité, car le peuple reste figé dans un silence profond. Elisabeth reconnaît des visages parmi ces femmes. Ils se gravent dans sa mémoire, elle compte leur faire payer plus tard cette ignominie.

— Messaline ! Frédégonde ! hurlent-elles.

Au demeurant, des injures bien vaines, car nul ne les comprend. Les vexations, les ricanements et les plaisanteries pleuvent du parvis de l'église mais rencontrent peu d'écho.

Grammont fait signe au palefrenier, celui-ci donne un violent coup de fouet. La carriole repart brutalement, déséquilibrant la Reine qui ne peut pas se retenir aux montants par ses mains liées. Elle contracte les muscles des cuisses et du bassin pour éviter de tomber en avant, ce qui lui déclenche une vive douleur au bas-ventre. Les braillardes lui lancent :

— Holà ! Margot, ce ne sont point là tes coussins de Trianon !

La Reine semble ne rien entendre. Que sont ces dérisoires manifestations de haine ? Elle attend impatiemment l'épreuve suprême et n'a qu'un but : partir vite. Très vite. Le plus vite possible... La rue Saint-Honoré est interminable. Quand la charrette passe devant l'arcade des Jacobins, une inscription retient son attention. On peut lire : *Atelier d'armes républicaines pour foudroyer les tyrans.* Pour quelles raisons la Reine s'intéresse-t-elle à cette inscription ? Nul ne le saura jamais. Pour la première fois, elle jette un regard interrogateur au curé Girard, mais celui-ci ne cesse de fixer son petit christ d'ivoire et se contente pour toute réponse de l'élever à hauteur des yeux. Sanson a malencontreusement serré si fort la corde qui retient les avant-bras de la Reine que le brave curé Girard, durant tout le trajet, soutiendra son coude pour soulager sa douleur.

A l'angle de la rue des Prouvaires et de la rue Saint-Honoré, Elisabeth remarque à une fenêtre du premier étage un homme au visage agréable et une femme qui rient aux éclats[1]. Elle trouve leur attitude déplacée. L'homme est assis sur le rebord du balcon, les jambes dans le vide. C'est Louis David, l'ignoble tortionnaire des enfants de Marie-Antoinette, mais le plus grand peintre de son temps.

David balance ses jambes et semble s'amuser beaucoup de ce que lui raconte la femme penchée derrière lui. Elisabeth remarque qu'il tient à la main un crayon et une feuille de papier. Aurait-il l'intention de dessiner la Reine ?

Le cortège arrive lentement en cahotant. L'expression du visage du peintre se fait sérieuse et attentive. Elisabeth est fascinée par les mouvements sûrs et rapides de son bras droit qui s'agite partout à la fois sur le papier, tandis que le regard de l'homme va sans cesse de la charrette à la feuille. En moins d'une minute, il a achevé son dessin. Il le montre alors à la femme penchée derrière lui, son expression devient

1. Cette fenêtre existe encore, elle est classée par les Beaux-Arts, c'était une des fenêtres du club des Prouvaires.

grave. Elisabeth et Guillaume regardent la scène quand David remarque la superbe fille blonde aux immenses yeux bleus qui l'observe. Séduit, il lui sourit, elle se raidit.

— Bonjour, citoyenne, lance-t-il, désires-tu voir mon dessin ?

Elisabeth, poussée par la curiosité, fait oui de la tête.

— Je te le montre à condition que tu me le rendes !

— Bien sûr, répond-elle, pour qui me prends-tu ?

Le premier étage étant peu élevé, il parvient à lui passer la feuille. Elisabeth est tétanisée en voyant le dessin, son émotion est intense. D'un simple trait de crayon, cet homme a réalisé une "esquisse d'un grandiose effroyable[1]".

— C'est hallucinant de réalisme, dit Guillaume, cet homme est un grand artiste. Il y a tout dans ce visage, le mépris, la fierté, la douleur et surtout l'énergie… Remarque comme elle se tient droite !

— C'est magnifique, citoyen ! dit Elisabeth en se haussant sur la pointe des pieds pour lui rendre la feuille, comment t'appelles-tu ?

— Louis David, je suis membre de la Commune de Paris.

A ces mots, Guillaume serre très fort le bras de sa femme et souffle :

— L'ordure ! Vite, partons !

David, toujours sous le charme d'Elisabeth et prenant Guillaume pour son père, demande :

— Me permets-tu, citoyen, d'inviter ta fille à une fête que donne ce soir un de mes amis ?

— Impossible, nous partons ce soir pour Orléans, merci, citoyen.

Les deux époux se pressent pour rattraper la Reine. Quant au dessin, il deviendra un des plus célèbres au monde.

Le cortège passe devant le 398 de la rue Saint-Honoré, c'est la maison Duplay où Robespierre

1. Stefan Zweig.

loge à l'année. Peut-être l'observe-t-il derrière les rideaux ?

Trois portes plus loin, au 404, Elisabeth entend une mère dire à sa fille, tandis que la charrette saute de plus en plus fort sur les pavés comme si elle allait se rompre :

— Surtout, ne va pas pleurer quand tu la verras, tu nous ferais guillotiner !

Ecœurés de tant de lâcheté, Elisabeth veut l'admonester, mais Guillaume l'en empêche. Elle voit alors une femme, les yeux exorbités par la haine, se faufiler entre la double rangée de soldats et se précipiter derrière la carriole. La Reine baisse les yeux sur cette furie, elle reconnaît une de ses anciennes femmes de chambre de Versailles. L'autre va pouvoir enfin insulter librement celle que tout le monde respectait… Quelle satisfaction de pouvoir cracher sa haine en toute impunité ! Si elle pouvait, Elisabeth la tuerait…

— A mort l'Autrichienne ! lance-t-elle.

La Reine lui jette un regard de mépris, qui s'efface aussitôt pour reprendre une expression impassible.

— Partons devant, dit Guillaume à sa femme, il faut savoir si Maingot a bien lancé son signal.

Ils quittent la Reine pour se presser vers la place de la Révolution.

Il y a une heure que la charrette a quitté la Conciergerie.

Il est midi quand Elisabeth et Guillaume devancent de quelques minutes le cortège. Ils retrouvent Maingot sur la place, le regard halluciné, un œillet entre les dents, qui les attend au pied de la statue de la Liberté.

— Tout est perdu pour elle, il y a trente mille hommes armés, nous sommes submergés, murmure Elisabeth.

— Ma Reine… Ma Reine… répète l'autre avec un regard de fou, et il disparaît dans la foule pour courir vers l'échafaud.

La place de la Révolution est noire de monde. Tout le peuple de Paris est là. Des familles entières avec vieillards et enfants attendent depuis les premières heures du matin pour assister au spectacle. Certains sont même là depuis la veille. Ils se sont précipités sitôt l'énoncé du verdict pour avoir les meilleures places au pied de l'échafaud. En attendant, on lit des brochures, on bavarde avec ses voisins. On boit de la limonade, et de l'anisette de Bordeaux. Les vendeurs de coco sillonnent la foule avec leurs lourds récipients d'étain sur le dos en criant : "Coco ! Coco !" Les vendeurs de journaux crient : "Lisez *Le Père Duchesne* !" Toute cette immense foule crée un bruissement permanent qui s'étend comme une clameur sur toute l'étendue de la vaste place.

— Guillaume, dit Elisabeth de plus en plus pâle, je ne me sens pas bien. Eloignons-nous d'ici, je ne veux pas assister à cela.

Ils quittent la place de la Révolution et sa foule bourdonnante, franchissent le pont tournant pour s'installer au calme sur un banc du jardin des Tuileries. Guillaume s'assoit puis allonge sa femme sur la banquette en faisant reposer sa tête sur ses genoux. Il lui ôte son bonnet, libérant ses cheveux blonds. Elle pleure doucement. Il contemple ses immenses yeux bleus noyés de larmes qui regardent le ciel. Il caresse doucement son visage. Il la contemple avec attendrissement : quand elle pleure, Elisabeth l'inflexible, la combattante redoutable, est comme une petite fille.

Soudain, le bourdonnement s'arrête, un immense silence s'est étendu sur la place.

— La Reine doit être arrivée, dit Guillaume les larmes aux yeux, elle va bientôt ne plus souffrir…

— Guillaume… Guillaume… Je me sens très mal, dit soudain Elisabeth en relevant la tête,

— Que ressens-tu ? demande l'autre de plus en plus inquiet.

— Guillaume – elle saisit sa main et la serre très fort –, Guillaume, ne me lâche pas la main, j'ai peur !

— Mais n'aie pas peur, je ne lâche pas ta main…
— Guillaume… Je sens que je vais avoir une vision…

Il est midi cinq quand le sinistre cortège arrive sur la place, précédé par la garde nationale à cheval. Le silence est maintenant absolu. On n'entend que le grincement des essieux de la carriole et le bruit des sabots de la cavalerie.

L'échafaud est dressé près de la statue de la Liberté, à proximité du pont tournant. Le regard de la Reine est attiré d'abord par le château des Tuileries, sa première prison. Elle revoit le balcon d'où elle guettait avec sa famille l'arrivée des sans-culottes le soir du 9 août… Elle détourne son regard de l'autre côté, et aperçoit alors la guillotine, elle pâlit affreusement.

L'attelage s'est immobilisé. Elle se lève aussitôt et descend sans aide, comme elle est montée. Elle se précipite vers l'échafaud, presque en courant, elle saute sur les marches, perd une chaussure que deux enfants récupèrent avant de s'enfuir. Elle bondit littéralement sur le plateau en chassant son bonnet d'un violent coup de tête, mais son talon retombe sur le pied de Sanson qui pousse un hurlement de douleur. Elle se retourne et lui dit :

— Je vous demande pardon, monsieur !

Ce seront ses dernières paroles.

Les grosses mains du géant s'abattent sur ses épaules et la couchent sur la planche. Elle est ligotée avec soin de la tête aux pieds, cela dure quatre éternelles minutes. Enfin, Sanson pousse la planche, la nuque pénètre dans la lunette, un éclair jaillit puis un bruit sourd…

Il est midi un quart.

Elisabeth se redresse brusquement, hagarde. De ses immenses yeux bleus les larmes coulent spontanément.

Le regard est fixe comme si elle voyait quelque chose d'insolite.

— Guillaume...

— Oui ?

— Guillaume ! Elle monte en s'enfuyant...

— Qui monte en s'enfuyant ?

— La Reine, elle est blonde ! Je la vois monter en courant de plus en plus haut.

— Où monte-t-elle ?

— Je ne sais pas... là-haut dans les nues... elle s'éloigne en montant... je la vois s'enfuir... elle court... elle court toujours plus haut... elle est de plus en plus petite, elle va disparaître... elle a disparu... c'est fini, je ne la vois plus !

— Les voilà, saisissez-les ! crie Botot Du Mesnil.

Aussitôt les époux Lemille sont entourés de gendarmes qui les emmènent sans ménagement.

Là-bas sur la place, le bourreau Sanson montre au peuple la tête de Marie-Antoinette ruisselante de sang. La foule reste silencieuse, on entend seulement quelques cris épars de "Vive la République !". Caché sous l'échafaud, Maingot recueille le sang de la Reine sur son mouchoir. Il est aussitôt arrêté.

Une foule silencieuse s'écoule lentement vers les artères avoisinantes, tandis qu'on transporte Marie-Antoinette la tête entre les jambes dans une brouette dégoulinante de sang qu'on peut suivre à la trace jusqu'au cimetière de la Madeleine. Comme c'est l'heure du déjeuner et que personne n'a prévu de creuser un trou pour elle, elle sera simplement déposée sur l'herbe. Elle restera ainsi plusieurs jours. Elle sera enfin ramassée à la pelle par un fossoyeur qui la précipitera dans une fosse commune pour être ensuite recouverte de chaux.

Ce n'est que vingt-cinq ans plus tard qu'on extraira sa dépouille pour la déposer dans un cercueil de cuivre tout au fond du caveau des Bourbons enfoui sous l'église Saint-Denis.

On construira également une chapelle expiatoire à l'endroit même où elle fut ensevelie ; et où elle renaîtra sous la forme d'une statue de marbre blanc.

Elle pourra enfin dormir en paix dans l'immortalité.

DANS LE CAVEAU DES BOURBONS A L'ÉGLISE SAINT-DENIS

Inspiré d'Edmond Rostand.

Et maintenant il faut que Ton Altesse dorme,
Ame pour qui la mort est une guérison,
Dorme au fond du caveau, dans ta dernière prison,
Là où le marbre blanc t'a redonné ta forme.

Qu'un vain paperassier cherche, gratte et s'informe,
Même quand il a tort le poète a raison,
Mon roman peut périr mais sur son horizon
Trianon voit toujours danser ta blanche forme,

Dors, ce n'est pas toujours la légende qui ment,
Un rêve est moins trompeur parfois qu'un document ;
Dors, tu fus cette mère et cette Reine, quoi qu'on dise.

Les cercueils sont nombreux, les caveaux sont étroits,
Et cette cave a l'air d'un débarras de rois,
Dors dans le coin à droite où la lumière est grise.

Dors dans cet endroit pauvre où les derniers Bourbons,
Sont vêtus d'un airain que le temps vert-de-grise,
On dirait qu'un départ dont l'instant s'éternise,
Encombre les couloirs de bagages oblongs.

Des touristes émus traînent là leurs talons,
Puis vont brûler pour toi un cierge dans une église.
Dors, tu fus cette mère et cette Reine, quoi qu'on dise
Dors, tu fus ce martyr, du moins nous le voulons.

Un guide pressé d'expédier son monde,
Décrit ta prison dans ce qu'elle eut d'immonde,
Dit un nom, une date et passe en abrégeant,

Dors ! Mais rêve en dormant que l'on t'a fait revivre,
Laissant ta dépouille à son cercueil de cuivre,
J'ai pu voler ton âme en faisant mon roman.

ÉPILOGUE

Ainsi, Marie-Antoinette est entrée pour l'éternité dans la conscience des hommes… Une question reste toutefois en suspens : était-elle coupable ?

Si l'on s'en tient strictement à la forme juridique des débats, pour plusieurs raisons, la réponse est non.

Dans la reconstitution du procès, nous avons mis le droit du côté de l'accusée. Quant aux plaidoiries, nous avons décidé qu'elles seraient exprimées par des hommes déterminés à la défendre. Bien que nous ne possédions que quelques fragments du plaidoyer de Chauveau-Lagarde, et rien de celui de Tronçon-Ducoudray, nous pensons que les défenseurs ont usé de toute la force du droit pour contrer l'accusation.

La première des irrégularités qu'ils ont dénoncées est le vice de forme. Le temps imparti à la défense de la Reine est illégal. Il est si court (vingt-quatre heures) qu'il empêche toute défense effective. Si la requête des deux avocats, jamais transmise par Fouquier-Tinville, était parvenue sur le bureau de la Convention, l'Assemblée leur aurait très probablement accordé des délais. Mais c'est une perte de temps dont Robespierre ne veut en aucun cas, il ne peut prendre le risque de voir sa captive mourir dans son cachot sans avoir été jugée. Informé par le docteur Souberbielle, son médecin personnel qui soigne aussi la Reine, l'Incorruptible apprend que la gravité de ses hémorragies hypothèque sa vie. Souberbielle fut ce médecin au comportement trouble qui eut la chance de guérir les ulcères variqueux du maître et de gagner ainsi sa confiance. Il semblerait que ce dernier le plaça auprès d'elle pour la faire vivre jusqu'au procès. Souberbielle la soigne par la fameuse "eau de poulet", traitement très en vogue à cette époque. On comprend mieux pourquoi Robespierre presse Fouquier-Tinville de rédiger l'acte d'accusation le plus rapidement possible. En outre, il prend aussi l'étrange décision d'installer ce médecin parmi les jurés. Bien que ces derniers fussent asservis au pouvoir, la présence du praticien à leurs côtés est une garantie supplémentaire pour obtenir une condamnation à mort votée à l'unanimité. Souberbielle doit persuader les hésitants de la dernière heure qu'il faut voter la mort sans regret puisque de toute façon Marie-Antoinette est condamnée ; il serait dommage de perdre les avantages politiques de son exécution. Seul le médecin de la victime peut être assez persuasif pour leur faire accepter cette ignominie.

La requête adressée à la Convention par la Reine, sous la dictée des deux avocats, fut offerte en trophée par Fouquier-Tinville à Robespierre qui la conserva pieusement. On la retrouva après sa mort sous son matelas avec d'autres documents appartenant à la famille royale, dont le fameux testament moral que Marie-Antoinette adressa à Madame Elisabeth avant de mourir…

Un second vice de forme entache ce procès truqué. C'est l'exceptionnelle anomalie juridique qui fit condamner la Reine par une loi rétroactive. La Constitution de 1791 rendait le Roi inviolable, et lors de l'affaire Polverel, l'Assemblée constituante confirmera cette disposition pour la Reine. Le tribunal n'en tiendra pas compte et lui appliquera une loi promulguée postérieurement aux accusations. Pourtant, la seule sanction prévue par la Constitution en vigueur au moment des faits reste *l'abdication*.

En outre, la condamner deux fois de suite pour le même mobile constitue la troisième anomalie. Elle l'avait déjà été un an auparavant, quand la monarchie fut abolie. En droit naturel, on ne peut condamner deux fois un accusé pour le même motif.

Le dernier aspect qui illustre l'indignité de cette procédure est l'absence absolue de preuves à charge. André Castelot l'a parfaitement résumé ; écoutons-le : "En supprimant les bas commérages, les ragots de cuisine, des coulisses des clubs et des témoins de la prison du Temple, que reste-t-il de positif et de faits à charge ? La description d'orgies versaillaises par des témoins qui n'y ont pas assisté, l'accusation sans le moindre document à l'appui de sommes remises aux Polignac, l'influence de la Reine sur son mari affirmée par des gens qui n'ont jamais vécu dans l'intimité de la famille royale. Rien strictement rien ne vient étayer ce que Fouquier appelle la trahison.

Les débats n'ont nullement démontré que Marie-Antoinette, plus princesse autrichienne que Reine de France, obéissait aux ordres de sa mère et de son frère par le canal de Mercy-Argenteau. Rien n'a été établi, pas plus sa légèreté coupable, ses amitiés aveugles, son influence néfaste, ses intrigues avec l'étranger que sa politique vacillante, ses rancunes trop tenaces, son double jeu en 1791, et sa trahison de 1792. Mais pour tous ce furent des faits patents pour ce Tribunal révolutionnaire qui piétinait le droit."

Sainte-Beuve, dans les *Causeries du lundi,* attire notre attention sur le fait que nous ne possédons que des éléments tronqués de ce procès. Comme il l'a souligné, le greffier Fabricius, aux ordres des révolutionnaires, n'avait transcrit qu'une part négligeable des réponses de la Reine, pour nous laisser des réponses mutilées et réduites à leur plus simple expression.

D'ailleurs, on ne retrouvera nulle part les plaidoiries de ses avocats.

Comme le dossier de Marie-Antoinette est vide, et qu'on ne dispose pas du temps nécessaire pour l'étoffer, on lui attribue les chefs d'accusation de Louis XVI. De ses deux défenseurs, seul Chauveau-Lagarde a laissé un témoignage écrit de sa défense, et encore très parcellaire, tandis que nous ne possédons rien de celle de Tronçon-Ducoudray. Déporté aux îles après le coup d'Etat du 18 Fructidor, il y est mort sans laisser la moindre trace de son plaidoyer. Chauveau, également déporté, mais plus jeune, eut plus de chance ; il survécut, rentra en France et publia un mémoire très incomplet sous la Restauration.

Les griefs attribués à la Reine étant les mêmes que ceux de son époux, j'ai repris les arguments de de Sèze, l'avocat du Roi, pour reconstituer la défense de celle-ci. Aux mêmes attaques s'opposent les mêmes arguments, et en suivant cette voie, je ne pense pas m'être beaucoup éloigné de la vérité. Grâce au greffier Fabricius, j'ai conservé intacte chacune des accusations proférées par les quarante témoins. En revanche, comme il ne nous a rien laissé des plaidoiries des défenseurs de la Reine, il a fallu entièrement les reconstituer. Je pense que les avocats ont certainement dû se battre en utilisant toutes les armes que leur offrait le droit pour mener leur défense à bien.

Pour conclure, j'ai pris le parti d'exposer *une défense idéale* pour répondre à l'ignominie de l'accusation.

On peut alors se poser la question suivante : est-ce bien ainsi qu'ils l'ont défendue ? A ce jour, le débat reste ouvert. Certains auteurs pensent que non. Par peur ou par lâcheté, les défenseurs auraient été complaisants envers l'accusation. Personnellement je ne le pense pas et j'ai de bonnes raisons de croire qu'ils se sont même battus au risque de leur vie. J'ai l'intime conviction que ces hommes ont été loyaux envers la souveraine et ont lutté pour la sauver. Plusieurs arguments plaident en leur faveur.

C'est d'abord la longueur excessive de leur plaidoirie : deux heures chacune, prononcée sans aucun autre document que le raisonnement et la défense élaborée par de Sèze huit mois auparavant.

C'est ensuite la reconnaissance de la Reine qui dit à Chauveau-Lagarde épuisé à la fin de son long plaidoyer : "Combien vous devez être fatigué, monsieur Chauveau-Lagarde. Je suis bien sensible à toutes vos peines."

Troisième argument : ils ont été arrêtés à la fin des débats. Ils ont dû sacrément indisposer les révolutionnaires pour être appréhendés en pleine audience.

Les rare déclarations de Tronçon-Ducoudray vont dans le même sens quand il affirme : "Nous ne parlerons pas de ce procès, nous nous contenterons de rappeler les fables dégoûtantes d'horreur et d'infamie qui furent un des chefs principaux d'accusation, et dont l'énergique réfutation nous valut l'instant d'après d'être détenus avec notre collègue Chauveau-Lagarde[1]..."

Comme ils étaient l'un et l'autre indispensables à Fouquier-Tinville, ils furent libérés peu après. Tronçon abandonna le barreau et se retira à la campagne[2], tandis que Chauveau défendit trois mois plus tard l'infortunée Madame Elisabeth avec tant de conviction qu'il fut arrêté cette fois pour de bon ; il ne dut la vie qu'à la chute prématurée de Robespierre.

Enfin, ces hommes étaient réputés pour être des royalistes convaincus, et ils furent déportés en Guyane quand la gauche fit son coup d'Etat sous le Directoire. Tronçon perdit la vie dans les colonies, mais Chauveau rentra ensuite en France.

1. *Mémoire pour les veuves et les enfants des citoyens condamnés par le tribunal révolutionnaire antérieurement à la loi du 22 prairial,* p. 26.
2. Il défendit une fois encore Jean-Baptiste Basset.

Dernier élément favorable aux défenseurs : quand les Bourbons reviennent au pouvoir, Chauveau est épargné par le Roi. Connaissant la rancune inextinguible de Louis XVIII pour tous ceux qui avaient combattu de loin ou de près la famille royale, il n'aurait jamais gratifié l'avocat défenseur de la Reine si celui-ci n'avait rempli correctement sa mission.

A partir de toutes ces données, j'ai bâti la défense de Marie-Antoinette pour que chaque faux témoignage et chaque calomnie soient combattus. J'ai apporté un soin particulier aux dialogues de telle sorte que la moindre charge soit efficacement contrée, au risque de paraître comme un affrontement avec le tribunal.

Reste enfin l'épineux problème de la "haute trahison". Ce fut le seul motif retenu alors que tous les chefs d'accusation fantaisistes bâtis à grands frais par Fouquier-Tinville furent ignorés *in fine* par Herman. C'est encore une preuve supplémentaire du contenu artificiel du réquisitoire de l'accusateur public. Même la haute trahison n'a pu être démontrée puisque les preuves matérielles, au moment où le procès se déroule, sont introuvables. Sur ce chapitre où elle endosse pourtant une certaine responsabilité, la Reine ne fut condamnée que sur des présomptions.

Pour comprendre cette notion de haute trahison, essayons de saisir l'état d'esprit dans lequel se trouve Marie-Antoinette. Cette accusation doit être replacée dans le contexte de la Révolution. Comme nous l'avons signalé, lors de la convocation des Etats généraux, la Reine soutient Necker qui veut promulguer le doublement du tiers état. Elle croit encore en des arrangements possibles avec la nouvelle Assemblée nationale. Or, six mois plus tard, elle subit à Versailles la violence populaire et voit la tête de ses gardes au bout d'une pique. Elle a même côtoyé leur massacre perpétré à deux pas de sa chambre. Elle échappe de justesse à une mort certaine en se réfugiant chez le

Roi. Or, la Révolution n'avait débuté que depuis six mois à peine, et elle se trouvait déjà confrontée à une intense violence populaire. Il faut reconnaître que cela augurait mal de l'avenir.

Le traumatisme produit par la mort de ses gardes sera indélébile, d'autant plus que le devoir de la garde nationale et de Lafayette, bras armés de la nouvelle Constitution, était de protéger la famille royale contre de tels excès. Chaque fois qu'elle aperçoit un uniforme de la garde nationale, elle perd connaissance. Ne parlons pas du retour à Paris qui s'ensuivit, où le Roi et la Reine subissent pendant sept heures les insultes des sans-culottes et des tricoteuses, qui promènent sous leur nez durant tout le trajet les têtes livides et sanguinolentes de leurs gardes du corps. Il est inadmissible que Lafayette ait permis de tels excès.

La rancœur qu'elle éprouvera pour le commandant en chef de la garde nationale ne s'éteindra jamais. Quand la situation devient dramatique pour tout le monde, y compris pour les constitutionnels, Lafayette lui fait savoir qu'il est prêt à sauver la famille royale, au besoin par la force. Elle répond : "Et qui ensuite nous sauvera de M. de Lafayette ?" C'est dire si la blessure était profonde.

La Reine n'aura plus confiance en ce régime impuissant face aux excès des extrémistes et dont sa famille devient l'otage. Pratiquement prisonnière aux Tuileries, elle cherche des secours ailleurs. Elle va hélas tourner le dos aux derniers constitutionnels et à des hommes sincères comme Barnave, qui veulent la sauver en sauvant le régime. Même Mirabeau, inquiet de la tournure menaçante des événements, tentera de sauver la monarchie ; mais il mourra prématurément. Elle préférera se tourner vers son frère l'Empereur d'Autriche, qui se bat pourtant contre l'armée de son pays. Elle lui aurait transmis l'avance des troupes. Entretenir des intelligences avec ceux qui nous combattent est certainement répréhensible, mais il faut comprendre que ce qui est pour nous de la “haute trahison” ne fut pour Marie-Antoinette que de la “politique”. Aux Tuileries, où elle montre une pugnacité à toute épreuve, elle se bat seule avec tous les moyens dont elle dispose contre la pression constante exercée sur le Roi par les révolutionnaires. Mirabeau dira d'elle : “Le Roi n'a qu'un homme autour de lui, c'est la Reine !” Si nous tenons son attitude pour répréhensible puisque la vie de nos soldats était en jeu, elle se considère en légitime défense. C'est ainsi qu'elle commettra, mais avec tant d'excuses, “des fautes et non des crimes[1]”. A sa décharge, la démagogie révolutionnaire avait atteint de tels sommets qu'on peut se demander, l'Empereur d'Autriche mis à part, sur quelles forces et sur quels autres moyens elle pouvait encore s'appuyer pour protéger sa vie et celle de sa famille.

En revanche, toute sa conduite à la Conciergerie fut hiératique. Lors de son procès, il y a quelque chose de romain dans les réponses qu'elle fait à ses détracteurs. Il semble qu'elle ne s'adressait pas seulement au prétoire qui la jugeait, mais au-delà…

A jeun durant les vingt heures que durèrent les débats, épuisée par ses hémorragies, la Reine trouve encore assez de force pour défendre des valeurs comme l'honneur, l'amour maternel, la dignité, la fidélité en amitié, la reconnaissance envers ceux qui l'ont aidée et pardonner à ses bourreaux, un pardon qui confine à la compassion.

Si elle est insouciante à Versailles, pugnace aux Tuileries, il n'est donc pas exagéré de proclamer que Marie-Antoinette a été *sublime* à la Conciergerie. Même au nom d'un régime suranné, comme celui de la monarchie absolue, les valeurs qu'elle défend sont les nôtres parce qu'elles sont universelles.

Dans le message destiné à ses enfants, la Reine s'adresse encore à nous à travers les siècles. En avait-elle conscience ? Peut-être. Se sentant ainsi investie,

1. La phrase est de la Reine.

on comprendrait mieux son comportement héroïque. Dans cette lettre bouleversante adressée quelques heures avant de mourir à sa belle-sœur Madame Elisabeth, elle nous parle encore aujourd'hui à travers le temps. C'est le langage intemporel qu'emprunte toute mère angoissée pour la vie de ses enfants.

Je le répète, par la démonstration d'un courage étonnant, d'une défense des valeurs immuables et d'un destin hors du commun qui l'a conduite du trône à l'échafaud, Marie-Antoinette est entrée dans l'immortalité. Elle est encore aujourd'hui, après deux siècles et demi, une inépuisable source à la fois d'inspiration et d'étonnement pour les romanciers, les historiens et les cinéastes.

Pour conclure, nous devons reconnaître enfin qu'elle répugnait à faire couler la moindre goutte de sang, ce ne fut hélas pas le cas de ceux qui l'ont combattue.

LES ACTEURS DU DRAME

Ce qu'ils sont devenus

Jusqu'en 1793, année de l'incarcération de Marie-Antoinette à la Conciergerie, tous les personnages de ce roman, à l'exception d'un ou deux, ont non seulement existé mais sont devenus historiques.

ACTEURS PRINCIPAUX
(Liste complémentaire du tome 1, p. 617)

LA REINE
Maria Antonia Josepha Johanna de Lorraine d'Autriche, archiduchesse d'Autriche puis Dauphine de France, puis Reine de France, puis veuve Capet, n'est âgée que de quatorze ans et trois mois en 1769 quand elle épouse Louis Auguste, duc de Berry, Dauphin de France.

A la mort de Louis XV, elle devient à dix-huit ans Reine de France. Elle est aussitôt surnommée l'Autrichienne par la cour de Versailles, mais aussi par les révolutionnaires[1].

A la mort de son époux, elle est retenue prisonnière au Temple pendant un an. Elle n'a que trente-sept ans. Elle est ensuite enfermée à la Conciergerie où elle va séjourner soixante-seize jours, durant lesquels trois complots sont montés pour tenter de la libérer.

A la première tentative d'évasion, le baron de Batz coordonne l'action du chevalier de Rougeville au sein même du cachot. Cette action héroïque s'appellera "la conjuration de l'Œillet". Elle échouera par la faute de la servante Harel et du gendarme Gilbert.

1. L. de Saint-Hugues, *Marie-Antoinette d'Autriche, Reine de France*, Vauquelin libraire, 1815, p. 47 *sq.*

Comme la Reine est gravement malade, Robespierre craint qu'elle ne décède avant son procès. Il envisage son transfert à l'Hospice national de l'Archevêché, espèce d'hospice-prison où l'on fait durer les malades jusqu'à l'échafaud. De Batz entrevoit dans ce transfert une occasion de la libérer.

L. de Saint-Hugues rapporte, dans une publication datant de 1815, qu'un groupe de médecins et d'infirmières avaient monté une organisation visant à faire évader la Reine lors de son transfert à l'Hospice[1]. Mme Guyot, l'infirmière-chef de cet établissement, assistée de Ray, l'économe de l'Hôtel-Dieu, et de Giraud, un chirurgien du même hôpital, organise son évasion en faisant scier les barreaux d'une fenêtre de sa chambre qui accède aux quais de l'île de la Cité.

C'est elle qui remit à la Reine le fameux déshabillé blanc avec lequel Marie-Antoinette monta à l'échafaud. Les révolutionnaires ont tenté de découvrir qui avait fourni ce vêtement, mais les recherches heureusement n'aboutirent jamais.

Nous pensons que ce complot, comme tous les autres, fut supervisé par le baron de Batz. Il impliquait que l'état de santé de la Reine s'était à tel point dégradé qu'il était nécessaire de la traiter dans une structure médicale mieux équipée. La décision du déplacement d'un prisonnier de la Conciergerie nécessitait l'autorisation de Fouquier-Tinville, mais engageait aussi la responsabilité du concierge Richard et surtout celle de l'administrateur Michonis. Nous savons que de Batz était l'allié des deux. Il est inconcevable qu'ils ne fussent pas complices ou tout au moins informés du transfert de la Reine et de la tentative d'évasion qui se préparait.

Comme nous n'avons retrouvé aucune date concernant ce transfert, nous l'avons situé pour la commodité du récit aux environ du 6 septembre, alors que Michonis a été arrêté et Rougeville est en fuite. On ne retrouve nulle part décrite cette tentative d'évasion et pourtant Saint-Hugues précise qu'il tient sa source d'un ouvrage introuvable à ce jour intitulé *Les Illustres persécutés*[2].

Traduite devant le Tribunal révolutionnaire, la Reine subit un procès en infamie où non seulement aucune

1. *Ibid.*
2. G. Lenôtre, *La Captivité et la Mort de Marie-Antoinette*, Perrin, 1922, p. 293.

preuve à charge n'a pu être établie contre elle, mais où elle fut accusée d'inceste sur la personne de son fils. Elle est condamnée à mort après une procédure expéditive de quarante-huit heures. De Batz veut profiter de son trajet vers l'échafaud pour tenter une nouvelle évasion. Il va superviser un complot monté en grande partie par un peuple d'artisans. Les conjurés projettent d'enlever la Reine sur le chemin qui va de la Conciergerie à la place de la Révolution (actuelle place de la Concorde). On l'appellera "le complot des Perruquiers", dont la seule description détaillée à ce jour existe dans une communication récente de M. René Monboisse[1].

Cette ultime tentative échouera et la Reine sera guillotinée le 16 octobre 1793 à midi un quart.

Il existe quelques controverses sur certains détails de l'exécution. La Reine aurait-elle vraiment perdu une chaussure en montant à l'échafaud ? Aurait-elle écrasé le pied du bourreau et s'en serait même excusée ?

Cette anecdote contestée par certains historiens ou écrivains, dont Stefan Zweig qui ne mentionne pas ces faits dans son célèbre roman[2], a été pourtant authentifiée depuis. Dans son livre sur Marie-Antoinette, le baron Horace de Viel-Castel rapporte le témoignage d'un habitant de Versailles qui lui avait adressé la lettre suivante :

Versailles le 27 juin 1854,

Monsieur,

Comme vieil habitant de Versailles, j'applaudis de tout mon cœur à tout ce que vous dites dans le feuilleton du Constitutionnel *du 25 de ce mois sur notre malheureuse Reine Marie-Antoinette, de regrettable mémoire ! Oui elle est morte en Reine…*

Mais vous annoncez, monsieur, que cette auguste victime, étant sur l'échafaud, n'a rien dit au public, ni à ses bourreaux, c'est une erreur, car je tiens de l'exécuteur Sanson lui-même que la Reine, pendant les tristes préparatifs de son exécution, lui ayant marché sur le pied et celui-ci en ayant ressenti une vive douleur, la Reine lui dit : "Je vous demande pardon, monsieur…"

1. R. Monboisse, *Des Muratais conspirent pour sauver la Reine*, Association Marie-Antoinette (16, rue des Archives, Paris), 2006.
2. Stefan Zweig, *Marie-Antoinette*, Grasset.

J'ai recueilli ce renseignement étant employé, fort jeune, au bureau de police, à l'administration du département de Seine-et-Oise à Versailles, où Sanson se trouvait pour ses affaires personnelles.

Morin,

Propriétaire à Versailles, rue de la Paroisse, ancien membre du conseil municipal, officier de la garde nationale à cheval, sous le commandement de M. le baron de Viel-Castel.

Dans sa relation, l'auteur rapporte en outre que deux enfants étaient cachés sous la charpente de l'échafaud : "L'un s'était emparé d'un soulier de la Reine qui avait roulé du haut de la plate-forme, jusque sur le terrain de la place ; l'autre avait trempé son mouchoir dans le sang de Marie-Antoinette. L'un par une miraculeuse fuite put garder sa conquête qu'après soixante ans on put déposer au musée des souverains ; l'autre, arrêté immédiatement, ne dut qu'à son jeune âge de ne point subir la peine capitale[1]."

Il existe un autre sujet de litige, c'est celui qui concerne le trajet emprunté par la Reine pour se rendre au premier étage dans la salle d'audience du Tribunal révolutionnaire[2].

Le trajet que Marie-Antoinette emprunta fut l'objet d'une discussion entre Lenôtre et Castelot. A partir de son second cachot (l'ancienne pharmacie) situé dans le couloir des prisonniers, la Reine pouvait emprunter plusieurs trajets pour se rendre au premier étage.

Trois escaliers principaux permettaient d'y accéder : d'abord, l'escalier adossé à la chapelle et à l'infirmerie appelé à tort l'"escalier de la Reine", puis l'escalier situé près de la "rue de Paris" et de la salle des gardes, enfin l'escalier à vis de la tour Bonbec. Le premier, l'escalier de la Reine, avait l'avantage de se trouver à proximité de son cachot. En revanche, parvenue au premier étage, il l'obligeait à traverser une longue galerie pour se rendre dans la salle Liberté ou Grand-Chambre où elle devait être jugée[3]. L'escalier du deuxième parcours était très éloigné de son cachot et l'obligeait à traverser le couloir des prisonniers et toute la rue de Paris où déambulaient en permanence des

1. H. de Viel-Castel, *Marie-Antoinette et la Révolution française*, J. Techener édit., 1859, p. 354 et 355.
2. Voir le plan de la Conciergerie dans le tome 1, p. 638.
3. Voir le plan du Tribunal révolutionnaire, p. 696.

prisonniers. En revanche, il présentait l'avantage de déboucher à proximité de la salle des audiences, mais l'inconvénient d'être voisin de la sortie. Quant au troisième, creusé à même la tour, c'était de toute évidence le plus long mais le plus sûr. Il fallait traverser le parloir, descendre le célèbre perron aux trois marches glissantes, traverser le préau des hommes, et atteindre enfin l'escalier à vis de la tour Bonbec. Lequel de ces trois trajets la Reine a-t-elle réellement emprunté ? Paradoxalement, le plus long. Pourquoi ? Peut-être pour des raisons de sécurité du fait de son éloignement de l'entrée de la prison. La preuve irréfutable de son parcours nous est rapportée par *deux témoins*[1] qui ont *vu* la Reine emprunter le "préau des hommes" : ce sont le lieutenant de Bûne[2] et le jeune Barthélemy de La Roche[3].

La triste histoire de ce dernier est rapportée dans le tome précédent. Dans un ouvrage poignant qu'il lui a consacré, le comte Anatole de Ségur raconte le martyre de ce jeune homme. Il cite un passage d'une de ses lettres écrites en prison, où il donne des détails sur la captivité de la Reine, notamment sur le trajet qu'elle a emprunté pour se rendre au tribunal. Il rapporte qu'il a vu de la fenêtre de sa "chambre à la pistole" qui donne sur le préau des hommes, passer plusieurs fois la Reine pour se rendre à la tour Bonbec : "[...] nous la vîmes passer dans la cour, quatre ou cinq fois, vêtue bien modestement en noir, mais le jour de son triomphe, elle prit une robe blanche [...]."

A. de Ségur confirme ce témoignage quand il écrit : "Notre héros confirme dans ses lettres qu'il la vit plusieurs fois passer comme elle se rendait de son cachot au tribunal révolutionnaire et qu'elle portait dans sa démarche et dans sa physionomie, un calme et une majesté incomparables."

L'autre témoignage nous est donné par le lieutenant de gendarmerie de Bûne. C'est lui qui accompagna la Reine à l'audience, lui donna un verre d'eau, et enfin la reconduisit par le bras dans son cachot, le chapeau à la main. Ecoutons Lenôtre : "Il se rendit coupable d'un impardonnable

1. A. Castelot, *Marie-Antoinette*, Perrin, 1993, p. 571.

2. G. Lenôtre, *La Captivité et la Mort de Marie-Antoinette, op. cit.*, "Relation de l'officier de Busne", p. 367.

3. A. de Ségur, *Un épisode de la Terreur*, Bray et Retaux éditeurs, 1872, p. 67.

crime : il mit son chapeau à la main pour escorter la condamnée ; il prit la peine d'aller lui chercher un verre d'eau ; enfin il lui offrit le bras pour l'aider à descendre l'obscur escalier de la prison, le soir même il était dénoncé !" (Par le gendarme Jourdeuil.)

Pour sa défense, de Bûne proclama : "Je lui présentai mon avant-bras droit, et elle descendit dans cette attitude l'escalier : elle le reprit pour descendre les trois marches glissantes du perron du préau !"

Il n'existe qu'un endroit qui possède trois marches qui donnent sur un préau, c'est celui qui mène à l'escalier de la tour Bonbec. La Reine sans aucun doute a bien emprunté ce trajet.

Qu'advint-il du petit carlin de la Reine, qui a bel et bien existé et que nous avons arbitrairement surnommé Baps dans notre récit. Il voulut monter avec elle dans la charrette qui la menait à l'échafaud. Le bourreau le chassa d'un coup de pied. Recueilli par une âme charitable, probablement Rosalie ou le concierge Bault, le petit carlin retourna alors dans le cachot de sa maîtresse et l'attendit sur son lit. L'histoire touchante du chien de Marie-Antoinette est saisissante. Bien qu'il ait joué un rôle bénéfique dans sa réclusion, aucun écrit, aucun témoignage ne mentionne son existence, et pourtant il a partagé la vie de la prisonnière durant soixante-seize jours.

La découverte de ce chien est des plus romanesque. Elle nous fut rapportée par G. Lenôtre, le grand historien de la Révolution[1]. Voici les faits : de très nombreuses années après la mort de Marie-Antoinette, survivait un vieillard vraiment très, très vieux, qui fut peut-être le dernier témoin vivant de la conjuration de l'Œillet. Le hasard voulut qu'il rencontrât Alexandre Dumas père à qui il aurait révélé qu'il avait pour lui le sujet d'un formidable héros de roman en la personne du chevalier Alexandre de Rougeville et de son fameux complot. C'est précisément lors de son entretien avec le grand romancier qu'il aurait dévoilé l'existence de ce petit chien que tous les témoins de cette époque passèrent sous silence. Affabulations ? Pas du tout : ce carlin a réellement existé. Dumas publie son roman, *Le Chevalier de Maison-Rouge*, et donne effectivement un rôle à ce petit

1. G. Lenôtre, *Le Vrai Chevalier de Maison-Rouge*, Perrin, 1912, p. 136.

chien. Mais tout ce qu'il raconte est faux : le carlin n'a pas du tout été assommé par le bourreau comme le raconte son auteur. Comment l'avons-nous appris ? Par un deuxième témoin. Quelques années après l'édition du roman de Dumas, aux alentours de 1890, paraît une autre publication, inédite celle-là, qui nous révèle la vérité : c'est celle de l'internonce L. de Salamon[1]. Cette publication tardive révélera la vérité avec un siècle de retard : en 1796, pendant le Directoire, soit trois ans après la mort de Marie-Antoinette, survient le coup d'Etat du 18 Fructidor. On arrête de nouveau les nobles et les prêtres. L'abbé de Salamon est interné à la Conciergerie dans le cachot de la Reine et dort même dans son lit. Il retrouve le concierge Richard qu'il avait déjà rencontré sous l'Ancien Régime lorsqu'il faisait les visites des prisons en qualité de commissaire de la cour. Rosalie Lamorlière occupe toujours les fonctions de servante. Quand Salamon lui avoua qu'étant claustrophobe, il redoutait d'être enfermé sous les verrous, Rosalie s'empressa de le rapporter à Richard qui laissa la porte de la prison ouverte dès le lever du jour. Voilà ce que raconte l'internonce : "Je vis, comme ma porte s'ouvrait, un carlin entrer dans ma chambre, sauter sur mon lit, en faire le tour et s'en aller. C'était le carlin de la Reine que Richard[2] avait recueilli et dont il prenait le plus grand soin. Il venait de la sorte pour flairer les matelas de sa maîtresse. Je le vis faire ainsi tous les matins, à la même heure pendant trois mois entiers, et, malgré tous mes efforts, je ne pus jamais l'attraper."

Ce témoignage prouve que non seulement le petit carlin a bien existé, mais qu'il a partagé la réclusion de Marie-Antoinette à l'intérieur même de son cachot, puisque trois ans après il recherchait son odeur sur le lit de sangles.

Ce fut le dernier témoignage. Nous perdons ensuite la trace du petit compagnon de la Reine.

LE BARON JEAN DE BATZ

Il est l'arrière petit-fils de Charles de Batz, surnommé d'Artagnan. Ancien député à la Constituante, et grand

1. L. de Salamon, *Mémoires inédits de l'internonce à Paris pendant la Révolution*, Plon, 1890.
2. Richard avait été libéré et avait même retrouvé son poste de concierge à la Conciergerie.

financier, il serait l'initiateur, dit-on, de la détestable "loi du Maximum"[1] qu'il conseilla pour nuire aux révolutionnaires. C'est un personnage central vers qui tout converge, qui n'aura de cesse que de monter une vaste conjuration pour renverser la République.

Cet homme exécuta un acte d'héroïsme hors du commun, en tentant de sauver Louis XVI sur le chemin de l'échafaud. L'historien G. Lenôtre en a donné une description complète, dont voici un extrait : "La population parisienne était au 21 janvier à ce point terrorisée à la vue du Roi qu'on mène au supplice, que toute cette scène qui eut plus de dix mille témoins, semble être restée inaperçue. Aucun journal de l'époque n'y a fait, croyons-nous, allusion, de sorte qu'on a eu beau jeu pour en nier l'authenticité[2]."

Ces faits furent rapportés par le baron Hyde de Neuville et le comte d'Allonville, et par bien d'autres témoins. On est bien obligé de s'incliner devant les documents officiels, tels que l'interrogatoire de Devaux qui était le 21 janvier aux côtés de Jean de Batz, dans cette action de commando visant à sauver le Roi[3].

Il faut savoir que quelques jours avant, les députés de la Convention avaient condamné Louis XVI à mort. En représailles, Jean de Batz commandite le 20 janvier 1793, soit la veille de l'exécution, l'assassinat du député Le Peletier de Saint-Fargeau. L'exécution eut lieu chez Février, un restaurant à la mode du Palais-Royal. (Cet ancien noble avait eu la félonie, à ses yeux, de voter la mort du Roi pour permettre au duc d'Orléans d'accéder à la Couronne de France.) Nous verrons dans le tome 3 que ce dernier avait prémédité l'exécution de Le Peletier dans le seul but de mettre les girondins dans une position difficile afin de les éliminer des Comités de salut public et de sûreté générale, pour laisser la place aux montagnards avec qui il avait paradoxalement de meilleurs contacts[4].

1. G. Lenôtre, *Jean de Batz*, 6e édition, Perrin, 1906, p. 19, note 1. Et Archives nationales, dossier T 699.

2. *Ibid.*, p. 12-13.

3. Archives nationales, dossier W 389.

4. A. de Lestapis, *La Conspiration de Batz*, Paris, Société des études robespierristes, 1969.

Ayant échoué dans sa tentative de sauver le Roi sur le chemin de l'échafaud, il concentre alors toute son action sur la libération de la famille royale prisonnière dans la prison du Temple. Il échouera encore, mais ne se tiendra pas pour battu.

Cet homme infatigable entreprend avec la complicité du chevalier de Rougeville un nouveau complot pour faire évader la Reine de la Conciergerie. On l'appellera la conjuration de l'Œillet. Le complot échouera de justesse par la faute d'une servante à la solde de Fouquier-Tinville. De Batz ne se décourage toujours pas. Il monte une troisième opération avec des hommes issus du peuple. Il affrontera en pleine Terreur les sicaires du régime afin de libérer la Reine sur le chemin de l'échafaud. Ce sera le complot des Perruquiers.

Ayant de nouveau échoué, il poursuivra sa stratégie initiale qui consiste à déstabiliser l'une après l'autre chaque faction de la Convention. Richissime, disposant à volonté de l'or anglais et autrichien, probablement faux monnayeur, il va soudoyer les députés de la Convention d'abord en les achetant, ensuite en les diffamant. Il va abattre les uns après les autres tous les "géants de la Révolution". En un an, ils auront tous disparu. Mais cela est une autre histoire que l'on découvrira dans *La Vengeance du baron de Batz*, le troisième et dernier volet de ce roman.

LE CHEVALIER ALEXANDRE DE ROUGEVILLE

Personnage de légende, immortalisé par Alexandre Dumas[1], chevalier de Saint Louis et "chevalier du Poignard", il est le serviteur inconditionnel de la Reine Marie-Antoinette dont il est éperdument amoureux. Royaliste convaincu, il se proposait de faire sauter l'Assemblée nationale dans une gigantesque explosion. Doué d'une folle bravoure, il est l'allié du baron de Batz et du comte de Fersen dans son combat pour libérer la Reine. Il sera la cheville ouvrière de la conjuration de l'Œillet. Recherché par toutes les polices de Robespierre, il s'enfuit en Belgique, mais auparavant, dans le but de les ridiculiser, il va révéler à ses pires ennemis les détails de son complot. Il a alors trente-sept ans.

Après l'échec de l'Œillet, dans la nuit du 3 septembre, Rougeville s'enfuit "avec deux chemises et quelques paires

1. Dans *Le Chevalier de Maison-Rouge.*

de bas" de la maison de Vaugirard où il vivait avec Sophie Dutilleul. Sa compagne est arrêtée et internée à Sainte-Pélagie. La malheureuse est désespérée d'être sans nouvelles de lui, d'autant qu'elle fut une complice résolue.

Dès le lendemain de la découverte du complot, le 4 septembre, sa tête est mise à prix. Pressentant un très dangereux comploteur, le Comité de sûreté générale met à ses trousses son meilleur limier, le policier Baudrais, avec un crédit illimité. On fournit son signalement aux sections de Paris, aux municipalités et à tous les départements. Des perquisitions et des filatures sont organisées pour tous les gens qui avaient eu un simple contact avec lui. Rougeville demeure introuvable.

Avant de s'enfuir en Belgique, il se cachait en réalité dans les carrières de plâtre de Montmartre. En toute inconscience, il alla déposer en mains propres à plusieurs organismes (Convention, comités de sections, Tribunal révolutionnaire) un pamphlet incendiaire qui était le compte rendu détaillé du complot, en fournissant moult détails sur la façon dont il s'était déjoué de la surveillance des gardiens. On imagine aisément la fureur des révolutionnaires quand ils lurent ce texte qui les ridiculisait.

Avant de quitter la France il avait réussi à réunir autour de la Conciergerie, avec la complicité du baron de Batz, des conjurés issus du peuple pour monter le complot des Perruquiers.

Rougeville a-t-il été vraiment amoureux de la Reine ? Dans son roman *Le Chevalier de Maison-Rouge*, Alexandre Dumas lui attribue ce rôle. On pense que le vieillard qui lui rapporta l'histoire de l'héroïque chevalier fut certainement un de ses "affidés", qui le savait très épris. Mme Campan dans ses Mémoires rapporte qu'à Versailles et à Trianon, un homme passait le plus clair de son temps à attendre la souveraine pour la regarder passer. On l'appelait "l'amoureux de la Reine". Le comte Monier de La Sizeranne, dans son poème "Marie-Antoinette", pense que cet hurluberlu transi ne serait autre que Rougeville. C'est une supposition, bien sûr, mais elle est troublante. En tout cas, cette passion cadre parfaitement avec le profil aventureux et romanesque du personnage.

Puisque nous évoquons le roman d'Alexandre Dumas, il faut citer une aventure rapportée par Lenôtre. L'intrigue du grand romancier devait s'appeler initialement *Le*

Chevalier de Rougeville. Or, il apprend entre-temps qu'il existe un descendant de Rougeville encore vivant. Il lui écrit une lettre dans laquelle il le rassure en l'informant qu'il change le nom de son roman, il l'appellera *Le Chevalier de Maison-Rouge.* Le dernier des Rougeville lui répond que tout cela lui est bien égal puisque, victime d'un chagrin d'amour, il a l'intention de se suicider et qu'il sera mort quand Dumas recevra sa lettre. Ce dernier se précipite chez lui et le trouve grièvement blessé, la tête prise dans des pansements. Malheureusement, il rejettera ses bandages et finira par mourir. Dumas, affecté par cette histoire, voulut respecter sa mémoire, abandonna définitivement le nom de Rougeville pour garder celui de Maison-Rouge.

Après une traversée probablement mouvementée de la frontière franco-belge, il arriva le 12 octobre à Bruxelles et rejoignit les émigrés. Ces derniers, méfiants, le reçurent froidement. Il leur reprocha ouvertement d'avoir déserté la France et abandonné le Roi. Il se fit de ces hommes pleins de morgue des ennemis implacables. Trois mois après son arrivée en Belgique, leur vengeance s'abattit sur lui : il fut arrêté sous le motif absurde d'"espion des armées révolutionnaires" et fut interné à la prison de Treuzenberg. S'ils pensaient l'abattre, c'était mal juger ce conspirateur-né. Avec un culot monstre, il prend sa plume et écrit carrément au chancelier d'Autriche, le prince de Metternich. Il lui raconte en détail, sur un ton emphatique, le complot des Œillets en prenant soin de se mettre en valeur et en proclamant son indéfectible attachement à la Couronne de France. Metternich ne daigne pas répondre. Qu'à cela ne tienne, en avril 1794, il écrit alors au chef d'état-major, le prince de Cobourg, en vantant à nouveau ses mérites, sans oublier d'insister sur sa fidélité au Roi. Dans cette lettre, il maudit l'inaction qui l'empêche de le servir. Il demande son élargissement pour poursuivre la lutte. La réponse fut évidemment une fin de non-recevoir, mais le maréchal prince de Cobourg eut l'imprudence de signer lui-même le message : F. Cobourg, suivi des deux lettres F. M. qui signifient feld-maréchal. C'était exactement ce qu'attendait Rougeville : avoir un modèle de sa signature. Il écrit aussitôt une fausse lettre qu'il s'adresse à lui-même où le prince le félicite de son courage et de sa fidélité, et l'engage à reprendre au plus tôt sa charge de lieutenant-colonel dans l'armée autrichienne ! Quel fut le résultat de cette supercherie ?

Mystère… En tout cas, il est fort probable que cette lettre facilita son élargissement.

Or, à Paris, c'est le 9 Thermidor et la chute de Robespierre. Rougeville décide de rentrer en France. Il apprend que tous les chefs du complot des Perruquiers ont été guillotinés.

Comme la plupart des nobles, il est persuadé que le retour à la monarchie est proche. Il s'affiche alors sans précaution. Il rencontre un conventionnel du nom de Guffroy qu'il avait connu à Arras. Le père de Rougeville avait eu le tort de prêter de l'argent à ce triste sire et la dette n'était toujours pas éteinte. Rougeville, sans méfiance, lui raconte tous ses complots et le sinistre Guffroy entrevoit aussitôt une occasion inespérée de se débarrasser du fils de son créancier puisque le vieux père a déjà un pied dans la tombe. Après la mort du vieillard, et le fils éliminé, pense Guffroy, il sera débarrassé définitivement de sa dette. Il dépose aussitôt une dénonciation contre Rougeville au Comité de sûreté générale. Le soir même, il est arrêté et enfermé aux Orties. On lui reprocha d'avoir émigré. Il s'en défendit en donnant de fausses adresses et de fausses dates de son séjour à Paris. Il fut enfermé à la Conciergerie. Il proclama son innocence et demanda à être libéré sous la surveillance continuelle de deux gendarmes afin d'apporter les preuves matérielles de ses différentes adresses durant la Terreur.

Le 26 octobre 1795, la Convention prend fin, le Directoire s'installe. Rougeville est transféré à Sainte-Pélagie. Il y croupit encore un an, car son débiteur Guffroy veille toujours à le maintenir en prison. Mais ses amis royalistes à présent influents au Conseil des Cinq Cents décident de le libérer.

L'un d'entre eux, Couchery, royaliste convaincu, permet son élargissement. "Quel honneur ! Il était au faîte de sa gloire. Son nom était cité partout, même dans les journaux ! Il exultait de joie."

Nous sommes alors en 1797, il va s'isoler dans le château de son père, décédé, à Saint-Laurent près d'Arras. Il y vit au secret, avec une simple femme de ménage du nom de Catherine Houleric. Ne voyant rien bouger dans la demeure, les paysans se demandaient même s'il était toujours dans son château : en fait, il conspirait encore. Or, Rougeville était surveillé à son insu. Il est dénoncé par un voisin, du nom de Verdevoy, comme royaliste militant contre le Consulat. Il aurait fait partie du complot de Cadoudal contre le Premier Consul.

Il faut savoir qu'il était en outre harcelé depuis quelques années par une ancienne maîtresse du nom de Louise Lacouture. Elle avait retrouvé sa trace, se rendit à Saint-Laurent mais fut éconduite par la servante qui lui donna une gifle et lui claqua la porte au nez. Déchaînée, elle alla se plaindre à Verdevoy, le pire ennemi de Rougeville, qui obtint qu'il fût arrêté comme conspirateur, mais quand les gendarmes envahirent le château, il leur glissa une fois de plus entre les doigts. Ce qui prouve bien qu'il conspirait, puisqu'il avait prévu sa fuite et sa retraite bien à l'avance.

Avec son incroyable culot, il écrivit encore au ministre de la Police, le traitant d'égal à égal, en disant qu'il était victime des violences de ses gendarmes et qu'il s'était enfui pour défendre sa vie. Il lui écrivit cette phrase tout empreinte d'hypocrisie : "J'ai mon opinion, mais je suis incapable de nuire et de conspiration contre ma patrie." Comme il était invisible, le ministre crut bon de l'assigner à résidence à Reims afin de le faire surveiller étroitement par la police du Premier Consul.

Durant dix ans, sa vie ne fut qu'une partie de cache-cache avec la police impériale entre Paris, Reims, Saint-Laurent et Soissons. Ecoutons ce que Lenôtre pense de lui : "Rougeville n'était pas le héros pur et sans tache que le roman de Dumas a représenté [...]. Du jour où Rougeville entra en lutte contre la Révolution, son premier soin fut de mettre de côté tous scrupules. Se sentant en présence d'adversaires que les principes et l'honneur ne gênaient pas, il voulut les combattre à armes égales : et alors commença pour lui cette existence de déguisements, de mensonges, de ruses, de tromperies, où il semble se mouvoir sans aucune gêne. Il était né conspirateur[1]."

Il se remarie alors bien qu'il fût toujours harcelé par son ancienne maîtresse. Ecoutons encore Lenôtre : "Une telle succession de conspirations et d'intrigues avait fait de lui pour ainsi dire, un homme d'une essence particulière, impatient du calme, ardent aux aventures, et lui ménageait un dénouement plus en rapport avec le roman de son

1. G. Lenôtre, *Le Vrai Chevalier de Maison-Rouge*, *op. cit.*, p. 152.

existence[1]." Hélas, le dénouement est proche : c'est la chute de l'Empire et les Cent Jours. Rougeville, qui n'a cessé de conspirer contre l'Empereur et pour le Roi et les coalisés, voit avec bonheur l'armée russe de Saint-Priest déferler sur le Nord ; Reims est sur le point de capituler. Il commet l'imprudence d'écrire au prince Volkonski, chef d'état-major de l'armée russe, une lettre où on peut lire : "deux fois j'ai accompagné l'officier de cosaques... parce que je suis plein de zèle pour vos armées", etc. Malheureusement, une partie de la cavalerie française intercepta cette prose en capturant quelques cosaques. Il est inutile de décrire l'effet qu'elle produisit sur des officiers français en proie à la déroute. Rougeville comparut devant une commission de six membres qui le condamna à mort, en lui donnant une heure pour se préparer à être fusillé.

Il parut alors sur le Champ-de-Mars de Reims où le peloton d'exécution l'attendait. Il portait une casaque jaune et des bottes hongroises à glands d'or. Une foule immense était massée autour du carré d'exécution. On le fit attendre. Les bras croisés, "calme, impassible", il observait la foule... "A quoi songeait-il ?" Revenons vers Lenôtre qui décrivit si bien les dernières minutes de cet homme hors du commun : "L'homme que, plein de vie, on mène à la mort, revoit dit-on, avec une acuité étrange, se dérouler toutes les phases de son existence, et les détails les plus infimes, les plus oubliés, prennent en son esprit un inexplicable relief. S'il en est ainsi, la pensée de Rougeville devait revivre les ardentes journées de juin et d'août 1792, dans ces Tuileries battues par le flot populaire, où il s'était constitué le protecteur de la belle Reine qui l'avait accepté pour chevalier servant. Il devait la revoir, blonde, émue, imposante ; se remémorer ses paroles, entendre le son de sa voix ; le culte qu'il lui vouait alors avait été, en somme, la boussole de toute sa vie [...]. Il ressentait quelque chose de l'angoisse dont il avait été oppressé, quand, à force de ruses, parvenu dans le cachot de l'auguste prisonnière, il l'avait revue blanchie, vieille, maigrie, épuisée par les larmes.

Et voilà que la foule qui le huait maintenant évoquait à sa pensée la charrette de Sanson. C'était un semblable concert d'imprécations et de hurlements qui l'avait accueillie, elle, quand elle traversait Paris pour se rendre à l'échafaud. Et de même que la dernière pensée de la fille de

1. *Ibid.*, p. 179.

Marie-Thérèse avait dû s'envoler vers lui, Rougeville, sous forme d'un suprême et fol espoir, de même il pensait à elle en marchant à la mort. [...] Un silence solennel s'était fait. Arrivé au mur, il s'arrêta et fit face aux soldats. On le vit de loin se dépouiller de sa casaque jaune, jeter son chapeau sur le gazon ras ; puis il regarda le sol comme pour y choisir sa place. Un sergent s'approcha, lui tendit un mouchoir plié en long ; mais il le repoussa du geste. Il mit un genou à terre, et offrant sa poitrine, il fit signe qu'il était prêt. [...] La décharge retentit. Le corps glissa sur le flanc au pied du mur, et dans une convulsion suprême, on vit se lever le bras comme pour un dernier appel.

Le lendemain l'armée russe de Saint-Priest entrait dans Reims[1]." Pour une fois la chance l'avait abandonné.

JEAN BAPTISTE QUENTIN FOUQUIER-TINVILLE

Il a quarante-sept ans en 1793 quand il assure la tâche écrasante d'accusateur public du Tribunal Révolutionnaire. C'est l'homme à tout faire de la guillotine, on le surnomme "le boucher".

Ce personnage aux pouvoirs discrétionnaires aurait marchandé la vie de ses jolies victimes contre la satisfaction de ses désirs sexuels[2]. Refuser ses avances, c'était bien entendu monter à l'échafaud.

Ennemi mortel de la Reine, il a pourtant toutes les peines du monde à bâtir son acte d'accusation par manque de preuves. Cet être au "cœur racorni" envoie à la guillotine des centaines d'innocents sur ordre de Robespierre et du Comité de salut public. Il est l'otage de l'Incorruptible qui le méprise et ne manque jamais de lui faire sentir son dédain. Bien que fortement impliqué, il n'aurait pas, de ce fait, l'entière responsabilité de tous les crimes de la Terreur.

En revanche, il sème l'effroi au sein du personnel de la prison. Il règne sur la Conciergerie comme Cerbère gardait les Enfers. Il envoie des espions autour de la Reine, et c'est lui qui fera échouer chaque tentative d'évasion.

Comme il doit bâtir un acte d'accusation dépourvu de preuves, il reprendra celles qui avaient été établies contre

1. *Ibid.*, p. 179.
2. C'est le cas notamment de Mme de Sartines, née Emilie de Sainte-Amaranthe, célèbre pour sa très grande beauté.

Louis XVI et les lui attribuera sans vergogne. Il créera de nombreux faux témoignages, mais devant la nullité de leur contenu, ils seront ignorés par le président Herman et seule l'accusation de haute trahison sera retenue.

Il va s'allier avec le sinistre Hébert pour lancer ce que Stefan Zweig a appelé "la grande infamie" : il accusera la Reine d'inceste sur son fils. Cette ignominie soulèvera le public contre lui.

Il fera échouer auparavant la tentative d'évasion de Marie-Antoinette de l'Hospice national de l'Archevêché.

Avant d'être accusateur public, Fouquier-Tinville exerçait une charge très lucrative de procureur au Châtelet. Il la vendit prétendument "par dégoût" le 30 octobre 1783[1].

Il est difficile de concevoir qu'il ait pu se séparer d'une affaire aussi fructueuse sans qu'il y fût forcé. Pour la plupart des historiens, dont Lenôtre, ce sont ses collègues qui l'ont obligé à partir. Fouquier, pour préserver son avenir d'éventuelles attaques, déclara : "Je défie de me produire aucune sentence de la communauté des procureurs qui m'aient forcé à vendre, il serait aisé de vérifier les faits." Effectivement, les faits furent invérifiables puisqu'il avait pris le soin de vendre sa charge le 30 octobre 1783 pendant la vacation de la communauté des procureurs. Comme ces derniers ne reprirent leurs activités que le 9 novembre, aucun registre ne mentionna son départ.

Il est fort probable qu'il ait été rejeté de sa communauté pour malversations et "mauvaises mœurs". A la passion du jeu, il joignait celle du vin et de la bonne chère. Il aimait les prostituées et hantait les tripots. Sa première femme dont il eut trois enfants en mourut prématurément[2].

Un autre événement confirme le mépris de ses anciens compagnons à son égard. En 1794, une dizaine d'années après son départ du Châtelet, doté de tous ses pouvoirs d'accusateur public, il assista au déjeuner que donnaient annuellement ses collègues, où il s'imposa sans être invité. Il faut savoir qu'avant la Révolution, les procureurs du Châtelet avaient formé une société amicale, la Société du Châtelet, dont Fouquier-Tinville fut membre. Ils se réunissaient un jour par mois chez le traiteur Legacque, rue

1. Archives nationales, Y 6609.

2. G. Lenôtre et A. Castelot, *Les Grandes Heures de la Révolution française. La Terreur*, Perrin, 1962, p. 70-72.

de Rivoli. Il se rendit à ce repas, pensant que ses anciens collègues recevraient avec joie l'un des leurs qui avait si bien réussi. Non seulement l'accueil fut glacial, mais l'un d'eux, nommé Vauvert, lui sauta à la gorge en le traitant d'assassin. Il fallut les séparer. Fouquier-Tinville quitta le restaurant mais à la stupéfaction de tous, Vauvert ne fut jamais inquiété alors que quiconque eût été aussitôt guillotiné[1].

Ce comportement totalement exceptionnel de l'accusateur est évocateur d'un homme qui se savait coupable vis-à-vis de ses collègues. Lenôtre précise : "Faut-il l'attribuer à un reste de cet esprit de confraternité ?" On peut en douter, mais voilà un bel exemple de la complexité de l'âme humaine.

On aurait pu croire que l'assassinat de tous les condamnés du Tribunal révolutionnaire était uniquement l'œuvre du seul Fouquier-Tinville et de ses acolytes. Eh bien, pas du tout : comme nous l'avons souligné plus haut, il n'était pas seul en cause ! Les ordres venaient des Comités et même directement de Robespierre. Tous les soirs, vers dix heures, Fouquier-Tinville se rendait aux Tuileries, au siège des Comités de salut public et de sûreté générale. Il recevait des mains de leurs dirigeants la liste des victimes qui devaient passer le lendemain devant le Tribunal révolutionnaire pour monter ensuite à l'échafaud. Sur cette liste, chaque nom était accompagné de recommandations précises destinées aux "jurés" : c'était presque toujours la peine de mort qui était exigée. Le sort de ces malheureux était scellé avant même leur comparution[2]. Qu'on ne nous dise surtout pas que les "géants de la Révolution", comme l'ont déclaré les chefs nazis, n'étaient pas au courant ! Pour en être persuadé, il suffit de consulter le procès de Fouquier-Tinville aux Archives nationales, on y entend l'accusateur public se justifier[3] : "Au reste, j'agissais sous les yeux du gouvernement ; chaque soir j'allais rendre compte des opérations du Tribunal ; chaque jour, par conséquent, ma conduite et les opérations du Tribunal étaient approuvées

1. *Ibid.*

2. E. Campardon, *Le Tribunal révolutionnaire de Paris*, Plon, 1866, tome 2, pièces justificatives, note n° 2, p. 250 *sq.*, p. 262-263.

3. Archives nationales, W 499, W 500 et W 501.

par les Comités du gouvernement. Ainsi, quant au prétendu crime de mes fonctions, j'ai la garantie des lois et du gouvernement. [...] Je n'ai jamais eu de relations et de rapports qu'avec les Comités et dans des lieux des séances de ces Comités ; je m'y rendais tous les soirs entre dix et onze heures ; j'étais introduit dans le lieu des délibérations : je remettais la liste des jugements rendus dans le jour et rendais compte des opérations du tribunal. A tous les membres qui s'y trouvaient présents, je recevais leurs ordres. [...] Je recueillais leurs pièces, instructions et renseignements qui m'y étaient donnés relativement aux affaires traduites au tribunal[1]."

"On ne peut faire retomber sur lui la responsabilité de toutes les victimes de la Grande Terreur[2]", sans oublier toutefois qu'il passa outre à la loi pour faire guillotiner des femmes enceintes et des mineurs. En revanche, il est exact que Fouquier-Tinville et Robespierre se détestaient. Le premier a prétendu qu'il était secrètement hostile au second. Huit jours avant le 9 Thermidor, le député Martel rapporte qu'il avait eu une conversation avec l'accusateur, au cours de laquelle il blâma le despotisme de Robespierre et proclama qu'il fallait se liguer contre lui pour sauver leur tête et qu'il l'avait menacé s'il n'allait pas plus vite en besogne[3] !

L'histoire pathétique de son procès fera l'objet d'un chapitre du tome 3 : *La Vengeance du baron de Batz*.

JOSEPH MARTIAL ARMAND HERMAN

Président du Tribunal révolutionnaire, il fut nommé à ce poste par Robespierre qui l'aimait bien. Foncièrement honnête, cet homme énigmatique et insaisissable, à la fois doux et glacial, envoie à l'échafaud ses victimes sans le moindre état d'âme, étant persuadé de faire son devoir.

Bourgeois issu de la magistrature d'Arras, et doté d'un physique agréable, il avait épousé sa bonne.

Il présidera à tous les interrogatoires de la Reine et même à son procès. Dans les questions soumises au jury, il ne

1. Archives nationales, W 499, 500 et 501, *in* Pièces justificatives : Réponses d'Antoine Quentin Fouquier, ex-accusateur public près le Tribunal révolutionnaire de Paris aux différents chefs d'accusation portés en l'acte à lui notifié le 26 frimaire an III.
2. A. Mathiez, *Autour de Robespierre*, Payot, 1957, p. 136.
3. *Histoire parlementaire*, Buchnez et Roux, tome XXXV, p. 16-17.

tiendra pas compte de tous les faux témoignages montés par Fouquier-Tinville, pour ne retenir que l'accusation de "haute trahison".

Impitoyable, il se rendra dans le cachot de la Reine quelques instants avant son départ pour l'échafaud pour lui relire sa condamnation à mort. Il exigera qu'on lui lie les mains derrière le dos ; en revanche, il se découvrira devant elle.

LE PERSONNEL DE SERVICE

MARIE RICHARD

Née Marie-Madeleine Barrassaint, elle est probablement la sœur du forçat Jean-Pierre Barrassaint qui purge sa peine à la Conciergerie. Femme du concierge Toussaint Richard, c'est la véritable gestionnaire de la Conciergerie. Elle est humaine et compatissante avec les prisonniers. Après l'échec de la conjuration de l'Œillet à laquelle ils ont pris part[1], Hébert demanda leur arrestation qui eut lieu le 11 septembre, le jour de l'arrivée de leur remplaçant Bault. On constate qu'entre le 3 septembre, date de la découverte du complot, et le 11 du même mois, ils obtiennent huit jours de sursis et continuent d'assumer leur fonction. Transférés aux Madelonnettes et leur fils à la Force, ils ne restent pas longtemps en prison. Indispensables à Fouquier-Tinville, les époux sont libérés trois mois après, le 1er frimaire an II (21 novembre 1793), et réintégrés dans leur fonction de concierges. Marie Richard paiera sa bonté de sa vie : elle est assassinée en juillet 1796 par un prisonnier qui partait aux galères. Elle venait de le réconforter avec de l'argent et un bouillon, quand, sans raison apparente, il lui planta son couteau en plein cœur. Elle mourut sur le coup. Richard ne devait pas survivre bien longtemps à son épouse. Elle fut témoin à charge dans le procès de Marie-Antoinette.

TOUSSAINT RICHARD

Les concierges des prisons faisaient en réalité office de gouverneurs. Les Richard et leur fils assuraient les fonctions de concierges à la Conciergerie pendant les massacres de

1. Archives nationales, F7 4774.92.

Septembre[1]. Les tueurs demandèrent à Marie Richard d'identifier parmi les cadavres un certain Montmorin qu'ils recherchaient. Ils voulurent s'emparer des effets des morts, mais Toussaint Richard s'y opposa. Il faillit être massacré. Le Conseil de la Commune, prévenu à temps, envoya des commissaires pour l'arracher des mains des assassins.

Toussaint Richard a quarante-huit ans en 1793. Bien que caractériel en diable, il manifeste de la considération et du respect pour la Reine. Acheté par Michonis et Rougeville, il entre de plain-pied dans la conjuration de l'Œillet. Il mourra peu de temps après l'assassinat de son épouse. Il prit le plus grand soin du petit carlin de la Reine après la mort de celle-ci. Il fut témoin à charge à son procès.

C'est lui qui détenait les fameux registres dans son bureau situé dans l'avant-greffe : le registre d'entrée, le registre de sortie et le registre d'écrou. Si, au moment de son incarcération, on parvenait à ne pas se faire inscrire sur le registre d'écrou, on n'existait pas à la Conciergerie. C'est ainsi que le comte Jacques-Claude Beugnot, incarcéré, n'y a jamais été inscrit et a pu sauver sa vie. "Il était absent pour les commissaires, les gens des clubs, des sections, des comités, des gens de justice de Fouquier, qui venaient à tout instant chercher dans le registre d'écrou, la piste du gibier oublié[2]."

Marie-Antoinette, elle, figure sur le registre d'entrée en date du 2 août 1793, et sur le registre d'écrou seulement le 22 septembre 1793 où on trouve enfin trace de son emprisonnement[3].

ROSALIE LAMORLIÈRE

Elle s'appelait en vérité Delamorlière. Issue d'une famille picarde très pauvre (elle est la fille d'un cordonnier), elle fut une servante dévouée au service de la Reine.

Née en 1768 à Breteuil en Picardie, elle n'a que vingt-quatre ans en 1793. Dotée d'une beauté légendaire et d'une très haute valeur morale, elle témoignera un dévouement sans faille pour sa souveraine vénérée. De sensibilité

1. E. Pottet, *La Conciergerie du palais de Paris*, 23e édition, Dépôt de la Conciergerie, 1902, p. 67.
2. C. A. Dauban, *Les Prisons de Paris sous la Révolution*, Plon, 1870, p. 169.
3. E. Pottet, *op. cit.*, p. 176.

royaliste, elle fait tout ce qui est humainement possible pour atténuer la rigueur de la détention de la Reine. Ne sachant ni lire ni écrire, elle sera l'ange tutélaire qui protégera Marie-Antoinette dans son martyre. La fille la plus pauvre qui soit ira jusqu'à découper ses propres chemises pour en faire des bandes hygiéniques pour la Reine de France !

A la mort de Marie Richard, elle quitte la Conciergerie en juillet 1796 pour exercer comme cuisinière chez la marquise de Créqui – Rosalie avait une réputation de cordon bleu et elle usa précisément de ses qualités pour atténuer les souffrances de la Reine.

Il est peu probable, malgré sa grande beauté, qu'elle se maria ou fonda un foyer. Elle eut pourtant une fille née de père inconnu. On suppose que ce fut Louis Larivière. On peut voir encore la tombe de sa fille au Père-Lachaise, sous le nom de Delamorlière. On ne comprend pas pourquoi celle-ci abandonna sa mère dans ce lieu misérable que fut l'hospice des Incurables, rue de Sèvres. Une chose est sûre : Rosalie a vécu toute sa vie dans le souvenir de ces soixante-seize jours où elle servit la Reine de France qu'elle appelait "ma princesse" ou "ma souveraine".

Rosalie décède en 1848 à l'âge de quatre-vingts ans dans ce même hospice où elle avait été admise pour une sciatique, le 24 mars 1824, et que, sans ressources, elle ne devait jamais plus quitter jusqu'à sa mort. Comme elle ne savait ni lire ni écrire, elle dicta un mémoire sur ces soixante-seize jours à un certain Laffont d'Aussonne, moine défroqué reconverti dans le commerce du bleu de Prusse. Il rédigea une émouvante relation, conservée à la Bibliothèque nationale.

Au retour des Bourbons avec le règne de Louis XVIII, la fille de Marie-Antoinette, alors duchesse d'Angoulême, refusa de la recevoir. Elle lui attribua néanmoins une pension de deux cents francs et la garantie à vie de garder sa cellule aux Incurables. L'ingratitude des Bourbons était décidément proverbiale. C'est là que la retrouvera, en décembre 1836, une certaine Mme Simon-Viennot qui fit une bouleversante relation de son entretien avec Rosalie qui "vivait seule, ne parlait à personne, ne répondait même pas aux politesses de ses compagnes". Voici un extrait marquant de leur entretien[1] : "Vous avez dû être entendue avec un

1. Mme Simon-Viennot, *Marie-Antoinette face au XIXe siècle*, J. Angé éditeur, 1838, tome 2, p. 337.

bien grand intérêt aux Tuileries par l'auguste fille de Marie-Antoinette, qui, sans vous, eût toujours ignoré avec quelle force héroïque fut supporté ce martyre de soixante-quinze jours. – Je jouis encore des bienfaits de Madame la duchesse d'Angoulême, répondit Rosalie, mais sans avoir pu jamais l'en remercier ; et cependant j'aurais avec joie renoncé à tous les avantages dont on m'a comblé pour voir une seule fois la fille de Madame. – Les avantages dont vous a comblé Madame la duchesse d'Angoulême se bornent, m'a-t-on dit, à votre admission dans cette maison et à une pension de deux cents francs que vous avez perdue à la Révolution de juillet. – Oui, mais n'ayant rien fait pour la mériter, je suis encore trop heureuse de me trouver ici pour toujours à l'abri du besoin." Ces mots se passent de tout commentaire.

La rare personne avec qui elle communiquait alors était Louis Larivière. Mme Simon-Viennot signale qu'en 1838, Rosalie vivait toujours aux Incurables "et jouissait d'une parfaite santé". Après, nous perdons sa trace, mais nous pensons qu'elle a fini sa vie ainsi, dans une solitude totale, sans la moindre amertume et la conscience sereine de n'avoir fait que son devoir. Quelle force de caractère que de vivre dans une telle réclusion !

Elle fut enterrée comme tous les pauvres dans la fosse commune, mais dans son linceul, elle avait pris la précaution de coudre les deux objets que lui avait donnés la Reine : une tige de laiton et un morceau de linon batiste qui provenaient de son ancien bonnet.

MARIE HAREL

Servante de sensibilité révolutionnaire au service de la Reine. Très laide et vindicative, elle déteste Marie-Antoinette qui le lui rend bien. Dans sa relation à Laffont d'Aussonne, Rosalie Lamorlière rapporte que c'est elle qui contribua à l'échec de l'Œillet. Sur les instructions de Fouquier-Tinville, dont elle est un mouton, elle participe largement à la *stratégie du mensonge* en niant tous les faits. Elle refuse de charger quiconque en prétendant qu'elle n'a rien vu. Citée en outre comme témoin à charge dans le procès, elle maintient sa stratégie en évitant même de charger la Reine, bien qu'elle fût une révolutionnaire patentée[1]. Elle avait trente-six ans en 1793.

1. Lire sa déposition dans le tome 1, p. 655-657.

Quand on observe Notre-Dame sur le plan de Turgot, on découvre que son flanc sud est occupé par un bâtiment de cinq étages qui est l'ancien palais épiscopal de Gobel, l'archevêque constitutionnel de Paris. Ce dernier abandonnera son immense résidence aux révolutionnaires qui en firent un hospice-prison à partir du 17 brumaire an II, date à laquelle le prélat abandonna aussi sa dignité[1]. Quand le Roi quitta Versailles en octobre 1789, l'Assemblée nationale s'y installa quelque temps, pour rejoindre ensuite la salle des Manèges aux Tuileries.

L'hospice possédait une salle immense, appelée "chapelle des Ordinations", qui fut agencée en tribunes et en gradins pour la jeune assemblée[2]. Il s'y déroula des événements historiques, puisque c'est là que la Constituante mit fin aux prérogatives du clergé et que les sections de Paris projetèrent d'abattre les girondins. Et pourtant, dans l'ensemble des bâtiments, cette salle n'occupait qu'un espace relativement restreint. C'est dire si le palais de l'archevêché devait être démesurément grand.

Un vaste et beau jardin longeait les bâtiments le long de la Seine. Les médecins établissaient des listes de malades aptes aux promenades mais elles devaient préalablement être soumises à l'approbation de Fouquier-Tinville qui accordait ou refusait selon son bon plaisir.

On pensa au début en faire une annexe de l'Hôtel-Dieu destinée aux femmes enceintes, puisqu'on ne pouvait compter sur l'infirmerie de la Conciergerie, qui était devenue un véritable cloaque. On y assista même à une épidémie de "fièvre putride" apportée par les prisonniers nantais qui l'avaient eux-mêmes contractée à Angers auprès des Vendéens[3].

On nomma un médecin, deux officiers de santé chirurgiens, un pharmacien, deux sages-femmes, un économe, un économe adjoint, un concierge et un portier. Le service semblait bien organisé mais ceux qui devaient l'appliquer étaient peu estimables. Le premier médecin fut Thery, vite remplacé

1. G. Lenôtre, *Paris révolutionnaire*, Le livre club du libraire, 1957, p. 320, note 1.
2. Archives nationales, F13 1167.
3. Archives nationales, W 154.

par Enguchard. Un témoin perçut un jour une conversation entre les officiers de santé. Le pharmacien du nom de Quinquet disait à ses collègues : “Il me manque beaucoup d'objets mais j'espère qu'on guillotinera quelques apothicaires pour que rien n'y manque.” C'est dire quelle était la mentalité de l'équipe soignante de cet hospice-prison.

Un certain Paris de L'Epinard, journaliste et imprimeur, fut interné à l'hospice et écrivit sous le titre *L'Humanité méconnue* un récit effrayant de sa captivité. Il affirmait que le meilleur remède qu'on pût attendre du docteur Enguchard était d'en être privé ! L'auteur précise que celui-ci procédait même à des tentatives d'empoisonnement. L'infirmière-chef Guyot rapporte que le médecin avait le tort d'employer des médicaments de mauvaise nature qui provoquaient de dangereux érésipèles[1].

Ne perdons pas de vue que l'Hospice de l'Archevêché était d'abord une rude geôle en même temps qu'un hôpital. Un administrateur ordinaire ne suffisait pas à diriger l'établissement, il fallait aussi un geôlier. La gestion relevait du ministre de l'Intérieur par le canal de l'économe, et la surveillance relevait de Fouquier-Tinville par le canal du concierge. C'est l'économe Ray qui assumait les pouvoirs administratifs de l'Hospice : “Tous les employés quelconques sont tenus de lui obéir”, et le concierge Tarcilly, émule de l'accusateur public, assurait la discipline. Le travail devenant considérable, un sous-économe du nom de Fays fut nommé, mais c'était au concierge Tarcilly, un être imbibé d'eau-de-vie, “qu'appartient la police relative à la sûreté de la maison et à la surveillance des détenus”. Il disposait de six guichetiers. C'était un être cruel, borné et alcoolique invétéré, tandis que Ray était un homme de cœur qui entrera plus tard en conflit avec Fouquier-Tinville, et même avec certains médecins. Il projeta l'évasion de la Reine lors de son éventuelle hospitalisation[2] avec la complicité de l'infirmière-chef Guyot et du docteur Giraud, un chirurgien adjoint attaché à l'Hôtel-Dieu.

Tout le bâtiment fut transformé en prison. L'immense sacristie de la chapelle des Ordinations fut transformée en

1. Paris de L'Epinard, *L'Humanité méconnue. Mémoires sur les prisons*, éditeur, 1823, tome 1, p.164.
2. L. de Saint-Hugues, *op. cit.*, p. 47.

logements pour les officiers de santé, et la basse sacristie devint la morgue.

Le concierge faisait l'appel tous les soirs et effectuait des rondes de nuit pour veiller au maintien de l'ordre. Une nuit, alors qu'il était ivre mort, cette surveillance intempestive vira à l'émeute. Elle fut maîtrisée par la gentillesse du docteur Bayard. C'est lui qui eut le courage de proposer aux collèges de médecine qu'une femme qui se déclarait enceinte devait être crue sur parole puisque les officiers de santé ne pouvaient se prononcer sur un état de grossesse avant cinq mois révolus[1]. Le chirurgien Giraud mis à part, les autres médecins n'avaient pas la même sollicitude pour les malades.

Quatre praticiens, Thery, Naury, Bayard et Souberbielle exerçaient à la fois à la Conciergerie et à l'Hospice national de l'Archevêché. Thery, "aussi ignorant que systématique", donnait la même tisane à tous les patients[2]. Il ne faut pas le confondre avec le docteur Thiery qui fut médecin de la Conciergerie[3] et resta en fonction très peu de temps. A la satisfaction générale des malades, Thery quitta l'Hospice et la Conciergerie pour un poste de secrétaire du Comité de salubrité[4].

Nous avons peu de renseignements sur Naury, si ce n'est qu'il était tenu pour "un homme ignorant et saigneur impitoyable d'une avidité effrénée". Il était l'ami de Fouquier-Tinville et membre assidu du club des Jacobins[5].

Quant au docteur Bayard, il faisait tout son possible pour éviter à ses malades la boucherie de l'échafaud. "Un homme honnête, qui accomplit consciencieusement ses devoirs de médecin, et cherche non seulement à adoucir le sort de ses malades, mais encore à les arracher, quand cela est possible aux fureurs du Tribunal révolutionnaire[6]."

L'Hospice national de l'Archevêché accueillait les prisonniers malades en provenance de toutes les geôles de

1. Docteurs Cabanes et Nass, *La Névrose révolutionnaire*, Société française d'imprimerie et de librairie, 1906, p. 199.
2. Paris de L'Epinard, *op. cit.*, tome 1, p. 159.
3. Archives nationales, F16, 601
4. Paris de L'Epinard, *op. cit.*, tome 1, p. 164.
5. *Ibid.*
6. *Ibid.*

Paris, principalement de la Conciergerie. L'hospitalisation proposée par les médecins devait être visée par Fouquier-Tinville. Les malades graves étaient transportés sur des brancards garnis de sangles et recouverts d'un treillis[1].

Il comportait un certain nombre de salles qui s'échelonnaient sur cinq étages. On avait aménagé des salles de bains dans la petite église voisine de Saint-Denis-du-Pas[2]. Les femmes enceintes qui attendaient leur terme pour être guillotinées étaient logées dans "la deuxième salle des femmes". Les archives nous apprennent qu'il y avait aussi "les salles d'en bas, la salle des galleux, la salle de la République, celle des montagnards, de l'Egalité, et la grande salle du second"... Il y avait aussi un jardin où les détenus pouvaient s'aérer. Les hommes et les femmes devaient y descendre à des heures différentes. De jour comme de nuit, chacun devait impérativement rester dans son lit[3].

Les médecins, Thery, Naury et Bayard, visitaient les malades deux fois par jour avec les sages-femmes Prioux et Bellamy et le pharmacien Quinquet.

La discipline sévère était assurée par Tarcilly, le concierge ivrogne. Nous relatons dans notre roman une anecdote authentique qui décrit cette fameuse nuit du 6 germinal an II où Tarcilly ivre réveilla tous les malades pour leur demander leur état civil ainsi que celui de toute leur famille. Il s'ensuivit une émeute à laquelle le docteur Bayard mit fin grâce à sa diplomatie[4]. A la suite de cet incident, les médecins rédigèrent une plainte auprès de Thirié-Grandpré, dans laquelle ils demandaient la révocation de cet homme aussi "immoral qu'incapable et que tant qu'il serait là, il serait impossible de faire le bien". Tarcilly fut révoqué et remplacé par Sensiet le 12 germinal an II, soit six jours après son esclandre. Quoi qu'il en soit, les malades étaient sous la main de Fouquier-Tinville, à deux pas du ci-devant palais de Justice tout près de l'échafaud.

1. Archives nationales, F15, 259.
2. Archives nationales, F13, 1167.
3. Archives nationales, F15, 259.
4. Archives nationales, F16, 601.

NOMS DES PERSONNES EMPLOYÉES A L'HOSPICE DE L'ARCHEVÊCHÉ[1]

QUALITÉ	NOM
Econome	Ray
Sous-économe	Fays
Médecin	Thery
Chirurgien	Bayard
Chirurgien	Naury
Sages-femmes	Prioux et Bellamy
Concierge	Tarcilly
Chef-infirmier	Guyot
Portier	Chauvin

Léon Legrand, dans une étude très complète sur l'Hospice national de l'Archevêché, répond à la question suivante : A ce stade d'évolution de la médecine, est-ce qu'un examen clinique permettait de réfuter un diagnostic de grossesse avant quatre mois et demi[2] ? Une mise au point de l'économe Ray prouve que, déjà à cette époque, un diagnostic de grossesse ne pouvait être confirmé ni infirmé avant ce stade de l'évolution d'une grossesse. Lors du procès de Fouquier-Tinville, tous les rapports des médecins de l'Hospice sur les diagnostics de grossesse furent produits au Tribunal[3]. Il fut constaté que ces praticiens manquèrent à leur devoir et on prouva que l'accusateur public envoyait à l'échafaud des femmes qui se proclamaient enceintes alors que les médecins déclaraient ne pas pouvoir se prononcer[4]. L'argument fallacieux de l'accusateur consistait à dire que ces femmes ne pouvaient être enceintes puisqu'elles étaient séparées physiquement des hommes, alors que tout le monde savait que c'était faux.

Paris de L'Epinard, un Genevois établi à Lille, était journaliste et rédacteur de *La Gazette du département du Nord*[5]. Il fut, dans la nuit du 5 au 6 floréal an II, enfermé à la Conciergerie, mis dans les fers, puis interné vingt jours

1. Docteurs Cabanes et Nass, *op. cit.*, p. 199.
2. Léon Legrand, "L'Hospice national du Tribunal révolutionnaire", *Revue des questions historiques*, 1890, p. 37.
3. Archives nationales, W 431, lettre de Ray au tribunal.
4. Archives nationales, W 431, dossier 968.
5. Archives nationales, W 164.

plus tard à l'Hospice de l'Archevêché, d'où il sortit trois mois plus tard grâce à la chute de Robespierre[1]. Dans le récit de sa captivité, *L'Humanité méconnue ou les Souffrances d'un prisonnier*, il rapporte l'histoire terrible d'une adolescente de dix-sept ans qui se déclara enceinte et fut quand même guillotinée[2]. Elle fut conduite à l'Hospice pour subir la visite des médecins Enguchard et Naury. Ils conclurent sur le seul examen clinique "qu'elle ne cherchait qu'à gagner du temps". Elle fut décapitée le lendemain.

H. Wallon relève dans son *Histoire du Tribunal révolutionnaire*[3] le cas de deux femmes se déclarant enceintes, qui furent guillotinées par Coffinhal en parfaite connaissance de cause. Catherine-Louise Saucourt, veuve Hinnisdal, trente-trois ans, se déclara enceinte de cinq semaines, et Elisabeth Dubois de Courval, veuve Joli Fleury, trente-six ans, de six semaines. Elles furent examinées par les docteurs Enguchard, Naury, Giraud, et la sage-femme Prioux. Ils conclurent : "[...] ne nous ont montré aucun signe de grossesse, vu qu'il en a jamais d'apparents à ces termes..." Coffinhal ne jugea pas le motif suffisant et les condamna à mort. Cette décision criminelle fut confirmée par son complice Fouquier-Tinville qui écrivit de sa main en marge du jugement que ces femmes ne communiquant avec aucun homme, toute grossesse était donc impossible. Le commis-greffier qui rédigea le jugement s'appelait Tavernier. Il démontra que l'accusateur mentait : hommes et femmes, dans cette prison, non seulement communiquaient entre eux, mais de surcroît conspiraient ! Coffinhal réfuta brutalement son témoignage : "Tu n'as pas ici voix délibérative ; tes observations sont de trop, tu es fait pour écrire ce qu'on te dit, écris !" Les pauvres femmes furent exécutées le même jour, le 7 thermidor an II. Si elles avaient été jugées deux jours plus tard, c'était le 9 Thermidor et elles étaient sauvées. Tavernier devait témoigner à charge de l'histoire de ces deux malheureuses au procès de Fouquier-Tinville[4]. Nous retrouverons ce brave garçon dans le volume suivant.

1. Archives nationales, W 176.
2. Paris de L'Epinard, *op. cit.*, tome 1, p. 169.
3. H. Wallon, *Histoire du Tribunal révolutionnaire de Paris*, 6 vol., Hachette, 1880-1882, tome V, p. 115.
4. Procès de Fouquier-Tinville, numéro 28, p. 2.

Toutes les malheureuses femmes que nous citons voyaient approcher le terme de leur grossesse avec terreur. La naissance de leur enfant était le signal de leur martyre. Toute la durée de leur grossesse se passait dans l'angoisse et l'épouvante d'une fausse couche qui les ferait monter à l'échafaud. Elles ne furent pas guillotinées à la même date, contrairement à ce qui est relaté ici pour la commodité du récit.

Le docteur Charrier, comme le docteur Billard, a fait une étude exhaustive des femmes enceintes décapitées : "Il est important de constater qu'après les lois de Prairial[1], ces lois qui supprimaient toutes les garanties, qui bornaient l'instruction à un simple appel nominal, le Tribunal ne tenait plus compte des déclarations des médecins. Au début de sa carrière, le tribunal accordait un sursis de plusieurs mois à la condamnée dont la grossesse n'était pas absolument manifeste. Ce sont des crimes qui ont déshonoré la plus belle des causes, et ces crimes ce sont des Français qui l'ont commis[2] !"

Le docteur Billard relate qu'à la même époque où les terroristes "faisaient du hachis de femmes enceintes", un boucher de Bondy, du nom de Pierre François, était "prévenu de conspiration en tuant une vache pleine pour détruire l'espèce"[3] ; on ne connaît pas sa condamnation, mais il semblerait que la vie d'une vache avait plus de prix que celle d'un homme. En revanche, un chien dressé par son maître pour aboyer contre les patriotes et sauter de joie pour les aristocrates fut condamné à mort et abattu[4].

Quant au bâtiment, la fatalité s'attachait à son sort. Le 15 février 1831, des émeutiers démolirent la toiture, en jetant dans le fleuve les meubles, les manuscrits et les tableaux. La dévastation avait atteint un tel sommet que le bâtiment, irrécupérable, fut démoli le 13 août 1831[5]. Dès lors, on n'entendit plus jamais parler de l'Hospice national de l'Archevêché.

1. Voir le tome 1, p. 613.
2. Dr H. Charrier, "Médecine légale au Tribunal révolutionnaire", *Arc. d'anthrop*, 15e année, n° 86, p. 131.
3. Dr M. Billard, *Les Femmes enceintes devant le Tribunal révolutionnaire*, Perrin, 1911, p. 111.
4. Cf. *ibid.*
5. *Le Moniteur* du 18 août 1831.

Nous avons évoqué le destin de ces malheureuses dont six d'entre elles eurent une fin si horrible que nous en avons fait des personnages de roman.

Les femmes évoquées ci-après étaient toutes condamnées à mort par le Tribunal révolutionnaire ; s'étant déclarées enceintes, elles attendaient leur exécution à l'Hospice national de l'Archevêché.

VICTOIRE BATY NÉE LECLERC

La délation allant bon train, le 1er germinal an II, un perruquier du nom de Baudry et une dénommée Josserand se rendent à la section du Bon Conseil pour dénoncer Marie Anne Elisabeth Victoire Leclerc, âgée de trente-quatre ans et veuve du citoyen Baty. Ils l'ont entendue dire des propos épouvantables : "En parlant du tyran Capet, elle affirma qu'il était bien malheureux de n'avoir pu échapper à Varennes et aussi que Santerre est un scélérat de n'avoir pas voulu le laisser parler avant de mettre sa tête dans la lunette de la guillotine…" En effet, l'infortuné Louis XVI voulait s'adresser au peuple avant de mourir, mais les tambours de Santerre couvrirent sa voix. Les mêmes délateurs prétendirent encore que la femme Baty s'apitoyait sur le sort des gardes suisses, de celui de la princesse de Lamballe, proclamait qu'elle avait un fils prêtre réfractaire en prison, etc.[1]. Huit jours plus tard, la malheureuse se trouvait enfermée à la Conciergerie. Elle se déclara malade et fut envoyée une première fois à l'Archevêché. Elle y resta trois mois. Le 18 prairial (6 juin), elle est condamnée à mort par le Tribunal révolutionnaire. Elle se déclare enceinte et retourne une seconde fois à l'Archevêché où elle reste encore deux mois. Arrivent le 9 Thermidor et la fin de la Terreur. La guillotine est rangée aux accessoires. Elle écrit une lettre pathétique au Comité de sûreté générale où elle affirmait entre autres : "Arrêtée pour des propos que je n'ai pas tenus et qu'on aurait défigurés… je fus condamnée sans être écoutée et sans aucune preuve contre moi […]. J'étais grosse, cette circonstance m'empêcha d'être la victime d'un jugement injuste[2]…" Huit mois après elle était libérée[3].

1. Archives nationales, W 381, n° 877. Rapport du comité de surveillance. Section du Bon Conseil, 1er germinal an II.
2. Archives nationales, F7 47749.
3. Dr M. Billard, *op. cit.*, p. 152.

LOUISE DE BLAMONT

Louise Sylvie de Chamborant, épouse Blamont, fut la dernière héritière de la maison des Chamborant[1]. Elle est née le 18 juillet 1773. Elle épousa à dix-neuf ans Jacques Philibert Barbier de Blamont, ancien garde du Roi, âgé de vingt-sept ans.

Quelques semaines après leur mariage, ils furent arrêtés et enfermés dans une prison de Limoges, ce qui ne les empêcha point de poursuivre leur lune de miel sous les verrous et de faire un enfant. Elle fut bientôt enceinte et, malgré une grossesse de deux mois, fut expédiée seule à Paris pour être traduite devant le Tribunal révolutionnaire. "Prévenue de correspondance et d'intelligence avec les ennemis de la République", elle fut incarcérée à la Conciergerie[2], et Blamont incarcéré à Limoges. Elle y resta quarante jours pour comparaître le 19 mars devant le Tribunal révolutionnaire. Le geôlier lui dit "qu'il était inutile de faire son lit, car il [allait] servir à quelqu'un d'autre" !

Son acte d'accusation stipulait : "La femme Blamont, exnoble, a un frère au nombre des scélérats réunis sous les drapeaux de Vienne et de Berlin, elle a entretenu des correspondances avec lui. Le frère donne imprudemment des détails sur sa tenue vestimentaire : des boutons jaunes avec trois fleurs de lys, un grand chapeau avec une cocarde et un plumet blanc, etc., enfin il signe : tout à notre Roy." C'était un crime impardonnable aux yeux des révolutionnaires. Elle fut condamnée à mort. En raison de sa grossesse, elle bénéficia d'un sursis.

Selon la procédure habituelle, elle vit arriver dans son cachot trois hommes et une femme : le docteur Thery, accompagné de ses deux acolytes, le docteur Naury et la sage-femme Marie-Françoise Paquin veuve Prioux. Heureusement pour Louise de Blamont, le docteur Bayard était présent, sa grossesse fut reconnue. Ils émirent le bulletin suivant : "Il est résulté de la visite que nous avons reconnu tous les signes et symptômes de grossesse d'environ trois mois chez la susdite femme Blamont. Nous réservant par une seconde visite au cours du cinquième mois de la grossesse, à prononcer définitivement, termes auxquels ni les symptômes ni la nature ne peuvent plus en imposer à l'art."

1. L. de Saint-Hugues, *op. cit.*, p. 47 et 48.
2. G. Lenôtre et A. Castelot, *op. cit.*, p. 75.

Ce bulletin est bien à l'image de ces hommes, toujours menaçants : en annonçant qu'ils feront une seconde visite, ils laissent planer un doute sur la validité du premier diagnostic, prolongeant ainsi de deux mois l'angoisse de cette malheureuse qui va attendre de ventôse à thermidor, sur son lit de sangles, que le terme fatal de sa grossesse arrive !

Louis de Sainte-Hugues rapporte que l'infirmière-chef Guyot entreprit de la sauver en même temps que la Reine[1]. La généreuse femme, qui faisait tout pour adoucir le régime des détenues, a été touchée par la jeunesse de la prisonnière. Elle monta une tentative d'évasion avec l'économe Ray et le docteur Giraud, chirurgien adjoint de l'Hôtel-Dieu, pour la libérer en même temps que Marie-Antoinette. Ils scièrent un barreau d'une croisée donnant sous une voûte qui communiquait avec la Seine[2], d'où les deux détenues devaient s'enfuir.

Les mois passaient inexorablement. Louise de Blamont voyait avec terreur le terme de sa grossesse arriver, mais la chute de Robespierre lui sauva la vie. Le jour même de la mort de l'Incorruptible, le 10 thermidor, toutes les exécutions étaient suspendues.

Le 17 thermidor, elle écrivit cette lettre si touchante aux membres du Comité de sûreté générale, où l'innocence et la simplicité transparaissent :

Aux citoyens membres du Comité de sûreté générale,

Amenée à la Conciergerie à la fin de pluviôse sans pouvoir en pénétrer la cause, je ne l'appris qu'un mois après mon acte d'accusation, et je vis avec surprise que le seul tort qu'on m'imputât fut d'avoir reçu, il y a trois ans, des lettres d'une tante religieuse qui me donnait sur la religion des conseils qui tenaient à son opinion. J'avais dix-sept ans alors et je ne voyais pas ma tante ; je ne lui répondis même pas et cependant j'ai été condamnée sans qu'on me fasse aucun autre reproche, sans avoir pu me défendre et après qu'on eut imposé silence à mon défenseur.

Enceinte alors, je suis revenue à l'Hospice où j'attendais avec effroi le moment si cher à toutes les mères, celui de donner la vie à mon enfant, lorsqu'une heureuse révolution, permettant à l'innocence de se montrer avec confiance a ranimé mes espérances. J'espère trop de la justice du Comité

1. L. de Saint-Hugues, *op. cit.*, p. 47-48.
2. *Ibid.*, p. 47 *sq.*

pour ne pas me flatter qu'après cet exposé simple mais vrai des faits, il ordonne une révision des pièces sur lesquelles j'ai été jugée. L'examen le plus scrupuleux n'a rien dont je puisse être effrayée. Sûre de mon innocence, je l'attends comme une grâce et l'espère de la justice et de l'humanité qui ne voudra pas voir périr une femme innocente.

(Signé) Chamborant-Blamont.

A l'Hospice national, ce 17 thermidor, l'an II de la République française une et indivisible

Cette lettre illustre ce que fut cette justice expéditive qui condamnait, sans instruction, sans défense possible, sans preuve, sans témoin, sans pouvoir même s'exprimer et sans appel.

Encore emprisonnée, "en proie à l'angoisse qui l'étreignait", la jeune femme mit au monde l'enfant à qui elle devait la vie le 24 thermidor an II. A quinze jours près, elle était guillotinée.

La requête qu'elle soumit au Comité de sûreté générale fut acceptée et elle fut libérée. Elle quitta aussitôt Paris et retourna dans son village de Bellac où elle retrouva son mari élargi des prisons de Limoges après une détention de quatre cent six jours. Il devint maire de Bellac sous la Restauration et mourut après 1830.

Louise survécut trente-quatre ans à son mari. Elle mena une vie simple et paisible dans son pays où elle mourut le 29 décembre 1864, à l'âge de quatre-vingt-onze ans[1]. Elle fut la dernière survivante parmi les victimes qui furent traduites devant le Tribunal révolutionnaire[2].

Le docteur Max Billard cite une étrange anecdote qui illustre la moralité des prétendument incorruptibles révolutionnaires[3].

1. J'ai découvert dans deux ouvrages de référence une erreur précisant que Louise de Blamont aurait été guillotinée le 28 ventôse an II. Elle est citée aussi dans le magnifique ouvrage d'Emile Campardon, *Le Tribunal révolutionnaire de Paris*, tome 2, p. 383, mais aussi à la même date dans celui de H. Wallon au tome 2, p. 521 et au tome 6, p. 269.
2. P. Gaumy, "Un groupe d'habitants de la région de Rochechouart devant le Tribunal révolutionnaire. Rochechouart 1903", in G. Lenôtre, *Le Tribunal révolutionnaire, op. cit.*, p. 279, note 1.
3. Dr M. Billard, *op. cit.*, p. 148 *sq.*

Parmi les papiers de Louise de Blamont, on peut lire cet étonnant document :

COMITÉ DE SÛRETÉ GÉNÉRALE DU 23 MESSIDOR AN III.

Sur la pétition faite sur les réclamations par la citoyenne femme Chamborant de sommes d'argent et d'argenterie trouvées chez Henriot, ex-général, tombé sous le glaive de la loi, il a été pris l'arrêté suivant :

Renvoyé au comité des finances pour prononcer sur cet objet le 29 messidor de l'an III de la République.

(Signé) COURTOIS, PERRIN.

On se demande alors comment Henriot, l'agent le plus zélé de Robespierre, a pu se trouver détenteur de sommes d'argent et de pièces d'argenterie appartenant à Louise de Blamont. Il est probable qu'elle avait tenté de sauver sa vie en offrant ces valeurs à cet homme corrompu désigné comme son sauveur. Apparemment, il avait encaissé l'argent et les bibelots et n'avait rien fait pour la sauver. Le docteur Gigon précise : "Il est probable que la restitution eut lieu, car je tiens d'une personne de sa famille, qu'au moment de son décès, elle possédait encore ces pièces d'argenterie fort anciennes, timbrées aux armes de son mari[1]."

AMÉLIE DE CORNULIER, NÉE SAINT-PERN

C'est la sœur de cet adolescent de dix-sept ans que l'on guillotina à la place de son père[2].

Amelie Laurence Marie Céleste de Saint-Pern était la petite-fille d'un ancien fermier général, corporation visée et exterminée par le régime des terroristes. Elle se maria à l'âge de quinze ans avec Toussaint François Joseph de Cornulier, marquis de Chateaufremont, qui n'avait que deux ans de plus qu'elle. Il était beau et riche, et les jeunes gens vivaient dans leur somptueux hôtel de la Bahue place Vendôme[3]. Malheureusement il était "poitrinaire" et

1. Cl. Gigon, *Les Victimes de la Terreur du département de la Charente*, 2e série, Charles Lavauzelle, 1871, p. 38, cité par M. Billard, *op. cit.*
2. Voir tome 1, p. 377.
3. F. Masson, *Jadis et aujourd'hui*, 1909, p. 11.

crachait du sang. Sa jeune épouse se consacrait à aider les indigents, auxquels elle rendait visite en compagnie de sa mère, la marquise de Saint-Pern, pour leur apporter linges et victuailles[1]. Le jeune couple coulait pourtant des jours heureux.

Le jeune marquis entra dans la garde constitutionnelle de Louis XVI quand la Terreur s'abattit sur la France. Robespierre promulgue alors la loi des suspects rendant toute la noblesse de France équivoque. Le jeune homme décide de quitter seul la France et de s'enrôler dans l'armée des princes. Au bout de quelque temps, sa famille lui manque. Il rentre en France au plus fort de la Grande Terreur. Cette imprudence va lui coûter la vie.

Dès qu'il met le pied sur le sol de France, il est incarcéré avec son épouse dans une maison d'arrêt un peu spéciale que l'on appelait la "maison des Anglaises". Ils devaient y rencontrer deux femmes d'une incomparable beauté, que nous retrouverons dans l'épisode suivant, Mme de Sainte-Amaranthe et sa fille Mme de Sartines[2]. Le jeune marquis de plus en plus malade, fiévreux, crachant le sang, est pourtant traduit par Fouquier-Tinville devant le Tribunal révolutionnaire avec le motif très laconique d'"ennemi du peuple dans la journée du 10 août". Le couple est condamné à mort avec toute la famille : six membres, dont le jeune frère de dix-sept ans, sont amenés dans la même charrette à l'échafaud. Au pied de la guillotine, malgré la répugnance qu'elle éprouve à quitter son mari, ne voulant pas abandonner ses cinq enfants, la jeune Amélie se déclare enceinte. "Elle fut jetée à coups de pied hors de la charrette qui conduisait son mari et ses parents à la mort[3]." Avant de la quitter, son époux lui remet une mèche de cheveux enroulée dans un papier qui contient tous les noms des jurés qui l'ont condamné à mort. Elle en fera un jour bon usage, ils seront tous guillotinés par la suite.

Elle avait vingt et un ans. Elle est alors transférée à l'Hospice national de l'Archevêché. La mort de Robespierre lui sauve la vie, mais elle ne mena pas sa grossesse à

1. H. Herluison, *Généalogie historique de la maison Cornulier*, 1889, p. 147.
2. Dr M. Billard, *op. cit.*, p. 172.
3. H. Herluison, *op. cit.*, p. 147.

terme, et la petite fille qui naquit mourut le lendemain de sa naissance.

CATHERINE LOUIS HONORÉ DRIEUX

Couturière, âgée de trente et un ans, elle avait participé à la manifestation de Rouen, où elle avait mis son poing sous le nez de la garde nationale. Traduite devant le Tribunal révolutionnaire, le 6 septembre 1793, elle est condamnée à mort. Elle aurait fait partie d'une manifestation contre-révolutionnaire où la cocarde blanche aurait été arborée, et où l'arbre de la Liberté aurait été scié. Elle se déclara enceinte de quatre mois et fit une déclaration à Fouquier-Tinville où elle précisait "que depuis quatre mois et plus elle n'a point vue apparaître ses secours périodiques... qui semblerait... annoncer une grossesse, avec d'autant plus de raison que son mari avait la faculté de la voir dans la prison de Rouen où elle s'est livrée avec lui aux devoirs conjugaux[1]". La femme Prioux l'amena dans une des salles du greffe où les deux médecins Thery et Souberbielle procédèrent à son examen. Ils conclurent à l'absence de grossesse, comme si on pouvait récuser ou confirmer un tel diagnostic avant cinq mois. Elle fut condamnée à mort. Elle supplia qu'on l'épargne pour éviter à ses enfants de plonger dans la misère. Rien n'y fit. Elle fut guillotinée deux jours plus tard, le 8 septembre 1793.

MARIE OLYMPE DE GOUGES

Un des personnages les plus emblématiques et héroïques de la Révolution française. Cette femme du peuple, belle, cultivée, courageuse, profondément démocrate, bien qu'ambitieuse, méritait d'être mieux traitée par l'Histoire. Voilà ce qu'elle proclamait en pleine Terreur : "Le sang, même des coupables, versé à profusion et cruauté, souille éternellement les révolutions[2] !"

En donnant une leçon exemplaire de morale politique aux tyrans qui régnaient alors sur la France, elle montre le visage d'une visionnaire allégorique fascinant.

Elle fut une des premières à promouvoir le référendum d'initiative populaire. Fondamentalement généreuse, très proche de la franc-maçonnerie sans toutefois en faire

1. Archives nationales, W 285, n° 131.
2. Archives nationales, W 293.

partie, elle fut aussi la première à mener un combat pour l'égalité des femmes. Elle avait créé des sociétés populaires de femmes : "O femmes ! Femmes, quand cesserez-vous d'être aveugles ?"

Dès 1785, elle se bat pour les opprimés, les faibles, et aussi les Noirs (dans son ouvrage *De l'esclavage des Noirs*), les filles-mères, les prostituées, jusqu'aux chômeurs pour qui elle demande l'ouverture d'ateliers nationaux. Elle combat l'arbitraire de l'Ancien Régime, mais surtout celui du nouveau et, comme elle a la violence en horreur, elle est une des premières à dénoncer la peine de mort.

Ayant épousé la cause girondine, elle dénonce les tentatives faites pour renverser la monarchie constitutionnelle dont elle est une adepte raisonnée : "Je n'aime pas plus le Roi des Tuileries que le Roi du faubourg Saint-Antoine. Tous les deux conspirent sans relâche au renversement de la Constitution, mais la Constitution nous donne celui des Tuileries, il faut savoir le respecter, même avec ses vices."

Elle est arrêtée en juillet 1793 pour avoir tenté de placarder dans Paris sous le nom des "trois urnes", des "affiches", où elle proposait un référendum pour que le peuple choisisse entre la monarchie, la monarchie constitutionnelle ou la République une et indivisible.

On retrouve dans son dossier aux Archives nationales un placard qui était destiné à être affiché, qui décrit le personnage de Robespierre avec une justesse de vue impressionnante. Quand on sait que cela fut imprimé en pleine Terreur, on ne doute plus du courage inouï de cette femme qui écrivit, après son arrestation, la philippique suivante, alors qu'elle aurait pu ménager les hommes au pouvoir pour solliciter leur clémence et sauver sa vie : "Quel est le mobile qui a dirigé les hommes qui m'ont impliquée dans une affaire criminelle ? La haine et l'imposture ! Robespierre m'a toujours paru un ambitieux sans génie, sans âme : je l'ai toujours vu prêt à sacrifier la nation entière pour parvenir à la dictature. Je n'ai pu supporter cette ambition folle et sanguinaire, je l'ai poursuivi comme j'ai poursuivi les tyrans. Les lois républicaines nous promettaient qu'aucune autorité illégale ne frapperait les citoyens... Cependant un acte arbitraire vient de me ravir ma liberté au milieu d'un peuple libre[1]."

1. *Ibid.*

"Tu te dis l'unique auteur de la Révolution, tu n'en fus, tu n'en es, tu n'en seras éternellement que l'opprobre et l'exécration. Ton souffle méphitise l'air pur, ta paupière vacillante exprime malgré toi la turpitude de ton âme, et chacun de tes cheveux porte un crime !... Je vous offre une victime de plus. Vous cherchez le premier coupable ? C'est moi, frappez, j'ai tout prévu, je sais que ma mort est inévitable[1]."

Elle ne fut pas plus tendre pour Marat, "le boutefeu dont jamais physionomie ne porta plus horriblement l'empreinte du crime, du cannibale".

Condamnée à mort par le Tribunal révolutionnaire le 12 brumaire an II, elle s'écria : "Mes ennemis n'auront point la gloire de voir couler mon sang. Je suis enceinte et donnerai à la République un citoyen ou une citoyenne[2]." Nous supposons qu'elle passa la nuit à l'Hospice national de l'Archevêché où on envoyait toutes les femmes enceintes pour vérifier l'état de grossesse. Les médecins Naury et Thery et la sage-femme Prioux déclarèrent, vu l'époque récente à laquelle remontait sa grossesse, qu'"ils ne pouvaient porter un jugement positif sur son état". Fouquier-Tinville, prétendant qu'il ne devait exister aucune communication entre les hommes et les femmes détenus, utilisa ce prétexte pour la faire exécuter le lendemain, le 13 brumaire an II.

Sur l'échafaud, son dernier geste fut celui d'une jolie femme, ce qu'elle était d'ailleurs (grande, châtain aux yeux noirs) : elle demanda un miroir. "Dieu merci, mon visage ne me jouera pas de mauvais tours, dit-elle, puis elle cria à la foule : Enfants de la patrie, vous vengerez ma mort !" La foule lui répondit, alors que les chapeaux volaient : "Vive la République[3] !"

Un témoin qui assista à son exécution raconte : "Elle a porté à l'échafaud un front calme et serein qui a forcé les furies de la guillotine qui l'ont conduite jusqu'au lieu du supplice de convenir que jamais on n'avait vu tant de courage réuni à tant de beauté[4]."

1. R. Trousson, *Romans des femmes du XVIIe siècle*, Robert Laffont, p. 483.
2. Archives nationales, W 524.
3. Archives nationales, W 293, dossier 210.
4. R. Trousson, *op. cit.*, tome 1, p. 484.

Olympe de Gouges, de son vrai nom Marie Gouzes est née à Montauban d'un père boucher le 7 mai 1748. Sa mère, qui devait certainement être aussi très belle, était la maîtresse du marquis de Pompignan dont Olympe fut la fille naturelle. A dix-sept ans, elle épouse Louis Yves Aubry de trente ans son aîné. Veuve à dix-huit ans, elle a un fils, et vit alors avec Jacques de Rozières, un riche propriétaire qui l'introduit dans toute l'intelligentsia parisienne. Elle écrit une cinquantaine de pièces de théâtre peu représentées. Un an avant la convocation des Etats généraux, elle commence une carrière de pamphlétaire. Plus de soixante-dix pamphlets et de nombreux "placards ou affiches". Elle prit la défense des girondins, c'est ce qui la perdit.

Elle avait quarante-cinq ans quand elle fut guillotinée. Réflexe de femme coquette : elle a toujours voulu cacher son âge[1].

MADELEINE FRANÇOISE JOSÉPHINE KOLLY

C'est l'histoire tragique d'une malheureuse femme de trente-cinq ans, mère de sept enfants, qui a tout tenté pour sauver sa vie.

Elle était l'épouse d'un fermier général, Pierre-Paul de Kolly, qui en 1792 avait accepté de se mettre à la tête d'une banque, la Caisse de commerce, dont le véritable objet était de faire passer des fonds aux émigrés. Il monte à l'échafaud le 3 mai avec son secrétaire Beauvoir et son associé Bréard. Un journal publie un répugnant libelle affirmant que Madeleine Kolly était la maîtresse des deux. Elle était mère de sept enfants et, le lendemain du jugement, elle se déclara enceinte précisant "que depuis le 26 février elle n'avait aperçu aucun signe de la nature". Entre le 26 février, date des dernières règles et le 3 mai, date de sa condamnation, deux mois se sont écoulés : elle serait donc enceinte de deux mois ? Impossible de confirmer ni d'infirmer une grossesse à ce stade. C'est la raison pour laquelle elle eut l'habileté de proposer la date du 26 février comme date des dernières règles. Elle reçut la visite de la sage-femme Prioux et des docteurs Naury et Souberbielle. Pour une fois, les médecins déclarèrent qu'il fallait attendre.

Trois jours plus tard, le 6 mai, elle fut transférée à la Petite Force en compagnie de son petit garçon âgé de

1. Desessarts, *Procès fameux*, tome VII, p. 166.

trois ans, et son fils aîné Théodore fut enfermé avec les hommes dans une salle mitoyenne. La mère et le fils étaient séparés par un mur percé d'un trou par où s'écoulaient les eaux usées des latrines. Théodore se "couchait par terre et échangeait avec sa mère des baisers par cet égout infect[1]".

Trois mois plus tard, le 30 juillet, elle est de nouveau visitée par les médecins qui constatent l'absence de grossesse. Elle leur avoue qu'elle a menti, mais que depuis elle a rencontré un inconnu avec lequel elle a eu des rapports, qu'"elle était maintenant convaincue de sa grossesse parce que ses menstrues qu'elle attendait le 15 de ce mois n'avaient point paru et qu'enfin elle avait tous les symptômes de grossesse depuis trois semaines". De nouveau, Thery, Naury, Souberbielle et les sages-femmes Prioux et Bellamy concluent "à l'absence de signes de grossesse, mais qu'il est très possible qu'elle fût enceinte[2]". Un nouveau sursis est accordé. Nous supposons qu'elle a dû être admise à ce moment à l'Hospice national de l'Archevêché.

Le 13 brumaire, elle subit une nouvelle visite des mêmes praticiens. Elle invente une nouvelle histoire : elle prétend avoir fait une fausse couche de deux mois le 20 septembre précédent, qu'elle avait tenue cachée. "Elle pouvait nous en donner les preuves parce qu'elle avait conservé le fœtus dans un pot où il y avait de l'esprit de vin que nous nous sommes fait représenter et l'ayant examiné nous avons reconnu par sa forme et ses dimensions qu'il avait au moins quatre mois et demi… ce qui nous porte à croire que la fausse couche n'a point existé", puisqu'elle affirmait être enceinte de deux mois. En fait, cette malheureuse femme avait acheté le cadavre d'un fœtus.

Elle prétendit que depuis, elle avait fait une rencontre dans les lieux d'aisance avec un homme habillé de gris, vêtu simplement et de moyenne taille à qui elle avait donné un assignat de cinquante francs. Elle est de nouveau examinée, mais aucun signe de grossesse n'est apparent. Les médecins, cette fois, ne voulurent rien entendre et le Tribunal requit l'exécution du jugement dans les vingt-quatre heures.

Madeleine Kolly communiqua avec son fils à travers le trou d'égout pour la dernière fois. Elle lui remit sa belle

1. *Le Globe*, Vieux papiers financiers, 6 février 1908.
2. Archives nationales, W 269, dossier 23.

chevelure : “C’est le seul héritage que je peux te donner. Je t’exhorte à réclamer mon corps et à le réunir avec celui de ton père et celui de son ami qui ont péri ensemble. La loi t’y autorise. Adieu, mon enfant, pense souvent à ta malheureuse mère.”

Elle fut guillotinée le 16 brumaire an II (5 novembre 1793). Le journal *Le Glaive vengeur* rapporte : “Elle fit un cri affreux et prolongé une seconde avant que le couteau ne la frappât[1].”

CLAIRE LORIOT, NÉE SEVIN

C’est l’histoire d’une malheureuse fille des rues qui habitait un hôtel borgne. Les prostituées étaient mal vues par l’Incorruptible. La section des Tuileries pratiquait des perquisitions aux domiciles des filles de joie, et Claire Loriot et son amie Catherine Halbourg furent arrêtées et emmenées au corps de garde. Quand on décida de les conduire à la maison d’arrêt de la Salpêtrière, Claire entra en fureur et hurla “Vive le Roy ! Vive la Reine !”. “L’un des citoyens de garde lui ayant présenté le délit qu’elle commettait, elle répondit qu’elle n’était pas saoule, que c’était sa façon de penser, et qu’elle se moquait de tout. Conduite devant le commissaire de police elle arracha la cocarde de son bonnet[2].”

Après un acte d’accusation des plus pompeux, Claire Loriot fut condamnée à mort par Fouquier-Tinville[3].

Pour gagner du temps, elle se déclara enceinte, ce qu’elle était vraiment. La sage-femme Prioux et les médecins Naury et Thery l’examinèrent et conclurent d’attendre que des signes de grossesse plus évocateurs apparaissent. Elle fut transférée à l’Hospice national de l’Archevêché.

Arrivent le mois d’août et le terme de la grossesse. Après l’accouchement, la malheureuse allait être traînée à l’échafaud. Quand on vint la chercher, elle escalada une haute muraille et fit une chute qui lui brisa la cuisse. Elle fut réintégrée à l’Hospice, mais sa fracture lui sauva la vie, car le 9 thermidor, les exécutions furent arrêtées.

1. Dr M. Billard, *op. cit.*, p. 88.
2. Archives nationales, W 301.
3. *Ibid.*

Elle écrivit une lettre pathétique au Comité de législation[1] où elle demandait sa mise en liberté, et le 29 floréal, soit "trois mois plus tard, elle est remise en liberté et reprenait sans doute sur les boulevards parisiens l'usage de ses charmes[2]".

PRINCESSE ROSALIE LUBOMIRSKA

"Ni la beauté, ni l'âge, ni la nationalité ne trouvaient grâce auprès de l'impassible Tribunal[3]." Une belle étrangère de vingt-cinq ans, au charme slave et au regard langoureux, est arrêtée et écrouée à la Force le 19 novembre 1793 "pour avoir entretenu avec la Du Barry une correspondance contre-révolutionnaire".

La princesse Lubomirska était une superbe Polonaise, célèbre pour son esprit et son infortune. Elle eut le mauvais dessein de revenir à Paris en pleine Terreur. Elle avait la funeste habitude de fréquenter les principaux députés de la Gironde. Elle avait déjà été arrêtée et relâchée trois fois, mais la quatrième lui fut fatale. Après avoir erré dans deux prisons différentes avec les "filles de joie", elle fut conduite à la Conciergerie[4].

Ce qui est monstrueux, c'est que sa petite fille de cinq ans fut également arrêtée le même jour, séparée de sa mère et incarcérée dans une autre prison appelée "maison des Anglaises". "Le geôlier se montra féroce en maltraitant l'enfant, allant jusqu'à lui refuser du pain sec qui était toute sa nourriture[5]." Le père, le prince Lubomirski, apprenant que son enfant était enfermée, délégua une personne pour la récupérer. Celle-ci arriva juste à temps à Paris pour la sauver : trois jours de plus, et la petite victime était déposée aux Enfants-Trouvés et perdue à tout jamais[6].

Quant à notre infortunée princesse, elle comparaissait le 19 avril devant le Tribunal révolutionnaire, et Fouquier-Tinville bien entendu requit contre elle tous les crimes

1. Archives nationales, D III 268.f.
2. Dr M. Billard, *op. cit.*, p. 126.
3. *Ibid.*, p. 53.
4. *Dictionnaire historique des hommes vivants et des hommes morts depuis 1788 à nos jours*, 1826-1830.
5. *Souvenirs de la comtesse Golovine, née princesse Galitzine, 1766-1821*, Plon, 1910, p. 423.
6. *Ibid.*

supposés du rang et de la naissance pour conclure enfin à la mort. Elle fut défendue par Chauveau-Lagarde, célèbre pour sa verve, mais ce jour là, "le défenseur officieux de la princesse ne fit pas de grands frais d'éloquence pour venir en aide à l'accusée ; il ne trouva rien d'autre à dire pour sa cliente que ces mots : «L'accusée s'est montrée l'amie invariable de la vérité, puisqu'elle vous a déclaré ne pas vouloir défendre sa vie au prix d'un mensonge»[1]." Il est évident qu'avec une si piètre défense, Fouquier n'eut aucun scrupule à la condamner à mort. Elle se déclara enceinte et fut transférée à l'Hospice national de l'Archevêché.

Il faut savoir qu'être enceinte dans cet hospice-prison était la seule chance de survie, à la condition, bien sûr, d'être "reconnue grosse", ce qui n'était pas toujours le cas. Plusieurs d'entre celles qui attendaient un enfant furent tout de même guillotinées.

Comme il fallait à tout prix être enceinte pour sauver sa vie, notre infortunée princesse va tout tenter pour faire un enfant. Elle n'eut qu'une idée en tête : trouver le plus rapidement possible un géniteur. Elle remarqua un jeune et bel homme qu'elle croisait souvent devant la porte d'une salle de bains destinée aux malades. C'était en réalité un abbé du nom de de La Tremouille. C'était le géniteur idéal. Si on gagnait le porte-clefs qui en gardait l'accès, les deux amants avaient le champ libre pour des ébats amoureux. L'abbé offrit au gardien deux mille écus, mais l'autre se montra inébranlable. Il alla tout raconter à Fouquier-Tinville qui envoya aussitôt le bel abbé à l'échafaud. Cette histoire romanesque est absolument véridique, elle fut rapportée par un témoin qui vécut à l'Archevêché. Il en a fait un livre bouleversant sur les prisons de la Terreur[2].

Après son échec, le 30 juin, la princesse était transférée à la Conciergerie et subissait la visite des médecins Enguchard et Naury et de la sage-femme Prioux qui conclurent qu'elle n'était pas enceinte. Elle passa aussitôt à "la toilette". Elle avait de longs cheveux blonds qu'on coupa courts, mais on lui laissa le temps d'en former quelques tresses qu'elle légua à des amis. "Elle monta courageusement à l'échafaud et la fosse commune de Picpus reçut la

1. Archives nationales, W 115, pièce 26.
2. Doucet Suriny, *Mes trois incarcérations dans quatre différentes maisons d'arrêt*, Paris, 1795, p. 49-50.

dépouille de cette jeune femme dont la beauté, la grâce, les larmes eurent dû attendrir la rigueur des âmes[1]." La veille de sa mort, elle adressa la lettre suivante à la princesse de Hohenhole pour lui confier sa fille : "Adieu Amélie, je vais bientôt cesser de vivre. Souviens-toi de ton amie et aime-moi dans la personne de mon enfant. Rosalie."

FRANÇOISE THÉRÈSE DE CHOISEUL STAINVILLE DE MONACO

Comme l'a si justement remarqué Lenôtre, "comment le nom de cette femme n'est-il pas populaire, alors qu'elle a accompli des actes si beaux et si touchants qu'ils devraient assurer une légende immortelle[2]" ? C'était la triste époque où l'on vous décapitait en fonction de votre état civil. Etre noble était synonyme d'opprobre et de mort[3].

Françoise Thérèse de Choiseul Stainville avait été mariée à l'âge de quinze ans au prince Joseph de Grimaldi Monaco dont elle eut deux filles. C'était un être "plein de charme, de grâce et de courage". Quand la situation devint incertaine, le prince Joseph émigra avec son épouse en laissant leurs enfants en France. Ne supportant pas d'être séparée de ses petites filles, elle décida de rentrer. Elle avait déjà effectué un premier retour au printemps 1793, où elle fut aussitôt arrêtée. Son beau-père, le prince régnant Honoré III de Monaco, intervint en faisant valoir sa qualité d'étrangère et elle fut libérée sous caution[4]. Quand elle revint pour la seconde fois, la section de la Fontaine de Grenelle la fit arrêter comme conspiratrice le 10 ventôse an II.

Dans l'histoire tragique de cette jeune femme, nous avons relevé une anecdote amusante que révèle le docteur Max Billard[5]. La princesse fut incarcérée à Sainte-Pélagie, en même temps que le marquis de Pons et l'épicier Cortey, un espion du baron de Batz. A travers les fenêtres du corridor, notre outrecuidant épicier eut le culot d'envoyer des baisers à la princesse de Monaco. Billard raconte : "Ceci choqua profondément le marquis de Pons, très Ancien

1. Dr M. Billard, *op. cit.*, p. 63.
2. G. Lenôtre, *Paris révolutionnaire*, *op. cit.*, p. 319-324.
3. G. Montorgueil, *L'Eclair* du 3 février 1892.
4. G. Saige, *Monaco, ses origines et son histoire*, 1897, p. 367-369.
5. Dr M. Billard, *op. cit.*, p. 41.

Régime. Il lui fit remarquer son attitude inconvenante et lui dit avec hauteur : Il faut que vous soyez bien mal élevé, monsieur Cortey, pour oser vous familiariser ainsi avec une personne de ce rang-là. Il n'est pas étonnant qu'on veuille vous guillotiner avec nous, puisque vous nous traitez en égaux[1]." Le marquis ne s'était pas trompé, ils furent bien guillotinés ensemble.

Quand elle apprit qu'elle était décrétée d'arrestation, elle se trouvait chez une amie. Ne voulant pas la compromettre, elle s'enfuit à la campagne et erra quelque temps. Puis, de guerre lasse, elle revint à Paris où elle se livra aux terroristes. Elle distribua tout son argent aux indigents, embrassa sa femme de chambre avant de se remettre entre les mains de ses bourreaux.

Elle refusa de lire son acte d'accusation, considérant que c'était une formalité qui ne méritait pas l'honneur d'être examinée et, à l'annonce de sa condamnation à mort, "pas la plus légère émotion n'altéra ses traits[2]".

Après sa sanction à la peine capitale, elle se déclara enceinte "de trois mois, ayant eu un commerce charnel *(sic)* avec une personne dont elle ne voulut pas donner le nom[3]".

Elle fut évacuée à l'Hospice national de l'Archevêché. Elle vit arriver dans sa chambre trois personnes, le médecin Enguchard, remplaçant le docteur Thery muté ailleurs, le pharmacien Quinquet et la sage-femme Prioux. Ils venaient vérifier si elle était enceinte. Elle dut subir cet humiliant examen auquel participa activement le pharmacien Quinquet qui n'était pas médecin.

Ils envoyèrent leur rapport à Fouquier-Tinville :

Nous avons examiné et visité la nommée Thérèse Stainville, épouse de Joseph Monaco, âgée de vingt-six ans, déclarée être enceinte de deux mois et demi. Notre examen ne nous a fourni aucun signe de grossesse.

Ce 6 thermidor, l'an II de la République une et indivisible ;

Signé Enguchard, Quinquet, veuve Prioux.

On peut se demander à juste titre si c'était bien le rôle d'un pharmacien que d'assister et de participer à un

1. Almanach des prisons en 1793, édition Michel, an III de la République, p. 163.

2. G. Lenôtre, *Paris révolutionnaire, op. cit.*, p. 319-324.

3. Archives nationales, W 431, dossier 968, pièce 7.

examen gynécologique. Son attitude indiscrète choqua l'économe Ray qui le dénonça dans une plainte à son administration de tutelle[1] :

Citoyen…

Il faudra encore que le pharmacien en chef ne s'occupât en aucune manière des malades et des maladies, auxquelles il entend moins bien qu'à sa pharmacie : on l'a vu s'ériger en officier de santé, signer des rapports souvent dictés par la passion,, enfin aller jusqu'à visiter des femmes qui étaient déclarées enceinte d'un mois, six semaines, plus ou moins, qui n'en ont pas moins été conduites à la mort, quoique toute la médecine de tous les temps s'accorde à dire qu'il est impossible de se prononcer sur la grossesse d'une femme avant quatre mois et demi. Une telle conduite dans la personne d'un homme qui n'a nulle connaissance dans cette partie, ne peut être que le fruit du libertinage.

Salut et fraternité.

(Signé) Ray, économe.

La saine réaction de cet homme nous laisse supposer qu'il existait à l'Hospice deux camps antagonistes : ceux qui avaient gardé une certaine moralité avec l'économe Ray, le docteur Bayard, et l'infirmière-chef Guyot, et ceux qui étaient dans la main de Fouquier-Tinville, prêts à toutes les vilenies pour plaire à l'accusateur, avec Enguchard, Naury, le pharmacien Quinquet et les sages-femmes Prioux et Bellamy.

L'infirmière-chef ne devait pas entretenir de bons rapports avec l'autre camp puisqu'"elle déposa une plainte pour empoisonnement contre les officiers de santé[2]". N'oublions pas que le docteur Bayard demanda de prendre en compte les déclarations de grossesse de toutes les femmes et de ne donner aucun diagnostic invalidant avant le cinquième mois.

La princesse ne séjourna qu'une seule nuit à l'Hospice. C'est ce qu'elle voulait. C'est la nuit que nous avons contée dans notre roman en la faisant assister à la révolte des malades contre le concierge Tarcilly qui resta célèbre

1. Archives nationales, F7.3299-19 et A. Tuetey, *L'Assistance publique pendant la Révolution*, tome IV, p. 148.
2. Archives nationales, W 77.

dans les annales[1]. Elle mit à profit le répit que lui avait procuré son héroïque mensonge pour briser une vitre et en extraire un morceau avec lequel elle scia littéralement ses cheveux. Elle en fit une tresse qu'elle enveloppa dans un papier sur lequel elle inscrivit l'adresse de ses enfants. Elle y joignit deux lettres, l'une pour Louise, la gouvernante de ses filles, l'autre pour ses filles[2]. L'une devint Mme de Louvois, l'autre Mme de La Tour Du Pin. Elle écrivit à Fouquier-Tinville deux lettres[3], dont l'une où elle vante son humanité *(sic)* ! Mais ne faut-il pas voir là une ultime manœuvre qu'elle entreprend en flattant l'ego de l'accusateur, pour qu'il remette ses cheveux à ses enfants ?

Les cheveux de la princesse étaient enveloppés dans le même papier que les deux billets. Pour la gouvernante, elle joignit en souvenir un anneau d'or où était gravé le nom de ses enfants. Un mystère demeure. Pour quelles raisons les cheveux parvinrent aux enfants et pas les lettres ? Si, comme le prétend Alphonse Dunoyer, les lettres étaient dans le même paquet que les cheveux[4], quelqu'un les a séparés, abandonnant les premières à Fouquier et les cheveux aux petites filles. Qui fut ce "quelqu'un" ? Fouquier lui-même, touché par le destin de cette princesse, qui accepta de fermer les yeux ? On peut douter de cet homme au "cœur racorni", comme écrivait Stefan Zweig. Le guichetier à qui elle recommanda le paquet ? Au moment où ce dernier l'entraîne dans la voiture qui la conduit à la Conciergerie, elle tire de son sein un paquet et lui demande de le faire parvenir à ses enfants[5]. Une tierce personne qui aurait soudoyé le guichetier pour récupérer les cheveux ? On sait que les lettres finirent sur le bureau de Fouquier qui les classa parmi sa correspondance journalière puisqu'on les retrouve encore enfouies dans les cartons des Archives nationales. Pour les cheveux agencés en une très belle natte, qui parvinrent bien à leur destinataire, nous avons imaginé que ce fut Elisabeth Lemille qui s'en chargea, en les remettant à une toute petite fille qui devint plus tard la marquise de La Tour Du Pin.

1. Archives nationales, F16, 601.
2. Archives nationales, pièces 100 *bis* et 100 *ter*.
3. Archives nationales, W 121, dossier 1, pièce 100.
4. A. Dunoyer, *Fouquier-Tinville*, Perrin, 1913, p. 7.
5. Paris de L'Epinard, *op. cit.*, p. 170.

Le 8 thermidor, Dumas signa l'ordre d'exécution de la princesse de Monaco et elle fut guillotinée le 9 ! Craignant de montrer un fléchissement de son courage, elle se maquilla les joues de rouge pour masquer une éventuelle pâleur, puis elle sortit "à la file, du quartier des femmes, sans montrer d'autres émotions que celle d'une légitime indignation contre ses bourreaux" ; elle adressa ces fières paroles aux détenus qui se pressaient sur son passage : "Citoyens, je vais à la mort avec toute la tranquillité qu'inspire l'innocence ; je vous souhaite un meilleur sort[1]." Sur le chemin de l'échafaud, elle consola une de ses femmes qui ne montrait pas la même bravoure : "Courage, ma chère amie, du courage, il n'y a que le crime qui puisse montrer de la faiblesse[2] !" Il faut reconnaître que les héros de Corneille ne parlaient pas autrement.

La princesse de Monaco monta fièrement à l'échafaud qui avait été déménagé de la place de la Révolution à celle du Trône, mais le lendemain, 10 thermidor, on réinstalla la guillotine place de la Révolution. Elle attendait cette fois le grand ordonnateur des exécutions : Maximilien de Robespierre.

Après le départ de la princesse, on découvrit dans son cachot, au milieu d'un jupon de bazin blanc garni, deux chemises de femmes, une camisole de taffetas bleu, quatre mouchoirs de poche, trois serre-tête, un fichu de linon, deux paires de bas de coton et une cravate de soie. Et témoignage émouvant, dans un sac de taffetas vert, des aiguilles d'un tricot… inachevé.

De nos jours, ses cheveux sont pieusement conservés et vénérés par la famille de Chabrillan descendante de La Tour Du Pin. Cette triste relique, tressée il y a deux siècles et demi par les propres mains de la victime, est restée en l'état, dans ce papier d'origine dans lequel elle fut remise à la petite fille.

Quel tragique destin que celui de cette charmante et courageuse princesse : si elle avait différé de vingt-quatre heures sa lettre à Fouquier, elle aurait eu la vie sauve ! Le lendemain de sa mort, le 10 thermidor, Robespierre était guillotiné et les exécutions arrêtées. Elle n'avait que vingt-six ans.

1. Dr M. Billard, *op. cit.*, p. 46.
2. Paris de L'Epinard, *op. cit.*, p. 170.

MARIE-ANNE MALICORNET

"Afin de remplir les prisons, partout on avait donné le mot d'ordre : Dénoncer ! Dénoncer ! Et tout le monde dénonçait[1]." Une pauvre servante d'un curé défroqué d'Argenton, du nom de Marie-France Malicornet, fut la victime de cette délation généralisée. Alors que tout le monde se taisait glacé d'effroi, elle disait tout haut son mécontentement contre la funeste engeance des dirigeants de son pays.

La brave fille âgée de trente-six ans était au service d'un curé du nom de Delagarde. Cette villageoise en sabots et aux mains calleuses, qui n'avait vraiment rien d'une aristocrate, devint la cible des personnes qui fréquentaient le curé. Chacun apporta sa contribution de délation. On lui attribua de nombreuses phrases assassines dont chacune suffisait à vous envoyer à la guillotine : "elle ne serait pas fâchée que les nobles et les prêtres emportassent le dessus", ou encore "les meilleurs de ses amis étaient des émigrés", "le diable eût emporté la Nation", "nous étions bien plus heureux avec un roi que d'avoir à faire à plusieurs têtes"[2]...

Les membres du Comité de surveillance du district d'Argenton rapportèrent ces propos à Fouquier-Tinville. Le lendemain, deux gendarmes se présentent chez le curé Delagarde pour écrouer la pauvre fille à la Conciergerie. Elle comparaît devant le Tribunal révolutionnaire pour être condamnée à mort le 5 thermidor an II. Elle eut l'intelligence de se déclarer enceinte de deux mois. Les trois Parques, Enguchard, Naury et la sage femme Prioux, toujours aussi incompétents, affirmaient sans rire "avoir de fortes présomptions de grossesse[3]". Elle est immédiatement transférée à l'Hospice national de l'Archevêché où normalement elle ne devait sortir que pour monter à l'échafaud.

Quatre jours plus tard, elle eût été sauvée de la guillotine par le 9 Thermidor et la mort de Robespierre.

ANNE-MARIE MÉGRET DE SERILLY

C'est l'histoire pathétique d'une jeune femme de trente ans, appartenant à la noblesse, sur laquelle le sort s'acharna

1. Dr M. Billard, *op. cit.*, p. 46.
2. Archives nationales, W 430, dossier 966.
3. Archives nationales, dossier 968.

cruellement. Elle avait épousé un trésorier de guerre qui fut écroué à la Conciergerie avec son épouse le 25 germinal an II (14 avril 1794). Ils furent tous deux condamnés à mort par le sinistre président Coffinhal et le non moins sinistre Grebauval, substitut de l'accusateur public, "comme complices de Capet et de sa femme". Lui fut aussitôt guillotiné ; elle, se déclara enceinte et eut la chance d'être examinée, dans le greffe même de la Conciergerie, par l'excellent docteur Bayard assisté de la sage-femme Prioux[1]. Le chirurgien déclara dans son rapport : "Après l'avoir visitée scrupuleusement, tant des parties intérieures qu'extérieures... nous avons reconnu que tous ces signes annonçaient bien un commencement de grossesse... de près de deux mois... mais comme tous ces signes et symptômes souvent en imposent, mais ne sont pas suffisants pour porter un jugement définitif, nous renvoyons à un terme plus éloigné qui est le cinquième mois, où la nature ni les symptômes ne peuvent plus en imposer..."

Nous reconnaissons là l'honnêteté du praticien qui se battait pour qu'aucun diagnostic d'absence de grossesse de femme condamnée à mort ne soit prononcé avant le cinquième mois. Grâce à lui, Anne-Marie de Serilly fut transférée à l'Hospice le 26 floréal (15 mai). Heureusement pour elle, on n'était qu'à deux mois et demi du 9 Thermidor, et les exécutions furent arrêtées à la mort de Robespierre.

Malheureusement, sa vie ne sera qu'une longue suite de chagrins. Encore détenue, elle écrivit une longue lettre au Comité de sûreté générale. Elle affirmait "qu'il ne s'est rien trouvé de suspect dans nos papiers... nous avons comparu devant ce Tribunal où l'innocence était privée de tous moyens de défense... Jugés sans être entendus, sans que notre défenseur pût dire un mot, ou produire une pièce en notre faveur... Je ne dois la vie qu'à ma grossesse[2]." On ne sait pas si c'est sa demande qui fut efficace, mais elle quittait l'Hospice quatre mois plus tard.

Un détail a son importance pour la suite de cette histoire : *Le Moniteur* du 12 mai, soit trois jours après sa condamnation, annonçait sa mort. Elle put récupérer "son

1. Archives nationales, W 363.
2. Archives nationales, F7 4775-18.

extrait mortuaire", et nous verrons dans le tome suivant qu'elle en fera bon usage pour confondre ceux qui avaient égorgé son époux lors du procès de Fouquier-Tinville[1].

Elle refit sa vie en 1795 avec un ami d'André Chénier, un homme de lettres : le chevalier de Pange. Son bonheur fut de courte durée, car ce dernier mourait au début de l'année 1796 à l'âge de trente-deux ans.

Voilà notre infortunée Anne-Marie veuve pour la seconde fois. Elle trouva alors un soutien chez un homme qui avait vingt ans de plus qu'elle, le marquis de Montesquiou-Fezenzac, un ancien maréchal de camp, gentilhomme accompli. Encore une fois, la fatalité s'abattit sur cette malheureuse union. Le marquis mourut le 9 nivôse an VII d'une fièvre putride. Veuve pour la troisième fois, Anne-Marie de Serilly succombait elle-même en août 1799 à l'âge de trente-six ans.

MARIE-ANNE QUETINEAU

Agée de trente-quatre ans, Marie-Anne Latreille était la femme du général Pierre Quetineau, général de l'armée de l'Ouest, qui fut exécuté le 26 ventôse an II (16 mars 1794) comme coupable non d'avoir trahi sa patrie, mais d'avoir perdu une bataille contre les Vendéens[2]. Robespierre craignait les généraux vainqueurs, mais guillotinait les généraux vaincus.

Sa femme fut associée à l'opprobre. Elle fut traduite devant le Tribunal révolutionnaire et, le troisième jour des débats à peine commencé, le jury se trouva "suffisamment éclairé" : elle fut condamnée à mort avec tout un groupe hétérogène dont Robespierre voulait se débarrasser. Elle se déclara enceinte. La sage-femme Prioux l'amena dans cette chambre près du greffe où l'on faisait la toilette des condamnés à mort, et là les trois médecins Thery, Bayard et Naury reconnurent après un "examen exact" qu'elle présentait les signes d'une grossesse de quatre mois[3]. La malheureuse se crut sauvée. Sur la proposition de l'économe Ray visée par le docteur Naury elle fut évacuée à l'Hospice national de l'Archevêché[4]. Trois semaines

1. H. Wallon, *op. cit.*, tome II, p. 148.
2. Archives nationales, W 338.
3. Archives nationales, W 339.
4. Dr M. Billard, *op. cit.*, p. 15.

après son hospitalisation, elle faisait une fausse couche de cinq mois. Rien d'étonnant après l'effroyable agression morale que cette femme avait subie et continuait de subir dans cet horrible Hospice.

Elle fut malheureusement exécutée le 22 floréal an II (11 mai 1794)[1]. On peut lire ceci à propos de la femme Quetineau qui venait de faire sa fausse couche en même temps qu'une autre victime du nom de Roger qui, elle, avait accouché à terme. Toutes deux voyaient leur sursis prendre fin et l'application de leur condamnation à mort aussitôt exécutée : Mmes Quetineau et Roger, "toutes deux intrépides et calmes, livraient leurs têtes au couteau[2]". Elles furent enterrées au cimetière des Errancis, dans une fosse commune située dans un petit angle détaché du parc Monceau, qui hébergeait déjà Danton mais qui attendait Robespierre[3].

VICTOIRE ROGER

Elle fit la connaissance de la femme Quetineau à l'Hospice national de l'Archevêché. C'étaient des gens simples. Roger était salpétrier et antérieurement brasseur. Il avait été arrêté pour avoir prétendument porté du sucre et du café aux Prussiens au camp de la Lune. Il aurait gagné plus de trente mille livres et aurait apporté de l'argent aux émigrés. Il fut condamné à mort et sa femme aussi, accusée d'être associée aux intrigues de son époux.

Or, elle était enceinte de huit mois[4] et fut transférée à l'Hospice "en attendant le terme fatal[5]". Elle accoucha à terme, un mois après son entrée à l'Archevêché. Elle fut guillotinée en même temps que la femme Quetineau, le 22 floréal an II (11 mai 1794). Voila ce qu'écrit le docteur Billard : "Le jugement devait être exécuté dans les vingt-quatre heures, à la diligence de l'accusateur public[6]. Deux heures après, les deux femmes, encore dans cet état de faiblesse et de pâleur qui suit ce grand travail de la nature et qui est respecté par les peuples les plus sauvages,

1. Archives nationales, W 345.
2. Dr M. Billard, *op. cit.*, p. 15.
3. *Ibid.*, p. 25.
4. Archives nationales, W 339.
5. Archives nationales, W 147, pièce 61.
6. Archives nationales, W 347.

étaient prêtes pour l'échafaud. Les valets du bourreau allaient aussi vite que les juges, la toilette n'était pas plus longue que l'audience[1]." Victoire était âgée de quarante-quatre ans.

LES PERRUQUIERS

Hommes du peuple d'un très grand courage, et principalement les femmes, ils ont sacrifié leur vie pour leur idéal. Comme l'a si bien rapporté l'historien René Monboisse, "ils nous offrent un destin hors série dans cette France déchirée où s'affrontent les passions politiques[2]".

Ils étaient tous pauvres. Le noyau de leur future organisation comprenait la dentellière Catherine Hurgon mariée au brassier Fournier. Elle embrigada non seulement son jeune fils de seize ans, mais aussi le perruquier Jean-Baptiste Basset et les époux Lemille recrutés à Paris. Ils vont tous mourir pour cette Reine de France qu'ils n'ont jamais connue. René Monboisse remarque avec justesse qu'"il est difficile pour nous, Français du XXe siècle, d'imaginer comment la Reine pouvait être perçue dans une petite ville comme Murat... La Reine est la mère du Dauphin, dont il y a peu d'années la naissance était célébrée avec joie et enthousiasme dans toutes les villes du royaume, notamment en Auvergne... A Murat, les gardes du Roi en activité ou retirés dans leur foyer sont nombreux en cette fin d'Ancien Régime. Grâce à eux, pour beaucoup de Muratais comme pour beaucoup d'habitants des montagnes d'Auvergne, la fonction royale et la famille du souverain gardent leur prestige séculaire[3]".

Catherine Fournier et Jean-Baptiste Basset vivaient en haute Auvergne, à Murat, un village paisible entouré de forêts, célèbre pour la qualité de ses dentelles (le point de Murat). A quelques encablures du bourg se trouve le site de Bredom avec une belle église romane, la paroisse du village. L'église va être le théâtre d'affrontements violents. Ces gens simples sont marqués par une double tradition monarchique et catholique.

1. Dr M. Billard, *op. cit.*, p. 15.
2. R. Monboisse, *op. cit.*
3. *Ibid.*

Le souffle de la Révolution atteint l'Auvergne. En 1790, les attaques des révolutionnaires contre le clergé traditionnel seront "ressenties comme un outrage". Ils vont se révolter, d'abord dans leur pays, ensuite à Paris où ils fomenteront un complot visant à libérer Marie-Antoinette. Leur entreprise, financée probablement par le baron de Batz, sera hélas brouillonne et peu discrète. Catherine Fournier, se croyant encore dans son village natal, parle sans précaution à tort et à travers, et fournit même en toute confiance à un mouton de Fouquier-Tinville, du nom de Laroche, la liste complète des comploteurs. Ces derniers seront évidemment arrêtés. Le vicomte Charles Desfossés, qui faisait partie du complot, fit une relation poignante de leurs déboires alors que la Reine montait à l'échafaud. "Sur un signe convenu d'un de nos amis, je rentre dans la foule. Il fallait renoncer à tout espoir de sauver la Reine[1]..."

La préparation du procès va durer plusieurs mois, signe d'une peur panique d'une connivence avec le baron de Batz. Les débats s'ouvrent le 21 nivôse et durent juqu'au 27. Dix-neuf personnes sont entendues, et cinquante et un témoins défilent dans une atmosphère houleuse.

L'accusation soumise aux jurés fut la suivante : "A-t-il existé, au mois de vendémiaire, une conjuration tendant à égorger les membres de la Convention nationale, ceux des autorités constituées, et à enlever de la Conciergerie la femme Capet pour la soustraire à la vengeance nationale, et proclamer Louis XVII[2] ?" Il fut répondu affirmativement. Catherine Fournier, les époux Lemille, et Jean-Baptiste Basset furent condamnés à mort. Tous les autres furent acquittés, mais retenus en prison comme suspects jusqu'à la paix.

Ce procès a-t-il révélé tous ses secrets ? Compte tenu de la longueur inhabituelle de l'instruction (trois mois), il semblerait que les autorités aient occulté la vérité.

Le caractère populaire de ce complot a certainement inquiété les révolutionnaires. Il y a bien sûr eu des nobles derrière eux, mais ce sont de simples artisans du quartier des Arcis qui sont au premier plan. Il faut souligner que les mesures prises par les dirigeants, comme la néfaste loi du Maximum, en ont ruiné plus d'un.

1. H. de Viel-Castel, *op. cit.*, p. 348.
2. *Ibid.*

Un autre aspect de ce complot doit être souligné, c'est son rattachement à une vaste conjuration visant à renverser le régime. Robespierre l'avait bien compris et, comme la conjuration de l'Œillet, le complot des Perruquiers n'est que le prolongement du précédent. On retrouve la patte du baron de Batz chaque fois qu'une organisation contre-révolutionnaire apparaît. De nombreux historiens comme Campardon, Monboisse, Lestapis et Olivier[1] l'ont très bien ressenti. Il était impossible que des gens démunis de tout aient pu faire face aux dépenses considérables nécessaires au bon déroulement de toutes ces conjurations. Basset a dû être en relation avec Rougeville et de Batz. En outre, le procès des perruquiers nous apprend qu'il connaissait le gendarme Maingot. Et cet œillet que ce dernier tenait dans la bouche aux abords de l'échafaud ne serait-il pas un signal qui rappellait la conjuration de l'Œillet ? Tous ces complots semblent étrangement liés.

En remontant encore plus loin, il apparaît que de Batz était déjà en relation avec des habitants du fin fond de l'Auvergne comme les La Rochelambert, les seigneurs de Murat. Ces derniers, royalistes convaincus, ont vendu à de Batz leur propre château de Chadieu situé à Authézat dans le Puy-de-Dôme[2]. Comme à l'accoutumée, le baron, soucieux de n'apparaître nulle part, en fit l'acquisition grâce à un prête-nom, mais nous verrons dans l'épisode suivant que c'est bien dans ce château qu'il finit sa vie, le 11 janvier 1822.

JEAN-BAPTISTE BASSET

Héros injustement méconnu de la Révolution, originaire du village de Murat en Auvergne, il s'installe à Paris près de la Conciergerie au 44, rue de la Calandre, et trouve aussitôt un poste avantageux chez Carteron et Thénon, les célèbres perruquiers de Paris.

Agé seulement de vingt-deux ans[3], mais véritable meneur d'hommes, il va montrer une énergie sans faille

1. A. Ollivier, *Saint-Just ou la Force des choses*, éditions Rencontres, 1964.

2. De Dienne, *Deux Carladéziens célèbres du XVIIIe siècle*, 1907, p. 41.

3. Une erreur communément admise lui attribue l'âge de dix-huit ans et demi. L'étude récente de R. Monboisse, *op. cit.*, précise qu'il était en réalité âgé de vingt-deux ans.

dans son combat contre les révolutionnaires. Comme la plupart de ses compagnons il est, un fidèle exécutant du chevalier de Rougeville et du baron de Batz, avec le but ultime de libérer la Reine de France. Dans ce combat, il fera preuve d'une imagination débordante. C'est lui qui eut l'idée d'allumer les lampadaires du quai de l'Horloge de jour afin qu'ils soient éteints la nuit par manque d'huile.

Il monte une importante conjuration royaliste qui fera date et que l'on appellera le complot des Perruquiers. Robespierre, pressentant la patte de de Batz, délègue des policiers qui infiltrent les conjurés en se faisant passer pour des monarchistes, et le feront arrêter. Traduit devant le Tribunal révolutionnaire, il admet l'existence d'un complot mais fait retomber toute la responsabilité sur les traîtres Laroche et Perrin. Reconnu comme l'auteur du complot, il est condamné à mort le 27 nivôse an II, avec Catherine Fournier et les époux Lemille. Il fit preuve d'un très grand courage devant l'échafaud.

CATHERINE FOURNIER

Elle est née le 15 mars 1741 à Bredom dans un milieu catholique traditionnel. "Bossue, contrefaite, Catherine semble promise à un destin modeste. Elle sait lire, signer, écrire ce qui pour une fille de cette condition est assez rare au XVIIIe siècle[1]." Dotée par la nature d'un tel handicap, il semblerait qu'elle fût destinée à rester toujours fille. Et pourtant, à trente-six ans, dotée de mille livres, elle épouse le brassier Jean Fournier. Leur vie est dure, lui est voiturier, elle est dentellière. Ils ne payent que deux livres d'impôt (la taille), c'est la cote la plus faible de tout le village. Le couple aura trois enfants, deux fils, tous deux prénommés Jean, et une fille Catherine. L'aîné des Jean, né le 10 janvier 1778, va devenir un acteur du drame quand il aura un peu plus de quinze ans.

Dentellière assidue pendant des années dans son village, elle finira par succomber à la tâche en perdant la vue. Elle est douée d'une force de caractère exceptionnelle. Royaliste convaincue, elle conspira dans sa propre commune contre les prêtres constitutionnels. Elle fut condamnée une première fois à mort mais amnistiée par l'Assemblée législative lorsque Louis XVI reconnut la

1. A. Castelot, *op. cit.*

Constitution. La leçon ne lui servira pas, elle continuera à comploter ferme. Apprenant le sort réservé à la famille royale enfermée au Temple, elle quitte son village natal dans un dénuement total, avec son mari et ses trois enfants. On prétend que c'est le baron de Batz qui leur trouva un logement. A peine arrivée à Paris, elle complote activement en persuadant tous les artisans de son quartier des Arcis de sauver la Reine.

Démunie de toute ressource, la famille Fournier effectue des petits métiers pour subsister. Elle vend pour vivre *Le Courrier français,* son époux devient rémouleur, son jeune fils décrotteur, et sa fille n'arrive même pas à trouver un emploi de servante. Un certain Juilhe Laroche, Auvergnat comme elle, à la solde des révolutionnaires, gagnera sa confiance et obtiendra la liste de tous les conjurés. Elle commettra de nombreuses imprudences auprès des habitants de son quartier, en révélant sans précaution les objectifs du complot. Elle est arrêtée avec son fils, ainsi que Jean-Baptiste Basset et les époux Lemille. Traduite devant le Tribunal révolutionnaire, Catherine Fournier est interrogée la première. Elle nie tout. Elle n'a jamais fourni de liste de conjurés, elle n'a jamais participé à des conciliabules, etc. En revanche, elle ne se renie pas et refuse de faire allégeance à la République. "A la fin de son interrogatoire, d'une main malhabile mais ferme malgré sa cécité, elle signe de son nom de femme à la moderne, Catherine Fournier[1]." Elle sera condamnée à mort le 27 nivôse an II. Dans la charrette qui la mène à l'échafaud, Catherine Fournier pleurera en répétant pour son fils : *"Pobre piti, pobre piti*[2] *!"* Sur l'échafaud, elle bataillera si férocement que les bourreaux auront toutes les peines du monde à la maintenir. La tête dans la lunette, elle se débattra encore, si bien que sa tête ne fut pas coupée intégralement.

Son fils aîné, trop jeune pour être exécuté, sera condamné à vingt ans d'emprisonnement et à être exposé pendant six heures par un froid glacial sur l'échafaud où sa mère a péri deux jours plus tôt.

Ce complot des Perruquiers nous touche particulièrement parce qu'il fut le seul à être monté par le peuple de Paris. Les conjurés étaient de simples artisans sans titre ni

1. R. Monboisse, *op. cit.*
2. A. Castelot, *op. cit.*

fortune. Ils savaient qu'ils prenaient des risques énormes sous cette impitoyable Terreur. "Alors, écrit R. Monboisse, quelle que soit votre philosophie de l'histoire, vous serez porté à vous souvenir de la dentellière qui a sacrifié sa vie à ses principes, du jeune perruquier de vingt ans devenu le défenseur d'une cause infortunée et de l'enfant qui, dans le froid de nivôse, exposé sur l'échafaud, affrontait la vindicte des passants[1]..."

J'ajouterai dans cette évocation Elisabeth Lemille et son époux Guillaume guillotinés le même jour, qui laissèrent derrière eux deux petits orphelins...

GUILLAUME LEMILLE

Héros méconnu de la Révolution, âgé de quarante-trois ans, il a vingt ans de plus que son épouse Elisabeth. Né à Bernay dans le département de l'Eure, il demeure près de la Conciergerie, au 3, rue de la Vannerie, dans la section des Arcis. Perruquier, il rameute de nombreux artisans à la cause de la Reine emprisonnée. Il lève avec le concours de Basset une véritable petite armée de plus de cinq cents hommes. Il participe au complot des perruquiers mais il est arrêté, accablé avec son épouse de nombreuses délations en provenance de leurs voisins. Traduit devant le Tribunal révolutionnaire, il est condamné à mort avec Elisabeth, le 27 nivôse an II.

ÉLISABETH LEMILLE

Victime emblématique et pourtant méconnue de la Révolution, elle n'est âgée que de vingt-quatre ans. Dans notre roman, elle incarne une véritable Amazone et une superbe femme. Dotée d'une constitution athlétique, elle manie toutes les armes, y compris l'arquebuse qu'elle tire à bout de bras. Elle montre un courage exceptionnel dans les opérations montées contre les terroristes.

Elle est le fer de lance dans la tentative de libération de la Reine lors de son transfert à l'Hospice national de l'Archevêché.

Après l'échec du complot des Perruquiers, elle est arrêtée et guillotinée avec son époux le 27 nivôse an II. Ils mourront courageusement. Ils avaient deux enfants en bas âge.

1. R. Monboisse, *op. cit.*

LE COMITÉ DE SALUT PUBLIC

Il fut créé en avril 1793, soit quatre mois à peine avant le transfert de la Reine à la Conciergerie. Il comprenait neuf membres, élus par la Convention, dont la mission était “de sauver la patrie en danger”. Le Comité de salut public occupait les fonctions d’un gouvernement *bis*, laissant au gouvernement régulier le rôle d’une chambre d’enregistrement.

Lors de sa création, c’est Danton qui en fut le chef, mais en juillet 1793, soit quatre mois plus tard, Robespierre, qui fut élu, s’en empara pour ne le lâcher qu’à sa mort. On l’appellera “le grand Comité”. Il fut plus ou moins démocratique à ses débuts, puisque ses membres étaient élus parmi les députés, mais à partir de juillet 1793, il devint l’instrument personnel de Robespierre. Il en devint le chef incontesté et fera décréter par la Convention que son “gouvernement serait révolutionnaire jusqu’à la paix”. Excellent moyen de garder le pouvoir pour une durée indéterminée puisque tout le monde savait que la paix ne serait pas au rendez-vous avant de très nombreuses années !

Comme la Conciergerie, le Comité de salut public évoque en nous une impression profonde “d’effrayante et tragique grandeur[1]”. On ne rencontra jamais dans l’histoire des institutions un organisme qui fut si loué et si décrié à la fois. Loué pour son indéniable action patriotique : le Comité a sauvé la patrie des attaques de l’Europe coalisée. Il leva trois cent mille paysans qui se portèrent aux frontières sous les ordres de petits sergents qui devinrent plus tard des maréchaux d’Empire et se révélèrent les plus grands des stratèges. Ce fut le début de la Grande Armée. Si le Comité fut digne d’éloges pour son action sur le plan extérieur contre l’Europe conjurée, c’est à un de ses membres qu’on le doit : Lazare Carnot, l’“organisateur de la victoire”.

En revanche, sur le plan intérieur, l’action du Comité fut mortifère par ses féroces pratiques policières. Tenant le Comité de salut public et le Tribunal révolutionnaire d’une main, et la Convention de l’autre, Robespierre allait asseoir son pouvoir en éliminant par la guillotine quiconque se dresserait devant lui. Il profita des succès militaires de

1. J. Castelnau, *Le Comité de salut public*, Hachette, p. 75.

nos soldats pour imposer au peuple la Terreur qui servait avant tout ses intérêts personnels.

MAXIMILIEN DE ROBESPIERRE

Président de la Convention et du Comité de salut public, il devient le chef incontesté de la France pendant un an. Grand orateur, doté d'une ambition démesurée, il se révélera un dictateur impitoyable. Utopiste forcené et populiste, pauvre mais d'une honnêteté scrupuleuse, il veut donner à la France un régime populaire en éliminant la bourgeoisie qui lui fait de l'ombre.

Député à la Constituante en 1789, il milite contre la peine de mort. En 1793, la guillotine est pour lui une arme politique qu'il utilise sans états d'âme pour éliminer ses ennemis. Détenteur de tous les pouvoirs, il ferme les yeux ou entérine le massacre de milliers d'innocents.

Il applique pour gouverner les deux piliers des régimes totalitaires : la délation et la peine de mort. Une statistique, rapportée par Barthélemy Maurice, des exécutés à Paris après comparution devant le Tribunal révolutionnaire, est à cet égard édifiante : "2 742 victimes. Pendant 718 jours, près de 50 individus ont joué aux juges et aux jurés. Ils ont emprunté les formes de la justice en face de 28 millions de citoyens. Ils ont commis 2 742 assassinats dont 344 femmes, 41 enfants, 102 septuagénaires, 11 octogénaires, 1 vieillard de quatre-vingt-treize ans (Pervilly, épicier rue Mouffetard). Durée du Tribunal : 718 jours[1]."

Ennemi juré du baron de Batz, Robespierre préviendra tous ses complots mais s'opposera à l'arrestation des comploteurs pour éviter d'étaler aux yeux des sans-culottes, son principal soutien, leur honteuse collusion avec le baron.

Il déjoue la conjuration des Œillets, et le complot des Perruquiers. Il met en application au mois de mai 1794 les mortelles lois de Prairial qui supprimeront toute garantie aux condamnés.

Il a trente-cinq ans en 1793.

Le baron de Batz lui livrera un combat acharné que nous relaterons dans le tome 3.

1. Dans E. Pottet, *op. cit.*, p. 172.

LOUIS SAINT-JUST

Il est le plus jeune député de la Convention, on l'appelait l'"Antinoüs des jacobins". Membre très influent du Comité de salut public, c'est le collaborateur le plus dur mais aussi le plus écouté de Robespierre. C'est lui l'idéologue de la Terreur. Pour ses options sanguinaires, on le surnommera également l'"Archange de la Terreur". Cet utopiste aux idées inapplicables, mais au pouvoir discrétionnaire, n'a que vingt-six ans en 1793.

GEORGES COUTHON

Député à la Convention, membre influent du Comité de salut public, c'est un ami fidèle de Robespierre. Paralytique, il a perdu l'usage de ses jambes dans une aventure sentimentale. Il a trente-huit ans en 1793.

LES ASSESSEURS

BERTRAND BARÈRE

Député à la Convention, il est le plus dur et le plus orthodoxe des membres du Comité de salut public. Faisant fonction de ministre de l'Intérieur, il fera voter le 5 septembre par la Convention le décret instituant la Terreur. Il a trente-huit ans en 1793.

JACQUES NICOLAS BILLAUD-VARENNE

Député à la Convention, membre dur du Comité de salut public, terroriste, il abat d'abord Danton puis Robespierre le 9 thermidor. Il a trente-sept ans en 1793.

JEAN BON SAINT-ANDRÉ

Ancien pasteur protestant, conventionnel, il s'occupe surtout d'intendance et de marine. Toutefois, il demande, le 9 mars 1793, "l'établissement d'un tribunal révolutionnaire jugeant sans appel les perturbateurs de l'ordre public".

PIERRE JOSEPH CAMBON

Député à la Convention, chargé des finances, c'est un membre modéré du Comité de salut public. Il est partisan de la déportation de la Reine. Il a trente-sept ans en 1793.

LAZARE CARNOT

Député à la Convention, c'est un membre modéré du Comité de salut public. Responsable de la guerre et des armées, c'est un grand stratège, l'"organisateur de la victoire". Il est détesté de Robespierre qui voit en lui un dangereux rival. Il a quarante ans en 1793.

JEAN MARIE COLLOT D'HERBOIS

Député à la Convention, membre dur du Comité de salut public, terroriste, il a quarante-quatre ans en 1793.

MARIE JEAN HÉRAULT DE SÉCHELLES

Député à la Convention, noble "repenti", riche, beau et intelligent, il est "le plus bel homme de Paris". Il a négocié sans succès l'échange de la famille royale contre un armistice avec l'Autriche. Arriviste de grand talent, il a les qualités qui manquent à Robespierre qui, bien sûr, le hait. C'est un grand ami de Danton. Membre modéré du Comité de salut public, il s'opposera à Robespierre et à Saint Just. Il a trente-quatre ans en 1793.

JEAN BAPTISTE ROBERT LINDET

Député à la Convention, membre modéré du Comité de salut public, c'est un ami de Carnot. Chargé des subsistances aux armées, il a quarante-sept ans en 1793.

CLAUDE JEAN-BAPTISTE PRIEUR DE LA CÔTE-D'OR

Député à la Convention, membre modéré du Comité de salut public, c'est un ami de Carnot. Chargé de l'armement aux armées, il a trente ans en 1793.

JACQUES THURIOT

Député à la Convention, c'est un membre modéré du Comité de salut public dont il démissionnera. Ami de Danton, il s'opposera à Robespierre dont il provoquera la chute le 9 thermidor. Il a quarante ans en 1793.

LE COMITÉ DE SÛRETÉ GÉNÉRALE

De sinistre mémoire, c'est à la fois une sorte de KGB avant la lettre, mais aussi une police secrète du genre de l'ancienne Stasi des pays de l'Est. Il a été créé par la Convention six semaines après la chute de la royauté, le 2 octobre 1792. Il est constitué principalement d'extrémistes montagnards et a acquis un pouvoir redoutable sous la Terreur. Il recrute ses victimes essentiellement par délation et entretient une bande de sicaires pour exécuter ses basses œuvres. Cette véritable police secrète est chargée d'enregistrer et d'exploiter la délation.

Ses membres, tous athées, sont bien connus : c'est d'abord le sinistre Jean-Pierre Amar, le peintre Louis David, le conventionnel Philippe Le Bas qui épousa Elisabeth Duplay, et le vieux Vadier, l'ennemi juré de Danton. Ce Comité agnostique s'oppose à un Robespierre déiste qui prône le culte de "l'Etre suprême."

JEAN-PIERRE AMAR
Député du département de l'Isère à la Convention nationale, membre prépondérant du Comité de sûreté générale. Terroriste fruste et sanguinaire, il se montre impitoyable envers la Reine. Il fait assassiner de nombreux innocents par une bande de spadassins à sa solde. Agnostique et violemment anticlérical, il prononça en pleine séance de la Convention, cette phrase d'un cynisme atroce en désignant l'échafaud : "Allons au pied du grand autel, voir célébrer la messe rouge !"

Il enquêta sur le complot des Œillets. Il a trente-huit ans en 1793.

JOSEPH SEVESTRE
Membre réfléchi du Comité de sûreté générale, c'est un homme intelligent et doué d'un grand sens politique. Député du département d'Ile-et-Vilaine à la Convention, il enquêta également dans le complot des Œillets. Il a quarante ans en 1793.

PARTICIPENT AUSSI A L'ACTION
Par ordre alphabétique

AMÉDÉE
Il surveille les entrées et les sorties de la prison. Dans l'avant-greffe, le bureau de Richard, au niveau du premier guichet, il y avait un porte-clefs retraité qui remplaçait le concierge quand celui-ci était absent. Si un individu

entrait ou sortait, “on entendait une voix puissante qui sortait du fauteuil”, hurlant au premier guichetier : “Allumer le miston[1] !” C’était la voix du remplaçant de Richard qui s’adressait au premier guichetier. Celui-ci le répétait à son tour à ses camarades, et le message se propageait tout au long du couloir des prisonniers. Ainsi, de guichetier en guichetier, se répétait la consigne de surveiller l’individu (allumer : regarder sous le nez ; le miston : l’individu, en argot). Dans notre roman, ce rôle est tenu par l’ivrogne Amédée entre deux verres d’eau-de-vie.

Nous savons que les guichetiers avaient des chiens qui les aidaient dans leur tâche. Il y en avait six à la Conciergerie. L’un d’eux du nom de Ravage “se distinguait par sa force, sa taille et son intelligence[2]”. Il était chargé de garder le préau des hommes durant la nuit. Deux prisonniers qui avaient percé le mur réussirent malgré Ravage à s’échapper. Stupéfaction ! On trouva Ravage, avec un assignat de cent sous attaché à la queue, et un petit billet où était écrit : “On peut corrompre Ravage avec un assignat de cent sous et un paquet de pied de moutons.” Les prisonniers se groupèrent autour de lui dans de grands éclats de rire. Le pauvre chien fut humilié… et puni par quelques heures de cachot.

PIERRE-ANTOINE ANTONELLE

Ancien marquis, né à Arles le 17 juin 1747, il se destine à la carrière des armes mais démissionne en 1782, pour vivre du revenu de ses immenses domaines. En 1788, il publie *Le Catéchisme du tiers état,* qui obtient un vif succès. C’est un homme qui adhère aux idées nouvelles.

Il devient le premier maire élu d’Arles en 1790, puis député des Bouches-du-Rhône à l’Assemblée législative. Il contribue à l’annexion du Comtat Venaissin à la France.

Président du club des Jacobins puis candidat à la Commune du 10 août à la mairie de Paris, puis juré au procès de Marie-Antoinette, c’est lui qui déclare, pour écourter la défense des condamnés à mort, cette phrase atroce qui conduit à l’échafaud : “La conscience des jurés est suffisamment éclairée…” Il fut la figure marquante du jury dans le procès de la Reine. On suppose que c’est lui qui insista auprès du président pour qu’elle réponde à la

1. *Ibid.*, p. 97.
2. *Ibid.*, p. 78.

question qui lui avait été posée sur d'éventuels rapports incestueux avec son fils.

Comme Antonelle était toujours outrancier dans ses déclarations, Fouquier-Tinville excédé finit par l'exclure du jury. Il fut plus tard arrêté et emprisonné pour avoir émis une opinion motivée dans le procès du général Lamarlière le 28 novembre 1794. Le 9 Thermidor lui sauva la vie.

On disait de lui "qu'il était un épicurien, un libertin, un cerveau brûlé dans toute l'étendue du terme". Il a combattu le Directoire et le Consulat. Il se compromet dans l'affaire Babeuf mais il est acquitté par la cour de Vendôme.

Il meurt le 26 novembre 1817 à Arles, mais son extrémisme pendant la Révolution suscita la vindicte du clergé qui lui refusa une sépulture chrétienne.

ÉTIENNE ARBELTRIER

Officier de basse police, demeurant cul-de-sac Sourdis, rue des Fossés-Saint-Germain-l'Auxerrois.

Personnage fruste, il "dénonce à la Commune de Paris Catherine Fournier et Jean-Baptiste Basset et plusieurs autres artisans comme les auteurs d'une conspiration contre la République, contre les autorités constituées, et tendant à enlever la ci-devant Reine Antoinette", etc.

Il fut chargé par le maire de Paris Nicolas Pache d'infiltrer l'organisation montée par les perruquiers. Il offre sournoisement à Jean-Baptiste Basset un immense local rue de la Roquette destiné à regrouper tous les conjurés afin de les capturer dans un grand coup de filet. Basset, pressentant la manœuvre, annule le regroupement.

Le 15 octobre, alors que se déroule encore le procès de la Reine, Arbeltrier dîne avec lui, puis dévoile son identité de policier et l'arrête.

ÉTIENNE ARMILLON

Né à Lison dans le Puy-de-Dôme, ce serrurier habite près de la Conciergerie, au 51, rue de la Vannerie. Il a travaillé jadis pour Louis XVI à Versailles. Royaliste convaincu, c'est un membre actif du groupe des Auvergnats qui complotent ferme avec Catherine Fournier. Arrêté, il est traduit devant le Tribunal révolutionnaire puis acquitté le 27 nivôse an II mais maintenu en prison jusqu'à la paix.

JEAN-SYLVAIN BAILLY

Né à Paris le 15 septembre 1736, cet homme de lettres et astronome de renom, fut un membre éminent de l'Académie des sciences. Son père, gardien de tableaux au Louvre, l'initia au dessin, mais il montra une tendance pour les mathématiques et le théâtre. Il écrivit une pièce, *Clotaire*, qui raconte l'histoire prémonitoire de ce maire de Paris qui fut massacré par le peuple. Il se consacre à l'astronomie, et ses travaux lui méritèrent d'être admis dans trois académies, honneur qui n'avait été détenu avant lui que par Fontenelle.

Il adhère aux idées nouvelles. Dans son district, il montre beaucoup d'intérêt pour la cause du peuple, et dans un mémoire intitulé : "Requête des habitants de Paris au Roi", il demande à Louis XVI que l'élection des Parisiens se réalise dans des conditions plus démocratiques.

L'Assemblée constituante le désigne comme président jusqu'au 2 juillet 1789. Lors de la fameuse séance du Jeu de paume, il aurait répondu à l'infortuné grand maître des cérémonies, le marquis de Dreux-Brézé qui ordonnait d'évacuer la salle et qui avait déjà subi les foudres de Mirabeau : "Je crois que la Nation assemblée ne peut pas recevoir d'ordres !"

Il est élu maire de Paris, c'est lui qui donne au Roi la cocarde tricolore. En le recevant, il lui dit : "Le peuple de Paris a reconquis son Roi."

La situation se dégradant au profit des montagnards, il est haï aussi bien des royalistes que des amis de Marat qui le traînent quotidiennement dans la boue. On lui reproche d'avoir proclamé la loi martiale quand survient la terrible fusillade du Champ-de-Mars le 17 juillet 1791, qu'on lui imputera jusqu'à sa mort.

Le 18 novembre, il est remplacé par Pétion et quitte la vie politique pour se réfugier chez son ami Laplace à Melun. Ayant refusé d'écouter le conseil de ses amis qui l'enjoignaient de se réfugier à Londres, il est arrêté le 5 septembre 1793.

Témoin à décharge dans le procès de Marie-Antoinette, il la défendra au risque de sa vie, déclarant que toutes les accusations étaient fausses, ce qui déplut à Robespierre.

Condamné à mort, il est guillotiné au Champ-de-Mars le 12 novembre 1793, au milieu de détritus, à l'endroit où il avait fait tirer deux ans auparavant sur des manifestants.

Il dut subir les insultes de la foule durant deux heures. Sur l'échafaud, on lui demanda : "Tu trembles, hein, Bailly ?" Il répondit : "Oui, mais c'est de froid !"

LE CONCIERGE BAULT

Il remplace Richard le 11 septembre 1793. Particulièrement peureux, il applique le règlement à la lettre, mais se montrera humain envers la Reine. Précédemment à la prison de la Force, il était l'ami de Sophie Dutilleul, la maîtresse de Rougeville. Sa femme fera plusieurs années après une relation qui vante les mérites de son mari. On pense qu'il permit à la Reine de recevoir l'absolution.

DOCTEUR BAYARD

Second chirurgien de l'Hospice national de l'Archevêché, c'est un homme qui détonne par son honnêteté dans l'environnement exécrable des praticiens. Il fait tout pour adoucir les souffrances de ses malades, mais se bat aussi pour les soustraire aux fureurs du Tribunal révolutionnaire[1]. C'était "l'ange tutélaire des détenus". Une révolte éclata un soir, c'est lui qui ramena le calme par sa douceur et sa gentillesse. Il sauva de nombreuses femmes enceintes de l'échafaud[2]. Enfin et surtout, c'est lui qui fit un rapport demandant de ne pas réfuter un diagnostic de grossesse avant le cinquième mois.

Il exigea que le personnel soignant soit féminin : avec "des femmes qui mettent toujours plus d'attention et de douceurs, nous éviterions d'avoir affaire à des sangsues, fripons, ivrognes dont le service est aussi dur et insolent que désagréable[3]". Sur six aides-soignants, on trouvait un tailleur, un restaurateur, un éventailliste, un cuisinier et un volontaire réformé, c'est dire quelle devait être la qualité des soins donnés dans cet établissement !

Malheureusement, Bayard ne resta pas longtemps à l'Hospice. Le service fut alors assuré par trois charlatans : Thery, Naury et Enguchard.

1. Paris de L'Epinard, *op. cit.*, p. 160-169.
2. Archives nationales, W 121.
3. Archives nationales, F16, 601.

DOCTEUR PIERRE ÉDOUARD BERNIER
Agé de soixante-quatre ans, c'était le médecin tout dévoué aux enfants royaux depuis quatorze ans.

Témoin dans le procès de Marie-Antoinette, il aura le courage de contrer Hebert qui lui reprochait sa bassesse face aux enfants royaux. Il répliqua que c'était de la bienséance et non de la bassesse.

NICOLAS MARIE JEAN BEUGNOT
Architecte, membre de la Commune, il est âgé de trente-neuf ans. Témoin à décharge dans le procès de Marie-Antoinette, il ne reconnaît pas les faits cités : il n'a eu aucune conférence avec l'accusée, n'a jamais fait enfermer le Dauphin et sa sœur pour conférer librement avec la Reine, n'a jamais procuré des colporteurs au Temple pour informer la famille royale.

JEAN LOUIS BIRET-TISSOT
Collaborateur du baron de Batz, faux monnayeur en assignats, il est âgé de vingt-sept ans.

Nous le retrouverons dans l'épisode suivant.

BAZILLE ANNE BONNEVILLE
Convoyeur né à Villeneuve-sur-Yonne, âgé de trente et un ans, il est impliqué dans le complot des Perruquiers. Comme la plupart des comploteurs, il loge près de la Conciergerie, au 16, rue de la Vannerie. Dans notre roman, il était chargé de fournir des carrioles qui devaient protéger la retraite de la Reine vers les carrières de plâtre de Montmartre en passant par la rue de Richelieu.

Arrêté, il est traduit devant le Tribunal révolutionnaire et acquitté le 27 nivôse an II, mais maintenu en prison jusqu'à la paix.

JACQUES-MARIE BOTOT DU MESNIL
Républicain intransigeant, le lieutenant-colonel, âgé de trente-cinq ans, commande les deux compagnies de gendarmerie détachées à la sécurité de la Conciergerie et du Tribunal révolutionnaire.

JEAN BOZE
Peintre demeurant au Louvre, il prétend qu'il n'a jamais adressé la parole au Roi quand il a fait son portrait. Témoin

à décharge dans le procès de Marie-Antoinette, il ne connaît aucun fait de l'acte d'accusation. Il se proposait de réconcilier le peuple avec le Roi, mais n'en a pas eu le temps. Il est âgé de quarante-huit ans.

BUDELOT,
Le cocher du Tribunal révolutionnaire.

LOUIS-FRANÇOIS DE BÛNE
Lieutenant de gendarmerie attaché à la Conciergerie et au Tribunal révolutionnaire, il a porté avant la Révolution l'uniforme du Royal-Dauphin. Homme au cœur républicain, il a pourtant gardé une certaine sensibilité royaliste. Il assume avec humanité la discipline au sein de la Conciergerie.

Au cours du procès de la Reine, il a un geste qui le fait entrer dans l'Histoire : il lui donne un verre d'eau ! Après le verdict, la voyant épuisée, il la raccompagne dans son cachot en lui donnant le bras tout en gardant son chapeau à la main. Il est arrêté pour ces gestes de déférence et d'humanité.

Laffont d'Aussonne rapporte qu'il aurait reçu secrètement de la Reine un message à remettre à ses enfants. Quand Louis XVIII monta sur le trône, de Bûne, alors âgé de soixante-dix ans, tenta à plusieurs reprises de le remettre à la fille de Marie-Antoinette, la duchesse d'Angoulême, mais celle-ci s'esquivait toujours en répondant qu'on le convoquerait à cet effet. De Bûne mourut sans avoir rempli sa mission. Son fils tenta sans succès de le lui remettre[1].

Quant au contenu du message, il demeure à ce jour un mystère. Un bémol doit être toutefois mis sur cette histoire : Laffont d'Aussonne fut un historien peu fiable. C'est la raison pour laquelle, dans le doute, nous émettons des réserves sur cette aventure romanesque. Nous l'avons quand même intégrée dans notre roman, parce qu'elle est trop jolie pour être ignorée… et il n'est pas impossible qu'elle fût authentique.

De Bûne avait vingt-huit ans en 1793. Il finit sa vie aux Invalides.

1. Laffont d'Aussonne, *Mémoires secrets et universels des malheurs et de la mort de la Reine de France*, tome 1, p. 384.

MICHEL FRANÇOIS CAILLEUX

Administrateur de police chargé des prisons en remplacement de Michonis, il a participé à l'instruction de l'affaire de l'Œillet en interrogeant tous les participants. Il a fait arrêter Michonis.

FRANÇOIS CHABOT

Capucin défroqué, il est élu député de la Convention. Lors des massacres de Septembre, il est chargé par elle d'éviter les carnages dans les prisons. Il ne défend pas les prisonniers qui sont tous exterminés[1]. Alors qu'il se fait appeler "le sans-culotte émérite", sa tenue est toujours volontairement débraillée. C'est un proche de Robespierre. Il aime l'argent, les filles et la bonne chère, ce qui le perdra. Ses continuels besoins de liquidités vont en faire la cible de choix du baron de Batz.

PIERRE GASPARD CHAUMETTE

Nommé procureur de la Commune révolutionnaire, il est le chef des sans-culottes et c'est lui qui maintient la pression de la rue sur l'Assemblée. Comme beaucoup de membres de la municipalité Pache, il est acheté par la coalition et probablement aussi par de Batz. Il participera à la "grande infamie" en montant l'accusation d'inceste sur la Reine.

LES CHEVALIERS DU POIGNARD

De Belbœuf, Dubois de La Motte, de La Bourdonnaye assistent au procès de la Reine déguisés en sans-culottes.

JEAN-BAPTISTE COFFINHAL

Ami intime de Fouquier-Tinville avec qui il partage ses dîners et ses beuveries, président du Tribunal révolutionnaire, il terrorisait les accusés par sa taille de colosse et sa voix "de basse lugubre". C'est lui qui condamna le chimiste Lavoisier qui demandait quinze jours de sursis avant d'être guillotiné, pour terminer une expérience capitale. L'autre lui répondit : "La République n'a pas besoin de savants ni de chimistes." Il guillotinera des femmes enceintes de dix-sept ans avec la complicité de Fouquier-Tinville.

1. A. de Ségur, *op. cit.*

MICHEL COINDRE

Attaché au ministère de la Guerre, témoin à charge dans le procès de Marie-Antoinette, il reconnaît la totalité de l'acte d'accusation, et accuse la Reine d'avoir fabriqué des faux assignats. Quand l'affaire fut amenée devant l'Assemblée constituante, cette dernière jugea que la plainte était irrecevable et que la Reine était inviolable.

COLAS

Le râpeur de tabac qui part à la recherche de l'abbé Emery, Auvergnat et fidèle ami de Jean-Baptiste Basset, il sauve Elisabeth Lemille en tuant son agresseur. Il confond une messe d'enterrement avec une messe de mariage !

FRANÇOIS DANGÉ

Marchand épicier âgé de quarante-six ans, il est témoin à décharge dans le procès de Marie-Antoinette. Sa déposition est une longue réfutation de l'acte d'accusation : il n'a eu aucun entretien particulier avec l'accusée, n'a jamais tenu le jeune Capet sur ses genoux, ne lui a jamais dit : "Je voudrais vous voir à la place de votre père", n'a jamais procuré à ses amis l'entrée de la Conciergerie.

DEGAIGNIÉ

Premier commis huissier qui accompagne les condamnés à l'échafaud.

VICOMTE CHARLES DESFOSSÉS

Il faisait partie du complot pour enlever Marie-Antoinette sur le chemin de l'échafaud. Témoin oculaire, il a décrit le costume de la Reine allant à la mort dans les moindres détails[1] : "La Reine avait un jupon blanc dessus, un noir dessous, une espèce de camisole de nuit blanche, un ruban de faveur noir aux poignets, un fichu de mousseline uni blanc, un bonnet avec un bout de ruban noir, les cheveux coupés ras autour du bonnet, le teint pâle, un peu rouge aux pommettes, les yeux injectés de sang, les cils immobiles et roides[2]."

1. H. de Viel-Castel, *op. cit.*, p. 348.
2. A. de Beauchesne, *Louis XVII, sa vie, son agonie, sa mort*, tome 2, p. 162.

JOSEPH FRANÇOIS IGNACE DONZÉ-VERTEUIL

Jésuite défroqué, mielleux et patelin, il est juge assesseur au Tribunal révolutionnaire dans le procès de Marie-Antoinette. "Un visage rond et plein avec une petite bouche au milieu", des cheveux et des sourcils gris. Dans le passé, il s'est distingué par une œuvre prémonitoire intitulée : *Derniers sentiments des plus illustres personnages condamnés à mort.* Il fut nommé accusateur public à Brest, à l'instar de celui de Paris. Il se rendra dans le cachot de Marie-Antoinette pour lui relire sa condamnation quelques minutes avant son départ pour l'échafaud, et se découvrira devant la Reine. Il est âgé de cinquante ans.

FRANÇOIS DUFRESNE

Maréchal des logis de la gendarmerie nationale, il est le gardien de prison de Marie-Antoinette jusqu'au 5 septembre 1793. Témoin à charge au procès de la Reine, il fera une déposition empreinte de neutralité. Malin et très intéressé, il a bénéficié de la stratégie du mensonge en devenant officier après l'affaire de l'Œillet. Il a vingt-cinq ans en 1793.

RENÉ FRANÇOIS DUMAS

Féroce, alcoolique invétéré, il est nommé président du Tribunal révolutionnaire par Robespierre. Il terrorise les condamnés en négligeant l'instruction et les témoins, ne "se fiant qu'à son flair" et aux recommandations de l'Incorruptible. Il rend la justice avec deux pistolets chargés sur la table. Il condamnera à mort le jeune Saint-Pern, un adolescent de dix-sept ans. Quand ce dernier voulut se justifier de son jeune âge par son certificat de baptême, il refusa de lire le document et répondit : "Vous voyez bien qu'il conspire puisqu'il a plus de dix-sept ans."

FRANÇOISE ÉLÉONORE DUPLAY

Epouse du menuisier Maurice Duplay chez qui Robespierre a élu domicile, c'est une honnête femme qui voue un culte à l'Incorruptible. Agée de cinquante-neuf ans, elle a eu quatre enfants, trois filles (Eléonore, Elisabeth et Victoire) et un garçon (Jacques Maurice).

Nous retrouverons toute la famille Duplay et son destin tragique dans l'épisode suivant.

MARIE-ÉLÉONORE DUPLAY

Fille de Maurice Duplay, elle est la fiancée supposée de Robespierre qui ne se prononce pas, mais dont elle est follement amoureuse. Ils font ensemble de longues promenades sur les Champs-Elysées en compagnie du chien Brount. Elle a vingt-trois ans.

ÉLISABETH DUPLAY

Deuxième fille de Maurice Duplay, c'est la femme du beau conventionnel Philippe Le Bas au tragique destin, dont elle aura un enfant. Elle a vingt et un ans.

DOCTEUR ENGUCHARD

Médecin-chef de l'Hospice de l'Archevêché, en remplaçant du docteur Thery. Un auteur trace de lui un curieux portrait : "Sa figure, sa manière de se coiffer, son maintien, tout, aux moustaches près, ressemblait à un de ces hussards qu'on expose aux théâtres pendant les entractes. Ce coupe-jarrets avait des mots d'ordre pour exécuter les «empoisonnades», comme Carrier les «noyades» et Collot les «fusillades». Sa grande recette était «la saignée, encore la saignée, et toujours la saignée»." Comme tous les médecins de l'Hospice, Enguchard inspirait fort peu de confiance aux malades qui jetaient médecines, potions et tisanes aux "commodités".

CHARLES HENRI D'ESTAING

Agé de soixante-quatre ans, ancien amiral et lieutenant général au service de la France, il est témoin à décharge dans le procès de Marie-Antoinette. Commandant la garde nationale de Versailles au moment des journées d'octobre 1789, il voulait protéger le Roi en l'emmenant à Rambouillet. Il finira sur l'échafaud.

NICOLAS FABRICIUS

Greffier en chef, comme l'a souligné Sainte-Beuve, c'est lui qui transcrira de façon partisane les paroles historiques de Marie-Antoinette. Il a changé son nom, qui était Paris, pour celui de Fabricius. Paris était le nom de l'assassin de Le Peletier de Saint-Fargeau et il redoutait une confusion. Prenant le parti de Danton, il s'opposera bientôt à Fouquier-Tinville.

PIERRE FONTAINE

Marchand de bois, âgé de quarante-huit ans, il est témoin à décharge dans le procès de Marie-Antoinette. Il ne connaît aucun des faits cités dans l'acte d'accusation. Il a connu le chevalier de Rougeville sous le nom de Rougy, par l'intermédiaire de Sophie Dutilleul, qu'il prétend avoir rencontrée sur les boulevards.

MARIE-MARGUERITE-MADELEINE FOUCHÉ

L'infirme qui assiste la Reine chrétiennement au sein même de la Conciergerie, émule de l'abbé Magnin, va se dévouer corps et âme à la Reine. Elle lui apportera linge et nourriture et introduira dans la prison son confesseur qui lui donnera la communion et l'absolution.

JEAN-BAPTISTE OLIVIER GARNERIN

Ancien secrétaire de la Commission des vingt-quatre, âgé de vingt-six ans, il est témoin à charge dans le procès de Marie-Antoinette. Pour lui, les bons signés de la Reine étaient de quatre-vingt mille livres au profit de la Polignac. Il signale que d'importants accaparements de denrées étaient opérés par la cour pour faire monter les prix et dégoûter le peuple du régime.

JEAN-GUILLAUME GILBERT

De moralité plus que douteuse, il est gendarme national affecté à la surveillance de la Reine. Il demeurera son gardien de prison jusqu'au 5 septembre. Témoin à charge dans le procès de Marie-Antoinette, il témoignera avec une certaine neutralité.

Louis Larivière avait une sœur nommée Julie qui épousa cet homme contre l'avis de ses parents. Dans sa relation à Laffont d'Aussonne, Louis nous révèle cet intéressant détail bien utile à la compréhension du complot de l'Œillet : "Je ne dois pas oublier de dire que le gendarme Gilbert, ainsi que Dufresne, furent faits officiers après la mort de la Princesse. Gilbert, malgré mes parents, se fit aimer de ma sœur Julie et l'épousa. Il la rendit la plus malheureuse femme du monde, étant le plus corrompu gendarme qui ait existé. Un jour il alla jouer tout l'argent de sa compagnie, et puis se brûla la cervelle de désespoir[1]".

1. Relation de Louis Larivière à Laffont d'Aussonne, dans G. Lenôtre, *La Captivité et la Mort de Marie-Antoinette, op. cit.*, p. 364.

Cette déclaration nous révèle que Gilbert et la famille Larivière devaient entretenir des rapports étroits. Nul doute que le gendarme était au courant des sensibilités royalistes de sa belle-famille. On comprend mieux comment Marie-Antoinette obtint sa collaboration dans le complot de l'Œillet indépendamment de son amour pour l'argent. Après l'échec du complot, pris de panique, il le dénonce huit jours après au Comité de sûreté générale. Ce côté délateur et lâche sied assez bien au personnage. Quand il dénonça le complot de l'Œillet, il n'hésita pas à faire de fausses déclarations[1].

Nous avons imaginé son projet de suicide comme une vengeance possible du baron de Batz et de la mère Larivière, qui voulait libérer sa petite-fille de cet homme qui la battait. Il est possible que ce fût un crime maquillé en suicide. De Batz aurait sauté sur l'occasion de venger la Reine. Il était coutumier du fait : on pense qu'il avait déjà maquillé le prétendu suicide de l'assassin de Le Peletier de Saint-Fargeau[2].

La nomination des deux gendarmes Dufresne et Gilbert au grade de lieutenant est une sacrée promotion qui pourrait être aussi interprétée comme une récompense pour avoir respecté la stratégie du mensonge dans le complot de l'Œillet.

MICHEL GOINTRE

Employé au bureau de la guerre, il est témoin à charge dans le procès de Marie-Antoinette.

MARIE GRANDMAISON, DITE BABIN

Jolie brune aux yeux bleus, maîtresse du baron de Batz dont elle est passionnément amoureuse, elle habite avec lui à Bagnolet dans sa maison de Charonne. Orpheline, âgée de vingt-six ans en 1793, elle est jolie et talentueuse pour le chant. Elle fait une carrière d'artiste aux Italiens. Prête à tous les sacrifices pour sauver l'homme qu'elle aime, elle l'aidera dans son combat contre les révolutionnaires.

1. Lire sa déposition dans le tome 1, p. 641.
2. Il s'agit de Paris, l'assassin de Le Peletier, qui s'est enfui à Londres après avoir fait croire à son suicide alors qu'un "suicidé de complaisance" serait mort à sa place.

MME GUYOT, L'INFIRMIÈRE-CHEF DE L'HOSPICE NATIONAL DE L'ARCHEVÊCHÉ

Elle prépare l'évasion de la Reine lors de son transfert. C'est le premier complot monté par le peuple de Paris visant à la libérer. L. de Saint-Hugues rapporte dans une publication datant de 1815 qu'un groupe de médecins et d'infirmières avaient préparé un complot visant à faire hospitaliser Marie-Antoinette à l'Hospice national de l'Archevêché en vue de la faire évader.

Aidée de Ray, l'économe de l'Hôtel-Dieu, et de Giraud, un chirurgien du même hôpital, Mme Guyot prévoyait de transférer la Reine de son cachot à l'Hospice. Ils comptaient la libérer en sciant le barreau d'une croisée qui donnait dans une voûte longeant les quais de la Seine du côté de l'île de la Cité[1].

C'est cette infirmière qui remit à la Reine, parmi de nombreux linges, le fameux déshabillé blanc avec lequel elle montera à l'échafaud. Les révolutionnaires ont tenté de découvrir les personnes qui avaient fourni ces vêtements, mais les recherches heureusement n'aboutirent jamais.

Nous pensons que ce complot, comme tous les autres, fut supervisé par de Batz. Il impliquait que l'état de santé de la Reine s'était à tel point détérioré qu'il était nécessaire de la traiter dans une structure médicale mieux équipée. La décision du déplacement d'un prisonnier engageait obligatoirement Richard et surtout Michonis qui était l'administrateur de la prison. Nous savons que de Batz était l'allié des deux autres. Il est inconcevable qu'ils ne fussent pas complices ou au moins informés du transfert de la Reine à l'Hospice de l'Archevêché et de la tentative d'évasion qui s'y préparait.

Puisque nous n'avons retrouvé aucune date historique concernant ce transfert, dans notre roman, nous le situons aux environ du 6 septembre, quand Michonis a déjà été arrêté et Rougeville s'est enfui à Bruxelles. Pourtant, Saint-Hugues précise qu'il tient sa source d'informations d'un ouvrage intitulé *Les Illustres Persécutés*, introuvable à ce jour[2].

1. L. de Saint-Hugues, *op. cit.*, p. 47 *sq.*
2. G. Lenôtre, *La Captivité et la Mort de Marie-Antoinette*, *op. cit.*, p. 293.

JACQUES RENÉ HÉBERT

Il était originaire d'Alençon où il exerçait comme domestique. Des personnes qui l'ont connu ont assuré qu'il avait dévalisé un médecin qui lui avait donné l'hospitalité[1].

Ancien vendeur de contremarques à la porte des Variétés, il devient grâce à la Révolution un des principaux officiers de la municipalité de Paris et substitut du procureur de la Commune. Il participa à la journée du 10 août 1792.

Rédacteur d'un journal ordurier *Le Père Duchesne*, il vomit littéralement ses articles. Surnommé par Camille Desmoulins "l'Homère de l'ordure" mais aussi "un eunuque pour le crime", il manie sans limites la démagogie. Il est détesté de Robespierre et vendu au baron de Batz. Il réclame deux millions pour ramener la Reine au Temple, il en percevra la moitié, soit un million, sans rien faire pour la sauver.

Il est l'auteur de ce que Stefan Zweig appela "la grande infamie". Il monta un faux témoignage, en prétendant que Marie-Antoinette avait eu des rapports incestueux avec son fils. Quand il déballa toute cette boue en pleine audience, la Reine lança : "J'en appelle à toutes les mères qui sont ici." Le public choqué se retourna contre lui, et il en fallut de peu que Marie-Antoinette ne fût applaudie. En l'apprenant, Robespierre qui dînait en cassa son assiette. Hébert venait de signer son arrêt de mort. Ebloui de son succès, il se crut capable de dicter les lois et commença à inquiéter les membres du Comité de salut public.

Ceux qui le côtoyaient assurent que le journaliste et l'homme n'avaient rien de commun. L'un était fougueux et atroce, l'autre doux et avenant. Dans son journal, il déclamait sans cesse contre les prêtres en prêchant l'ascèse et l'abstinence, tandis qu'il avait épousé une religieuse et vivait dans un luxe effréné. Lors de repas somptueux, il recevait le soir des personnes qu'il avait attaquées le matin.

JEAN HENRY

Sous-chef du bureau de sûreté de la police de la section de l'Unité, il fait partie de l'équipe de basse police qui

1. Proussinale, *Histoire secrète du Tribunal révolutionnaire*, Lerouge, 1815, p. 301.

s'est fait passer pour royalistes afin de noyauter le complot des Perruquiers.

AUGUSTIN GERMAIN JOBERT
Officier municipal et administrateur de police, âgé de quarante-sept ans, il est témoin à charge dans le procès de Marie-Antoinette. Il ne reconnaît aucun des faits reprochés à la Reine, et réfute la présence de Bailly et Lafayette lors de la fuite à Varennes. Il a montré à la famille royale des médaillons de cire.

DIDIER JOURDEUIL
Adjoint au ministre de la Guerre, âgé de trente-trois ans, il est témoin à charge dans le procès de Marie-Antoinette. Il l'accuse d'avoir entretenu une correspondance secrète avec d'Affry, le chef des gardes suisses.

JEAN-BAPTISTE LABENETTE
Témoin à charge dans le procès de Marie-Antoinette, il prétend qu'elle lui aurait envoyé trois hommes pour le tuer, mais heureusement il avait pu les mettre en fuite.

CONSTANT LABUSSIÈRE (pseudonyme)
Héros méconnu de la Révolution, il est secrétaire du Comité de salut public qu'il espionne très vraisemblablement pour le compte du baron de Batz. Il est en liaison permanente avec les Anglais et les royalistes. Il sauvera de la guillotine tous les comédiens du Théâtre-Français en envoyant leur dossier sous forme de boulettes dans la Seine. Victorien Sardou célébra son héroïsme dans la pièce *Thermidor*. C'est par lui que nous avons appris les tractations financières qui se déroulèrent chez le maire de Paris, dans la nuit du 3 septembre 1793.

COMMISSAIRE LABUZIÈRE
Le 15 octobre 1793, durant une suspension de séance du procès de la Reine, ce commissaire de police attendait dans la salle des pas perdus en compagnie d'une jeune femme "outrageusement fardée". Il s'empara du bouillon préparé par Rosalie Lamorlière pour laisser sa compagne le livrer à la prisonnière.

CHARLES ANTOINE LAMARCHE
Avec son collègue Prudhomme, il succéda à Gilbert et Dufresne dans la surveillance de la Reine. Ils reçurent tous deux la communion de l'abbé Magnin quand il l'administra à la Reine. Arrêtés plus tard dans un complot royaliste, ils furent tous deux guillotinés[1]. Il était âgé de vingt-cinq ans en 1793.

PRINCESSE DE LAMBALLE
Elle fut l'amie inconditionnelle de la Reine, n'hésitant pas à sacrifier sa vie pour partager son sort. La sachant en grand danger, elle rejoint Paris en pleine Terreur. Le 10 août, elle ne quitte pas son amie quand celle-ci se réfugie à l'Assemblée. D'une santé très fragile, elle perd plusieurs fois connaissance dans cette "loge du logographe" où la famille royale a été parquée et où règne une chaleur étouffante.

Durant les 2 et 3 septembre 1792, soit trois semaines après la chute de la royauté, d'effroyables massacres sont perpétrés sur les nobles et les ecclésiastiques dans toutes les prisons de Paris. On les appela les massacres de Septembre et ceux qui les exécutèrent les "septembriseurs". L'infortunée princesse fut massacrée à cette occasion. Sa tête fut mise au bout d'une pique et promenée sous les fenêtres de la Reine. Son corps fut littéralement déchiqueté, ses organes sexuels et ses viscères promenés dans les rues. On prétend qu'un énergumène mangea son cœur – ce qui ne fut pas prouvé. Ces tueries constituent une tache indélébile sur la Révolution française.

Ecoutons l'abbé Bridier qui les commentait en 1890 : "C'est la Commune de Paris qui a voulu, préparé, organisé cette épouvantable boucherie. C'est une troupe d'assassins, la lie du peuple, embrigadée et payée par elle, qui l'a exécutée. Quant au peuple, comme toujours, il a suivi égaré mais non méchant. Il cherche même les innocents parmi ces prisonniers qu'on lui a peints comme de grands coupables, il les défend, il les protège, il les arrache aux jurés massacreurs, et aux buveurs de sang[2]."

1. Archives nationales, W 2 546.
2. Abbé Bridier, *Introduction aux mémoires inédits de l'internonce à Paris pendant la Révolution*, Plon, Introduction, p. XXXII.

Un autre témoin raconte : "Un soir à Sainte-Hélène, l'Empereur se rappelle que c'est l'anniversaire des massacres de Septembre. Il nous dit comme sortant d'un rêve : «C'est aujourd'hui l'anniversaire d'un hideux souvenir, les massacres de Septembre, la Saint-Barthélemy de la Révolution française. Tache sanglante qui fut l'œuvre de la Commune de Paris, triste rivale de la Législative et qui puisait sa force dans les passions de la lie du peuple[1].»"

On massacra aux Carmes, à l'Abbaye, à la Force où fut égorgée puis déchiquetée la princesse de Lamballe. On tua à la hache à la Conciergerie, au séminaire de Saint-Firmin, à la tour Saint-Bernard, au Châtelet, à Bicêtre, à la Salpêtrière, soit au total 1 614 victimes, qui furent tuées à coups de sabre, de hache, et de piques[2].

JEAN-BAPTISTE LAPIERRE

Adjudant général de la 4e région, âgé de trente-trois ans, il est témoin à charge au procès de la Reine. Ce général par intérim prétend que le 21 juin, jour de la fuite à Varennes, il a remarqué de nombreuses allées et venues qu'il attribue à la Reine.

JEANNE LARIVIÈRE, *dite la mère Larivière*

Grand-mère du guichetier Louis Larivière, de sensibilité royaliste, dont la sœur a épousé le gendarme Gilbert qu'elle déteste ; elle a quatre-vingts ans en 1793. Une erreur communément admise fait de Louis Larivière son fils de vingt-quatre ans. Elle fut tout au plus sa grand-mère.

C'est elle qui répara la robe en lambeaux de la Reine. Elle comparaît devant la section des Arcis et assiste au départ de la Reine pour l'échafaud.

LOUIS LARIVIÈRE

Porte-clefs du troisième guichet à la Conciergerie, petit-fils de la "mère Larivière", pâtissier de son état, il est devenu guichetier par nécessité. Ce brave garçon a vingt-deux ans en 1793. Quarante-trois ans plus tard, alors redevenu pâtissier à Saint-Mandé, il fit à Laffont d'Aussonne une relation qui rapporta de nombreux détails sur la captivité de la Reine. Il racontera une scène étonnante à laquelle il

1. *Œuvres de Napoléon à Sainte-Hélène*, tome XXXII, p. 343.
2. L. de Salamon, *op. cit.*, p. 92.

assista, quand les révolutionnaires vinrent la chercher pour la conduire à l'échafaud : ils ôtèrent tous les quatre leur chapeau devant elle.

Il resta jusqu'à sa mort en relation constante avec Rosalie Lamorlière dont il resta l'ami fidèle. On suppose qu'il a été le père de la fille de la jolie servante.

JUILHE LAROCHE

Originaire d'Auvergne, écrivain d'entresol, il se fait passer pour un royaliste aux yeux des perruquiers. Délateur, il les trahit en les dénonçant à la police. Jean-Baptiste Basset a cru en lui jusqu'au dernier moment. Ils conversaient en auvergnat. Il est le principal responsable de l'échec du complot des Perruquiers.

JEAN FRÉDÉRIC DE LA TOUR DU PIN

Agé de soixante-six ans, ancien ministre de la Guerre de Louis XVI, il est témoin à décharge dans le procès de Marie-Antoinette. Il ne reconnaît aucun des faits portés dans l'acte d'accusation. Il confirme que le Roi devait se rendre à Rambouillet et non à Metz pour éviter la fureur populaire ; et que la Reine lui a demandé de lui transmettre l'état des armées. En arrivant et en partant de la barre, il fait un profond salut de cour à la Reine, sous les hurlements des tribunes. Il paiera ce geste courageux de sa vie.

PHILIPPE FRANÇOIS GABRIEL LATOUR DU PIN GOUVERNET

Agé de soixante-dix ans, cet ancien lieutenant général au service de la France, témoin dans le procès de Marie-Antoinette, ne connaît aucun des faits décrits dans l'acte d'accusation.

CHARLOTTE LE BIHAN

La mercière royaliste qui fournit l'étamine noire nécessaire à la réfection de la robe en lambeaux de la Reine de France. Sœur de Françoise – infirmière à l'Hospice de l'Archevêché –, elle est passionnément amoureuse de Jean-Baptiste Basset.

FRANÇOISE LE BIHAN

Infirmière adjointe à l'Hospice national de l'Archevêché, de sensibilité royaliste, elle va aider les conjurés à faire évader la Reine lors de son hospitalisation.

NICOLAS LEBŒUF
Instituteur, ancien officier municipal, il est âgé de cinquante-six ans. Témoin dans le procès de Marie-Antoinette, il réfute toutes les accusations : il n'a jamais eu de conversation avec le Roi, ni avec le Dauphin, n'a jamais été son instituteur, n'a jamais désapprouvé le fait de le voir prisonnier.

CAPITAINE VICTOR LE BOZEC
Capitaine d'intendance à la caserne de Vanves, il complote avec Jean-Baptiste Basset pour s'emparer de la Reine sur le chemin de l'échafaud. Il réceptionne les matelas qu'offre ce dernier aux nouveaux conscrits. Il désertera pour rejoindre l'armée des Vendéens.

MAURICE FRANÇOIS LEBRASSE
Témoin à charge dans le procès de Marie-Antoinette, c'est lui qui dénonça en pleine nuit la conjuration de l'Œillet. Lieutenant de gendarmerie, il accompagna Louis XVI le 21 janvier 1793 dans la voiture qui le conduisait à l'échafaud en compagnie de l'abbé de Firmont. Gendarme intransigeant dans le service, il exécute les ordres les plus durs sans sourciller.

Durant le trajet qui le menait à l'échafaud, ce serait à lui que Louis XVI demanda si on avait des nouvelles de M. de La Pérouse. Le Roi insista en outre auprès de lui pour qu'aucune poursuite ne frappe l'abbé de Firmont qui était un prêtre réfractaire. Comme Lebrasse ne répondait pas, le Roi haussa le ton et exigea des garanties pour l'abbé. "Bon ! bon ! répliqua Lebrasse, il ne sera pas inquiété !" Il tint parole : après l'exécution du Roi, l'abbé fut libre.

Auteur dramatique, il composa quatre pièces de théâtre. Il fera un mauvais choix politique et aura une fin tragique. Il a trente et un ans en 1793.

LAURENT LECOINTRE
Agé de cinquante et un ans, il est témoin à charge au procès de la Reine. Parmi tous ses faux témoignages, il prétend que lors du banquet du 1er octobre, la cocarde tricolore a été foulée aux pieds. Marchand de toile à Versailles avant la Révolution, il fut élu député à l'Assemblée législative et à la Convention nationale par le département de Seine-et-Oise. Il meurt à Guigne le 4 août 1805.

LEFEVRE
Le brave cocher du chevalier de Rougeville.

LEGRIS
Premier commis-greffier, homme dépourvu de cœur et de moralité, qui n'hésite pas à ajouter sur des listes de condamnés à mort des noms d'accusés jamais inculpés. Il connaîtra à vingt-quatre ans une fin tragique.

LELIÈVRE
Secrétaire personnel de Fouquier-Tinville.

JEAN FRANÇOIS LEPITRE
Instituteur, témoin dans le procès de Marie-Antoinette, il précise qu'il n'a jamais eu d'entretien particulier avec l'accusée.

ABBÉ CHARLES MAGNIN
Ancien professeur au petit séminaire d'Autun, cet abbé fut une figure emblématique de la chrétienté persécutée. Il se rendit célèbre en célébrant la messe au sein même du cachot de la Reine, à la barbe de ses geôliers.

Pendant la Terreur, il parcourt les rues déguisées en marchand d'habits. Dans son sac, il transporte ses objets liturgiques et porte les consolations de la religion de maison en maison.

On l'appelait Monsieur Charles. Revêtu du costume des gardes nationaux, il pénétrera plusieurs fois dans le cachot de Marie-Antoinette pour lui donner la communion et l'absolution.

De nombreux prêtres réfractaires, revêtus de costumes laïcs ou déguisés en gardes, entraient et sortaient facilement de la Conciergerie. Ils venaient donner l'absolution aux condamnés à mort C'est ainsi qu'opéraient l'abbé Emery, l'abbé Magnin, l'abbé Montaigu, l'abbé de Sambucy et l'abbé Keravolan (ce dernier fut le confesseur de Danton.) Bien que ce fût la stricte vérité, il est difficilement concevable que des prêtres non jureurs pussent officier à la barbe des guichetiers, des gendarmes et des municipaux. Montjoye, le fidèle bibliothécaire de la Reine, nous apporte cette étonnante information : "La Conciergerie renfermait alors plusieurs prêtres insermentés dont le zèle égalait la prudence ; ils exerçaient secrètement les fonctions de leur ministère auprès des infortunés qui attendaient que leur tour vînt pour être livrés aux bourreaux. Le bien que ces généreux confesseurs ont fait dans ce séjour est incalculable[1]."

L'abbé Charles Magnin faisait partie de ces prêtres réfractaires pourchassés par le pouvoir. Il était hébergé depuis vingt ans par une certaine veuve Fouché, très pieuse, qui habitait rue Saint-Martin. Cette femme avait deux filles, toutes au bon Dieu, Thérèse-Victoire et Marie-Marguerite Madeleine qui appelaient l'abbé Magnin "mon oncle". Les sœurs Fouché aidèrent l'abbé, surtout Marie l'aînée, dans une multitude de tâches et principalement dans l'assistance spirituelle aux condamnés à mort.

Il est vraisemblable que tous ces gens étaient en rapport avec le baron de Batz et opéraient avec la bénédiction non seulement de Richard et de Fouquier-Tinville mais surtout avec celle de Robespierre qui voyait dans toutes ces pratiques religieuses un excellent moyen de maintenir l'ordre et la tranquillité à la Conciergerie[2].

En revanche, les autres, les prêtres constitutionnels, ceux qui avaient dénoncé leur allégeance à Rome, étaient de simples fonctionnaires, toujours présents à la Conciergerie. Ils étaient là pour apporter le secours de la religion aux condamnés qui le refusaient la plupart du temps.

L'organisation était toujours la même : le président du Tribunal révolutionnaire remettait à Fouquier la liste des condamnés à mort. Ce dernier la transmettait à l'évêque constitutionnel Gobel qui envoyait ses prêtres jureurs pour accompagner les victimes à l'échafaud. C'était toujours le père Lambert et le père Lothringer qui effectuaient ce travail de routine. Le premier était honnête, tandis que le second se comportait avec les condamnés avec "un zèle importun et vaniteux".

Comme nous l'avons vu dans la première partie de ce roman, la Reine reçut l'absolution par l'abbé Emery avant le 14 septembre à travers la porte de son premier cachot (après l'échec de la conspiration de l'Œillet, on la changea de prison). Comme l'a remarqué si justement André

1. Montjoye, *Histoire de Marie-Antoinette*, Imprimerie Perronneau, tome 2, p. 193.
2. G. Lenôtre, *Paris révolutionnaire*, *op. cit.*, p. 334.

Castelot[1], le second cachot ayant une double porte, l'absolution eût été impossible après le 14 septembre[2].

On peut, à juste titre, douter que l'abbé Emery et tous ces prêtres réfractaires pussent officier tous azimuts à l'intérieur de la Conciergerie, à la barbe des guichetiers. Il est impossible que Richard ait pris un risque permanent en autorisant ces pratiques religieuses sans avoir eu l'autorisation de ses supérieurs. C'est Wallon dans son ouvrage sur la Terreur qui rapporte le témoignage d'un prisonnier qui eut la chance d'échapper à la guillotine : "Il y avait à la Conciergerie un homme qui enseignait un tout autre catéchisme que celui des révolutionnaires, un de ces prêtres réfractaires dont ces pauvres paysans voulaient au prix de leur vie entendre la messe, tandis que lui ne fut jamais envoyé à l'échafaud : cet homme était l'abbé Emery. Pourquoi fut-il épargné ? On n'en sait rien[3]."

L'auteur se demande si l'on ignorait qu'il y eût dans les prisons des prêtres exerçant leur ministère. La réponse est : Non, il y avait trop d'espions soudoyés et ils étaient trop clairvoyants pour ne pas s'en apercevoir. L'un d'entre eux avertit Robespierre qu'à la Conciergerie, un prêtre d'un grand mérite, qu'on lui nomma, avait confessé en un jour tant de personnes... Voici la réponse de celui-ci : "Laissez-le faire, il ne faut pas qu'on le juge si tôt, c'est un homme qui nous est utile, il fait qu'on va à la mort sans se plaindre. Son jour viendra[4]." On comprend maintenant que les révolutionnaires avaient tout intérêt à fermer les yeux. Les prêtres réfractaires apportaient la paix dans la Conciergerie.

Quant à l'abbé Magnin, il tomba gravement malade et ne put secourir une dernière fois la Reine. C'est l'abbé Cholet qui le remplaça. On pense que c'est lui qui attendait la Reine sur le chemin de l'échafaud pour lui donner une dernière fois l'absolution.

ANTOINE FRANÇOIS MAINGOT

Le 16 octobre 1793, un sous-lieutenant de canonniers du nom de Lacan se présente au département de police de la Commune de Paris et déclare qu'un gendarme de la

1. A. Castelot, *op. cit.*, p. 569
2. Archives nationales, dossier W 296.
3. H. Wallon, *op. cit.*, tome 2, p. 143.
4. Nougaret, *Histoire des prisons*, tome IV, p. 393.

33e division, du nom de Maingot, s'est précipité sous l'échafaud, sitôt la veuve Capet décapitée, pour recueillir son sang. Quand il fut questionné, il déclara qu'il revenait de l'armée où il avait été blessé. Il voulut montrer ses blessures. Quand il fut dévêtu, on constata que sa peau était imprimée d'un collier, d'une croix, d'un cœur et d'un médaillon[1].

C'est l'histoire étrange d'Antoine François Maingot, âgé de trente et un ans. Au moment de son arrestation, il portait un œillet dans la bouche. Il fut aussitôt traduit devant le Tribunal révolutionnaire. On lui demanda à quoi correspondaient les deux images trouvées sur lui, l'une représentant la Vierge, l'autre le Christ. Il répondit que cela ne prêtait pas à conséquence. Il prouva enfin que tous ses tatouages étaient antérieurs à la Révolution. Quand on lui demanda la provenance de l'œillet, il répondit qu'il l'avait pris à sa mère.

Décision étrange, il fut acquitté. On pourrait voir là une nouvelle manifestation de la stratégie du mensonge. N'oublions pas que Maingot était gendarme. Il ne fallait en aucun cas le condamner pour cette histoire où l'œillet rappelait beaucoup le complot de de Batz et de Rougeville, complot qui était la bête noire de Robespierre. On ne devait en aucun cas montrer la collusion des représentants du peuple avec les royalistes. Les sans-culottes ne l'auraient jamais permis.

LOUIS PIERRE MANUEL

Né à Montargis en 1751, il fut témoin à charge dans le procès de Marie-Antoinette. Il était le fils d'un potier mais eut une bonne éducation. Il devint précepteur d'un fils de banquier et reçut pour cela une pension viagère. En reconnaissance, il écrivit un pamphlet contre son bienfaiteur et fut enfermé à la Bastille. Il sortit de prison plein de haine contre le gouverneur Delaunay dont il se vengea dès que la Révolution lui en donna l'occasion.

Il fut admis aux Jacobins en préconisant les mesures les plus outrées. Il eut l'audace d'écrire au Roi une lettre qui commençait ainsi : "Sire, je n'aime pas les rois !" C'est lui qui fit abattre la statue de Louis XIV qui était dans la cour de l'Hôtel-de-Ville.

1. Archives nationales, W 291, dossier 183.

Elu comme membre de la municipalité et administrateur de police, il participe à l'insurrection du 20 juin, du 10 août et aux massacres de Septembre. C'est encore lui qui fit enfermer la famille royale au Temple. Il sollicita et obtint la satisfaction de les accompagner. Il voulut absolument apprendre au Roi sa déchéance et l'avènement de la République. Il montra alors un caractère haineux barbare et féroce. Lors de son procès, la Reine déclara : "Je ne crains que Manuel."

Elu à la Convention, il est transformé. Il étonne tous les partis par sa conduite humaine. Il condamne les massacres de Septembre et s'oppose à la peine de mort au procès du Roi. Désavoué, il démissionne après le vote.

Au procès de la Reine, Herman lui reprochera d'avoir déserté la représentation nationale. Lors de sa déposition, il ne charge pas la Reine. A la question posée par Herman à propos 10 août : "Avez-vous eu connaissance, que les maîtres du château avaient donné l'ordre d'ouvrir le feu sur le peuple ?", il répondit courageusement : "Non !"

A la Convention, il plaida la cause de quelques émigrés et voulut faire arrêter ceux qui mettaient la perturbation dans les tribunes de l'Assemblée. Les montagnards décidèrent de l'abattre en le faisant passer pour dément. Manuel donna sa démission et se retira à Montargis. Ses ennemis le rattrapèrent et le condamnèrent à mort le 14 novembre 1793 à l'âge de quarante-deux ans, soit un mois à peine après la mort de la Reine. Il monta à l'échafaud bourré de remords et à demi fou.

Michelet, toujours outrancier, n'est pas tendre pour lui : "C'était un pauvre pédant, homme de lettres ridicule."

JEAN FRANÇOIS MATHEY

Agé de vingt-neuf ans, concierge à la tour du Temple, il est témoin à charge dans le procès de Marie-Antoinette. Il approuve l'acte d'accusation, accuse son ancien compagnon Toulan de collusion avec la famille royale, et affirme que Jobert avait donné trois figurines de cire à la Reine.

CHRISTINE MATHIEU

Maîtresse de Jean-Baptiste Basset, qui a vingt ans de moins qu'elle, elle possède une brasserie rue de la Calandre, où se réunissent les perruquiers. Bien qu'ayant participé au complot, traduite devant le Tribunal révolutionnaire, elle est acquittée le 27 nivôse an II, mais gardée en prison jusqu'à la paix.

JEAN-BAPTISTE MICHONIS

Agé de soixante-trois ans, limonadier, administrateur de police, membre de la Commission du 10 août, il est le co-auteur avec le chevalier de Rougeville du complot de l'Œillet (voir tome 1). Témoin dans le procès de Marie-Antoinette, sa déposition n'est qu'un long tissu de mensonges.

REINE MILLOT

Domestique de quarante-quatre ans, elle est témoin à charge dans le procès de Marie-Antoinette. Elle a probablement effectué un faux témoignage : elle aurait eu des confidences du duc de Coigny dans les buanderies de Versailles. Ce dernier lui aurait affirmé que la Reine aurait fait passer deux cents millions à son frère l'Empereur d'Autriche et avait l'intention d'assassiner le duc d'Orléans grâce à deux pistolets chargés qu'elle porte constamment sur elle.

ANTOINE FRANÇOIS MOELLE

Suppléant du procureur de la Commune auprès des tribunaux de police municipale et correctionnelle, témoin dans le procès de Marie-Antoinette, il sera un des rares témoins à la ménager. Il réfute l'acte d'accusation, et propose au Tribunal d'apporter des précisions sur la façon singulière dont s'est déroulé l'interrogatoire du Dauphin par Hébert. Pris de panique, le Tribunal refuse de l'entendre.

Il survécut et fera plus tard une relation émouvante de son témoignage.

ABBÉ ANDRÉ MORELLET

Il demande un certificat de civilité à la section des Arcis. Il a relaté cet épisode dans ses mémoires.

PIERRE FRANÇOIS MORISAN

Buvetier du Tribunal révolutionnaire, cinquante-quatre ans, il tient la buvette de la Conciergerie avec sa femme Anne-Marguerite et sa fille Madeleine Nicole-Sophie. Il tient surtout le café des Subsistances, dans la grande salle du palais. Il est très lié avec Fouquier-Tinville. Toute la famille

Morisan le défendra lors de son procès. C'est à la buvette du deuxième étage que se retrouvent tous les "officiers" du Tribunal révolutionnaire, où Fouquier-Tinville dîne et soupe souvent seul, tout au fond, sur une table carrée qui existe encore.

Gillier, le gendre de Morisan, est secrétaire du parquet du Tribunal révolutionnaire.

DOCTEUR NAURY

Médecin de la Conciergerie au comportement plus ou moins louche. Médecin ignorant, "saigneur d'une avidité impitoyable", il joue la carte de Fouquier-Tinville. Il passe le plus clair de son temps au club des Jacobins.

NICOLAS PACHE

Maire de Paris, il négocie financièrement tous les mouvements populaires. Toute sa municipalité semble vendue au baron de Batz et à la coalition.

Ancien girondin, il a rejoint le camp des extrémistes de la Montagne en se rapprochant de Hébert. Il sera un agent actif dans l'arrestation des perruquiers. C'est lui qui commanditera la location de la brasserie rue de la Roquette où Arbeltrier devait réunir les conjurés afin de les arrêter.

JEAN-BAPTISTE HEBAIN PERCEVAL

Employé aux chasses, il travaille à la fabrication des armes. Il est témoin à charge dans le procès de Marie-Antoinette. C'est lui qui escalade le balcon de la chambre du Roi à Versailles pendant les journées d'Octobre et offre sa décoration postiche à un garde du corps. Lors de sa déposition au procès, il charge la Reine en affirmant qu'au banquet du 1er octobre, la cocarde tricolore a bien été foulée aux pieds – ce qui a été démenti par les gardes du corps.

JEAN PERRIN

Horloger, commissaire du comité révolutionnaire de la section de l'Unité, c'est chez lui que se réuniront les perruquiers. Il endormira les soupçons de Basset et de Catherine Fournier, et finira même par gagner leur confiance. Il les dénoncera dès le 12 octobre au commissaire de police Froidure selon le document suivant, retrouvé dans un dossier des Archives nationales[1], dont voici un extrait :

Commune de Paris :

Par-devant nous, administrateur de police, est comparu le citoyen Jean Perrin, horloger commissaire de comité révolutionnaire de la section de l'Unité, demeurant rue Mazarine 1554, lequel nous a civiquement déclaré qu'il est à sa connaissance et à celle de plusieurs de ses collègues qu'il se trame un complot tendant à la destruction de la Convention nationale... Que le projet de ce complot a été découvert par le citoyen Juilhe La Roche... Que le nombre des conjurés est d'environ cinq cents hommes qui s'occupent à découvrir un lieu où ils puissent s'assembler pour parvenir aux moyens d'accroître le nombre de leurs partenaires, etc.

Le but de ces soulèvements est d'enlever la veuve Capet de la Conciergerie.

Signé : Perrin, Froidure, Juilhe La Roche.

COMMANDANT PETITJEAN

Petit homme au teint rouge brique, commandant la caserne de Vanves, il autorise une messe en souvenir des fils de Lazare Carnot.

LOUISE PITOT

Maraîchère du pont Saint-Michel, comme plusieurs d'entre elles, elle réserve ses plus beaux fruits pour la Reine.

POINQUARRÉ

Premier secrétaire du parquet qui se retournera plus tard contre Fouquier-Tinville.

GENDARME JEAN-BAPTISTE PRUDHOMME

Agé de vingt-neuf ans, il succéda avec son collègue Lamarche aux gendarmes Gilbert et Dufresne dans la garde de la Reine. Il reçut la communion de l'abbé Magnin en même temps que la Reine.

Ils furent des royalistes convaincus et finirent sur l'échafaud[2].

1. Archives nationales, W 301.
2. Eugène Pottet, *op. cit.*, p. 185.

PHARMACIEN QUINQUET
Les médecins avaient pour auxiliaire un apothicaire du nom de Quinquet qui attendait qu'on guillotine de ses collègues pour s'emparer de leur matériel afin d'équiper l'Hospice. Cet homme assistait en outre aux examens gynécologiques, ce qui entraîna une plainte écrite de l'économe Ray à l'inspecteur Thirié-Grandpré.

ÉCONOME RAY
Chargé de l'administration de l'Hospice national de l'Archevêché, homme de cœur, il tentera de faire évader la Reine avec la complicité de l'infirmière-chef Guyot et du docteur Giraud. Il fera un rapport cinglant contre les médecins de l'Hospice qui ne remplissent pas leur mission.

ANNA FRANÇOISE DE ROCHECHOUART
Epouse du comte Jules de Rochechouart, elle a connu Chabot quand il était encore capucin. Grande amie du sinistre Hébert, elle servit d'intermédiaire au baron de Batz pour négocier avec lui.

PIERRE-BALTHAZAR ROUSSEL
Collaborateur du baron de Batz, faux monnayeur en assignats, vingt-six ans.

ANTOINE ROUSSILLON
Chirurgien et canonnier, témoin à charge dans le procès de Marie-Antoinette, il aurait découvert sous le lit de la reine des bouteilles vides et pleines. Elle aurait servi à boire aux chevaliers du Poignard.

CHARLES-HENRI SANSON senior
HENRI SANSON junior
Ils furent, le père et le fils, "exécuteurs des jugements criminels de la ville de Paris". On les surnommait les "bourreaux".

Le père, Charles-Henri, était l'aîné de sept frères et trois sœurs. Né en 1739, il prit lui aussi la succession de son père en 1778. Il ne se doutait pas que le Roi qui le nomma à cette fonction devait mourir de sa main quinze ans plus tard[1].

1. Archives nationales, V I 540.

C'est son fils Henri qui le remplace officieusement depuis l'exécution du Roi Louis XVI. On dit que la dernière victime du père Charles-Henri fut le Roi lui-même, qu'il guillotina le 21 janvier 1793. Bourré de chagrin et de remords, il ne pratiqua plus aucune nouvelle exécution. Il abandonnera officiellement et définitivement ses fonctions au profit de son fils Henri, deux ans plus tard, le 18 fructidor an III (4 septembre 1795).

Agé de cinquante ans quand débuta la Révolution, Charles-Henri exerçait ses fonctions depuis vingt et un ans. Ce qui est troublant dans l'histoire de cette famille, c'est que tous les frères du bourreau de Paris occupèrent les mêmes fonctions en province. Tous les mâles furent bourreau.

La famille, très unie, se réunissait souvent autour du frère aîné qui habitait une vaste demeure du faubourg Poissonnière. Comme ils se nommaient tous Sanson, pour les désigner, on les appela Monsieur de Paris, Monsieur de Blois, Monsieur de Tours... La famille possédait son caveau dans l'église Saint-Laurent.

Charles-Henri était un homme respecté[1]. Il avait une sainte horreur qu'on le nomme "bourreau" et alla jusqu'à faire un procès à quelqu'un qui le désigna ainsi – procès qu'il gagna. On eut l'obligation de l'appeler "Monsieur l'exécuteur des arrêts criminels de la ville de Paris".

On a prétendu que l'exécution de Louis XVI l'avait profondément affecté et qu'il était mort six mois après. On a rapporté aussi qu'il était mort en tombant d'un échafaud. En réalité, c'est son plus jeune fils, en montrant au peuple la tête d'un fabricant de faux assignats du nom de Vimal, qui fit une chute mortelle en 1792.

Après la mort de Louis XVI, Charles-Henri ne quitta pas officiellement sa charge, mais deux ans plus tard, le 13 fructidor an III (30 août 1795). C'est son fils Henri qui exécuta alors les sentences. Il ne devint officiellement détenteur du titre que trois ans plus tard. Il se trouva confronté à des difficultés financières si graves qu'il songea à donner sa démission. Comme c'était un homme irremplaçable, les révolutionnaires accédèrent à toutes ses requêtes[2].

1. Archives nationales, BB3.812.
2. Archives nationales, BB3.209.

C'est lui qui accompagna la Reine à l'échafaud en prenant soin de tenir son chapeau à la main.

ANTOINE FRANÇOIS SERGENT

Il participa aux massacres de Septembre. Elu à la Convention, il fit détruire tous les insignes de la royauté dans Paris. Il fut un affidé inconditionnel de Robespierre dont il assura le secrétariat. Il épousa la sœur du général Marceau.

RENÉE SEVIN

Sous-femme de chambre aux Tuileries, témoin à décharge au procès de la Reine, elle ne reconnaît aucun des faits. Au moment du 10 août, elle habitait sous les toits et n'a rien entendu.

ABRAHAM SILLY

Notaire, quarante-trois ans, témoin à charge dans le procès de Marie-Antoinette, il tente de prouver la collusion de la Reine et de Lafayette dans la fuite à Varennes, mais la défense démontre qu'ils sont sortis à des heures différentes.

ANTOINE SIMON

Témoin à charge dans le procès de Marie-Antoinette, il fut très nuancé dans son témoignage : il ménage paradoxalement la Reine mais charge Lafayette, Michonis, Manuel et Dangé. Il précise que la Reine, par déférence au futur Roi, servait le Dauphin avant tout le monde.

Ancien cordonnier repoussant de saleté et imbibé d'alcool, il est originaire de Troyes. Il arrive à Paris pour assurer avec sa femme la garde de Louis XVII au Temple. Il semblerait que Victor Hugo se soit inspiré de ce couple pour décrire les Thénardier dans *Les Misérables.*

C'est un partisan inconditionnel de Robespierre.

DOCTEUR JOSEPH SOUBERBIELLE

Né à Pontacq (Pyrénées) en 1754, chirurgien et ami intime de Robespierre, il sera nommé par lui juré du Tribunal révolutionnaire. Nous l'avons décrit dans cet épisode moins comme médecin que comme juré du procès de la Reine.

Il a eu un destin étonnant. Disciple d'un très grand praticien réputé dans l'opération des calculs rénaux du nom de Desault, il fut nommé interne à l'Hôtel-Dieu. Quand celui-ci mourut en 1781, il légua à son élève les secrets de sa renommée[1].

Un jour de juillet 1789, Souberbielle, alors officier de santé, se promenait du côté de la Bastille quand il entendit crépiter la mitraille. Il se précipite, soigne les blessés et devient instantanément un héros de la Révolution. Promu chirurgien, il est nommé major d'une division de gendarmerie et, en 1793, il est nommé responsable d'un redoutable organisme : le Tribunal révolutionnaire. C'est là que son destin se concrétise, car Robespierre le consulte pour traiter ses ulcères variqueux. Il devient l'intime de l'Incorruptible, juré dans le procès de Marie-Antoinette et enfin un habitué de la maison du menuisier Duplay où l'Incorruptible réside à l'année. Cet homme paradoxal, excellent praticien, très attentif à ses malades, n'éprouve aucune pitié quand il s'agit d'éviter l'échafaud à de malheureuses femmes enceintes. On peut citer l'exemple des citoyennes Drieux et Kolly, qui se déclarèrent enceintes, mais auxquelles Souberbielle n'épargna pas la guillotine.

Cet homme déroutant fut aussi le médecin de la Reine. Il la traita avec la fameuse "eau de poulet" qu'il lui administrait quotidiennement pour combattre ses pertes de connaissance. Quand on lui proposera le poste de juré dans le procès de la Reine, il se récusera. Le président du Tribunal Martial Herman qui avait besoin de sa présence dans le jury lui dit : "Si quelqu'un avait à te récuser, ce serait l'accusation, car tu as donné des soins à l'accusée, et tu aurais pu être touché par la grandeur de son infortune." Souberbielle s'inclinera. On notera l'impudence d'Herman qui sait pertinemment que les jurés ne sont pas récusables, et entendre de sa bouche les mots de "grandeur de l'infortune", alors qu'il est le bourreau de la Reine, est révoltant de cynisme. L'historienne Evelyne Lever a donné quelques précisions sur les hémorragies utérines de la Reine. Dans son remarquable livre sur Marie-Antoinette, elle confirme le fait : "Epuisée par des hémorragies chroniques, Marie-Antoinette s'affaiblissait de jour en jour. Il fallait lui administrer des cordiaux[2]."

1. Comte Beugnot, Mémoires publiés dans la *Revue française* d'octobre 1838, p. 28-34 ; et Archives nationales, W 285 et 269.
2. Evelyne Lever, *Marie-Antoinette*, Fayard, 1991, p. 647.

Souberbielle est mort à Paris en 1846 à l'âge de quatre-vingt-treize ans.

TARCILLY

Premier concierge de l'Hospice du 15 ventôse au 12 germinal[1]. Personnage brutal, alcoolique, il provoqua une révolte parmi les malades que le docteur Bayard parvint à calmer. A la suite de cet incident, l'économe Ray et les trois médecins Naury, Bayard et Thery réclamèrent la révocation de cet homme "aussi immoral qu'incapable". L'autre se défendit en prétendant que toute cette cabale était montée par l'économe Ray qui voulait récupérer son logement de fonction. Il fut remplacé par le citoyen Senseit avec un traitement de deux mille livres par an[2].

CLAUDE DENIS TAVERNIER

Agé de soixante ans, sous-lieutenant à la suite de l'état-major, témoin à charge dans le procès de Marie-Antoinette, il accuse Lafayette de faire partie de la fuite du roi à Varennes.

DOCTEUR THERY

Le médecin-chef de l'Hospice national de l'Archevêché n'examine jamais ses malades, et son unique traitement est la même tisane à base de plantes pour tous[3]. "Aussi ignorant que systématique, il visitait tous ses malades en vingt-cinq minutes."

Robespierre, qui aimait beaucoup ce compatriote d'Arras, le fit nommer médecin du Tribunal révolutionnaire. Il l'avait chaudement recommandé à Fouquier en ces termes : "recommandable par ses talents dans l'art de guérir et par son patriotisme[4]".

Paris de L'Epinard qui l'a connu, précisa sans ironie : "Le meilleur remède que l'on pût attendre de ce nouveau docteur était sans contredit d'être privé des siens[5]." Il quitta l'Hospice et la Conciergerie et devint secrétaire du Comité de salubrité. Il fut remplacé par un autre charlatan du nom d'Enguchard. Il ne faut pas le confondre avec le docteur

1. Archives nationales, F16, 601.
2. Archives nationales, W 153.
3. Archives nationales, F16, 601.
4. Archives nationales, W 502.
5. Paris de L'Epinard, *op. cit.*, tome 1, p. 159 et 164.

Thiery, qui était aussi médecin de la Conciergerie, et qui resta en fonction peu de temps.

PIERRE JOSEPH TERRASSON
Employé dans les bureaux du ministère de la Justice, quaante-trois ans, témoin à charge dans le procès de Marie-Antoinette, il fait une stupide déclaration qui à la fin se trouve être en faveur de l'accusée : il précise que la Reine conseillait toujours au roi de signer des décrets quand ils étaient importants.

THIRIÉ-GRANDPRÉ
Chef de division à la Commission des administrations civiles, inspecteur de toutes les administrations dont les prisons, c'est un homme intègre, grand ami de Mme Rolland. Chargé d'inspecter l'état de santé de la Reine, il sera horrifié de découvrir l'état sanitaire de la Conciergerie sur lequel il fera un rapport cinglant, rendu au ministère de l'Intérieur le 17 mars 1793. Voici ce que dit l'inspecteur : "Je viens de faire une nouvelle visite des prisons de la Conciergerie. L'impression horrible que j'ai éprouvée à la vue des malheureux amoncelés dans cette affreuse demeure est inexprimable et je ne puis encore concevoir la barbarie des officiers de police chargés de la surveiller et l'insouciance des tribunaux à absoudre ou condamner les accusés… Trente hommes et trente femmes condamnés à mort languissent dans cette prison, qui essayaient de trouver les moyens d'attenter à leur vie. Plus loin une pièce contenant vingt-six hommes couchés sur une paillasse, respirant l'air le plus infect et couverts de lambeaux à moitié pourris. Dans un autre cachot, quarante-cinq hommes couchés sur des grabats ; dans un troisième cachot, trente-huit moribonds pressés sur neuf couchettes", etc.[1]. Il se révoltera contre les conditions inhumaines imposées aux malades.

FRANÇOIS TISSET
Marchand, témoin à charge dans le procès de Marie-Antoinette, il dit avoir découvert deux bons signés Marie-Antoinette d'une somme de quatre-vingt mille francs et une lettre de caution de deux millions signée du roi.

1. E. Pottet, *op. cit.*, p. 71.

Le témoin précise que ces bons ont été signés le 10 août par la Reine ; or, la famille royale avait quitté le palais dès huit heures du matin.

CHARLES-ÉLÉONORE DUFRICHE VALAZÉ
Né en 1751, mort en 1793, élu député de l'Orne à la Convention, il siège avec les girondins. Il fut chargé de rédiger un rapport au moment du procès du Roi. Bien qu'il votât la mort, il fut un défenseur de l'appel au peuple et du sursis. Il est arrêté avec les girondins le 2 juin 1793.

Témoin à charge dans le procès de Marie-Antoinette, il précise que les bons signés de Marie-Antoinette étaient de quinze ou vingt mille livres. Il souligne en outre qu'il a eu connaissance d'une lettre d'un ministre qui prie le Roi de transmettre à la Reine le plan de campagne.

Il est condamné à mort quinze jours plus tard par le Tribunal révolutionnaire, et il se suicide en pleine séance en s'enfonçant une lame dans le cœur. "Quoi, tu trembles ?" lui dit Vergniaud. "Non, je meurs", lui répond l'autre.

MARQUIS DE VILLEQUIER
Ancien premier gentilhomme de la chambre du Roi, chef des chevaliers du Poignard, il est le bras droit du baron de Batz en participant activement à tous les complots.

JEAN-BAPTISTE VINCENT
Entrepreneur maçon, âgé de trente-cinq ans, témoin à charge dans le procès de Marie-Antoinette, il n'apporte aucun élément, si ce n'est des arguments du genre : "Je n'ai pas connu les faits, j'aurais tellement aimé les dénoncer à la barre."

ROBERT WOLFF
Commis-greffier de Fouquier-Tinville, modéré et humain, lors du procès de l'accusateur, il se retournera contre celui-ci et son témoignage sera accablant.

MAIS AUSSI

CAPITAINE ADNET
Adjoint du lieutenant-colonel de gendarmerie Botot Du Mesnil qu'il remplace sur le parvis de Notre-Dame. Il entrera en conflit avec son supérieur.

COMMANDANT AIGRON
Commandant la force armée de Paris qui déploie trente mille hommes le jour de l'exécution de la Reine.

BAJARD
Le conscrit de la caserne de Vanves.

BAUDRAIS
L'administrateur de police est le meilleur limier du régime, il a été chargé de poursuivre les perruquiers.

BERGOT ET RUFFIN
Les deux spadassins de la rue Saint-Christophe qui attaquent Elisabeth Lemille.

LE SERGENT DU COULOIR DES PRISONNIERS
Obèse et négligé, il assure l'ordre dans le couloir des prisonniers.

CITOYEN CARRÉ
Propriétaire du local situé rue de la Roquette, chargé de réunir les mille cinq cents conjurateurs du complot des Perruquiers.

PIERRE COMPÈRE
Le "héros" grièvement blessé au combat qui montre ses blessures à la section des Arcis.

ADJUDANT-CHEF LEFEBURE
Il commande un peloton dans la rue de la Juiverie et se met sous les ordres du baron de Batz.

LES TROIS BONNETS ROUGES
De la rue de la Juiverie, qui refusent de livrer leurs otages à de Batz.

COMTE DE BUTLER
Otage de la rue de la Juiverie sauvé *in extremis* par de Batz.

DUCÂTEL
Le délateur des massacres de Septembre. Il aurait tué la princesse de Lamballe à coups de marteau. Au procès de

Marie-Antoinette, il rôdait dans les couloirs du tribunal à la recherche de royalistes.

BARON D'ERLACH
Otage de la rue de la Juiverie sauvé *in extremis* par de Batz.

DOCTEUR GIRAUD
Chirurgien-adjoint de l'Hôtel-Dieu. Complice de l'infirmière Guyot dans l'évasion de la Reine.

LE HEURTEUR
Le petit professeur en Sorbonne qui écrit l'acte d'accusation de la Reine sous la dictée de Fouquier-Tinville et en corrige les fautes d'orthographe.

CAPORAL JEAN DENIS LAURENT
Le planton de la caserne de Vanves qui refuse de faire entrer les conjurés par peur de la fièvre putride.

NIQUILLE
L'officier de paix espion de Fouquier-Tinville qui propose à Basset le grand local de la rue de la Roquette.

LES JUGES DU TRIBUNAL RÉVOLUTIONNAIRE
Président : Joseph Martial Herman.
Assesseurs : Etienne Foucault, Pierre André Coffinhal, Antoine Maire, Marie-Joseph Lane, Gabriel Deliège.

LES JURÉS DU TRIBUNAL RÉVOLUTIONNAIRE
Nicolas, l'imprimeur ; Thoumin, l'ancien procureur ; Besnard, le commissaire priseur ; Ganney, le perruquier ; Antonelle, l'ancien marquis, député maire d'Arles ; Lumière, le joueur de luth ; Desboisseaux, le sabotier ; Devèse, le menuisier ; Trinchard, le menuisier ; Chrétien, le cafetier ; Baron, le chapelier ; Fieve, le rentier.

LISTE DES PERRUQUIERS
D'après *Le Moniteur*, vingt prévenus comparurent devant le Tribunal révolutionnaire le 21 nivôse an II[1].

1. Voir aussi la liste alphabétique des acteurs du drame.

Condamnés à mort :
Catherine Fournier, cinquante-deux ans ;
Jean-Baptiste Basset, vingt-deux ans ;
Guillaume Lemille, quarante-huit ans ;
Elisabeth Lemille, vingt-quatre ans.

Condamné à être exposé à la vindicte publique durant six heures et à vingt ans d'emprisonnement :
Jean Fournier, seize ans.

Acquittés et libérés :
Mathurin Cujas, cinquante-trois ans, manœuvre ;
Jean Thomas, quarante-quatre ans, maçon.

Acquittés mais retenus en prison comme suspects jusqu'à la paix :
Basile Anne Bonneville, trente ans, voiturier ;
François Augustin Duclos, trente-deux ans, épicier ;
Pierre Jean Convert, vingt-huit ans, pâtissier ;
Etienne Armillon, soixante ans, serrurier ;
Jean Baptiste Lefèvre, vingt et un ans, perruquier ;
Pierre Boudin, trente-six ans, charcutier ;
Pierre Hilaire Ducattois, dix-neuf ans, perruquier ;
Etienne Thuissart, quarante et un ans, pâtissier ;
Pierre Divernesse, quarante ans, peintre ;
Joseph Lacroix, fripier ;
Pierre Polisse, trente-trois ans, palefrenier ;
Christine Mathieu, née Constant, trente-huit ans, limonadière ;
Jérôme Pecher dit Colas, cinquante-neuf ans, râpeur de tabac.

LE COUPLE DE BONNETS ROUGES
Qui filtre les entrées à la porte de la section des Arcis.

LUBIN ET GISÈLE
Les nouveaux chefs de section des Arcis en remplacement des époux Harel.

HUISSIER SIMONET
Chargé de la surveillance de la salle des Ordinations de l'Hospice national de l'Archevêché.

SÉBASTIEN
Le cocher du baron de Batz.

LES TROIS DÉSERTEURS AUTRICHIENS
Qui se donnent en spectacle à la section des Arcis.

La plupart de ces personnages ont vécu ou sont morts sous la Terreur.

Nous retrouverons, entre autres personnages, dans le prochain épisode, *La Vengance du baron de Batz* : le capitaine Adnet, le commandant Aigron, Amar, Barère, le baron de Batz, Billaud-Varenne, Biret-Tissot, Botot Du Mesnil, de Bûne, Cambon, Carnot, Chabot, Chaumette, Coffinhal, Collot d'Herbois, Couthon, Dangé, Donzé-Verteuil, Dumas, la famille Duplay, Fabricius, Fouquier-Tinville, Marie Grandmaison, Hébert, Hérault de Séchelles, Herman, Labussière, Lebrasse, Lindet, Manuel, Michonis, Morisan, Pache, Poinquarré, Prieur de la Côte-d'Or, Saint-Just, Amélie de Saint-Pern, Sevestre, Simon, Sanson, Thuriot, Wolff, les chevaliers du Poignard, les juges et les jurés du Tribunal révolutionnaire…

1. Fauteuil et table du président.
2. Fauteuils et tables des juges.
3. Fauteuil et table de l'accusateur public jusqu'en prairial an II. L'accusateur se transporta à cette époque, à la table des greffiers.
4. Gradins pour les accusés. Ces gradins furent, en prairial an II, doublés de hauteur et d'étendue.
5. Fauteuils et table des défenseurs.
6. Fauteuils et table des greffiers.
7. Fauteuils et table des jurés.
8. La barre des témoins.
9. Passage.
10. Passage de plain-pied, ménagé dans la tourelle d'un escalier sans communication avec les étages supérieur et inférieur.
11. Passage.
12. Salle des accusés (?)
13. Ancienne quatrième chambre des Enquêtes du Parlement, salle du Conseil du Tribunal révolutionnaire, puis cabinet de Fouquier-Tinville.
14. Escalier conduisant à la buvette et à la salle de délibérations des jurés et au parquet de l'accusateur public.
15. Passage.
16. Salle des témoins (?)
17. Enceinte réservée au public.
18. Poêles.
19. Porte à tambour communiquant à la salle des Pas Perdus.
20. Ancien vestibule de la Grand-Chambre (ex parquet des Huissiers).
21. Porte communiquant à la salle des Pas Perdus.
22. Première salle du greffe.
23. Corridor allant à la Tournelle et à la tour Bonbec : c'est par ce corridor que sont amenés de la Conciergerie, les accusés.
24. Tour de César, ancienne buvette des magistrats de la Grand-Chambre, cabinet de Fouquier-Tinville, et, postérieurement, salle du conseil du Tribunal révolutionnaire.
25. Tour d'Argent. Ancien cabinet du Premier président, cabinet du président du Tribunal révolutionnaire.
26. Cabinets de juges.

LE TRIBUNAL RÉVOLUTIONNAIRE EN 1793

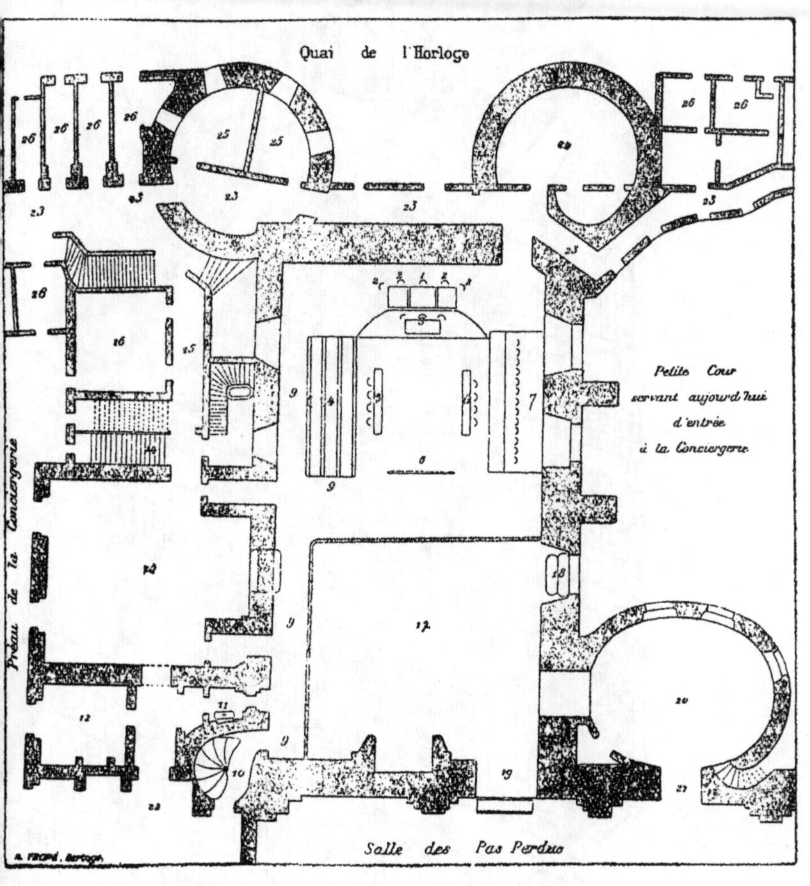

Parvis N.D.
S. CHRISTOPHE
R. Neuve N.D.
Enfans
R. de la Licorne
Rue de la Juiverie

PLAN DE TURGOT

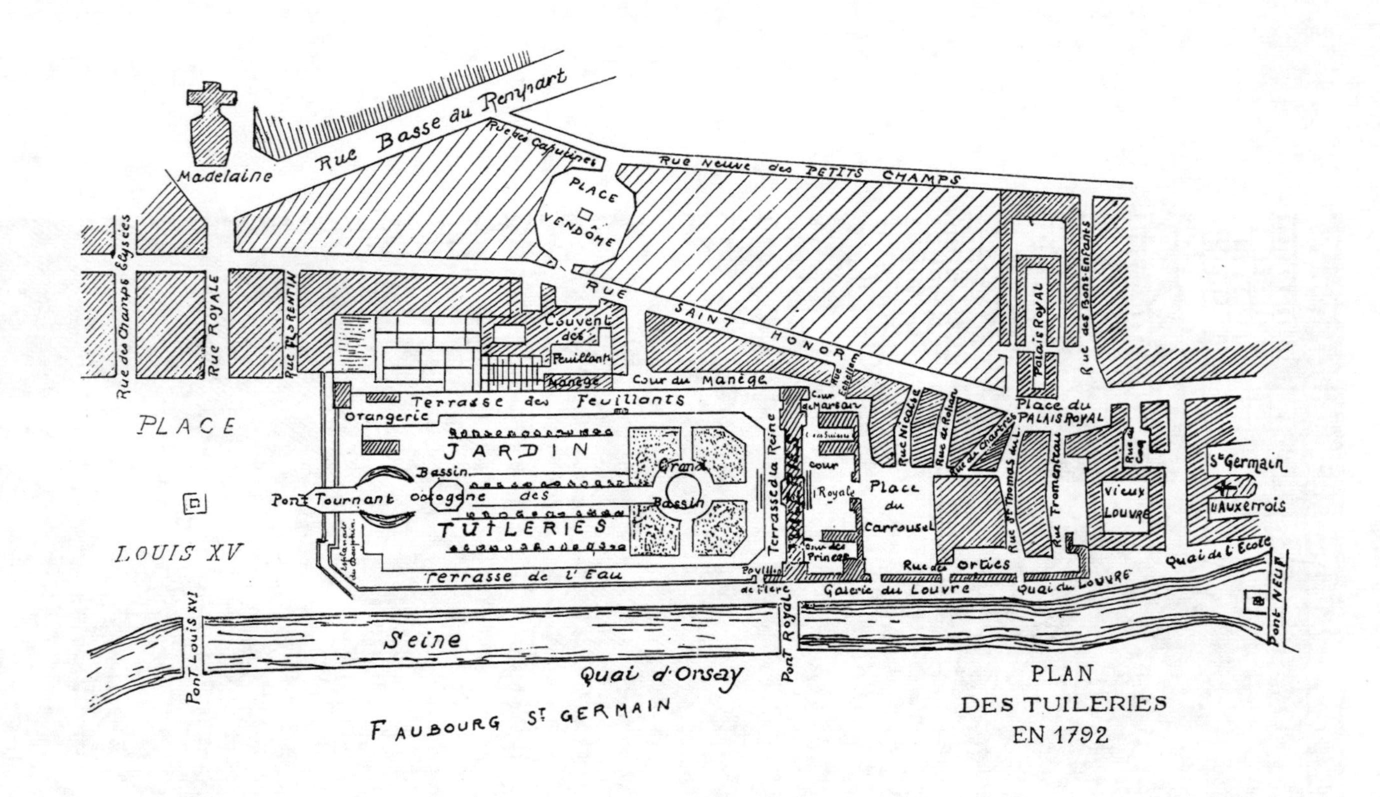

PLAN
DES TUILERIES
EN 1792

REMERCIEMENTS

Je remercie Hubert Nyssen, fondateur des éditions Actes Sud, qui me fit l'honneur de me lire et de me guider dans la conduite des chapitres de ce livre.

Je tiens à exprimer toute ma reconnaissance à François Nourissier et à Robert Laffont qui m'ont encouragé à publier ce roman.

Je remercie Tony Scotti, chairman de Global-Media-Television-L. A., et son épouse, ma grande amie Sylvie Vartan, qui me demandèrent d'écrire, il y a cinq ans déjà, pour la télévision américaine, quatre heures sur Marie-Antoinette. Le projet n'ayant pu se concrétiser, il est devenu un roman historique. Sans eux cette belle aventure n'aurait jamais vu le jour.

Merci à Pierre Vaneck et à Sophie Becker qui m'ont apporté une critique éclairée des dialogues.

Toute ma reconnaissance à Daniel Leconte, producteur, qui m'encouragea dès le début dans mon entreprise.

Ma gratitude à Michelle Lorin, présidente fondatrice de l'Association Marie-Antoinette. Elle mit à ma disposition son immense documentation.

Merci encore à Olga de Turckheim, écrivain, qui exécuta un travail considérable dans la première lecture du manuscrit, sans oublier René Monboisse, président de la Société savante d'Auvergne, qui exécuta un travail inédit sur "le complot des Perruquiers".

Toute ma reconnaissance à mon vieil ami Jean-Claude Bourret, journaliste, qui m'apporta une aide précieuse en me fournissant une documentation complète sur Rosalie Lamorlière.

Je remercie ma grande amie Dominique Cornwell, qui a entrepris spontanément la traduction en anglais de mon roman, et Jane Stuart, qui me fit profiter de sa grande expérience professionnelle de la littérature anglo-saxonne.

Toute ma tendresse à Michèle, ma femme, qui fut ma première lectrice tout au long de la rédaction des chapitres. Grâce à son bon sens elle me donna des avis justes et éclairés dont je tins le plus grand compte. En outre, son soutien moral me fut indispensable quand l'entreprise devenait trop difficile.

Merci aussi à Anne de Boismilon, grand journaliste-reporter et écrivain, et à Monique Roget, artiste peintre.

Un grand merci au personnel des Archives nationales qui se montra attentif à mes recherches.

Enfin, et surtout, toute ma reconnaissance à Françoise Nyssen et à Jean-Paul Capitani pour le soin qu'ils apportèrent à cette édition.

Ménerbes, août 2001-septembre 2006.

TABLE

TROISIÈME PARTIE
LE PROCÈS

Ouvrage réalisé par l'atelier graphique Actes Sud. Reproduit et achevé d'imprimer en novembre 2006 par Normandie Roto Impression s.a.s. 61250 Lonrai pour le compte des éditions Actes Sud, Le Méjan, Place Nina-Berberova, 13200 Arles.
Dépôt légal 1re édition : octobre 2006
N° d'impression : 063036
(Imprimé en France)